D0297696

CORPS ET ÂME

Marcelle Bernstein

Pour Anna Summers, la quête infinie d'un monde spirituel empreint de profondeur et de calme ne peut se poursuivre davantage.

À trente-et-un ans, après treize ans de cloître, de chasteté, de pauvreté et d'obéissance, elle prend conscience du temps qui file entre ses doigts. Malgré sa foi profonde, elle se découvre une soif impérieuse de connaître le bonheur humain.

Anna ne peut supporter plus longtemps de se mettre à l'abri du monde et de ses peines et joies, derrière les murs de son couvent.

Le suicide de son frère la force de façon inopinée à quitter son abri et la plonge dans le monde agité et inquiétant des années 90. Prise dans le tourbillon, elle devra affronter ses doutes et ses désirs. . .

Peu d'auteurs peuvent se targuer de connaître le monde mystique des religieuses aussi bien que Marcelle Bernstein. Avant la rédaction de son premier livre documentaire "NUNS", ouvrage qui a nourri "CORPS ET ÂME", elle a passé des mois à se documenter sur le sujet. Elle a rencontré des religieuses oeuvrant dans la rue et partagé le quotidien de nonnes recluses, dormant dans une cellule glaçée et partageant leur frugale nourriture, dans un silence absolu.

Issue d'une famille juive, Marcelle Bernstein a exercé le journalisme avant de se consacrer à l'écriture. Mariée à Eric Clark, lui aussi écrivain, le couple a trois enfants.

Marcelle Bernstein

CORPS ET ÂME

Traduit de l'anglais par
Marc-Antoine

**UNE ÉDITION SPÉCIALE DES ÉDITIONS SIGNA INC.
EN ACCORD AVEC LES ÉDITIONS FLAMMARION INC.**

Titre original : Body and Soul

ISBN 2-89077-113-X
ISBN 2-89149-497-0
Dépôt légal : 4e trimestre 1994

Imprimé aux États-Unis, 1994

Pour Eric,
Rachel, Charlotte et Daniel

CORPS ET ÂME

CHAPITRE UN

Selon son habitude, elle s'éveilla bien avant l'aube. Dans l'espace-temps suspendu de sa somnolence, elle s'accorda un instant l'ineffable plaisir d'apprécier la chaleur de son propre corps, encore à l'abri du jour à naître et du réveil qui n'allait pas tarder à sonner.

Tandis que le sommeil la fuyait, elle sentait s'éveiller sa douleur dans le dos. On avait beau lui répéter que le froid donne de l'arthrite, elle n'en était pas convaincue : en dépit de la mince protection de son matelas de crin appuyé sur les planches de bois de son lit, elle se considérait bien trop jeune pour souffrir d'un tel mal. Elle bougeait à peine, car les dimensions étriquées de sa couche réduisaient considérablement ses mouvements. Même après tant d'années, son cou était encore irrité par le frottement de sa couverture de laine dont le contact lui était aussi désagréable que celui des draps épais et rêches qu'on changeait une fois l'an.

Comme elle ne pouvait se rendormir, elle ouvrit les yeux. Les rideaux de coton s'agitèrent, découvrant les barreaux de sa fenêtre dont on avait remplacé les carreaux brisés par des morceaux de carton, afin d'éviter une trop grande déperdition de chaleur, ce qui, du même coup, jetait la cellule dans une détestable obscurité. Cela ne l'empêchait cependant pas, après treize années, d'en connaître le moindre recoin. De cette cellule, elle pouvait en effet arpenter les dalles de pierre les yeux fermés : dix pas de la porte à la fenêtre, sept, dans l'autre sens. À gauche, à portée de main, la cuvette et le broc de toilette et, à droite, la table de chevet rudimentaire, surmontée d'une lampe avec un abat-jour jauni par le temps qu'il était interdit, malgré son goût pour la lecture, d'allumer après neuf heures du soir.

À travers le mur, elle perçut un ronflement faible et familier qui, il fut un temps, avait apporté une manière d'apaisement à ses insomnies, comme un indéfinissable sentiment de sécurité contre les démons qui hantaient ses nuits blanches et qu'elle ne pouvait chasser qu'après le lever du jour. Cependant, ces ronflements lui étaient devenus à présent insupportables. Elle poussa un long soupir, maigre palliatif au cri de colère qu'elle refoulait dans sa poitrine.

À l'autre coin de la cellule, sur la corde à linge, ses bas de laine se mirent à exécuter une étrange danse de sabbat. C'étaient des bas qu'elle avait non seulement tricotés, mais dont elle avait également elle-même cardé la laine, assez chauds malgré les pauvres sandales qu'elle portait hiver comme été. À son unique plainte d'avoir la peau irritée par ses bas, on avait laconiquement rétorqué que ces inconvénients-là faisaient partie de son existence et qu'elle ne devait surtout pas chercher à les éviter. Par la suite, la situation n'avait fait qu'empirer.

On ne lui permettait de laver son linge avec du savon que depuis cinq ans. Même si elle devait le fabriquer elle-même, ce savon était infiniment plus agréable que la soude dont elle s'était servie pendant des années. Le souvenir de ses mains engourdies par le froid et l'eau quand, en plein hiver, on lui avait donné l'ordre de repeindre sa cellule, lui arracha un nouveau soupir. Elle se rappelait avoir alors décidé de peindre la vieille boîte en fer-blanc qui servait de poubelle sous le lavabo; mais c'était tout de même resté une vieille boîte en fer-blanc.

C'est seulement au cours des deux dernières années qu'elle avait lentement pris conscience de l'austérité dans laquelle elle vivait. Pendant dix ans, elle avait frotté à quatre pattes les couloirs et les cuisines dallées de pierre, s'était éreintée aux basses besognes sans jamais rechigner. Ce mobilier rustique et austère, elle l'avait accepté. Puis, un jour de mars, tandis qu'elle cueillait un bouquet de fleurs dans le jardin, des jacinthes se rappelait-elle, une bouffée d'allégresse avait éveillé en elle une inexplicable et profonde douleur. Le pot de confitures qu'elle avait, faute de mieux, utilisé comme vase avait réduit ses efforts à une puérile démarche d'enfant. Dès lors, elle avait compris à quel point lui manquait ce plaisir simple du regard devant la beauté pure et spontanée. Depuis combien de temps n'avait-elle pas regardé de gravure, d'objet de décoration?

Dehors, un cri affreux déchira la nuit, suivi d'un silence pesant. Quelquefois, pendant ses insomnies, elle s'asseyait près de la fenêtre pour regarder une effraie s'abattre sur une proie invisible, battant lentement de ses grandes ailes comme un ange exterminateur porteur de morts dérisoires. Le silence se pressait à ses oreilles, lui faisant partager la peur des petites créatures de la nuit. On lui avait raconté que deux hiboux avaient trouvé refuge dans le clocher de l'église, à moins d'un mille de là. Mais elle ne s'y était jamais rendue et ne serait jamais autorisée à s'y rendre.

Quatre heures allaient sonner. Accoutumée à vivre une heure à la fois, elle avait appris à se passer de montre. La sienne, la jolie Tissot au bracelet de lézard qu'elle portait en arrivant, était allée rejoindre le sac à main, la trousse de maquillage, le denim et la veste de cuir à franges auxquels elle avait renoncé.

En pensant aux habits rudes et grossiers dont elle allait bientôt devoir se revêtir, un sentiment de répulsion l'envahit, même s'ils lui avaient paru fort honorables, presque une récompense, la première fois qu'elle les avait portés. Mais voilà que, depuis quelque temps, elle aspirait inexplicablement à une quelconque manifestation de joliesse : un ruban, un rien au contact soyeux, une de ces frivolités auxquelles elle n'aurait plus jamais accès.

Mais toutes ces babioles n'étaient-elles pas pure futilité comparées à ce vêtement qu'elle allait endosser, qui était le même depuis des centaines d'années et qui resterait inchangé pendant les siècles à venir? C'était un vêtement conçu dans un esprit de simplicité, de rusticité, d'asexualité, sans aucun artifice ni ornement. Pour refermer sa robe de bure, elle n'avait pas même droit à une épingle de sûreté : des baies séchées puis enfilées sur une ficelle lui servaient de cordon.

Elle avait évoqué cette trouvaille dans la lettre qu'on lui permettait d'envoyer chez elle, une fois par mois au lieu des six réglementaires. Mais à cause de l'impitoyable censure à laquelle était assujettie toute correspondance, ce paragraphe avait été soigneusement biffé. Quant à en parler les jours de visites, c'était tout simplement impensable : la brièveté de ces visites et la double rangée de barreaux qui la séparait de son visiteur rendaient impossible toute errance verbale.

Au fil des ans, elle avait jugé préférable de ne point faire état de l'amusement désabusé qu'elle retirait de sa condition. S'il arrivait à certaines religieuses d'évoquer entre elles la nécessité d'une bonne dose d'humour pour survivre, personne cependant ne se hasardait à en faire part au monde extérieur. Advenant le cas, une mise à l'écart immédiate de la fautive aurait suivi, en érigeant entre elle et sa famille un rempart de pierre, de bois massif, de verrous et de cadenas.

C'était comme si son existence antérieure ne lui appartenait plus, puisque même son nom lui avait été ôté. Anna, elle ne l'était plus que pour elle-même et les membres de sa famille, lors des rares visites qui leur étaient accordées. Et pourtant, son ancien nom, son ancienne identité, avec quelle hâte elle y avait renoncé! Avec quel plaisir elle avait fait ce bond dans l'inconnu! Et comme cet inconnu s'était révélé éprouvant!

Une discipline implacable imposait une observance aveugle des règles. On lui avait appris à marcher sur la plante des pieds, les mains jointes au niveau de la taille. Elle devait éviter toute parole inutile et, dût-elle s'adresser à quelqu'un, elle devait, les yeux pudiquement baissés, éviter que son regard ne croisât celui de son interlocuteur. On exigeait d'elle déférence envers les instances supérieures et célérité au premier coup de cloche, toute recherche de facilité ou d'efficacité dans l'exécution des tâches quotidiennes étant formellement prohibée. Si elle brisait un verre, elle devait le confesser, si elle voulait un comprimé d'aspirine, elle devait le demander. Une fois, pour avoir renversé un plat, elle avait dû baiser le sol en signe de pénitence.

Les années passant, elle s'instruisit peu, du fait qu'elle ne possédait plus ni goûts ni opinions, un peu comme si sa personnalité avait subi quelque mystérieux rétrécissement. Rien ne la distinguait plus des autres, à présent, et cette douloureuse prise de conscience la fit entrer dans un état de profonde dépression. Elle se sentait diminuée, détruite, pire qu'une souillon, une moins que rien. Même après toutes ces années, elle n'avait pu se faire à cette idée. Elle se sentait comme la mouche qu'elle avait vue une fois, piégée dans une toile d'araignée, attendant d'être dévorée.

Anna s'était dit qu'un tel état d'esprit ne durerait pas. En y prêtant attention, elle avait pu constater que ses compagnes traversaient la même épreuve ou avaient déjà dû l'affronter. Elle lessivait les couloirs, tenant entre ses mains endolories une brosse à chiendent qu'elle trempait dans un seau d'eau ammoniacale, quand une compagne à genoux près d'elle lui avait murmuré :

— J'espère que tu n'as pas mis tes collants Dior...

— Figure-toi, lui avait-elle répondu très bas, tout bavardage étant proscrit, que je les ai oubliés dans mes chaussures Gucci.

Elles avaient continué à briquer le sol dans un silence moite. Mais Anna avait retrouvé un entrain qui, par contrecoup, lui faisait d'autant mieux appréhender l'absurdité de la condition qu'on lui imposait, fût-ce pour son bien. Elle prit ainsi conscience de la portée profonde des mots qu'elle avait lus : « La victime doit être dévorée ». Paroles terribles s'il en fut, pires encore, peut-être, que la réalité.

La semaine suivante, on lui avait ordonné de ramasser les feuilles mortes dans la cour. On était en mars et, ce jour-là, un vent chargé de pluie soufflait en rafales. Une fois sa stupéfaction passée, elle s'était mordu la langue et avait refoulé ses protestations. Posément, elle avait mis ses bottes de caoutchouc et était sortie, un balai à la main pour regarder les feuilles tourbillonner autour d'elle. C'était trop en demander; c'était à la fois impossible et ridicule.

« Bien sûr que c'est ridicule! » avait-elle tranché d'un sourire. On voulait du ridicule? On allait en avoir. Elle avait donc commencé à rassembler les feuilles en faisant de petits tas, sans se soucier que le vent les dispersât aussitôt. Depuis longtemps, elle savait que discuter les ordres était inutile, puisque ces ordres visaient une soumission totale de la subalterne à la supérieure, le résultat pratique escompté ne revêtant qu'une importance secondaire.

Par un étrange et indéfinissable cheminement, ces expériences l'avaient rendue plus forte, en révélant chez elle, au fil des jours, une endurance grandissante et des facultés intrinsèques qui l'éloignaient à tout jamais de la douce jeune fille qu'elle avait été.

Dans le voile de clarté précurseur de l'aube, Anna parcourut du regard sa cellule, l'étagère unique, le tabouret, le morceau de bâche qu'elle utilisait comme tapis de bain quand elle faisait sa toilette (il n'y avait qu'une seule salle de bains pour l'ensemble de la communauté) la petite croix faite de deux palmes qu'elle avait accrochée au mur...

Étrange chose que de se remémorer combien elle avait été heureuse, à quel point comblée dans cet espace restreint, que de penser à ces travaux primaires, ces restrictions mesquines, à toutes ces choses qui, dès qu'elle regagnait sa cellule, cessaient de l'irriter. Comme les jours se divisaient en tranches d'une heure ponctuées par un son de cloche après lequel une nouvelle tâche lui était assignée, quel n'était son plaisir, le soir, quand, enfermée dans sa cellule, elle se sentait enfin délivrée.

Elle n'avait jamais imaginé à quel point il était difficile de vivre dans une telle promiscuité, avec tant de personnes. De l'autre côté du mur, lui parvenaient encore les ronflements dont elle écouta les crescendo et les silences, un autre crescendo suivi d'un autre silence... Sapristi... Ces ronflements lui faisaient l'effet d'une intrusion, d'une atteinte à sa vie privée... si tant est qu'elle en eût une. Mais c'était une manière de plus de lui rappeler qu'elle était totalement liée à ces gens, que rien de tout ce dont elle avait l'usage ne lui appartenait exclusivement. On décidait même à sa place ce qu'elle devait manger, sans jamais lui en laisser le choix. Et tant mieux si le contenu de son écuelle n'était pas à son goût, tant pis si c'était un infâme brouet.

Ces réflexions alimentaires la conduisirent à la tasse de thé dont elle avait envie et à laquelle elle n'aurait droit qu'une heure après le réveil. Encore devait-elle s'estimer heureuse car, jusque récemment, la seule boisson chaude en vigueur consistait en un peu d'eau sucrée. Le jour de son arrivée, si elle avait su que le café était interdit, elle aurait avalé une deuxième tasse de cette affreuse lavasse qu'on lui avait servie au buffet de la gare, treize ans plus tôt. Car cela faisait bien treize ans, n'est-ce pas?

Le jour de son arrivée, tétant goulûment sa dernière cigarette, elle s'était dit n'avoir jamais connu d'endroit plus retiré. Ses premières impressions étaient encore vivantes dans son esprit : près de la barrière, le pavillon de pierre grise d'où s'échappait un panache de fumée, les méandres du chemin que surplombaient de grands arbres sombres, et puis l'affreuse et solide demeure ceinturée de rhododendrons, plantée sur un promontoire dominant d'immenses terres en friche et dont un côté plongeait vers la plaine en contrebas, face aux montagnes lointaines, ces géants arc-boutés du pays de Galles.

Déjà sous le charme, elle avait inopinément octroyé un pourboire royal au chauffeur de taxi, qui lui avait manifesté une attention toute particulière. Le sac de voyage posé près d'elle sur les gravillons du chemin, elle était restée plantée là, un long moment immobile, les yeux fixés vers la vallée, où, à travers les champs couleur de jade, serpentaient trois cours d'eau argentés. Nul bruit ne venait rompre le charme, sauf le cri d'un oiseau ou le léger cliquetis des feuilles agitées par le vent. Le silence résonnait autour d'elle et l'enveloppait déjà comme une houppelande.

La vie citadine qu'elle avait connue jusqu'alors ne l'avait jamais préparée à une paix si profonde. Car ici, le silence était de règle; et, sauf en des moments brefs et précis, cette règle était jour après jour strictement observée, au point d'en devenir une obsession. Une porte claquée par inadvertance exigeait qu'on demandât pardon à genoux.

Pourtant, tout cela ne l'avait guère dérangée. Les premières années, elle avait même accepté, le cœur léger, chaque contrainte qu'on lui imposait. Après tout, n'avait-elle pas fait un choix délibéré? D'en avoir fini avec tout ce qui avait trait à son avenir lui avait procuré un soulagement immense, une sensation de sécurité quasi éternelle. Lorsque, des heures durant, elle binait la terre du jardin, avant de se redresser, les reins endoloris, la simple vision de sa vallée suffisait à la rafraîchir comme l'eau d'une source coulant au creux de ses mains.

Sa force et sa jeunesse d'alors lui avaient permis d'oublier les rudes efforts physiques auxquels elle devait se soumettre. Peu à peu, les vicissitudes avaient fini par la métamorphoser, changeant la jeune fille tout en rondeurs qu'elle était en une femme mince et élancée aux hanches étroites et aux seins menus. Elle songeait avec amertume au peu de bienfaits que lui apportait la nourriture qu'on lui servait. Plus souvent qu'à son tour, elle quittait la longue table le ventre affamé. Hier soir, ç'avait été de la soupe, du poisson froid arrosé d'huile et accompagné de chou avec, pour dessert, une tranche de pain d'épices. La quantité de nourriture qu'elle recevait se voulait proportionnelle au travail qu'on exigeait d'elle et, en cela, Anna eût été fort capable d'en avaler le double. Ironie du sort, elle aurait donné n'importe quoi pour un bifteck. Elle qui, chez ses parents, était devenue à peu près végétarienne, voilà qu'aujourd'hui, elle rêvait d'un steak frites.

C'était naturel, le travail lui creusait l'appétit. Il consistait en des tâches répétitives, choisies de manière à ce qu'elle les accomplît de façon mécanique. Aux travaux de jardinage, venait s'ajouter le soin des poules, dont elle ramassait les œufs et nettoyait régulièrement les mues. La seule tâche qui lui était insupportable au point de lui faire passer des nuits blanches, c'était quand il fallait tordre le cou de celles qui ne pondaient plus. Elle essayait de s'en acquitter les yeux fermés, comme le font les chouettes au moment du coup de grâce, mais ne pouvait malgré tout supporter le sursaut final, le craquement des vertèbres, le regard vitreux du volatile. Terrible geste quand on l'exécute de ses propres mains.

Elle examina ses doigts. Malgré la pénombre, elle put voir les pores de sa peau encrassée qu'aucun savon ne pourrait jamais rendre propre, la ligne noire qui cernait ses ongles. Elle palpa les callosités de ses mains : c'étaient des mains de travailleur de force et non point celles d'une femme de trente et un ans à peine.

C'est qu'elle avait de jolies mains, le jour de son arrivée! Des mains aux ongles manucurés et carminés de vernis. Un vernis d'Estée Lauder. Elle se le rappelait comme une ultime excentricité; elle l'avait appliqué avec le plus grand soin avant de quitter la maison. Dès le second jour, on lui avait poliment demandé de le retirer, à l'aide du coton et du flacon d'acétone qu'on lui avait tendus, et elle s'était exécutée. Le flacon de vernis était donc resté dans sa trousse de toilette, jusqu'au jour où ladite trousse avait disparu. Elle s'était bien gardée de s'enquérir des raisons de cette confiscation, et on ne lui en avait pas donné non plus. Le savon parfumé que lui avait donné son frère, la crème tonique pour le corps qu'elle affectionnait, le flacon de talc, tout cela s'était volatilisé, ne laissant pour ses ablutions que sa brosse à dents et son dentifrice, lequel, une fois épuisé, fut remplacé par du sel. Comme pour les autres.

Le réveil allait sonner sous peu. Cependant, elle restait immobile, le nez sous la couverture afin de ne pas respirer l'air vif qui s'infiltrait dans sa cellule. On était à peine en septembre et elle pouvait déjà voir des cristaux de givre se former sur le carreau. Il faut dire qu'à l'altitude où se situait le cloître, il lui arrivait le matin de découvrir du givre sur certaines plantes, même durant les mois les plus chauds. Quand elle tourna la tête vers la fenêtre, le nœud qui attachait son bonnet de nuit réglementaire lui scia le cou. Elle retira son bonnet et se gratta le cuir chevelu avec l'impression de toucher le pelage rude et bouclé du chien de berger qui gardait leur petit troupeau de moutons.

Elle se remémora l'après-midi où l'on avait autorisé son frère à lui rendre visite en compagnie de ses deux jeunes fils. Quand elle était entrée en religion, hormis pour quelque événement à caractère urgent comme une maladie ou un décès, peu de visites étaient autorisées, et quand cela était, elles ne se faisaient jamais sans présence d'un chaperon. Mais aujourd'hui, une fois par mois, la famille pouvait en faire la demande par écrit. Dans d'autres couvents, lui avait-on dit, on ne se montrait pas aussi strict, loin s'en fallait. Néanmoins, elle devait reconnaître que c'était ce couvent-ci qu'elle avait choisi, et non un autre.

Intimidés par l'austérité des lieux, les enfants s'étaient frileusement pressés contre leur père, marmonnant à leur tante quelques mots évasifs sans cesser de sucer leur pouce.

— Est-ce qu'elle a le crâne rasé, p'pa? avait demandé Jamie de sa voix aiguë, alors qu'ils prenaient congé.

Quand Simon avait précipitamment entraîné ses enfants hors du parloir, elle avait eu le sentiment d'être une sorte de monstre.

Il est vrai qu'elle avait eu le crâne rasé. Il est vrai aussi qu'elle avait toujours porté les cheveux longs, tirés en arrière à l'aide d'un peigne ou d'un ruban de velours. Cette coiffure lui allait bien et la faisait paraître plus jeune encore qu'elle ne l'était à l'époque, avec son sourire réservé et ses traits enfantins. Dans un livre où il était question de licornes et d'autres animaux fabuleux, elle avait vu le dessin d'une princesse médiévale qui lui ressemblait : peau diaphane, large front bombé, nez droit et bouche tourmentée à cause d'une lèvre inférieure pleine et frémissante contrastant avec une lèvre supérieure sèche, au contour précis, presque altier.

Une dernière fois, elle avait longuement brossé les mèches cuivrées de ses cheveux, avant d'en faire une longue tresse. La tondaison s'était déroulée publiquement. Dans son petit panier de jonc, sa tresse, qu'elle n'avait pu s'empêcher de caresser une dernière fois, ressemblait à un petit animal endormi. En sentant sa chaleur, sa vie, elle avait senti monter en elle une terrible bouffée de colère et d'angoisse.

Pour primitives et insensées que ces mœurs lui avaient paru, ç'avait été peu de chose comparé à la sensation qu'elle avait éprouvée en entendant le cliquetis de la tondeuse qui parcourait son crâne en lui pinçant le cuir chevelu. Bien qu'elle se fût attendue à cette épreuve, elle n'avait pas véritablement pensé aux petits tas de cheveux tombant sur le drap blanc posé sur ses épaules, à sa laideur toute nouvelle, à ces étranges frissons qui parcouraient son crâne nu, à ce désagréable sentiment de légèreté... Encore heureux qu'on ne lui eût point tendu de miroir.

Parmi ses compagnes, quelques-unes avaient décidé de garder le crâne ras et se passaient un grand coup de rasoir sur la tête toutes les trois ou quatre semaines. C'était pratique, disaient-elles, car elles avaient moins chaud. D'autres, comme Anna, se contentaient de couper à tâtons les mèches trop longues à l'aide de petits ciseaux à ongles. Cette évocation la conduisit à se rappeler que treize années s'étaient écoulées sans qu'elle sût de quoi elle avait l'air. Très probablement d'un laideron, se dit-elle.

Lissant machinalement un semblant de frange, Anna se demanda de quelle couleur pouvaient être aujourd'hui ses cheveux. Grisonnants, pour autant qu'elle le sût, bien que les mèches qu'elle coupait fussent encore relativement foncées. Plus foncées qu'à leur habitude, forcément, puisque ses cheveux ne voyaient jamais le soleil.

Le son de cloche dispersa les lambeaux de sa torpeur. Cinq heures venaient à peine de sonner qu'elle pouvait déjà entendre le raclement des portes qu'on ouvrait, les mêmes mots sempiternellement répétés.

Ça y était presque. Entre deux coups de cloche, elle pouvait entendre se rapprocher le claquement des sandales sur les dalles. À la porte voisine, sa compagne répondit quelques mots étouffés. Puis, ce fut son tour.

— Béni soit son Saint nom...

Elle produisit l'invariable réponse.

— Qu'Il soit à jamais loué.

Anna se retourna pour allumer la lampe dont les reflets orangés lui firent une sorte d'accueil amical. Immobile, les pieds posés sur le sol, elle attendit que la crampe de son dos se dissipât, pour tomber à quatre pattes et baiser le sol froid, malgré la poussière et le goût métallique et fade de la pierre.

Pour la première fois, elle dut rester quelques instants assise sur les talons afin de rassembler ses forces. Pendant des années, avide d'expériences nouvelles, elle avait commencé sa journée dans un déferlement d'énergie, convaincue en ce temps-là de vivre une vie enrichissante, d'avoir signé avec Dieu un mystérieux contrat, d'être en ce bas monde l'instrument de Son amour.

À partir de quel moment le doute s'était insinué dans son

esprit, elle n'aurait su le dire précisément. Sinon qu'une grande agitation s'était emparée d'elle, se manifestant au début par un léger tiraillement, un peu comme un muscle étiré, pour se changer progressivement en une boule sous les côtes, douloureuse et indéfinissable, au point de l'amener à s'interroger sur son état de santé. Elle ne souffrait de rien, bien sûr, puisqu'elle n'était jamais malade. D'ailleurs, les maladies, comme les risques de contamination, étaient rares au sein d'une communauté ayant peu de contacts avec le monde extérieur.

Elle se lava le visage et aspergea longuement le tour de ses yeux d'eau froide. Cela gardait aux muscles leur tonicité, avait-elle lu autrefois dans un magazine, et elle avait régulièrement entretenu cette habitude, seule survivance de sa petite vanité. Remplissant un bol d'eau tiède, elle la laissa ruisseler en frissonnant depuis ses épaules dénudées jusqu'à la taille. Debout sur son morceau de bâche, elle entreprit ensuite de se laver le cou, les aisselles et la poitrine à l'aide de son gant de toilette. La douleur ressentie sur ses mamelons durcis par l'eau froide l'incita à se frictionner vigoureusement le torse.

Le savon, combinaison hasardeuse de graisse de mouton et d'extrait de lavande, ne moussait guère. Un pied posé sur le tabouret de bois, elle acheva néanmoins de se savonner le corps. Dans certaines congrégations, lui avait-on raconté, la toilette matinale induisait au préalable le port d'une robe ample et noire, et imposait que l'on procédât ainsi, tant bien que mal, de manière à ce que l'intéressée n'eût aucune vision de son propre corps. « Dans quel but? » avait-elle candidement demandé. La réponse avait tenu en une brève citation de la condition du célibat : « Les passions charnelles, lui avait-on expliqué, obscurcissent l'esprit et inhibent la volonté. C'est pourquoi nous devons nous en garder. »

Anna se lavait les cheveux tous les matins. Elle détestait la sensation de sueur séchée sur son corps après une journée de dur labeur, surtout avec cette coiffe de lin blanc qui lui ceignait le front. En deux minutes, ses cheveux seraient secs. Tout en les frottant énergiquement, elle se disait in petto qu'un corps chaste n'en restait pas moins un corps de femme, même si, quelques années plus tôt, elle avait cru devenir une sorte d'ange, et qu'en mettant à l'index toute idée de plaisir et de bonheur, ils seraient par le fait même oubliés.

Toutefois, en ce qui la concernait, peut-être en raison d'un certain retard psychologique ou physiologique, se disait-elle, voilà une notion qu'elle avait grand mal à assimiler. Une fois ou deux, elle avait tenté d'en parler; mais cela ne l'avait jamais menée bien loin. On pouvait, bien sûr, demander à la mère supérieure une permission spéciale pour exprimer ses idées, non sans l'assistance spirituelle d'une autre sœur, toutefois. Ce jour-là, la maîtresse des novices était l'indécrottable sœur Matthew, laquelle croyait mordicus que « l'on ne peut désirer ce que l'on n'a jamais connu ». « Je suis sûre que la sexualité n'est pas votre fort, sœur Gabriel, vous n'avez rien d'une excentrique », avait-elle ajouté pour la rasséréner. L'innocence, l'ignorance, sous-jacentes à une telle réflexion lui avaient fait l'effet d'un verre d'eau glacée jeté au visage. Quand, en désespoir de cause, elle avait insisté (« Mais pourquoi suis-je dans cet état, alors? ») sœur Matthew avait caché son embarras derrière un : « Ne nous complaisons pas dans de tels discours, voulez-vous? »

La partie théorique du sujet, elle la connaissait évidemment par cœur et, en théorie, tout se tenait, puisque sa chasteté était censée la libérer, éclairer son âme afin de l'unir à Dieu et permettre à chacun de revendiquer son amour. En pratique, plus rien ne tenait : en dehors de ces murs, toute femme de trente et un ans demeurée vierge était ou bien désespérément repoussante ou bien dotée d'un cœur d'une froideur exceptionnelle.

Et pourtant, elle n'était ni l'une ni l'autre; de cela, elle en était sûre, quoique néanmoins tentée de croire ce dont on l'avait instruite, à savoir que la virginité était l'apanage des anges. Sacrifice simple et heureux, lui avait-on dit; le sacrifice d'une vie en restant en vie. Ce serait comme une perpétuelle douceur dont elle serait baignée; un constant rappel que, devant l'Éternel, pour les religieuses comme pour les anges, les sexes n'existaient pas.

Elle fit courir ses doigts à travers ses cheveux. Ils étaient assez secs. Tout en se glissant dans son sous-vêtement de flanelle,

elle se dit que, contrairement à la croyance que lui soufflait alors sa ferveur toute nouvelle, selon laquelle la vie ici-bas était misérablement courte et que seule comptait la vie éternelle, un long chemin lui restait à parcourir avant qu'elle n'atteignît les portes de l'éternité.

Et pourtant, comme le temps avait vite passé quand elle vivait parmi les gens ordinaires! Comme ses journées avaient été remplies! Comme elles avaient été bruyantes et animées! Il y avait eu les bousculades de l'école primaire, puis celles du collège, la tension exercée par son travail et la fébrilité des activités estudiantines.

Sa spectaculaire décision (désastreuse aux yeux de ses parents) elle la devait au fait qu'elle ne s'était jamais senti la moindre personnalité. Et puis voilà que, tout à trac, la vie qu'elle avait choisie la distinguait des autres, lui conférait un prestige inespéré.

À la fin du premier trimestre, rares étaient ses camarades qui savaient qu'elle ne reviendrait pas au collège au second trimestre. On l'avait pressée de questions; on avait voulu savoir le comment, le quand et le pourquoi. Peu importe qui avait répandu la nouvelle; il est de fait cependant, qu'au moment où elle en avait pris conscience, l'objet de sa décision était sur toutes les lèvres. Le dernier soir du trimestre, on avait donné une fête en son honneur, « en souvenir de... » lui avait-on dit en lui glissant entre les doigts un verre qu'elle avait accepté. Ce qu'elle ne prendrait pas maintenant, elle ne le prendrait jamais.

Le lendemain matin, elle avait connu sa première gueule de bois. Elle s'était senti la tête tellement lourde que le moindre mouvement brusque lui donnait le tournis. Son unique réconfort, elle l'avait puisé dans l'idée que c'était la première et la dernière fois. Préparer sa malle, l'expédier à ses parents, dire adieu au collège, prendre le train : Manchester, Shrewsbury, puis la correspondance pour Welshpool, tout cela s'était déroulé au ralenti, comme si elle s'était plongée dans un bain d'huile. Tout cela, c'était la faute de cette gueule de bois, et, bien sûr, ça ne durerait pas. Et pourtant, chose étrange, cela n'avait pas cessé.

C'est seulement plusieurs semaines après qu'elle avait pris conscience d'un dédoublement de la notion de temps. D'une part, le temps extérieur, rythmé par les impératifs et les exigences de sa condition d'élève, et d'autre part, le temps spirituel, retiré, rempli d'ombres, de silence et de recueillement. Ainsi, elle devait user de ce temps de la manière qu'on lui avait enseignée, à savoir dans l'écoute de la voix de Dieu. Parfois, il lui semblait L'entendre s'adresser à elle, et elle se sentait alors transportée de joie, convaincue d'être destinée à la vie qu'elle avait choisie. Tout lui semblait alors parfait.

Anna mit ses longs bas de laine et fit glisser ses jarretières jusqu'aux genoux, puis boutonna l'épais corsage de laine à manches longues et son jupon de tweed. Les changements de vêtements se faisant à des dates précises, peu importe qu'il survînt une brusque variation de température. Décrochant de son cintre l'épaisse robe gris foncé, elle l'enfila et boucla sa ceinture de cuir autour de sa taille. Pour finir, elle passa par-dessus sa tête le scapulaire noir sans manches qui frôlait le sol devant et derrière.

Accueillez le Jour du Seigneur et portez son fardeau, doux et léger.

Il fut un temps où elle avait cru en ces paroles; un temps où elle avait volontairement renoncé aux plaisirs des sens, pour se tourner vers le dur labeur et l'obédience; où elle avait désiré ce silence promis par le prélat, « d'aujourd'hui jusqu'à la mort », où le cloître faisait figure de purgatoire, puisque le Ciel l'attendait à sa sortie. Elle entoura sa tête de la longue guimpe blanche pour enfin fixer le lourd voile noir par-dessus.

Pose sur ma tête, ô Seigneur, le heaume du salut.

Il était presque cinq heures trente. L'heure des laudes, puis des petites heures. Elle s'empara de la longue mante de laine sur un crochet, vérifia le contenu de la grande poche de son jupon : mouchoir, crayon, papier, allumettes. Elle en fit craquer une et, après en avoir ouvert le portillon de verre, alluma la lampe à huile accrochée au mur. Puis elle ouvrit la porte et attendit.

Dans le corridor obscur, un long cordon de femmes vêtues de gris défilait lentement. Anna se joignit à elles, ajoutant le faible halo de sa lampe à huile à celui de ses compagnes, et marcha d'un pas mesuré vers la coursive qui longeait la cour intérieure sur trois côtés jusqu'à la chapelle.

Au moment où elle atteignit la statue de bois de Notre-Dame de Walsingham, lui parvinrent les effluves d'encens et de résine de pin, dont les branches lui avaient servi, deux jours plus tôt, à décorer les murs de la chapelle. Là, au cœur de la communauté, les religieuses se rassemblaient sept fois par jour et une fois le soir pour prier selon un rite ininterrompu depuis le sixième siècle.

Anna n'avait jamais contemplé cet endroit, âtre de son existence, sans un petit sursaut de plaisir : les hautes fenêtres, les vitraux à peine éclairés par les premières lueurs de l'aube, les dalles de pierre polies, l'autel, sobrement recouvert de damas... Une large grille séparait le chœur de la chapelle de la partie accessible au public, là où les visiteurs pouvaient se rendre lors des quelques joyeux événements de leur vie de cloître, comme la prise d'habit ou la profession de foi. C'est à travers une petite ouverture carrée qu'elles recevaient la communion, qu'elles allumaient le grand cierge pascal sur son chandelier de cuivre. Ce côté-là de la grille était vide et froid, avec, de part et d'autre, les stalles alignées que dominaient les sièges à haut dossier de la mère prieure et de la sous-prieure.

Anna baissa le front. Debout tout autour d'elle, les religieuses commençaient leur journée par la méditation, comme cela se faisait depuis toujours. Du fait de leur claustration, leur seule contribution à l'humanité était la prière, sans que son pouvoir ne fût un seul instant remis en cause.

Si aujourd'hui, quelque chose en elle avait changé, si la vie et sa beauté ne semblaient plus lui suffire, le doute ne l'assaillait cependant pas davantage que par le passé. La vision de ces femmes au visage serein auréolé de lumière, perdues quelque part au-delà d'elles-mêmes, éveillait en elle un sentiment d'appartenance chaque jour renouvelé, bien plus important pour elle que toute autre chose sur terre.

Anna ferma très fort les yeux, luttant pour retrouver au

tréfonds de son cœur cet espace ténu où son âme rencontrait Dieu. Dans un souffle, elle prononçait les mots de ses prières matinales, psalmodiant ses intemporelles litanies. Il suffirait, se répétait-elle, de ne pas se poser de question, de ne pas penser, et tout irait bien. Ce n'est qu'une fois terminée la première heure de prière, après que les religieuses se furent dirigées en procession vers le réfectoire, que sa petite voix intérieure, pernicieuse et cruelle, lui susurra ce qu'elle savait déjà.

Je ne peux plus continuer ainsi.

CHAPITRE DEUX

Alors qu'il amorçait la longue descente, le poids lourd qui le suivait depuis cinq milles décida de le dépasser. Juché sur ses quatre essieux dotés de roues jumelées au diamètre impressionnant, le camion dominait de toute sa hauteur la Mini Austin rouge, à gauche de laquelle plongeait un profond ravin séparant la route tortueuse des vastes Moors du Yorkshire. À droite de la route, s'élevait un mur de pierre sèche soutenant un coteau couvert de bruyère. Il leva les yeux et put lire *Livraisons Doric* peint en lettres rouges sur les flancs d'acier de la remorque.

Le grondement assourdissant lui rappela celui du métro de St-Paul, la veille, après l'entrevue qu'il avait eue à la banque. La sueur perla de nouveau sur son front. Il se tenait à l'extrême bord du quai, quand le déplacement d'air vicié de la rame surgissant du tunnel avait souffleté son visage, pendant que ses yeux ne pouvaient se détacher de l'éclat hypnotique et menaçant des rails. Il n'avait pas regimbé contre la pression que les voyageurs exerçaient sur son dos : au moins, son suicide aurait-il l'air d'un accident. Un accident qu'il souhaitait farouchement, mais pas assez cependant pour accepter de mourir déchiqueté devant deux cents personnes.

Mais aujourd'hui, point d'observateur. Il relâcha sa prise sur le volant et sentit aussitôt la petite voiture riper dangereusement vers le mastodonte dont il entendait clairement le grincement des membrures. Le poignet posé sur la cuisse, il tint son volant du bout des doigts. Quelques secondes encore, et la voiture allait être broyée sous les roues du camion. Mais en arrivant dans un virage, le poids lourd rétrograda, perdit de la vitesse et se plaça derrière la Mini. Un coup d'œil dans le rétroviseur extérieur lui permit de voir le bras gainé de cuir dépassant de la fenêtre ouverte. Encore un de ces dégonflés qui pensent à leur femme et à leurs enfants, se dit-il en reposant les mains sur le volant.

La petite ville d'Ingleton est accrochée à flanc de colline près du lieu-dit verdoyant de West Riding. La vision de la vallée en contrebas où, au cœur d'un magnifique panorama, les rivières Twiss et Doe coulent de concert, ne lui inspira qu'indifférence. Depuis son départ de la maison, à sept heures trente, comme d'habitude, pour ne pas réveiller Lynn et Bax, il avait erré sans but; et la vision de la rue principale où s'alignaient boutiques et bistrots pour spéléologues et promeneurs lui parut une invite à prendre un café. Puis, il se souvint avoir, ce matin-là, vidé ses poches, laissant tout ce qu'il possédait, c'est à dire soixante-quinze livres et quelques pence, bien en vue de manière à ce que Lynn les trouvât aisément. Compte tenu de ses intentions, boire un café n'entrait pas dans le cadre de ses préoccupations.

Il se rangea en bordure du trottoir, à proximité d'une boîte aux lettres, entre une camionnette de boulanger et une Ford Escort, sur la plage arrière de laquelle un animal en peluche hochait de la tête en le dardant de ses yeux phosphorescents, pendant qu'une femme extrayait du véhicule ses deux jeunes enfants, ainsi qu'une poussette et des sacs d'emplettes.

Il alluma une cigarette. C'était la dernière et elle lui suffisait amplement. Il soupesa quelques instants le briquet Dunhill en or que son père lui avait offert pour ses vingt et un ans; cela faisait une éternité, mon Dieu... puis le laissa tomber dans l'épaisse enveloppe qui se trouvait sur le siège du passager. Il contempla ensuite l'élégante montre-bracelet au boîtier rectangulaire et dont le cadran s'ornait de chiffres romains. Quatre heures vingt. Le bracelet de lézard débouclé, il glissa la montre au fond de l'enveloppe, s'assura que sa lettre s'y trouvait aussi et la scella.

Son petit paquet à la main, il se surprit à évoquer une enveloppe similaire qui était arrivée au domicile de ses parents de Bradford, quelque treize ans plus tôt. Aucun mot ne l'accompagnait, rien. Elle contenait seulement la montre de sa sœur, expédiée par le couvent, comme si elle était morte, s'était récrié son père effondré, tandis que sa mère, ignorant l'objet posé sur la table, avait rétorqué : « N'est-elle pas effectivement morte, pour nous? »

La situation eût-elle été différente, si Anna était restée? Il se le demandait. Peut-être eût-il suffi qu'elle acceptât de diriger avec lui la filature, comme son père le souhaitait, qu'ils eussent les uns et les autres échangé leurs points de vue pour que ce désastre fût évité. Lors de sa dernière visite au pays de Galles, il aurait voulu lui parler de ses problèmes; car même enfant, Anna avait toujours été attirée par l'entreprise familiale. Mais la silhouette sombre et voilée de noir postée derrière la double grille l'en avait dissuadé. Par surcroît, Anna était depuis trop longtemps coupée du monde extérieur pour appréhender objectivement ses problèmes. Il éprouva un bref regret : celui de ne lui avoir point écrit pour lui dire adieu.

La femme à l'Escort installait son bébé dans sa poussette. Attendu que tout ce qu'il pouvait en voir était un postérieur étroitement moulé dans du denim et une paire de bottes de daim, il attendit qu'elle se redressât. Jolie fille en vérité, révélant un regard coquin sous une frange luisante. Les yeux de la jeune femme errèrent sur la Mini, puis sur lui-même, sans rien laisser transparaître. Le visage dévoré d'anxiété, les pires certitudes l'assaillirent encore, entre autres celle de très mal porter ses quarante ans. Il lui suffisait en effet de se regarder dans le miroir de sa salle de bains pour se rendre aussitôt compte à quel point le bleu de ses yeux s'était délavé, combien sa chevelure épaisse et luisante était devenue terne et clairsemée; sans parler de ses élégantes tempes argentées, dont il était si fier, et qui avaient viré au gris sale.

Qu'importe si la fille à l'Escort ne manifestait aucun intérêt à sa personne. À peine un an plus tôt, elle aurait à coup sûr répondu à son regard, lui aurait accordé, peut-être en repoussant une mèche de cheveux d'un air faussement désinvolte, la considération que lui conférait sa prestance passée. Pour dérisoire et puérile qu'elle fût, cette gestuelle séductrice l'avait toujours confusément conforté dans son appartenance à la race humaine.

Il sursauta. Dieu! Voilà une demi-heure qu'il était assis là, et il mourait de froid. En voyant arriver une voiture avec ses feux de position allumés, il prit conscience du soir qui tombait. L'air se teintait de bleu et une douce mélancolie imprégnait tout son être. Il en était toujours ainsi quand le soir tombait. Depuis les six derniers mois, la tombée de la nuit le plongeait dans des affres jusqu'alors méconnues.

Deux grimpeurs approchaient, la minceur de leurs jambes mise en évidence par leurs collants de nylon noir bordé d'une ligne jaune, un peu ridicules aussi avec leurs bonnets à pompon surmontant un visage à la barbe hirsute. Ils le frôlèrent sans lui adresser un regard, comme s'il n'existait déjà plus, tout absorbés qu'ils étaient par leur litige à propos de l'altitude de l'Ingleborough ou du Whernside. C'est d'un geste presque vengeur qu'il glissa l'enveloppe dans la vieille boîte aux lettres rouge; sans réfléchir, de crainte de changer d'avis.

À nouveau au volant de sa voiture, il n'avait que très vaguement conscience des passants qui entraient dans les boutiques ou bavardaient sur les trottoirs. Des femmes, pour la plupart, le foulard soigneusement noué sur la tête pour se protéger du vent, traînaient leur chien ou faisaient du lèche-vitrine, sans doute pour oublier leurs soucis. Il se demanda ce que pouvait bien faire la sienne. Penser longuement à Lynn était une chose qu'il eût aimé faire, sans l'immense désespoir qui s'abattait sur ses épaules, ralentissait ses mouvements, éveillait une sourde douleur dans sa poitrine.

Cela faisait longtemps qu'il jouait la comédie du métro-boulot-dodo. Les jours s'écoulaient, toujours plus fades, comme la nourriture qu'il avalait sans y penser. Il avait examiné des comptes dénués de sens, lu des documents futiles, griffonné une signature qui ne représentait plus rien. Plus que jamais, il en voulait à la filature. Il ne l'avait jamais souhaité, mais il lui avait néanmoins consacré son temps et sa jeunesse et elle, en retour, ne lui avait rapporté que des dettes.

Tout récemment encore, même Lynn et les enfants lui avaient paru un intolérable fardeau. Quant au bébé qui allait venir, il s'était interdit d'y penser, car cette prétendue source de joie ne faisait au contraire que creuser plus profondément l'ornière où s'enlisait son désespoir. Si, en dépit de l'avalanche de catastrophes qui s'était abattue sur ses épaules, il s'était toujours efforcé de faire face, aujourd'hui, il renonçait.

Au fur et à mesure que les maisons s'espaçaient, il appuyait un peu plus sur l'accélérateur, pressé, anxieux désormais d'en finir au plus vite.

Lynn se servait de la Mini pour faire ses courses et transporter les enfants. Le véhicule en portait de nombreuses cicatrices, et ses réticences à démarrer le matin les avait conduits à le surnommer « le chameau ». Plaisanterie éculée à laquelle ils ne faisaient plus allusion, ces temps derniers.

Il tenta d'écarter de ses pensées tous les changements qui s'étaient progressivement opérés entre Lynn et lui. Les garçons semblaient la préoccuper, au point qu'elle se sentait constamment fatiguée, se plaignait-elle. Quand il avait répondu sur un ton de demi-plaisanterie : « Je suis la cinquième roue du carrosse, dans cette maison », elle l'avait tout bonnement envoyé paître. Plus tard, aux petites heures du matin, allongé près d'elle sans avoir pu fermer l'œil de la nuit, il avait été tenté de la réveiller et de tout lui raconter, histoire de trouver un peu de réconfort auprès de son corps tiède et familier. Mais il avait dû renoncer car en fait, ses désirs sexuels s'étiolaient en même temps que son état dépressif s'aggravait. Et quand c'était elle qui prenait l'initiative, cela tournait invariablement à la catastrophe, et les laissait inassouvis et inquiets. Il se passa une main sur le visage, comme pour effacer le souvenir d'une faillite supplémentaire.

Tout cela était sans doute de sa faute à lui. Lynn s'était naturellement rendu compte des difficultés que connaissait la filature, elle avait remarqué son air soucieux, mais chaque fois qu'elle avait voulu aborder le sujet, il avait refusé tout net d'en discuter. On ne parlait pas boutique, à la maison, c'était un principe qu'il tenait de son père. Alors, dans une crise d'optimisme effréné, il avait emprunté, et emprunté encore, allant jusqu'à lever assez de fonds auprès de ses relations londoniennes pour acheter des machines modernes. Comme à cette époque-là Lynn était enceinte, il lui avait laissé croire que cet argent provenait de sa fortune personnelle. Elle avait manifesté un tel enthousiasme...

Ç'avait été en quelque sorte un gigantesque mensonge par omission, et il n'avait jamais pu faire machine arrière. Les nouveaux tissages n'avaient pas donné les résultats qu'il avait escomptés. Était-ce sa faute? On sait combien l'industrie du textile est tributaire de l'économie d'un pays. Partout, on pouvait voir des gens qui perdaient leur emploi, leur maison... Combien de petites entreprises faisaient faillite chaque jour? Le consommateur ne pouvait plus acheter et l'industrie du textile était une des premières à en souffrir.

Il avait tout raté. Il s'était fourvoyé tout du long. La dépression dans laquelle il sombrait un peu plus chaque jour, avait annihilé en lui toute notion de bonheur. Faire la lecture à Jamie lui coûtait : il avait tourné la dernière page de *The Giant Jam Sandwich* sans en retenir un seul mot, ni mémoriser la moindre image.

Il déboucla sa ceinture de sécurité. Une douleur lancinante lui martelait le crâne. Quand elle roulait vite, la Mini faisait un vacarme de tous les diables. Elle n'était pas conçue pour parcourir de longues distances. Ce matin-là, il avait commencé par sortir la Jag. Un vrai pur-sang, cet engin-là, prêt à répondre à la première sollicitation, comme on dit, et dont la sellerie sentait bon le cuir pleine fleur. Mais il avait fait demi-tour et l'avait rentrée au garage, incapable d'infliger à ce chef-d'œuvre d'ingénierie ce qu'il projetait de s'infliger à lui-même. Et puis, Lynn en tirerait certainement un bon prix...

Il roulait en rase campagne, dans le mauve des Moors et le bronze des fougères. Il s'enfonçait dans des voiles de pluie amarante. Au loin, comme dans une peinture allégorique, des fils d'or parallèles transperçaient en oblique de gros nuages noirs. La beauté des lieux exalta son sentiment de laideur et de lassitude. Il alluma sa dernière cigarette au mégot de la précédente, inhalant profondément la fumée dans ses poumons. Dire que le tabac tue...

D'où il était, il pouvait voir plonger la route que deux murs de pierre resserraient. Pas le moindre véhicule en vue. Après une dernière bouffée, il catapulta son mégot par la fenêtre et se cala confortablement sur son siège comme quelqu'un qui s'apprête à faire un long voyage. Il passa la quatrième vitesse, ce qui était une de trop pour une route aussi sinueuse et glissante, écrasa l'accélérateur et ferma les yeux.

Dès qu'il sentit la voiture amorcer un dérapage, il perdit son sang-froid. Il était excellent conducteur en temps normal, mais rien n'était normal, aujourd'hui. Il appuya de toutes ses forces sur la pédale de frein. Les muscles tendus sous l'effort, les yeux exorbités de terreur, il put se rendre compte qu'il était trop tard.

CHAPITRE TROIS

— Sœur Gabriel, vous viendrez me voir dans mon bureau après les tierces, je vous prie, murmura la mère prieure en interrompant sa digne marche en direction de son siège.

Anna baissa le front en signe d'obéissance, néanmoins consciente du murmure intéressé, très vite réfréné, qui courut parmi ses compagnes. Après le bénédicité, les religieuses s'installèrent, faisant racler les lourds bancs de bois sur les dalles de pierre.

— Qu'est-ce que c'est? voulut savoir près d'elle sœur Dominic.

— J'ai gagné à la loterie.

— Allez, raconte, insista-t-elle, la bouche en coin.

Elles procédaient à l'ouverture de leurs sachets de polystyrène préparés la veille et qui contenaient le pain croustillant qu'elles avaient cuit elles-mêmes, accompagné d'une serviette et d'une cuiller. Il y avait une assiette avec une noix de beurre et un godet, sorte de grand bol tourné à la main. Dans le bruissement ambiant, Anna dit à voix basse :

— Ils ont décidé d'élire une femme pour être pape et on veut connaître mon avis.

Sœur Dominic cacha son ricanement derrière une quinte de toux. La théière, passée de main en main le long de la longue table, se trouvait à la hauteur d'Anna. Après s'être servie, elle la fit passer à sœur Lis et s'assit en silence. Tout cela augurait une journée meilleure que les autres. On était samedi, et les mornes heures de la semaine étaient fort heureusement derrière elle. De plus, il y avait sur la table le miel qu'elle avait récolté avec sœur Thomas à Becket. Elle adorait en effet descendre jusqu'aux ruches dans le jardin d'herbes aromatiques, coiffée de son chapeau à voilette et revêtue du long manteau blanc, et soulever les toits des ruches pour découvrir le monde grouillant et bourdonnant des abeilles.

Elle pointa son index, geste rituel parmi quelques autres à l'heure des repas, et reçut aussitôt avec un sourire de remerciements, le pot de miel dont elle tartina son pain. Chaque table devait partager un seul couteau, révérence gardée envers une coutume ancienne, comme le dessin particulier de leur bol et bien d'autres choses encore, originaires de la France médiévale.

Anna, qui durant treize ans n'avait que très rarement goûté aux sucreries, se pourlécha un instant de la texture granuleuse et sucrée du miel, mais se ressaisit très vite : la gourmandise est un péché, et son expiation immédiate imposait qu'elle déclinât une seconde tasse de thé au moment où la théière repasserait. À la fin du repas, un plat circulerait dans lequel chacune verserait ses reliefs. Une pénitence supplémentaire impliquait qu'elle en mangeât une part à quatre pattes sur le sol, reliquat d'une ancienne coutume tendant à enseigner l'humilité et la mortification de l'esprit en mendiant sa nourriture de table en table «Pour l'amour de Dieu et de leur sainte patronne».

C'est ce qu'elle ferait au repas du midi. Mais en attendant, Lis avait raison : que pouvait bien lui vouloir mère Emmanuel? Elle parcourut mentalement l'emploi du temps de la journée. Après les laudes, la messe et les tierces, elle devrait aller ramasser les œufs, puis se rendre à la salle de couture. C'était en effet son tour de coudre les jupons d'hiver, les robes à manches longues et à encolure ronde fabriquées à partir de sacs de récupération dont le jute, en plus d'irriter la peau, était difficilement malléable. Au cours de l'après-midi, elle irait biner le potager. C'est ainsi qu'elle passait la plupart de ses journées, exécutant des tâches rudes et répétitives de manière à être exécutées automatiquement. Mais tout cela n'avait guère d'importance, car ce n'était que l'apparence des choses, leur coquille externe. Ce qui importait, c'était que l'esprit des religieuses fût libre de manière à entièrement se consacrer à Dieu.

Un coup d'œil de biais lui permit d'entrevoir la silhouette massive de la prieure dans sa robe gris foncé et dont la guimpe entourant le visage mettait en évidence les joues rebondies et le pli de bouche déterminé. Femme intimidante s'il en fut. À preuve, la sévérité de ce regard qui fixait sans un battement de cils le lutrin de la lectrice. Pour Anna, la supérieure avait toujours été une femme sans âge, aussi vieille que l'ordre lui-même, figure hors du temps dont les traits seraient apparus de quelque toile obscure de Velasquez.

Ses qualités de commandement lui avait valu douze ans plus tôt le titre de prieure. Alors que leur petite communauté souffrait d'un manque de novices au point qu'une fermeture du couvent était envisagée, à Rome, le directeur de l'ordre avait nommé sœur Emmanuel mère prieure à titre permanent. Sans aucune aide, elle avait su attirer de nouvelles âmes et insuffler une nouvelle vie à leur communauté. Sa personnalité, son énergie constituaient le lien qui les réunissait toutes. Anna restait convaincue que si sœur Emmanuel était restée dans le monde, elle aurait excellé dans les disciplines de son choix. Lorsqu'elle avait confié cette impression à Lis, celle-ci avait renchéri : « Et je te parie qu'elle serait rentrée dans la police. » Anna avait réprimé un sourire. Improbable, mais point impossible.

Sentant le regard d'Anna peser sur elle, la prieure tourna imperceptiblement la tête. Délaissant l'expression autoritaire qui lui était coutumière, elle adressa à sa subalterne un regard soucieux qui inquiéta Anna bien plus encore que l'ordre reçu plus tôt. Elle saurait sous peu, se dit-elle et, sans être un péché, la curiosité était un défaut qu'il fallait avoir souci d'éviter. Elle posa sa main bien à plat sur la table et sœur Peter lui fit passer sans un mot le pichet de lait de chèvre.

Tout en buvant, Anna s'astreignait à se concentrer sur le sujet de la lecture qui accompagnait chaque repas, puisque la trivialité des nourritures terrestres induisait en suppléance une nourriture spirituelle. C'est pourquoi elle écouta les paroles onctueuses du Livre de Daniel avec le plus grand intérêt.

Sœur Aelred, la lectrice, dont le nom d'Église avait été

emprunté à un des premiers évêques saxons, était une petite femme dotée d'un formidable sens de l'humour qui roulait des yeux effarés quand on lui rappelait qu'on devait être l'émule du personnage dont on avait pris le nom. La version officielle selon laquelle il fallait que les religieuses portassent des noms masculins prétendait que c'était en raison du nombre réduit de saintes au calendrier grégorien. Néanmoins, Anna soupçonnait fortement, tout en se gardant bien de le clamer, que cette coutume voulait d'abord et avant tout les dépersonnaliser. Après Vatican II, la grande majorité des ordres avaient renoncé à cette coutume et les religieuses avaient retrouvé leur prénom. Cependant, quelques ordres irréductibles parmi les plus anciens, dont celui auquel appartenait Anna, avait décidé de garder leur coutume séculaire. Quand elle avait voulu éclairer sa mère sur ces traditions, la pauvre femme avait blêmi : « Cela ressemble à la prison ». Anna avait eu beau nier avec véhémence, c'était la vérité. La confiscation de ses vêtements et de ses effets personnels, (jusqu'à sa trousse à manucure) la vie communautaire, la perte d'identité et le reste, tout était là pour le prouver. Aux détenus on attribuait un numéro, aux religieuses, le titre de « sœur ». Oubli éternel et sombre d'elles-mêmes et de leur passé.

Les quinze minutes allouées au petit déjeuner avaient fait long feu. La mère prieure se leva, donnant de ce fait le signal des matines. Au moment où la cloche de sept heures se fit entendre, elles avaient toutes pris place dans la chapelle. C'était l'office préféré d'Anna, car il lui semblait presque voir le chœur s'élever lentement *a cappella* parmi les brumes matinales du pays de Galles en une musique inchangée depuis des siècles.

Plus tard, alors qu'elle faisait distraitement son lit et nettoyait sa cellule, elle s'interrogea sur la convocation qu'elle avait reçue, tiraillée par la crainte que son terrible secret fût éventé, que, par quelque pénétration spirituelle, la mère prieure eût tout deviné.

Le malheur, Anna le côtoyait depuis si longtemps, qu'elle avait appris à le garder enfoui au fond de son âme sans qu'il ne transparût jamais. Quand elle sentait que la détresse allait la clouer au sol, elle redressait les épaules. Quand elle se réveillait le matin, son oreiller mouillé des larmes versées au cours de son sommeil, elle s'aspergeait le visage d'eau froide et se rendait à la chapelle comme si de rien n'était. Elle avait combattu ses doutes pied à pied, luttant pour que ses souffrances eussent une réelle valeur, s'astreignant à devenir l'image du sacrifice volontaire, le sacrifice vivant que Dieu attendait d'elle.

La médiocre existence des gens ordinaires n'avait jamais su éveiller en elle un quelconque intérêt; seul un extrême et strict retranchement du monde trouvait grâce à ses yeux. Cependant, elle était bien forcée de reconnaître n'être point à la hauteur de sa vocation. L'extrême était devenu trop extrême, au point de ne pouvoir pas plus longtemps y faire face. Elle avait eu beau y mettre toute sa foi, elle avait senti, jour après jour, qu'elle faillirait. Elle n'était pas assez forte, pas assez pure, pas assez humble... quoique l'humilité ne semblât pas étouffer mère Emmanuel non plus, qui comptait pourtant quarante années de couvent.

Quarante ans... Anna s'immobilisa, le menton posé sur le manche de son balai. La perspective de passer trente autres années dans ce cloître la fit frémir. Ce serait au-dessus de ses forces. D'ici là, l'étroitesse de son existence lui aurait fait perdre l'esprit.

Le bureau de la prieure, anciennement lingerie, possédait deux murs entièrement meublés de placards dans lesquels se trouvaient les babioles grâce auxquelles les religieuses amélioraient leur maigre revenu : des chandelles, des maquettes de cellules, des pots-pourris, des roses en tissu... les deux murs restants ayant été tapissés d'échantillons de papier peint tombés en désuétude et récupérés dans des catalogues dont un magasin de Welshpool ne voulait plus.

Mère Emmanuel travaillait toujours la porte ouverte. (« C'est pour mieux te voir, mon enfant », répétait Lis après avoir reçu sa réprimande habituelle pour avoir couru dans les escaliers.) Elle leva les yeux quand Anna frappa à la porte et, d'un signe, l'invita à s'asseoir. Anna obéit, soulagée de ne point faire l'objet d'une admonestation, ce qui, le cas échéant, lui eût valu de rester debout. Elle attendit quelques instants que sa supérieure eût fini son travail de dactylographie à deux doigts sur la vieille machine à écrire noire qui lui avait été offerte pour l'anniversaire de ses quarante ans d'entrée en religion, et dont la journée, déclarée fériée, leur avait permis d'organiser, dans un coin désert de leurs terres, un pique-nique qui s'était achevé par une prière tout spécialement écrite par la maîtresse des novices.

La soirée s'était déroulée agréablement. Mère Emmanuel n'avait pas manqué d'évoquer le couvent de Ladbroke Grove où elle était entrée à l'âge de quinze ans, la grande salle obscure et les quatre silhouettes drapées de noir qui attendaient de la recevoir. Puis, sœur Louis avait chanté, *a cappella*, *The Falcon Hath borne my love away*. Sa belle voix irlandaise, s'élançant et retombant en mesure, avait projeté des mots d'une beauté à vous fendre le cœur. Dans le silence qui avait suivi, Anna se souvenait avoir pensé qu'elles étaient comme une famille de filles victoriennes, vivant une vie tranquille dans un coin reculé du pays.

Mais c'était plus profond que cela, bien sûr. Il y avait eu des moments où elle-même avait presque ressenti ce à quoi ses aînées faisaient allusion durant son noviciat. À savoir qu'elles avaient épousé le Christ, qu'elles pouvaient se confier à LUI corps et âme, qu'Il prenait soin d'elle, que, pour grand que fût son renoncement, Il lui apporterait un amour infiniment plus grand. Elle croisa posément ses mains sur son giron et soupira. Quand avait-elle cessé de croire?

Ce soupir parut inciter mère Emmanuel à renoncer à sa machine à écrire. Elle retira aussitôt la feuille du rouleau de caoutchouc, et la plaça dans une chemise. Anna eut alors l'impression que mère Emmanuel se voulait très occupée afin de retarder une pénible démarche. Dans l'attente, Anna eût aimé se pencher un peu pour inhaler les senteurs épicées du pot-pourri, mais la règle l'interdisait. Le *Manuel pour la mortification des sens extérieurs* était très explicite sur le sujet : « Tu ne humeras point les senteurs des fruits, des fleurs et des herbes aromatiques, et moins encore dans ta cellule ou sur le corps pour leur odeur les porteras ».

— Sœur Gabriel, j'ai quelque chose à vous annoncer...

Le ton inhabituellement doucereux de la voix la mit aussitôt sur le qui-vive. Cela ne présageait rien de bon. Elle fixa le visage bouffi, se concentrant sur les deux lignes soucieuses qui se creusaient entre les sourcils de la supérieure. Avec une horrible clarté, elle se souvenait avoir été assise ici même, en train d'écouter la révérende mère lui annoncer la mort de ses parents dans un accident de voiture. Sa première réaction avait été de remonter dans le temps, l'espace de quelques heures, de telle sorte que papa et maman fussent encore de retour de Lake District, où ils se rendaient souvent, en train d'écouter John Dunne à la radio et...

— ... un problème de famille, je le crains. Simon, votre frère, aurait eu une sorte d'attaque, hier après-midi...

Anna ouvrit la bouche pour savoir, mais elle devinait déjà la suite.

— Il a été conduit de toute urgence à l'hôpital, mais je crains qu'il ne soit décédé dans la matinée.

— Non, décréta calmement Anna, il doit y avoir une erreur.

— Non, non, il n'y a pas d'erreur, ma sœur. Je suis tellement navrée...

Anna sentit son corps se couvrir d'une sueur glaciale.

— C'est impossible! Il avait à peine quarante ans! Les gens de son âge ne meurent pas ainsi! protesta-t-elle d'une voix fêlée en se dressant brusquement. Ce n'est pas possible; on a dû le confondre avec quelqu'un d'autre. Oh, mon Dieu! Faites que ce ne soit pas lui!

— C'est bien lui, ma sœur. C'est son médecin qui m'en a avertie. Il était à ses côtés au moment où votre frère a rendu son âme à Dieu.

Sœur Emmanuel contourna son bureau. Anna regarda fixement les mains qui se posaient sur les siennes. Elles étaient calleuses, avec des veines saillantes à force de travaux manuels. Leur poigne était aussi forte que celle d'un homme. Quand Anna leva les yeux, la compassion qu'elle lut dans le regard sombre de sa supérieure lui apprit qu'elle ne pouvait échapper à l'atroce réalité. Elle respirait avec peine, accrochée aux mains de la supérieure comme à un rocher dans la tourmente. Près de son oreille, elle entendit un halètement puis les paroles de mère Emmanuel qu'elle ne comprenait pas.

— ... asseyez-vous, ma sœur, asseyez-vous...

Anna obéit, toujours agrippée à elle comme une enfant apeurée. Oh, mon Dieu! Simon... Simon... L'esprit vide, elle entendit la prieure lui répéter ce qu'elle savait déjà : l'hôpital, l'heure de sa mort... des mots qui auraient dû la soulager, des phrases que l'on dit pour consoler. Mais rien n'avait de sens à ses oreilles. Qu'il est difficile de ne pouvoir revenir en arrière...

Mère Emmanuel lui posa une question et sortit en tirant silencieusement la porte derrière elle. Les souvenirs les plus lointains affluèrent alors dans l'esprit d'Anna, à l'époque où Simon portait encore d'amples culottes grises et des chaussettes qui retombaient toujours sur ses chevilles. Elle se rappelait le singe malodorant aux yeux de verre baptisé Monkey qu'il gardait au pied de son lit. Plus tard, quand il avait eu la charge de rentrer de l'école avec elle, il insistait pour qu'elle marchât devant, pour mieux la surveiller, disait-il, mais surtout pour ne pas donner l'impression qu'il lui servait de chaperon, au cas où il rencontrerait des camarades. Elle évoquait encore l'écartement excessif de ses incisives supérieures et le chandail qu'il lui avait prêté avant même de l'avoir jamais porté. Bud, c'est ainsi qu'elle avait surnommé Simon.

Anna se recroquevilla sur sa chaise. Étreignant ses jambes entre ses bras, elle enfouit son visage entre ses genoux et se mit à sangloter longuement. Puis, retrouvant un semblant de calme, elle alla pêcher dans la poche de son jupon le carré de coton blanc qui lui servait de mouchoir.

C'est à cet instant seulement qu'elle se rappela Lynn et les enfants. Comment n'y avait-elle pas pensé plus tôt? Comment avait-elle pu, malgré l'importance que revêtait à ses yeux la disparition de Simon, s'abandonner à une attitude aussi égoïste, alors que sa belle-sœur et ses neveux se trouvaient dans une situation épouvantable? Comment allaient-ils réagir après une aussi atroce nouvelle? Elle eut beau se forcer à prier pour eux, les mots justes ne venaient pas.

Mère Emmanuel frappa à la porte avant d'entrer.

— Peut-être aimeriez-vous aller vous allonger un peu...

Anna secoua négativement la tête.

— Je vais me rendre à la chapelle. Puis-je être dispensée de couture, ce matin, ma mère?

— Bien sûr. Nous allons toutes prier pour votre frère et sa petite famille. Ce qui me conduit à ceci :

Terriblement inquiète, Anna attendit la suite, n'osant exprimer, devant la mine pensive de la supérieure, son besoin d'être seule. Elle ferma les yeux, tandis que mère Emmanuel retrouvait son siège et par là même son statut de directrice de couvent.

— Le moment n'est peut-être pas très approprié pour ce que j'ai à vous dire, mais vous m'inquiétez beaucoup depuis quelque temps, ma sœur.

Anna ouvrit les yeux mais ne répondit rien. Mère Emmanuel enchaîna posément :

— Toutes nos sœurs font un jour ou l'autre l'expérience de ce que vous vivez actuellement. Les silences de Dieu sont quelquefois difficiles à supporter, particulièrement pour nous, qui vivons dans la contemplation. Dans des ordres plus actifs, nos sœurs peuvent éluder leurs problèmes par le travail ou en soulageant la misère d'autrui. Mais ce n'est pas notre vocation. Aussi nous sentons-nous désemparées quand Dieu n'apporte pas de réponse à nos questions.

En d'autres temps, le choix des mots lui eût arraché un sourire, mais pas aujourd'hui.

— Je ne pense pas... j'ai essayé...

— Nous connaissons toutes des moments d'abattement. Tout comme vous. Et c'est pourquoi je peux lire très clairement en vous.

Anna tenta un petit geste de protestation, mais la prieure

poursuivit :

— Cependant, même dans nos pires instants, Dieu nous apporte le réconfort si nous voulons le trouver, si nous croyons profondément que rien ne peut nous éloigner de Lui.

La prieure interrompit son discours pour regarder par l'étroite fenêtre de son bureau. Son visage reflétait son expression habituelle, comme si son expérience suffisait à confirmer ses pires inquiétudes.

— J'ai choisi un bien mauvais moment pour vous entretenir de cela. La disparition de votre frère est un lourd fardeau pour vos épaules. Un très lourd fardeau. Cependant, dites-vous qu'il l'est bien plus encore pour sa famille, qui va devoir apprendre à vivre sans sa présence.

— Oui.

— On nous a demandé de vous autoriser à assister à ses funérailles, requête à laquelle nous ne pouvons naturellement pas accéder, enchaîna doucement la prieure sans que la décision ne surprît Anna.

L'observance de claustration étant rigoureusement observée, il ne lui était pas un seul instant venu à l'esprit, même quand, sept ans plus tôt, il s'était agi de l'enterrement de ses parents, de déroger à cette règle. C'est pourquoi elle n'ajouta rien, se limitant à attendre qu'on lui donnât congé pour se rendre seule à la chapelle.

Ce fut une longue nuit, qu'elle passa à revivre les jours qui avaient suivi l'annonce du décès de ses parents. Simon s'était chargé de tout et était venu le lui annoncer après coup. Ce n'est que plusieurs mois plus tard qu'elle avait véritablement pris conscience du malheur qui l'avait frappée. À ce moment-là, le choc avait été si grand, qu'elle avait ardemment souhaité aller se recueillir sur leur tombe, qu'elle avait voulu rencontrer les personnes qui avaient vraiment aimé ses parents, des personnes avec qui partager sa peine. Grâce à Dieu, ils n'auraient pas connu la disparition de leur fils.

Pour la toute première fois depuis son arrivée, elle défia le règlement et alluma sa lampe de chevet, incapable de fixer le noir plus longtemps. Elle se sentait glacée jusqu'aux os. Bien avant le signal du réveil, elle fut levée, lavée, vêtue, sa chambre et son lit faits.

Dans le silence de la chapelle, elle tenta d'ouvrir une brèche. Elle était une religieuse cloîtrée, qui par la prière, devenait l'instrument grâce auquel Dieu répandait Son amour. Si, par le passé, elle y était parvenue, si par une profonde introspection, en ouvrant son cœur et son âme à Dieu, elle avait trouvé des réponses, ce matin, elle ne pouvait oublier le glissement de sa sandale sur la pierre, l'odeur d'humidité douceâtre dont on ne pouvait se débarrasser même en été, le toussotement sec et rauque de sœur Peter. Pressant les paupières, elle se força, à travers les replis secrets de son âme, d'en atteindre le centre, là où rien ne pouvait la toucher.

Anna ne se joignit pas au chant. Elle écoutait en frémissant les paroles du psaume, sachant qu'elles lui étaient destinées :

« Tu emportes l'homme comme un rêve
Comme l'herbe qui jaillit au petit matin.
Et notre vie s'achève comme un soupir. »

Images de Simon à quinze ans disant : « Je me suis toujours demandé quel effet ça ferait », en se versant une bouteille de ketchup sur la tête, sans réagir quand la sauce rouge lui avait coulé dans les yeux. À seize, en train de compter son argent pour s'acheter une voiture. Il lui avait fallu économiser pendant deux années supplémentaires avant de pouvoir s'offrir une vieille Citroën qu'il avait fallu remorquer jusqu'à la maison. Chaque instant de liberté, il l'avait passé à la remettre en état, à assouvir son unique passion. Elle s'était chargée de cirer la sellerie. Elle en sentait encore l'odeur du cuir.

Et aujourd'hui, il était parti. Sa vie s'en était allée comme un soupir. Elle fut saisie d'un brusque accès de colère. Comment avez-Vous pu laisser une telle chose arriver? comment avez-Vous pu? Simon avait à peine quarante ans, il avait une femme, des enfants, bien des gens avaient besoin de lui. Elle effaça une larme d'un geste brusque.

Si tels étaient ses sentiments, ceux de Lynn devaient être infiniment pires. Anna connaissait à peine sa belle-sœur, car Simon s'était marié après qu'elle eut pris le voile. Bien que ce dernier l'eût par deux fois emmenée voir Anna, ces visites s'étaient révélées plutôt stériles. Lynn avait peu parlé, trop intimidée par les grilles et les voiles. Anna ne connaissait d'elle qu'une tignasse blonde élégamment ébouriffée, des tailleurs coûteux, des pieds étroits dans des escarpins de bon goût, une voix à la douceur affectée. Une fois, alors que le couple prenait congé, une querelle avait éclaté, probablement commencée avant leur arrivée. Lynn s'était arrêtée pile dans le corridor du parloir, Simon l'avait alors un peu bousculée.

Tissu de regrets et de récriminations, long répertoire d'occasions réciproquement gâchées, la vie conjugale de ses parents avait conforté Anna dans son opinion du mariage et ses aléas. C'était là une manière de vivre qu'elle ne souhaitait surtout pas imiter et si ses parents l'avaient toujours soupçonné, ils n'y avaient jamais fait allusion. Même Simon s'était montré réfractaire au mariage pendant de longues années, poursuivant cahin-caha des études jusqu'à la trentaine et au-delà. En fait, jusqu'au jour où Lynn l'avait séduit : elle était jolie, autonome et possédait une vie et un état d'esprit qui lui étaient propres.

La cloche de la chapelle tinta, lâchant à travers la vallée des notes rondes et légères comme des bulles de savon. Anna se dit : « Après quelque temps, Lynn s'en remettra. Elle surmontera cette épreuve, rencontrera quelqu'un d'autre. Comme tout le monde ».

Les complies se passaient à huit heures. Dans la chapelle obscure, les lumignons des religieuses luisaient faiblement et, derrière les grilles, l'autel s'auréolait d'une rouge luminescence. Les religieuses firent leurs dernières prières avant que le Grand Silence ne descendît sur le cloître pour être brisé de nouveau à la prière du matin. Dans le long corridor qui conduisait aux cellules, Anna fut abordée par mère Emmanuel. La prieure se tenait debout près d'un avis rédigé à la main : NE PARLEZ PAS DANS CE

CORRIDOR. UTILISEZ L'ESCALIER DU CELLIER POUR QUELQUES MOTS. POUR UN ENTRETIEN, RENDEZ-VOUS AU BUREAU DES LAMPES OU DANS LA SALLE COMMUNAUTAIRE. C'est pourquoi elle lui fit signe sans un mot et Anna la suivit en direction du cellier.

— Vous semblez aller mieux, ce soir, ma sœur.

Anna acquiesça, reconnaissante pour tant de sollicitude. La prieure l'observa un moment comme pour mûrir sa décision quelques instants encore.

— J'ai reçu un autre appel de Bradford vous concernant — elle fit une pause, avant d'ajouter, presque avec répulsion — Il appert que certaines circonstances nous contraignent à vous permettre de vous rendre chez vous.

Anna tombait des nues, se demandant quel événement extraordinaire avait infléchi la décision de sa supérieure.

— J'y ai songé avec soin et il m'est apparu évident que vous deviez y aller. Pour un temps très court. Une semaine tout au plus.

— Mais je connais à peine ma belle-sœur. Je ne vois pas ce qu'elle peut me vouloir…

— Elle serait, semble-t-il, dans un état de profonde dépression. Considérez votre visite comme un acte de charité chrétienne.

Instruite à obéir sans discuter, Anna hasarda néanmoins une dernière objection.

— Mais je ne peux tout de même pas partir comme ça…

— Ceci est un cas très particulier dont nous ne pouvons nous détourner, soupira la prieure. Vous devez aller chez vous.

Anna refoula les questions qui se bousculaient dans sa tête : tout ce qu'elle devait savoir, on se chargerait de le lui dire.

— Votre belle-sœur n'a d'autre parent que vous, m'a expliqué le médecin. Sa mère est en maison de retraite, quelque part. Elle ne peut rien espérer de ce côté-là.

— Et qu'en dit notre évêque?

— Nul besoin de son accord pour un cas comme celui-là, rétorqua mère Emmanuel d'un ton soudain acide, du fait qu'on lui rappelât ainsi la relativité de son autorité. Il y a dix ans, peut-être; mais nous essayons d'évoluer avec notre temps. C'est pourquoi vous devrez répondre aux besoins de votre famille dans un esprit de renouveau. Sœur Rosalie vous accompagnera, c'est une âme très sensible — elle consulta quelques notes sur une feuille de papier — Votre train quitte Welshpool demain matin à huit heures quarante. Vous en changerez à Shrewsbury, puis à Manchester. Là, je crains que ce ne soit plus compliqué : à Victoria, vous devrez changer de gare pour prendre votre correspondance jusqu'à Bradford — elle empocha sa feuille avec un froncement de sourcils — Cela risque d'être un peu éprouvant, mais vous n'avez guère le choix. Vous arriverez au terme de votre voyage vers une heure... Je vous saurais gré de ne pas manger dans le train. Bien. Préparez vos effets ce soir en laissant votre lumière allumée. Je vous verrai demain matin avant votre départ. Bonne nuit, ma sœur.

Anna défila devant les paires de sandales que chaque religieuse déposait soigneusement devant sa porte avant de se coucher. Elle n'osait y croire : après treize ans, elle allait retourner au monde qu'elle croyait avoir quitté pour toujours. La perspective de cette immersion dans cet univers de gares et de trains la terrifiait. Elle doutait même de pouvoir trouver le domicile de Simon, qu'elle n'avait, bien sûr, jamais visité.

Dans sa cellule, une valise en matière plastique noire l'attendait déjà. Aussi réduite fût-elle, Anna eut du mal à la remplir. Des sous-vêtements propres, trois paires de bas, trois guimpes immaculées, quatre paires de culottes étaient les seuls vêtements qu'elle emporterait. Sa brosse à dents et son gant de toilette seraient rangés séparément dans un sachet en plastique. Sur le lit, l'infirmière avait déposé une tablette de comprimés d'aspirine (qu'elle ne prenait habituellement jamais sans autorisation) ainsi qu'un paquet de serviettes hygiéniques. Détail auquel elle n'aurait jamais pensé.

Faire ses bagages lui procura un sentiment extraordinaire. Anna s'en réjouit dès le premier instant, jusqu'à ce que lui revinssent en mémoire les raisons de ces préparatifs. Mais, malgré son chagrin, elle ne pouvait réprimer son plaisir à l'idée de revoir ses neveux. Elle se voyait déjà en train de leur lire des contes, même si elle n'avait fait que les entr'apercevoir à travers une grille.

Ses pensées l'empêchèrent de dormir une bonne partie de la nuit. À son réveil, vers deux heures du matin, la pensée d'être accompagnée par sœur Rosalie la rassura car, comme l'avait dit mère Emmanuel, c'était une personne sensible. Parmi toutes les religieuses du cloître, sœur Rosalie était une des deux religieuses qui n'appartenaient pas à leur ordre. En effet, jusqu'aux années soixante, elles avaient vécu à l'extérieur du couvent, veillant sur « leurs » sœurs par le truchement d'interventions ponctuelles dans le monde extérieur. Elles s'occupaient des provisions, du courrier, lequel transitait par une sorte d'armoire pivotante conçue pour éviter de voir le visage de l'autre.

Au cours des années qui avaient suivi Vatican II, ce grand concile d'évêques destiné à redonner à la religion catholique un souffle nouveau, les différences entre couvents et cloîtres s'étaient un peu estompées. Aussi sœur Rosalie, femme rondouillarde et souriante dotée d'un merveilleux esprit pratique, avait, à vingt-trois ans, saisi la chance qui s'offrait à elle de pouvoir s'intégrer à la communauté, malgré les réticences de sa compagne, réputée au contraire pour son caractère acariâtre. « Elle prendra soin de moi », se dit Anna, percevant l'ironie de la situation, qui la contraignait à se placer sous la tutelle d'une compagne plus jeune qu'elle.

Ce matin-là, à la chapelle, elle s'efforça de manifester la concentration qu'on attendait d'elle, celle qui lui permettait de toucher le tréfonds de son âme. « Garde-moi dans ton sein et guide mes pas, ô Seigneur ». Après le petit déjeuner, elle alla se présenter au bureau de la prieure.

— Je crains que nous n'ayons un problème, commença celle-ci, l'air soucieux. En fait, les deux sœurs extérieures à notre ordre semblent avoir mangé quelque chose qu'elles ne digèrent pas. Même sœur Thomas à Becket est hors d'état de voyager. Sans doute le ragoût d'hier soir y est-il pour quelque chose. Bref, sœur Rosalie ne peut vous accompagner et il n'y a personne qui puisse le faire à sa place. Il va falloir que vous voyagiez seule, ma sœur. Mais je suis certaine que tout ira bien. Un taxi viendra vous chercher à huit heures.

La prieure tendit les mains, faisant briller la grosse améthyste qu'elle portait au doigt. Anna s'agenouilla et, joignant les mains, vint les poser dans celles de sa supérieure en signe de foi et de respect.

— Revenez-nous saine et sauve, ma sœur, conclut mère Emmanuel.

Un quart d'heure avant l'arrivée du taxi, Anna se trouvait déjà devant le grand portail. Tout en manipulant son énorme trousseau de clés, sœur David lui adressa un geste évasif, puis tira les quatre énormes verrous. Quelle qu'en fût la raison, celle que l'on nommait le « cerbère » désapprouvait cette escapade. S'il n'avait tenu qu'à elle, jamais sœur Gabriel n'aurait été autorisée à quitter les lieux.

Avec le sentiment d'obtempérer à un ordre d'expulsion, Anna posa sa valise sur les deux chaises à haut dossier de part et d'autre d'un vaisselier sur lequel on avait disposé quelques cartes de Noël peintes à la main, ainsi que trois lettres posées sur un plat de faïence auxquelles on avait adjoint une note : PRIÈRE DE BIEN VOULOIR METTRE CES LETTRES À LA BOÎTE, MERCI. Anna s'en empara et les glissa dans sa poche avec l'intention de les poster dès son arrivée à la gare. Avec une surprenante ponctualité, le taxi attendu arriva. Étrangement, Anna s'attendait à en voir sortir l'homme entre deux âges qui l'avait conduite treize ans auparavant; et c'est pourquoi elle se sentit vaguement surprise de voir apparaître une jeune fille d'environ dix-neuf ans qui se mit à contempler tour à tour Anna et le cloître avec un intense intérêt. La jeune fille portait une minuscule jupe de denim par-dessus des collants noirs, se terminant sur ce qu'Anna fut tentée d'appeler des godillots de chantier trop grands pour elle. Pour couronner le tout, la jeune fille portait une époustouflante perruque rose.

— Bonjour, dit-elle. À la gare, c'est ça?

Quand elle s'avança pour prendre les valises, Anna remarqua le fard bleu qui cernait largement ses yeux.

— Bonjour, j'y arriverai toute seule, merci.

Après avoir rangé sa valise, Anna s'installa sur le siège arrière et, de la fenêtre, elle se mit à faire des signes de la main, sachant que sœur Dominic la regardait partir.

La conductrice entama la conversation en lui demandant où elle se rendait, combien de temps elle y resterait, sans se soucier qu'Anna lui répondît par monosyllabes. Peu encline aux confidences, cette dernière semblait préoccupée; par son voyage, bien sûr, mais aussi par cette perruque rose qui, elle s'en était rendu compte, n'était pas une perruque, mais bel et bien des cheveux réels, tout roses et hérissés. Effarée, elle se demandait si tout le monde avait adopté ce genre de coiffure. Et pour quelle raison, mon Dieu?

Elle avait oublié à quel point Welshpool pouvait être une ravissante petite ville. De toute évidence, c'était jour de marché, puisqu'on pouvait voir quantités de remorques à chevaux, de camions de bétail et de Range Rover remplies de chiens courants recouverts de boue. Bon nombre de personnes poussaient des chariots métalliques remplis de fleurs et de légumes. Si les grands magasins *Woolworth* n'avaient pas changé, *Boots* avait transformé l'image de sa devanture. Une charmante boutique, dont la vitrine s'ornait de tissus multicolores, capta son regard, sans doute aussi à cause de son enseigne *Clover Connection,* en lettres déliées ornées des fleurs appropriées[1]. Cependant, une brusque accélération de la voiture l'empêcha de voir si les tissus de laine qu'elle tissait et teignait elle-même y étaient exposés. Bien que l'orgueil soit un péché, elle en eût probablement retiré une certaine fierté. C'est que, par l'entremise de cette boutique seulement, le travail d'Anna contribuait à rapporter au moins mille livres par an, au couvent.

Le fait que le couvent avait payé la course d'avance lui fit prendre conscience qu'elle n'avait pas la moindre monnaie pour le

[1] *Le trèfle en anglais*

pourboire. En effet, juste avant son départ, mère Emmanuel lui avait remis une petite liasse de billets de banque qu'elle avait comptés plusieurs fois dans le taxi : cent livres. Elle se demandait encore à quoi pouvait penser la mère supérieure en lui remettant une somme aussi importante. Elle ne manquerait pas d'en demander l'explication dès son retour.

Dans la file d'attente au guichet de la gare, un jeune homme la précédait, à peine un adolescent. Il portait un bébé attaché sur sa poitrine à l'aide de sangles. En voyant son regard étonné, le jeune homme parut rayonner de fierté, tandis qu'une autre femme dans la cinquantaine la fixait avec curiosité. Anna se souvint alors que les Gallois n'aimaient guère les religieuses. Enfant, sœur Rosalie avait entendu dire que sa mère et les camarades de son âge avaient été terrorisés quand l'ordre auquel appartenait Anna était venu s'installer à Welshpool, quelque cinquante ans plus tôt.

Quand Anna précisa qu'il s'agissait d'un aller-retour, l'homme derrière son guichet manipula sa machine et annonça :

— Ça fera vingt et une livres cinquante. Changez à Shrewsbury : neuf et trente-neuf jusqu'à Piccadilly, Manchester...

Anna n'écouta pas la suite.

— Excusez-moi, interrompit-elle, anxieuse. Je voudrais voyager en troisième.

— En troisième? répéta l'homme d'un air soupçonneux, comme s'il craignait qu'on se payât sa tête, avant que la compréhension n'éclairât à nouveau son visage. Ah, je vois! Ça fait longtemps que vous n'avez pas voyagé, pas vrai? C'est que, voyez-vous, les tarifs ne cessent d'augmenter. L'essence, les services, les pièces de rechange... En revanche, les salaires eux, ne bougent pas...

Anna compta fébrilement quelques billets de dix livres, inquiète de voir l'individu s'appesantir sur le sujet. En échange, elle reçut un petit carton tout mince, plutôt que l'épais ticket oblong auquel elle s'attendait. Sur le quai, un homme tout ridé qui promenait un grand balai toucha le bord de son chapeau en la croisant (depuis combien de temps n'avait-elle plus vu quelqu'un faire ce geste?) en lui faisant remarquer, apparemment oublieux du crachin qui commençait à tomber :

— Belle journée, n'est-ce pas?

Le train de Shrewsbury eût tout aussi bien pu être le même que celui dans lequel elle avait voyagé treize ans plus tôt, avec ses filets en guise de porte-bagages, des languettes de cuir pour ouvrir les fenêtres. Rien cependant ne la préparait à son arrivée à la gare de Piccadilly. Elle fit le voyage en autobus pour aller prendre sa correspondance à la gare Victoria en tentant de ne pas trop longtemps regarder le défilé des boutiques, des bureaux ultramodernes, des hôtels de grand luxe... Comme tout était bruyant, à présent, comment tout était brillant. Le mouvement était trop rapide. Pour elle, les gens n'étaient que vêtements étriqués, visages tendus ou anxieux. Personne ne semblait la remarquer. Dans le flot de l'humanité en mouvement, elle passait inaperçue. Arrivée sans trop savoir comment sur le quai de la gare, elle put constater que, malgré le contraste frappant de sa tenue vestimentaire avec celle de la foule, personne ne faisait attention à elle.

Habituée à attendre, elle se tenait debout, absolument immobile dans son grand manteau de laine gris ardoise. Elle éprouva un certain plaisir en pensant qu'elle portait le même vêtement que la fondatrice de l'ordre auquel elle appartenait. Même le dessin de son fermoir de métal était le même. C'était une des anomalies de sa condition de religieuse, objet de fierté et d'ennui à la fois.

Même son lourd manteau de laine semblait à présent lui convenir car, en quelque sorte, il la protégeait d'un monde qui lui était étranger. Ce matin-là avait commencé sous une pluie battante, apportant avec elle les ombres gris-mauve de son enfance à Bradford, lui rappelant tristement les rues venteuses, les hautes cheminées et la grise mine des ouvriers de la fabrique d'allumettes.

Anna ne souhaitait pas revenir en arrière, et moins encore à ses récentes errances spirituelles. Durant les derniers mois ou, pour être honnête, depuis les trois années qu'elle rêvait à d'autres lieux, à une autre vie, la réalité du monde extérieur n'avait pas pour autant repris sa place. Sa conscience l'avait aidée à se maintenir dans un rôle à la fois indéterminé et inintéressant. À présent, seule parmi ces gens actifs et préoccupés, elle ne pouvait imaginer ce qu'elle pourrait leur offrir.

Elle n'avait jamais songé à quel point le monde avait pu se métamorphoser pendant son absence. En repensant au jeune homme et à son bébé, aux affiches publicitaires de produits qu'elle ne connaissait pas, force lui était d'admettre qu'il avait bel et bien changé et les gens avec lui. Pendant que, perdue dans ses collines galloises, elle se cloîtrait dans son Moyen Âge, le temps avait passé. Sans elle.

Anna ne possédait aucune qualification, aucun métier. Rien en tout cas qui pût intéresser quelqu'un du dehors, sauf peut-être faire du pain et conduire un tracteur. Le retour à la vie laïque ne signifierait pour elle ni bureau somptueux ni salle de conférences, mais plutôt une chambre de bonne avec un réchaud à gaz et un lavabo, à Leeds ou à Halifax, à travailler dans une cantine ou à trier du courrier dans un endroit cauchemardesque éclairé au néon.

Une jeune enfant, surgie d'un groupe proche, courut vers elle et trébucha à ses pieds. En l'aidant à se relever, Anna put constater que son nez coulait et qu'elle portait des vêtements crasseux. Des jumeaux, installés dans une poussette, hurlaient en se querellant, pendant que leur mère, épuisée, venait au-devant d'Anna, récupérait sa fille sans ménagement, et bredouillait quelques remerciements. Anna lui répondit avec un sourire et pensa aussitôt à Lynn. Pauvre Lynn.

Quand le train entra en gare, Anna aida la femme à plier sa poussette, et elle tint les paquets pendant que la mère épuisée faisait monter ses enfants dans le wagon. Pendant quelques instants, Anna fut tentée de lui proposer de prendre la petite fille sur ses genoux. Mais, se ravisant, elle poursuivit son chemin et se mit à la recherche d'une place dans un autre compartiment.

Le train possédait des vitres teintées, un système d'air climatisé impitoyablement froid et des sièges tendus de velours dont le dossier pouvait basculer en arrière. Une musique se répandait à partir d'invisibles haut-parleurs, interrompue à l'occasion par une voix annonçant les heures des repas et celles des arrivées. Des hôtesses circulaient en poussant des chariots chargés de café et de pâtisseries enveloppées dans du film plastique. Rien de surprenant que les billets fussent si chers. Anna commençait à se demander si sa claustration avait duré treize ou cent ans.

Le voyage jusqu'à Bradford durait une heure. Elle fouilla dans son sac pour y prendre le livre qu'elle y avait glissé à la dernière minute. La bibliothèque du couvent était bien équipée : littérature classique, poésies, biographies de papes, de saints, mémoires de femmes béatifiées ou de religieuses célèbres. Il y avait cependant une lacune notable en ce qui avait trait à ce que sœur Emmanuel appelait avec mépris « la poubelle de la littérature religieuse », quoique les œuvres de fictions ne manquassent pas : *The Borrowers,* les chroniques des Narnia et même Agatha Christie et Rumer Godden. N'osant lire ces derniers en public, elle avait opté pour la vie de saint Thomas d'Aquin. Bien que la lecture du saint homme ne l'inspirât guère, elle ouvrit néanmoins son livre, ne fût-ce que pour éviter qu'on lui fît la conversation.

CHAPITRE QUATRE

Kingswalk, à Heaton, s'avéra une rue privée, bordée de grands et magnifiques arbres. Le chauffeur de taxi pakistanais qui l'avait amenée de la gare de Bradford ne cessait de lui adresser de rapides coups d'œil, comme s'il recherchait vainement un lien entre sa cliente et l'endroit où il la conduisait.

De grandes demeures édouardiennes se dressaient dans d'immenses jardins où l'on pouvait entrevoir de grosses limousines. Arrivée devant celle de son frère, elle remarqua un enfant assis près de son tricycle renversé devant une entrée de garage. Le menton dans le creux de la main, le jeune garçon faisait tourner la roue avant d'un air désenchanté.

— Je n'arrive pas à la réparer, dit-il comme pour se justifier en voyant Anna s'approcher. J'avais promis à Jamie de le faire, mais je ne peux pas. P'pa va s'en occuper. Il a promis de le faire le prochain week-end.

Les mots comme le ton semblaient émaner d'un adolescent raisonnable, et non pas d'un enfant de huit ans, même si ses mains étaient maculées de boue et ses yeux boursouflés d'avoir trop pleuré. L'émotion qu'elle en ressentit lui fit dire d'une voix cassée :

— Bonjour, Baxter.

Elle l'appela par son prénom, sachant pourtant que personne ne l'appelait ainsi car, en dépit de louables efforts, elle ne s'était jamais sentie à l'aise avec les enfants. Elle s'éclaircit la voix :

— Peut-être pourrai-je t'aider un peu plus tard…

Baxter l'observa soudain avec plus d'intérêt. Puis, se rappelant les bonnes manières, se mit debout.

— Voulez-vous entrer, s'il vous plaît?

— Où est ta maman, Baxter?

— Dans son lit. Elle y reste longtemps, ajouta-t-il en confidence. Puis il la conduisit vers une porte latérale, devant laquelle il recula pour céder le passage à la nouvelle venue.

L'intérieur de la maison avait été entièrement remodelé, laissant imaginer des dépenses somptuaires.

Le vestibule était rouge cramoisi avec un sol dallé de marbre blanc, tandis qu'un escalier en bois clair conduisait à une mezzanine. Le long du mur principal, on avait installé un grand sofa blanc encadré de lampadaires sur pied projetant un halo de lumière vers le plafond; devant, s'alignait une série de portes vitrées. Des stores vénitiens couleur aluminium filtraient la lumière extérieure.

Anna n'avait jamais accordé la moindre pensée à la manière dont pouvaient vivre Simon et Lynn. La dernière maison particulière dans laquelle elle avait mis les pieds, c'était la confortable demeure de ses parents dont elle se rappelait à peine la décoration. Cet étalage de luxe élaboré avec le plus grand soin lui était totalement étranger, de sorte qu'il lui était impossible d'associer le Simon qu'elle avait connu avec l'homme qui vivait, qui avait vécu, dut-elle se reprendre la gorge serrée, ici. Le Simon de son adolescence ne rêvait que de voitures sport et de jolies filles.

En y regardant de plus près, elle put néanmoins se rendre compte que tout cet apparat n'avait pas la netteté escomptée. Le sofa était maculé de taches de graisse et les portes vitrées comportaient de nombreuses traces de doigts. Le sol de marbre était jonché de livres et de jouets d'enfants et avait grand besoin d'un nettoyage.

Au milieu de ce bric-à-brac, un jeune enfant en salopette rayée rouge et jaune s'évertuait à recouvrir de graffitis multicolores une grande feuille de papier. Lorsqu'il tourna la tête vers elle pour la regarder, Anna sentit son cœur sauter dans sa poitrine. C'était tout le portrait de son père. L'expression du visage était celle de Simon et même ses attitudes, remarqua-t-elle lorsqu'il se leva. Si son premier réflexe fut d'aller au-devant de lui, son sens de la retenue l'en dissuada aussitôt.

— Bonjour, Jamie, te souviens-tu de moi?

Question stupide... comment l'aurait-il pu? L'enfant fit non de la tête.

— Tu es venu me voir au couvent... avec ton père, faillit-elle ajouter.

— Pourquoi tu portes ces vêtements rigolos? demanda Jamie en suçant son pouce.

— Ce sont les mêmes que je portais le jour où tu es venu me voir.

L'enfant loucha dans la direction de sa coiffe.

— Est-ce que tu peux enlever ta tête?

— Ma tête... Tu veux sans doute dire ceci, fit-elle en touchant son voile. Oui, quand je vais me coucher.

— Et quand tu prends ton bain? s'immisça Bax. Puis, levant les yeux : regarde qui est là, m'man.

Lynn descendit lentement l'escalier, la main posée sur la rampe. Elle portait un pantalon de velours côtelé avachi et une chemise d'homme. Mais la première chose qui frappa Anna fut le tartan sombre qui ceignait son énorme embonpoint.

— Bonjour, Anna, articula-t-elle d'une voix atone.

— Je suis venue aussi vite que j'ai pu, Lynn; comment allez-vous? dit Anna avec empressement, sans pouvoir détacher son regard du ventre de sa belle-sœur.

Anna avait du mal à reconnaître l'élégante jeune femme à l'allure distante dont elle avait fait la connaissance derrière les barreaux de son cloître. Lynn avait les pieds nus; le vernis de ses ongles d'orteils était écaillé. Ses cheveux ébouriffés encadraient un visage décomposé. Elle descendit marche après marche, les épaules voûtées, les mains pendantes, désemparée. Lorsqu'elle s'approcha d'elle, Anna vit très distinctement son teint diaphane et les larges cernes de ses paupières.

— Je suis tellement peinée, Lynn, tellement peinée pour ce qui est arrivé à Simon, commença-t-elle, cherchant les mots qui exprimaient le mieux son chagrin, je ne peux y croire.

Elle aurait aimé en dire davantage, n'eût été l'oreille

attentive que lui prêtaient les garçons.

— Quel terrible choc pour vous tous! Mais ses souffrances sont terminées, à présent. Nous devons prier, afin qu'il repose en paix.

— C'est cela, prions, conclut sèchement Lynn.

Ces trois mots mettaient un terme aux condoléances d'Anna qui rougit de confusion devant l'évidente inimitié de sa belle-sœur.

— Je suis heureuse que vous ayez fait appel à moi. Croyez bien que je m'emploierai de toutes mes forces à vous aider.

— Merci, lâcha Lynn comme si ce mot lui en coûtait. C'est bon de vous revoir. Merci d'être venue, je sais que c'est beaucoup demander, mais j'avais besoin d'aide, comme vous pouvez le constater.

Passant devant Anna, Lynn alla ouvrir une porte vitrée révélant une pièce d'un luxe inouï et dans laquelle elle convia sa belle-sœur à entrer. Celle-ci sentit ses pieds s'enfoncer dans une moquette moelleuse. Des bois précieux et des cuirs souples reflétaient la douce lumière émise par deux lampadaires noirs en forme de coupole. Aux fenêtres, des fils d'argent scintillaient dans le tissu des lourdes tentures.

Lynn se laissa mollement tomber dans un fauteuil. Anna remarqua que si la personne qui lui avait rendu visite — cette femme glaciale au teint vernissé qui souriait rarement — convenait tout à fait à ce genre de décor, le visage bouffi qu'elle voyait aujourd'hui n'avait rien de commun avec l'opulence sophistiquée de son décor. Anna remua sur son siège, tentant d'éviter l'image que lui renvoyaient de nombreux miroirs : une étrange silhouette moyenâgeuse perdue au beau milieu d'un cadre ultramoderne. Lynn tira de sa poche un paquet de cigarettes.

— Je sais, je sais, dit-elle, avant qu'Anna n'eût soufflé mot. Mais j'ai l'intention de cesser de fumer à partir de la semaine prochaine. Enfin, peut-être... C'est gentil au docteur Barnes d'avoir bien voulu vous contacter, mais il ne peut rien me prescrire à cause du bébé. Elle fit cliqueter un mince briquet d'argent. J'aurais pourtant aimé qu'il me donne un médicament qui m'assommerait pour un mois. C'est exactement ce dont j'ai besoin.

Apitoyée, Anna remarqua, outre la pâleur du teint, les yeux, que les pleurs avaient enfoncés dans leurs orbites.

— Avez-vous dormi?

— Si je m'endors, je fais des cauchemars, c'est pourquoi je préfère rester éveillée, merci.

Lynn tira sur sa cigarette, s'exprimant d'un ton monocorde qui, confusément, ne faisait qu'accentuer ses manières affectées.

— Imaginez : la première nuit, nous ne nous sommes pas couchés du tout. Et depuis, la nuit me terrifie. Tout me paraît tellement affreux que je me demande de quelle manière je vais pouvoir en sortir.

Elle s'assit en tailleur, les doigts tremblants trahissant un état d'anxiété qu'Anna était loin de concevoir. Une petite silhouette se précipita dans le salon et vint se presser contre sa mère en murmurant quelques mots à son oreille. Lynn entoura son fils de son bras, mêlant ses cheveux à ceux de son fils, comme pour ne faire plus qu'une seule tête blonde. Un instant plus tard, elle le relâchait en posant un baiser sur le nez de l'enfant.

— D'accord, vas-y, je n'oublierai pas...

L'enfant fila vers la sortie. Lynn tourna son regard triste vers Anna.

— J'aimerais bien que mes soucis se dissipent aussi facilement...

Anna se contenta d'opiner de la tête. La mort de Simon semblait avoir vidé Lynn de ses dernières énergies, et cette brève étreinte mettait en évidence l'état de détresse dans lequel elle se trouvait. Anna se souvenait combien lui avait manqué, durant ses accès de noire incertitude, ce contact physique tout simple que la plupart des gens tenaient pour acquis et dont elle se croyait alors la seule lésée : la caresse douce et tiède d'une main, un baiser affectueux sur la joue, toutes ces choses insignifiantes, si banales dans le monde extérieur, dont elle s'était volontairement exclue pour la vie. Car, même au cours de leurs brefs moments de détente, les religieuses devaient éviter tout contact physique, aussi fortuit fût-il. Si jamais l'une d'elles se trouvait seule dans une pièce avec une de leurs compagnes, il fallait que la porte restât grande ouverte. De plus, la règle selon laquelle deux personnes devaient éviter de s'asseoir côte à côte pendant la récréation décourageait toute velléité d'intimité.

En ce qui avait trait à sa famille, songeait Anna, la sienne n'avait jamais été bien démonstrative. Elle n'avait jamais vu ses parents marcher la main dans la main. Par ailleurs, à partir d'un certain âge, toute démonstration d'affection en public de la part des enfants, aussi infime fût-elle, était fortement découragée. Elle se rappelait encore son chagrin à la gare de Bradford, le jour de son départ en colonie de vacances, quand sa mère l'avait doucement repoussée quand elle avait voulu l'embrasser.

La seule à s'être comportée différemment, c'était sa grand-mère. Et Anna avait toujours cru que si la vieille dame s'accrochait à sa manche, lui tapotait la joue ou lui ébouriffait les cheveux, c'était parce qu'elle avait une mauvaise vue.

Mais elle comprenait mieux, aujourd'hui : de tels petits gestes naissent de l'isolement; c'était une manière de tenir la solitude à distance. Des années de claustration le lui avaient appris; tout comme elles lui avaient appris à contrôler ses émotions, au point de ne savoir comment exprimer sa compassion à sa propre famille. Elle n'avait pas même pensé à embrasser les enfants, pas même à leur effleurer la main. C'était, songeait-elle avec amertume, comme si le contact physique était un langage dont elle aurait oublié les mots.

Anna s'assit en face de sa belle-sœur. Les compliments que l'on a coutume d'adresser à une femme dans la promesse, ô combien attendue, d'un enfant se résumèrent à :

— Dans combien de temps l'enfant doit-il arriver?

— Onze semaines.

Après un long silence, Anna prit de nouveau la parole.

— Souhaitez-vous un garçon ou une fille?

Lynn la fixait droit dans les yeux, hostile derrière l'écran de fumée de sa cigarette.

— Pour l'amour de Dieu — elle entendit Anna pousser un faible gémissement – Tout ce que je souhaite avoir, c'est un enfant en bonne santé. Ce n'est pas trop demander, que je sache.

Si je suis incapable de lui offrir un pauvre idiot de père, au moins puis-je espérer qu'il aura tout le reste!

Confrontée à ce brusque ressentiment, Anna se surprit à dire :

— Le Seigneur donne et le Seigneur reprend…

— Eh bien, peut-être le Seigneur donne-t-il, je n'en sais rien. Mais en ce qui concerne Simon, le Seigneur n'a rien repris, annonça Lynn d'une voix sèche et posée.

— Que voulez-vous dire?

— Une chose qu'il vaut mieux que vous sachiez tout de suite, avant que quelqu'un d'autre ne se charge de vous l'apprendre — Lynn tira une longue bouffée de sa cigarette — Lorsque le docteur Barnes a téléphoné à votre mère supérieure, il ne lui a pas dit toute la vérité : cet accident n'a rien à voir avec l'état cardiaque de Simon. Son cœur fonctionnait parfaitement. Cet accident a été délibérément provoqué.

Anna, qui avait péniblement accepté le fait que son frère eût succombé à une crise cardiaque, était effondrée.

— Délibéré? Voulez-vous dire qu'il ne s'agit pas d'un accident? Je ne comprends pas; tout cela n'a aucun sens.

Lynn se mit à contempler ses mains.

— Il était… tout allait mal à la filature, il était très inquiet.

Anna écoutait. Elle se souvint de la dernière visite de son frère au couvent, de ses traits émaciés, de ses gestes nerveux, de ses silences anormalement longs. Elle se souvint aussi n'avoir posé aucune question. Lynn leva les yeux, le visage tendu par l'effort que lui imposaient ses aveux.

— Je savais que nous avions des embarras pécuniaires, naturellement; mais il ne m'a jamais dit à quel point. J'ignorais que la situation était aussi dramatique. Peut-être me l'aurait-il confié si nous avions été plus proches… De toute manière, il est trop tard, à présent — Lynn se tint coite quelques instants, les yeux fixés sur ses mains tremblantes, revivant une fois encore son cauchemar. Quand elle reprit la parole, ce fut par monosyllabes, par bribes, comme si achever ses phrases lui coûtait un terrible effort.

— Nous n'avions pas l'intention d'avoir un troisième enfant, le moment était mal choisi — elle essuya ses yeux et adressa à Anna un regard navré — Nous ne l'avions pas prévu mais quand il a été là, nous... j'en ai été heureuse. Mais pour Simon, je crois que... enfin, c'était une responsabilité de trop pour lui; et Simon n'aimait pas les responsabilités.

Elle leva les yeux pour chercher un acquiescement qu'Anna lui donna d'un signe de tête. Anna se rappelait en effet son frère à vingt ans, évitant avec grâce toute forme de compromission, entre autre lorsqu'il lui demandait de répondre au téléphone quand une petite amie se faisait trop possessive. Elle le revoyait, se cachant de la visiteuse importune, secoué de rires pendant que sa sœur éconduisait poliment la malheureuse. À quatorze, quinze ans, elle lui reprochait son comportement d'adolescent, à quoi il répondait par un haussement d'épaules, avant d'aller rejoindre ses amis de libations dans un pub quelconque. Aussi ses parents avaient-ils appris son intention de se marier avec un grand soulagement. Du fond de son cloître, Anna avait pensé que son frère avait mûri, qu'il avait enfin décidé de faire face à ses responsabilités. En écoutant Lynn, elle comprenait à quel point elle s'était fourvoyée.

— Il y a deux mois, je travaillais encore, poursuivait Lynn. À mi-temps, à cause des enfants. Mais j'ai très vite été dépassée par les événements et je n'ai pu m'occuper convenablement de la maison... comme vous pouvez le constater... l'inquiétude me rongeait. Pendant un jour ou deux, j'ai cru que j'allais perdre l'enfant... Simon insistait pour que je cesse de travailler; ses revenus étaient largement suffisants, disait-il, et ce que je gagnais ne faisait guère de différence. Il m'a affirmé qu'il travaillerait deux fois plus qu'il... et c'est à partir de ce moment-là qu'il est devenu de plus en plus dépressif. Je ne parvenais pas à le réconforter. Nous ne faisions même plus... Lynn battit précipitamment des paupières. Bref, je me sentais inutile. Je savais qu'il avait toujours détesté la filature — le ton se fit accusateur — Nous aurions dû savoir que les affaires ne l'intéressaient pas.

— Je le savais, souffla doucement Anna.

Les mots se bousculèrent tout à coup dans la bouche de Lynn, comme si elle ne pouvait plus longtemps les retenir.

— Et vous, vous vous êtes empressée de vous éloigner de tout cela, n'est-ce pas? Si vous aviez tenu votre rôle, peut-être que tout cela ne serait pas arrivé. Je ne serais pas en ce moment assise ici en train de...

— Ne dites plus rien, je vous en prie. Je suis désolée, affreusement désolée, mais je n'aurais jamais imaginé que...

Attiré par les éclats de voix de sa mère, Jamie apparut sur le seuil de la pièce.

— Quand papa va-t-il revenir, maman? je n'arrive pas à faire marcher mon chariot élévateur.

Lynn tressaillit violemment, tandis que Jamie posait une nouvelle question.

— Est-ce que je peux avoir un biscuit, maman?

Écrasant brusquement sa cigarette, Lynn s'avança sur le bord de son siège.

— J'avais oublié : vous devez être affamés. Je vais vous préparer quelque chose.

— Non, m'man, intervint Bax. Je vais m'en occuper.

Lynn adressa à son fils un sourire reconnaissant et s'adossa de nouveau contre son fauteuil.

— Merci, mon chéri. J'arrive dans un instant.

Après avoir aidé Jamie à faire fonctionner son chariot élévateur, Anna alla rejoindre Bax dans la cuisine. Le plancher était carrelé de céramique grise et les murs, du moins ce qu'elle en voyait, étaient couleur argent. Contre ces murs, s'alignaient des rangées de placards et d'étagères dans un matériau qui semblait être du plexiglas noir. Sur le marbre gris du plan de travail étaient disposés des appareils électriques blancs qu'Anna ne put identifier. Contre un mur, elle vit d'autres appareils, plus imposants encore, munis de compteurs, de voyants lumineux et de minuteries.

En un éclair, Anna revit la cuisine du couvent, avec son ancien fourneau à charbon qui servait aussi de chauffe-eau, et dont la combustion permettait d'alimenter deux grands fours. Sur un des ronds de fonte, il y avait toujours une énorme bouilloire, sur un autre, une marmite dans laquelle les religieuses déversaient tous les restes comestibles qui servaient à faire la soupe dont elles s'alimentaient régulièrement.

N'empêche que, tout équipée qu'elle était, la cuisine de Lynn était aussi d'une malpropreté consternante. Des piles d'assiettes et de verres sales étaient entassées sur l'appui de fenêtre et sur la table. De nombreuses assiettes contenaient encore de la nourriture à laquelle on n'avait manifestement pas touché. Des pommes chips étaient répandues sur un journal grand ouvert, près de tasses remplies d'un liquide brunâtre. Un ouvre-boîte était encore planté dans une boîte de lait condensé, le couvercle à demi plié. Une poêle, le fond couvert d'une couche de graisse figée, gisait oubliée dans un évier. Si on en jugeait à la bouillie brunâtre contenue dans une casserole de verre où une spatule en bois restait plantée, quelqu'un avait tenté de préparer un porridge.

Anna contemplait ce désastre avec une consternation croissante. Elle chercha des yeux un torchon et le seul qu'elle trouva, percé de plusieurs trous dus à des brûlures, se trouvait sous un plat contenant une carcasse de poulet à demi rongée qu'un chaton était en train de finir. À côté, elle vit un sac de farine dont la moitié était répandue sur le sol. En ramassant la farine, Anna sentit du sucre crisser sous ses pieds. Il lui faudrait une bonne demi-journée pour mettre de l'ordre dans ce fatras, se dit-elle.

— C'est moi qui cuisine, maintenant, annonça Bax planté devant une porte de plexiglas qui s'avéra être celle du réfrigérateur. Ensemble, ils examinèrent son contenu. Une inspection attentive révéla à Anna que les yaourts étaient périmés depuis longtemps, mais que le fromage, du cheddar et de l'édam dans des sachets sous vide, même s'il n'était pas aussi appétissant que celui qu'elle faisait au cloître, paraissait propre à la consommation.

Elle pensa aux vieux ustensiles rangés dans la laiterie : les tamis, les barattes, les moules et les écumoires. Ils évoquaient un processus de travail lent et délassant auquel elle prenait grand plaisir. Les fromages étaient ensuite vendus à un magasin de produits naturels de Welshpool, ainsi que leur excédent d'œufs, car, en vertu de règlements anciens, les religieuses ne devaient consommer que le strict nécessaire et renoncer à tout ce qui était superflu, par conséquent immérité.

— Du fromage sur du pain grillé? proposa-t-elle gravement à Bax.

— Oh, encore du pain... j'en ai brûlé beaucoup en voulant le faire griller — il fit un geste en direction du monceau de tartines carbonisées — Mais je commence à faire des progrès...

Anna eut brusquement envie de serrer l'enfant dans ses bras.

— C'est... très bien.

— Si on faisait plutôt des bâtonnets de poisson avec des frites et des petits pois, Jamie adore ça.

Le placard attenant était le congélateur, seul élément de la cuisine qui lui fut familier, songea-t-elle. Le cloître en possédait un, depuis tout récemment; une énorme armoire frigorifique qu'on avait installée dans un bâtiment des communs. Les sœurs ne se seraient jamais offert un tel luxe, mais cette armoire leur avait été donnée par le parent d'une religieuse et elles avaient décidé de l'accepter dans un pur souci d'économie. Celui de Lynn contenait un gâteau au fromage et aux mûres, une boîte de poisson frit accommodé à la chinoise.

— Bien, dit-elle en s'emparant de la boîte. Où se trouve le poêle?

Abasourdi, Bax la fixa, le regard apitoyé par tant d'incompétence.

— Un poêle? Je ne sais pas ce que c'est. Nous, nous avons juste une plaque chauffante rapide.

— C'est tout à fait approprié; où se trouve-t-elle?

— Maman dit que c'est mortel, expliqua Bax en la lui désignant. J'ai essayé de faire du porridge, mais je n'aurais pas dû.

Plus tard, quand Bax et Jamie furent couchés, alors que les deux femmes sirotaient une tasse de café, Lynn lui fournit quelques explications.

— C'est une plaque en céramique, un système tout récent.

— Vous possédez de très jolies choses, dit prudemment

Anna.

— Bien sûr, pourquoi regarder à la dépense? répliqua Lynn d'un ton amer.

Anna, qui faisait de son mieux pour aimer sa belle-sœur, retint une réponse qui n'eût fait qu'attiser leurs dissensions.

— Il n'existe rien que nous ne possédions pas, poursuivit Lynn, non pas par vanité, mais dans une sorte de mea culpa. Simon adorait les choses inutiles. Par exemple, nous possédons une presse électrique qui a coûté une petite fortune parce que, semble-t-il, elle repasse pratiquement les chemises toute seule; nous avons aussi un moule à gaufres, une friteuse électrique, un robot ménager... Elle fit un geste en direction des objets qui avaient intrigué Anna. Ensuite, Simon a décidé de s'offrir un ordinateur personnel et d'équiper la maison d'un humidificateur automatique, de détecteurs de fumée. Dehors, il a fait installer des lampes au tungstène qui s'allument automatiquement juste avant le coucher du soleil. Il y a aussi un système de minuterie pour l'arrosage des plantes... que nous n'avons jamais plantées. Nous possédons deux téléviseurs, trois si l'on inclut le portable, un système de son stéréophonique. Le jour où Simon en a eu assez de ses vieux disques en vinyle, il les a tous remplacés par des disques compacts.

Anna allait d'étonnement en stupéfaction, ne comprenant pas le sens de la moitié des mots énoncés par sa belle-sœur. D'ailleurs, celle-ci se leva pour aller ouvrir l'abattant d'une autre machine dans laquelle s'entassaient assiettes et couverts.

— Je ne la fais tourner que la nuit, et un jour sur deux, expliqua-t-elle. Je reçois des factures d'électricité effarantes que je ne peux payer. Avant que Simon... nous n'utilisions l'eau chaude que deux ou trois heures par jour, au moment où nous mettions les enfants au lit. Simon dit... Elle se reprit : Simon disait que ça ne représente pas une grande économie, mais j'essaie quand même...

Et pourtant, une machine à laver la vaisselle... pensait Anna.

Les sœurs faisaient la leur à partir d'eau chauffée sur le vieux poêle, dans une vieille bassine de teck. Le vieil évier était si haut que la sœur de corvée de vaisselle devait se tenir debout sur un bloc de bois, revêtue d'un lourd tablier de toile huilée. Un autre monde...

Un coup d'œil à la pendule digitale du four lui rappela qu'il était vingt heures dix-neuf. Elle n'osait y croire : elle était encore dans cette cuisine, elle qui se couchait tous les soirs à neuf heures, juste après complies. Les émotions et la fatigue de la journée avaient pris le pas sur des habitudes qu'elle croyait définitivement ancrées en elle. Malgré son lourd vêtement, elle frissonna, impatiente de se retrouver seule. Mais auparavant, un point devait être éclairci.

— Vous aviez commencé à me dire quelque chose à propos de Simon.

Lynn s'affairait devant son lave-vaisselle.

— Il n'y a rien à ajouter.

— Vous avez fait allusion à un acte délibéré.

Lynn récupérait des morceaux de poisson dans une assiette.

— Ce sera bon pour le chat, ou le hamster.

— Je ne comprends toujours pas ce qui s'est passé.

Lynn rangeait les assiettes dans la machine avec un soin excessif.

— Si vous ne comprenez pas, répliqua-t-elle d'une voix étouffée, laissez-moi vous dire que je ne comprends pas davantage — elle se redressa, une main pressée dans le creux des reins — il s'est suicidé, le salaud...

CHAPITRE CINQ

Anna resta longtemps, à genoux près de la fenêtre, mais sa prière fut néanmoins confuse et difficile. La guimpe blanche mordait douloureusement les chairs de son front, comme sous l'effet de la pression mentale engendrée par la pensée que son frère, ayant commis un péché mortel, ne pouvait être enterré chrétiennement.

Les murmures de Lynn palpitaient encore dans sa tête.

— Quand il s'est levé, il m'a paru très bien, mieux que ces derniers temps, même. Il est parti à l'heure habituelle, mais, chose étrange, il est revenu quelques minutes plus tard et a troqué sa voiture contre ma vieille Mini, en prétendant que la Jaguar avait une crevaison. Plus tard, je suis allée la voir et j'ai pu constater qu'elle n'avait rien d'anormal. C'est comme s'il craignait d'endommager sa satanée voiture — Elle avait allumé une autre cigarette d'une main tremblante devant Anna, immobile, figée par la terrible révélation — Il ne s'est pas rendu à la filature et Peggy — vous vous souvenez de Peggy — m'a téléphoné sur le coup de midi pour avoir de ses nouvelles. À quatre heures, nous avons commencé à nous inquiéter. Puis, quelqu'un — elle baissa la voix — quelqu'un nous a signalé une Mini accidentée près d'Ingleton. Dieu seul sait ce qu'il faisait là-bas, conclut Lynn sans prendre la peine d'essuyer ses yeux.

— Comment avez-vous..?

— La police s'est montrée très aimable. Notre médecin a été averti et c'est lui qui m'a annoncé la nouvelle — Lynn enfouit son visage entre ses mains — Mais croyez-le ou pas, il y a pire. Le pire, c'est qu'il m'a envoyé une lettre que j'ai reçue le matin suivant par la poste. Pouvez-vous imaginer ce que j'ai ressenti en voyant son écriture? Je n'osais pas l'ouvrir.

Anna avait attendu sans un mot. Une fois repris le contrôle de ses émotions, sa belle-sœur avait poursuivi :

— Il voulait expliquer son geste; expliquer qu'il avait conduit son affaire à la faillite, qu'il était seul responsable et qu'il ne pouvait supporter cette perspective. Qu'il nous aimait, aussi.

Anna fut si bouleversée qu'il lui fallut un long moment pour se rendre à l'évidence. Cependant, pour le bien de Lynn, elle tenta de se montrer positive.

— Essayez de ne pas trop vous tourmenter, avait-elle conseillé. Cette triste histoire est finie, à présent. D'ici quelques jours, vous aurez repris le dessus et tout ira bien.

« Tout ira bien », elle le lui avait répété plusieurs fois, doucement, comme à un enfant. Mais Lynn avait écouté avec une expression à la fois sinistre et sarcastique qu'Anna n'avait pas eu le cœur de blâmer. Quelles que fussent les perspectives qui s'ouvriraient à cette femme au cours des semaines à venir, elles ne semblaient guère prometteuses. En montant à l'étage, Anna avait fait une dernière tentative pour la consoler.

— Quelque chose de bien va vous arriver, vous verrez.

Lynn avait alors marqué un temps, la main posée sur la poignée de la porte de sa chambre.

— Si vous croyez vraiment cela, Anna, c'est que vous croyez n'importe quoi. Bonne nuit.

Anna poussa un bref soupir et se releva avec effort. Elle se trouvait dans la chambre de Jamie, un petit espace agréablement aménagé de mobilier de bois blanchi sur fond de papier peint aux dessins inspirés de films d'animation dans des tons de rouge, de jaune et de bleu, et auquel on avait assorti les rideaux et le couvre-lit.

Il était presque minuit. Anna se dirigea vers la grande salle de bains couleur abricot avec cabine de douche indépendante. Mais c'est la baignoire qui retint le plus son attention. Une baignoire ronde et profonde, encastrée dans un socle couvert de moquette abricot et entourée de panneaux vitrés. Sur le côté, une conque faisant office de porte-savon contenait quelques billes, deux canards en plastique et un gant de toilette d'enfant.

Lorsqu'elle vit la baignoire, Anna fut prise de démangeaisons en sentant soudain le poids de ses vêtements. Jamais elle ne s'était sentie aussi lasse, aussi crasseuse. Tout en ouvrant les robinets, elle repensa aux instants où elle se déshabillait frileusement sur le paillasson de toile de sa cellule, aux rares occasions où on lui avait permis de se baigner sous un couvercle de bois dans lequel on avait aménagé un trou pour laisser dépasser la tête. Dans d'autres ordres, on se baignait revêtue d'une ample robe noire et en présence de ses compagnes. Au diable tout cela!

Les lampes éteintes et le store vénitien remonté, la lumière était encore suffisante pour qu'elle se baignât dans cette relative obscurité. Elle procéda à un dernier réglage de la température de l'eau, et attendit que la mousse envahît la baignoire.

Elle ôta les épingles qui retenaient son voile. Puis, avec un soupir de soulagement, elle défit la guimpe qui lui serrait la tête et retira son petit bonnet en massant son front endolori.

Une fois nue, elle jeta un coup d'œil au-delà de la baignoire, sur le grand miroir, sachant qu'il serait trop embué pour refléter son image. Dans l'obscurité teintée de jaune par les lumières de la rue, elle put néanmoins distinguer une pâle silhouette, floue et si mince que l'on pouvait à peine croire qu'elle appartenait à un corps de femme. Comme elle avait minci... son alimentation frugale et son rude labeur en étaient probablement responsables. Instinctivement, elle eut un geste pour cacher ses seins, pauvres petites choses insignifiantes.

La baignoire était si grande qu'elle pouvait y flotter. Jamais encore, dans cette conjonction d'eau chaude, de silence et d'obscurité, elle n'avait éprouvé une sensation aussi voluptueuse. Il était évident qu'une telle complaisance était hautement répréhensible, mais peu lui importait.

Près d'elle, sur une étagère vitrée, elle entrevit un flacon rempli de cristaux. Elle en éparpilla quelques-uns autour d'elle, libérant du même coup de lourdes senteurs de fleurs qui lui rappelèrent celles du jardin à l'ancienne de ses parents. Elle les huma profondément, avec la concentration d'un enfant.

En plus de sentir bon, le savon moussait généreusement. Quelle différence avec les blocs secs et durs qu'elle fabriquait au couvent! Elle frictionna son cuir chevelu comme pour se débarrasser de toutes les misères des derniers jours, puis glissa lentement en arrière, immergeant totalement son visage dans l'eau parfumée. De temps à autre, elle levait une jambe pour la replonger avec délectation dans la mousse. À présent, elle ne pensait plus. Son chagrin et ses anxiétés s'étaient évaporés dans les volutes odorantes. La tension de ses muscles s'était relâchée, la douleur de ses globes oculaires avait disparu. Elle était presque endormie.

Dans la rue, une voiture klaxonna. Elle savonna son ventre plat en songeant au gonflement de celui de Lynn. L'enfant de Simon... Elle aurait aimé être présente pour sa naissance, mais à ce moment-là, cela ferait longtemps qu'elle aurait regagné son cloître du pays de Galles. Pour insignifiante que fût sa connaissance des enfants, elle avait eu, au cours de rares instants passés auprès d'eux, l'occasion d'apprécier leur compagnie. Vers l'âge de dix-sept ans, avant qu'elle ne décidât de prendre le voile, elle s'était senti quelques velléités de maternité. Mais son imagination n'avait jamais osé dépasser ce cap, ne lui avait jamais permis de s'imaginer mère d'un grand enfant. Pour elle, la maternité s'était toujours arrêtée au stade du nourrisson.

L'eau chaude lui apportait un grand apaisement, tandis que l'association de sa lassitude et de ses émotions semblait lui jouer des tours en éveillant en elle des souvenirs qu'elle croyait oubliés. Pour la première fois depuis de nombreuses années, elle se rappelait les réactions de sa famille quand elle avait annoncé son désir de rentrer dans les ordres. D'obédience catholique, les Summers avaient fait baptiser leurs enfants. Cependant, aucun d'eux n'avait mis les pieds dans une église depuis des années.

Au commencement, sa mère l'avait écoutée, l'air absent. « Mais bien sûr, ma chérie » et avait poursuivi son repassage, n'accordant pas plus d'importance à cette décision qu'à ses intentions enfantines de devenir acrobate ou vétérinaire. Par la suite, à l'insistance d'Anna, sa mère avait opposé son incrédulité : « Tu es beaucoup trop jeune. On ne prend pas de telles décisions à ton âge, voyons. Et pour quelle raison, mon Dieu? Ce n'est pourtant pas une vocation que nous avons encouragée, ton père et moi ». L'expression douloureuse d'Anna l'avait conduite à se radoucir. « C'est juste une crise d'adolescence, l'avait-elle réconfortée. Ça te passera avec le temps... »

— La semaine prochaine, tu vas probablement t'enticher d'un de tes camarades, tu verras, avait surenchéri son père.

Hésitante quant à sa capacité à s'affirmer, habituée à se soumettre aux décisions de ses parents, elle s'était laissé inscrire à un cours de secrétariat. Bien que cela n'intéressât guère Anna, le directeur de l'établissement avait persuadé ses parents que ces études « très complètes » lui convenaient parfaitement. Ç'avait été la voix de l'homme, brusque et pleine de bon sens, contre ses doutes.

— Nous avons constaté que, bien que peu encline aux études universitaires, Anna possède une grande vivacité d'esprit et un sens pratique très développé. Ce genre d'études lui siéra à merveille.

Mais Anna avait détesté ces études-là dès le départ. Les leçons de sténographie lui semblaient ridicules et les leçons de dactylographie (trente élèves tapant la même lettre à l'unisson) la rendaient folle. Seul Simon avait écouté ses doléances, sans pour autant avoir de conseils pratiques à lui offrir.

Pauvre Simon. Sa situation n'avait été guère plus enviable. La perspective de travailler à la filature l'avait toujours rebuté. Ce qu'il aurait aimé, c'était s'associer et ouvrir un garage spécialisé dans les voitures de sport. Mais les fonds lui manquaient pour envisager de tels investissements. À ce moment-là, Anna elle-même n'avait pas compris. Les hommes de la famille devaient travailler à la filature, c'était là un fait établi. Son père l'avait fait, son grand-père aussi; les Summers avaient toujours été tisserands à Bradford.

Elle agita distraitement l'eau du bout du pied. Ces jours-ci, toutes sortes de pensées avaient accaparé son esprit de manière obsédante. La piété n'avait jamais été le fort de la famille. Les seuls moments où Anna s'était régulièrement rendue à l'église, c'était quand elle avait été guide. Mais à seize ans, elle avait lu un poème de Gerard Manley Hopkins.

« Mais tu marcheras sur le chemin pavé d'or
Et tu entreras dans la maison de Dieu. »

Et ces quelques mots avaient constitué le fondement de la grande expérience de sa vie. Par le biais d'une foule de sentiments profonds, aussi intimes et dévastateurs qu'un premier amour, cette poésie avait favorisé en elle la révélation de Dieu. Cette église, où elle s'était toujours rendue de mauvaise grâce, l'attirait imperceptiblement, sans qu'elle s'en rendît compte. Puis, un jour, elle avait été invitée à la communion de la jeune sœur d'une de ses amies. La cérémonie avait été charmante : robes blanches, fleurs, visages rayonnants de bonheur, la fête... Un groupe de religieuses étaient assises non loin d'elle, l'allure sévère dans leurs grandes robes noir et blanc. Anna avait néanmoins longuement regardé leurs mains sagement posées sur leur giron, leurs visages tranquilles, la chaleur de leur sourire.

Et c'est ainsi, presque par chance, qu'Anna s'était retrouvée pour la première fois dans un couvent. Ces sœurs appartenaient à un ordre d'infirmières de Huddersfield, et elles l'avaient invitée à prendre le thé avec quelques camarades. Quelques mois plus tard, Anna décidait de faire retraite une semaine dans leur couvent. Cette fois-là, elle avait dépassé le stade purement formel de la salle de visite; elle avait accompagné les religieuses à la chapelle et dormi dans une petite pièce passée à la chaux qu'on appelait cellule.

L'ordre possédait un magazine qui leur donnait des nouvelles de leurs sœurs œuvrant en Afrique. « Ma voie » relatait plusieurs faits qu'Anna lut d'abord distraitement, puis avec plus d'attention. On pouvait aussi lire différents récits sur la manière dont ces religieuses avaient découvert leur vocation. Cependant, détail remarquable, toutes insistaient de façon similaire sur le fait qu'une force supérieure avait décidé de leur destin.

« Je n'ai pas choisi; Dieu m'a prise par la peau du cou » écrivait prosaïquement l'une d'elles. « Je n'ai pas choisi, disait une autre, j'ai été choisie ». Ces notions avaient troublé Anna. Mais au moment où elle avait décidé d'en parler à l'une des sœurs, celle-ci lui avait répondu sur le mode ironique : « Eh bien, je suppose qu'il existe une explication rationnelle à cela. Cette possession par la religion équivaudrait en quelque sorte à un enlèvement par un beau chevalier sur son cheval blanc. » Puis, constatant l'ébahissement d'Anna : « Vous savez bien que votre sort est d'épouser un homme, de vous joindre à lui afin de mettre au monde une nouvelle vie; eh bien c'est la même chose pour nous : chacune des personnes que vous voyez ici est convaincue de se trouver exactement à la place qui lui a été désignée.»

« Les motifs sont différents pour chacune d'entre nous, avait ajouté sœur Morag. Il n'en existe pas deux semblables; les vocations sont aussi diverses que les galets dans la mer. »

Les galets dans la mer. Une métaphore à laquelle avait longuement songé Anna. Presque par surprise, la conscience de son bonheur s'était éveillée en elle, suivie aussitôt par l'affreuse pensée que Dieu seul pouvait répandre une telle allégresse. Ne devait-elle pas le payer de retour?

L'idée même était absurde. Non, pas elle. Qu'elle chasse cette pensée de son esprit. Après l'office du dimanche, on lui avait demandé, ainsi qu'au reste de la congrégation, d'assister à l'ordination d'un jeune prêtre. En la voyant, le prêtre s'était adressé à elle en souriant.

— Vous devriez poursuivre, avait-il dit.

Durant la quinzaine qui avait suivi, ces paroles étaient restées lettre morte. Mais, le vendredi suivant, alors qu'elle se rendait chez elle en traversant le parc, elle avait aperçu l'église, à l'autre bout de la rue. Au moment où elle s'était glissée sur le banc, la cérémonie avait déjà commencé. Trois silhouettes vêtues de blanc étaient tournées vers l'autel; et ce n'est que lorsqu'elles s'étaient retournées qu'elle avait pu voir leurs jeunes visages. À peine vingt ans, s'était-elle dit, et, déjà, ils consacraient leur vie à Dieu.

Anna avait pleuré. À compter de cet instant, elle avait compris qu'elle ne pourrait échapper à sa vocation. Sa grande confusion de sentiments, sa grande frayeur, elle en avait parlé aux religieuses de Huddersfield.

— Je ne suis pas sûre de souhaiter cela, avait-elle confié à sœur Morag. Je ne souhaite pour moi que des choses ordinaires : un emploi, un joli appartement. Il m'arrive même d'envisager de me marier — elle avait désespérément cherché ses mots — Ce n'est pas ce que je veux et je ne cesse pourtant pas d'y penser. Je ne comprends pas.

— Cela s'est passé de la même façon pour chacune d'entre nous, avait expliqué sœur Morag. La frayeur et le désir sont les premiers signes de notre vocation. Chaque femme éprouve invariablement ces deux sentiments, peu importe son âge ou son extraction. Le premier contact avec Dieu est troublant et ces conflits intérieurs sont tout naturels.

La frayeur et le désir. Ces sensations identifiées, Anna les avait éprouvées avec une intensité croissante. Elle présumait devoir rejoindre l'ordre auquel appartenait sœur Morag, mais quelque chose l'en empêchait. Puis, un jour, un magazine avait édité un reportage accompagné de photographies, sur une communauté galloise de religieuses cloîtrées, qui déployaient une énergie formidable et exprimaient une béatitude qui se confirmait à chaque page. De gracieuses silhouettes revêtues de gris travaillaient dans de grandes pièces calmes, la cornette blanche penchée sur des parchemins décorés à la feuille d'or, un visage lisse souriant au-dessus d'une guitare; deux files de religieuses, la robe agitée par le vent du soir traversaient la cour du cloître pour se rendre à la chapelle...

Même si elle s'était abstenue de lire l'article, Anna aurait tout de même su. Su que cet endroit répondait précisément à ses aspirations. Chaque renseignement qu'elle avait obtenu par la suite sur l'endroit n'avait fait qu'aviver son enthousiasme. La simplicité, la sérénité, l'immuable mode de vie, même ces pauvres cellules blanchies à la chaux la captivaient, tournant soudain en dérision la demeure de ses parents et ses murs tapissés de papier peint élaboré, ses tapis chamarrés... C'est seulement aux approches de la trentaine qu'elle avait pu entrevoir ses motifs véritables, soit un profond rejet de sa famille et des valeurs auxquelles elle croyait depuis toujours.

Deux mois plus tard, au couvent, elle avait fait la connaissance d'une petite femme autoritaire, spécialisée dans les prises de contact entre les postulantes et la communauté à laquelle elle souhaitait adhérer. Anna avait en l'occurrence exposé son attirance pour cette vie de claustration et de contemplation sur laquelle elle avait tant lu. « Avez-vous conscience de l'austérité dans laquelle elles vivent? avait demandé sœur David. Leur règle de vie leur est dictée par une sainte du sixième siècle, et elle fait loi en France depuis le treizième siècle. Elles vivent exactement de la même manière que leur fondatrice, chaussées des mêmes sandales, faites de cuir et de corde, mangeant dans les mêmes écuelles, se levant la nuit pour prier pour le monde. Elles vivent une existence érémitique dans leur jardin où elles se rendent afin de contempler la paix de Dieu. Il vous faudra beaucoup de force pour vivre dans un tel dénuement. »

Avait-elle été effrayée? Toujours est-il qu'Anna avait répondu avec candeur :

— Je n'ai aucune attache; simplement parce que ça ne m'intéresse pas.

Mais au-delà des mots, elle avait perçu l'amère déception qu'elle occasionnerait à ses parents. Mère David lui avait adressé le regard las de celle que plus rien ne surprend.

— Vous êtes très jeune, cependant. Trop jeune, peut-être. Voyez-vous, nous n'encourageons pas les jeunes filles à se joindre à nous sans qu'elles n'aient préalablement reçu quelque enseignement de l'existence.

Et c'est ainsi qu'Anna avait sollicité de ses parents d'être inscrite à un cours commercial. Cependant, assise derrière son bureau, c'est au couvent qu'allaient ses pensées. Elle était régulièrement retournée à Huddersfield, afin d'y recevoir instruction et conseils; elle avait persisté dans ses intentions au cours des questionnements auxquels elle s'était soumise, pour recevoir enfin par écrit une appréciation finale.

Acceptée par l'Ordre, elle prit elle-même tous les arrangements et annonça elle-même à ses parents la date de son entrée au couvent. C'est alors que sa mère avait joué son va-tout. Malgré la tiédeur de l'eau, Anna ne put réprimer un frisson au souvenir du visage crispé de sa mère en prononçant ces mots : « Gâcher ta vie, voilà ce que tu vas faire. Tu te jettes au rebut, toi et tout ce que nous avons fait pour toi. Te rends-tu compte que tu n'auras jamais tout ce qu'une femme est en droit d'espérer? Tu n'auras pas de mari, pas d'enfants, Anna. Tu ne sauras jamais ce qu'est avoir un bébé. » La supplique qui perçait dans le ton de sa voix lui avait été bien plus insupportable que sa fureur. « Tu n'auras jamais d'enfant; et ça, c'est une tragédie dont tu ne peux comprendre l'ampleur. »

À dix-huit ans à peine, Anna était certaine d'avoir raison, envers et contre tous. Du fait de sa jeunesse, de son inexpérience, elle restait convaincue au-delà de tout doute, qu'en embrassant la religion, c'était un enfant qu'elle prenait dans ses bras, l'Enfant rose et souriant dans le sein de Sa mère, l'Enfant qui attendait son amour.

Amen.

Anna actionna le bouchon de vidange de la baignoire. Contrairement aux matins livides de sa cellule, où l'humidité lui collait au corps longtemps après qu'elle fut habillée, la serviette de bain dans laquelle elle s'enveloppa était si épaisse qu'elle se sentit sèche presque immédiatement. Toujours dans l'obscurité, elle passa sa chemise de nuit en la boutonnant jusqu'au cou. Elle se brossa les dents avec la pâte dentifrice de Lynn, mais renonça à laisser sa brosse à dents en vue tant elle était vieille et informe. C'est pourquoi elle s'empressa de la ranger dans la petite trousse de nylon qu'on lui avait confisquée à son arrivée et rendue avant son départ. Cela lui fit penser à une vieille religieuse missionnaire qu'elle avait connue dans les années quatre-vingt et qui lui avait confié que les seules choses qu'elle eût jamais possédées étaient sa brosse à dents et son parapluie.

Frayeur et désir. Treize années plus tard, c'était cela qu'elle ressentait encore. Mais leur raison d'être était tout à fait différente. Frayeur et désir, alors induits par l'expectative d'une vie monastique, son retour dans le monde en était aujourd'hui la cause.

Anna avait dû s'endormir, même si elle ne s'y attendait pas, car un bruit la réveilla en sursaut. Elle resta un instant immobile, ne pouvant identifier ce qu'elle avait entendu. Devant ses yeux, l'image de Simon se dressait comme s'ils venaient juste de se parler. Elle voyait sa haute silhouette élancée un peu dégingandée, le visage qu'elle lui connaissait, avec ses tempes argentées et son éternelle expression, partagée entre un aimable amusement et une vague lassitude.

— Simon, Simon. Elle tâtonna dans le noir pour faire de la lumière. La lampe de Jamie représentait un château enchanté en céramique, avec des donjons et des tours et de grandes fenêtres en ogives illuminées de l'intérieur. En y regardant de plus près, elle vit que de petits animaux l'habitaient : un loir en habit rouge, un hérisson en salopette. Elle enfouit de nouveau son visage dans l'oreiller, reniflant les odeurs animales de son neveu.

Quand le bruit se reproduisit, elle reconnut la voix de Lynn. En un instant, elle fut sur le palier. La porte de Lynn était entrouverte et Anna entra sans frapper, de crainte de réveiller Jamie. Mais Jamie dormait toujours, petite boule ronde sous les couvertures. Lynn dormait aussi, quoique à en juger par les mouvements spasmodiques de son corps, elle faisait un affreux cauchemar. Anna se tint quelques instants debout, indécise, guettant à la faible lumière du couloir les soubresauts de sa belle-sœur. Fallait-il la laisser poursuivre son cauchemar ou l'éveiller à la réalité? Dans son rêve, Lynn se mit à crier.

— Réveillez-vous, Lynn! réveillez-vous!

Anna haussa le ton, mais ne put cependant tirer la jeune femme de ses rêves confus. Elle voulut poser une main rassurante sur son épaule, mais dut y renoncer, ne pouvant se résoudre à toucher ce coin de chair nue. Elle alluma la lampe de chevet et l'appela de nouveau par son nom.

Lynn sanglotait : « Simon! Simon! » et quand elle ouvrit de grands yeux égarés de douleur, elle ne sembla pas reconnaître Anna.

— Vous criiez durant votre sommeil, murmura Anna. Je craignais que vous n'éveilliez Jamie. Puis-je faire quelque chose pour vous? Un verre de lait, peut-être?

— Non, rien, merci, répondit Lynn en déglutissant. Je ne voulais pas vous réveiller.

— J'y suis habituée. Nous nous levons toujours la nuit pour prier.

— Restez quelques instants près de moi.

Le seul endroit pour s'asseoir étant le bord du lit, après un instant d'hésitation, Anna choisit de s'asseoir sur le sol, près de sa belle-sœur. À l'intérieur de la chambre, tout avait été aménagé dans des teintes de bleu tendre. La tête de lit et les panneaux coulissants des armoires encastrées étaient tendus du même velours uni. Anna détourna les yeux, embarrassée par la vision du sein gonflé sous la dentelle de la chemise de nuit de sa belle-sœur, du satin tendu sur son ventre proéminent, de ses boucles blondes que les larmes collaient contre sa joue. Malgré ses larmes, Lynn restait un archétype de féminité. De sa chemise de nuit, de sa peau, lui parvenait un doux parfum de femme.

Anna était éminemment consciente du contraste qu'elle opposait, avec sa longue chemise de nuit de pilou crème, son col monté et ses manches longues. Sa poitrine inexistante et son bonnet ridicule noué sous le menton la faisaient ressembler à un clown, une dame de pantomime comique et asexuée. Une ligne de Philip Larkin qu'elle avait lu en classe lui revint à l'esprit : « inépousée… inféondée… ».

— Je ne vois pas comment je m'en sortirai toute seule, hoqueta Lynn. C'est faire face à trop de choses à la fois. Comment a-t-il pu faire cela? Comment a-t-il pu m'abandonner? Quand nous n'étions que nous deux, nous avions déjà du mal à nous débrouiller; et voilà qu'aujourd'hui je me retrouve toute seule avec deux jeunes enfants. Et le bébé… Oh, mon Dieu! le bébé…

Lynn posa instinctivement ses mains sur son ventre en un geste protecteur et Anna sentit ses yeux s'embuer de larmes.

— Pleurez… elle voulut toucher Lynn mais ne le put. Pleurez, cela vous soulagera — Anna pleurait aussi. Vous verrez, quand le bébé sera né, vous vous sentirez beaucoup mieux.

Lynn fit brusquement pivoter sa tête dans la direction d'Anna.

— Pas du tout. Quand on met un enfant au monde, on éprouve le besoin de se sentir protégée. C'est instinctif. Si vous n'... Je ne saurais vous l'expliquer, conclut-elle hâtivement.

— C'est en effet quelque chose d'inconnu, pour moi. Mais je peux néanmoins tenter d'imaginer. Dieu ne vous infligera pas un fardeau que vous ne pourrez supporter...

— Simon n'a pu supporter le sien.

Cet état de fait platement énoncé écartait toute argumentation. Un silence s'ensuivit.

— Pauvre Simon, dit enfin Anna. Si seulement il avait demandé de l'aide...

— Il l'a fait. Il s'est rendu à la banque, la veille, mais n'a rien obtenu.

— Vous me dites qu'il avait des embarras pécuniaires; mais même s'il passait une période difficile, la banque n'aurait pas hésité à aider une entreprise comme les filatures Summers, pas après tant d'années.

— Ce n'était pas seulement une période difficile. Nous étions endettés plus que de raison. Simon ne voulait pas admettre que la filature allait très mal. Il avait de gros problèmes, je le savais, rien qu'à voir son sommeil agité, sa tension, ses inquiétudes. Mais chaque fois que j'ai voulu en parler, il a détourné la conversation en disant que je ne comprendrais pas, qu'il gardait le contrôle des opérations — sa voix se fit chevrotante — il dissimulait les factures comme Jamie cache un jouet brisé. Je les découvrais... plus tard. Il y en avait dans toute la maison, je me demande comment j'ai fait pour... Elle cessa de parler, les yeux perdus dans le vide. Je ne lui étais d'aucune aide, continua-t-elle enfin. Je me contentais de partager ses inquiétudes en espérant que tout s'arrangerait. Je me disais : Tout ira bien; il sait ce qu'il fait. De plus, je suis enceinte, c'est bien assez comme cela pour moi — elle émit un petit cri d'animal blessé — je ne savais pas ce qui m'attendait.

— Nous trouverons une solution, la consola Anna. Nous demanderons conseil. Peut-être devrez-vous vendre cette maison, au moins en retirerez-vous quelque...

— Elle est déjà hypothéquée. Deux fois. Il a souvent été question de la vendre, mais si nous l'avions fait, ce sont les banques qui auraient récupéré la somme et nous n'aurions plus eu nulle part où vivre. La vérité, c'est qu'il n'était pas à la hauteur de sa tâche. Il détestait la filature, le cœur n'y était pas. Il avait coutume de dire que le simple fait de s'y rendre le déprimait. Mais que pouvais-je faire? Nous avions une famille et il était impossible d'envisager qu'il se retirât des affaires. Il fallait vivre, vivre...

À voix basse pour ne pas réveiller Jamie, Anna se mit à parler. Forte de sa croyance en l'amour infini de Dieu, elle expliqua à Lynn que rien, rien n'arrivait qui ne fût par Sa volonté.

— Chaque chose a sa raison d'être, même ce qui nous arrive et quand bien même sommes-nous incapables de nous l'expliquer. Son amour nous englobe tout entiers. Il nous tient dans le creux de Sa main. Tout ira bien. Vous franchirez tous ces obstacles, qui, aujourd'hui, vous semblent insurmontables. Cela prendra du temps, mais tout s'arrangera, vous verrez.

Quelques instants plus tard, la respiration de Lynn semblait s'être apaisée; ses gestes nerveux avaient cessé.

— Voulez-vous dormir, à présent?

Lynn poussa un soupir las.

— Merci, merci de vous être dérangée pour moi, de m'avoir écoutée.

— C'est la raison de ma présence ici... Je laisse la porte entrouverte, au cas où vous auriez besoin de moi.

Dans la chambre de Jamie, Anna s'assit sur le bord du lit. Elle ne se rendormirait plus, maintenant. Il lui apparut que, quelle que soit l'heure, elle pouvait se faire une tasse de thé si elle le désirait.

Les pieds nus, puisqu'elle ne possédait point de pantoufles, elle marcha parmi les débris sur le carrelage froid de la cuisine, pour dénicher une bouilloire électrique. Quelques minutes lui furent nécessaires pour en comprendre le fonctionnement. Après s'être préparé un thé (un peu trop fort à cause de son manque d'expérience), elle alla s'installer sur le sofa, près de la cage d'escalier. De l'autre côté du hall, une porte claquait doucement. Elle alla la fermer, mais ne put s'empêcher de jeter un coup d'œil à l'intérieur de la pièce. La lumière diffuse du hall lui suffit pour discerner une pièce étroite aux murs tendus de liège dans laquelle se trouvait un énorme bureau à cylindre de bois sombre. La pièce, comme toutes celles de la maison, semblait avoir été traversée par un ouragan. Du bureau à moitié ouvert, débordaient des liasses de documents. Les tiroirs pendaient lamentablement, tandis qu'une quantité de lettres jonchaient le sol et le vieux fauteuil de cuir pivotant.

Anna se baissa sans y penser pour ramasser quelques papiers. Sa tasse de thé à la main, elle les prenait de sa main libre pour les poser sur le bureau quand elle vit, malgré la faible lumière, écrit en grosses capitales rouges : DERNIER AVIS.

Elle prit une longue inspiration. Voilà treize ans, c'est dire toute sa vie d'adulte, qu'on lui répétait que la curiosité était hautement répréhensible. Quelques années plus tôt, alors qu'elle s'entretenait avec la trésorière, elle avait fait l'objet d'une réprimande pour avoir jeté un regard furtif sur des documents posés sur le bureau. Il fallait se garder de toute pensée inutile, insidieuse ou même vagabonde. Les livres de comptes n'étaient pas de son ressort.

Et ces comptes-ci ne l'étaient pas davantage ou, tout au moins, ne l'eussent-ils point été si elle n'avait entendu le désespoir de la femme qui dormait à l'étage. Songeuse, elle sirota son thé en prenant conscience à quel point l'ironie de la situation lui avait jusqu'alors échappée. Elle avait fait vœu de pauvreté, renonçant à tout afin de s'assimiler à ceux qui ne possédaient rien et, durant tout ce temps, elle avait vécu hors de toute contingence matérielle, sans le moindre souci ni contrainte pécuniaire. On lui fournissait tout : nourriture, vêtements, chaussures, abri. Attendu que l'ordre auquel elle appartenait imposait l'absence de tout revenu fixe, aucun don d'aucune sorte n'était repoussé. La mère prieure s'était clairement exprimée sur le sujet dès son entrée au noviciat.

— Si nous devons passer notre temps en prières, ce à quoi notre vie est essentiellement destinée, nous ne pourrons jamais être complètement autonomes; c'est pourquoi nous devons nous en remettre à la divine Providence et à notre faculté de travailler de nos mains.

Ces paroles avaient d'autant impressionné Anna qu'elle n'avait jamais été très attirée par les biens de ce monde. Pendant que ses amies passaient leurs samedis dans les boutiques de Bradford, elle allait visiter les musées, les expositions ou encore elle restait chez elle à lire. Une vie simple, c'était ce qu'elle souhaitait depuis toujours.

Une jolie novice bien en chair avait alors demandé, pendant que ses doigts fébriles cherchaient encore une manière d'assurance dans le collier de perles auquel elle avait dû renoncer un mois plus tôt :

— Et que se passera-t-il si nous n'avons vraiment plus d'argent? Devrons-nous mendier?

— Quelques ordres sont autorisés à demander l'aumône, mais pas le nôtre, avait répondu la mère prieure avec un sourire dans lequel Anna eût juré déceler un brin de malice.

— Mais... si nous n'avons plus rien à manger?

— Thérèse d'Avila, la grande Thérèse, avait dit une fois à ses nonnes que le dîner serait prêt à six heures... dans le cas où il y en aurait un... Mère Emmanuel avait marqué une pause. Elle n'est pas morte de faim et nous non plus — Elle avait posé la main sur la pile de documents qui se trouvaient sur son bureau — Souvent, quand je reçois nos factures, je me demande comment je vais m'en acquitter. Mais Dieu ne nous a jamais oubliées, jusqu'ici. Il veille toujours à ce que quelqu'un nous fasse une donation ou que nous obtenions une réduction de taxes. Il fait toujours en sorte que nos problèmes se règlent en temps opportun.

Anna avait été frappée par la confiance quasi enfantine de cette gestionnaire, autrement intelligente que ce qu'elle voulait laisser croire. Si la mère prieure savait traiter des factures, elle le saurait aussi. Résolue, elle alluma la lampe de laiton, se ménagea un siège et s'installa devant le bureau. Puis elle se mit à vider méthodiquement chaque casier, réfrénant l'envie de jeter un coup d'œil aux lettres ou aux documents personnels. Dénichant deux chemises, elle se mit à trier les reçus — à peine six ou sept — des factures qui, en quelques instants, s'accumulèrent en un monceau impressionnant qu'elle se mit à classer méthodiquement. Quelques chiffres rapidement jetés sur une feuille de papier lui confirmèrent le résultat de sa compilation.

Elle était déjà atterrée par le montant des dettes, quand elle s'aperçut qu'elle n'avait pas tenu compte de celles qui se trouvaient sur le plancher. Quand elle eut terminé, la liste était décourageante : électricité, gaz, eau, impôts locaux : pas moins de deux mille livres. À cela venaient s'ajouter deux factures de dentiste pour Simon et Lynn, chacune de plus de trois cents livres, plus trente pour la fluoration de dents des enfants. Il y avait aussi des factures de cartes de crédit : American Express, Barclaycard, Acces, Diners et une foule d'autres dont elle n'avait jamais entendu parler. Comment Simon avait-il pu accumuler tant de dettes personnelles? Il y en avait pour presque quatre mille livres. Sans parler encore des cartes de crédit de magasins comme Debenhams et Rackhams. Le montant d'une facture de vins et spiritueux lui parut impossible : Simon et Lynn ne buvaient jamais autant. À moins qu'ils eussent donné une grande soirée...

C'était cela la dette de la famille : un total épouvantable de plus de sept mille livres, si on omettait l'épicerie. Anna remit les factures dans la chemise avec un soupir. Sans doute était-elle complètement dépassée. Peut-être était-il normal qu'une famille eût autant de dettes. Mais tout de même, Simon devait bien avoir contracté une assurance; et puis, la filature existait encore pour Lynn et les garçons.

À bout de forces, elle commençait à refermer le bureau, quand le cylindre se coinça à mi-course. Elle tira davantage sans plus de succès, pour remarquer enfin qu'un des tiroirs des alvéoles était sorti. Elle avait essayé d'en ouvrir un ou deux mais comme ils étaient fermés à clé, elle ne s'était pas occupée des autres. Elle essaya de le refermer mais, bien que vide, le tiroir résistait. Elle aurait tout aussi bien pu laisser le bureau ouvert, mais Lynn aurait pu apercevoir les chemises et leur contenu et le moment était mal choisi pour cela. Anna manipula le tiroir quelques instants puis, de guerre lasse, le sortit complètement afin de s'assurer que rien n'avait glissé derrière. Dans la niche étroite, ses doigts sentirent un bouton. Elle appuya dessus, pensant à quelque malfaçon, et un des tiroirs verrouillés glissa en avant.

Les factures qui s'y trouvaient avaient été volontairement séparées des autres. « Ce n'est pas pour rien que l'on appelle secrets ces petites cachettes inaccessibles aménagées dans les bureaux », se dit-elle en les examinant. Car il s'agissait bel et bien de factures secrètes. Il y en avait deux, dont l'une remontait à quelques mois et l'autre, à la semaine précédente, en provenance d'un concessionnaire Jaguar pour un montant total de deux mille livres. La qualité de la papeterie sur laquelle les autres étaient rédigées démontrait qu'il ne s'agissait pas de factures ordinaires. Elles semblaient émaner de grands tailleurs londoniens dont les noms étaient suffisamment évocateurs pour qu'elle-même les reconnût : Sulka, New Bond Street, des pyjamas, Turnbull & Asser, Jermin Street, six chemises, Hermès, trois cravates de soie. Sur cette dernière, elle s'attarda plus longtemps, incapable de croire qu'une cravate, UNE simple cravate pût coûter plus de cent livres. Pour finir, des chaussures de sport de Lilywhites, Piccadilly, pour le même montant. Trois cent cinquante livres pour une paire de chaussures faites à la main de chez Trickers dans Jermyn Street.

Parbleu! Elle aussi portait des chaussures faites à la main. À cette différence près que cette main-là, c'était la sienne. Avec un nouveau soupir, elle fit un petit tas de ces factures et les plia. À eux deux, Simon et Lynn semblaient avoir accumulé pas moins de dix mille livres de dettes. Elle remit le tas de factures à sa place et referma le tiroir. Cette fois, le cylindre descendit sans accroc et elle éteignit la lampe.

Sous ses faibles jambes, le sol dallé de marbre clair lui parut soudain périlleux. Elle n'était aucunement habilitée à porter un jugement sur Simon. Aussi, devait-elle se garder de le condamner, même après la déception causée par la découverte de ces factures secrètes. S'il lui était impossible d'imaginer le poids qu'il avait dû porter sur les épaules, si elle ne pouvait connaître le moindre de ses soucis, ce qu'elle savait, c'est que le sentiment de pitié qu'elle avait éprouvé à la mort de son frère s'était à présent changé en une colère froide.

CHAPITRE SIX

— Non, trancha Lynn.

D'un geste brusque, elle repoussa sa tasse et blottit sa tête entre ses bras.

— Mais il faut quand même que ce soit fait, argua Anna, consciente que ses tentatives pour redonner courage à sa belle-sœur se limitaient à jouer les adjudants, comme l'assistante sociale qui avait vainement essayé d'aborder avec Lynn le problème de son accouchement. La filature vous appartient, à présent. C'est votre unique source de revenus. Il est important que vous vous y rendiez, ne serait-ce que pour une heure.

Ce problème, elles en avaient déjà longuement discuté au cours des trois derniers jours ou, du moins, Anna avait-elle tenté de persuader Lynn qui, en retour, s'était montrée peu coopérative. À présent, Anna contemplait le dos qu'on lui tournait obstinément.

— Ce serait plus facile de vous rendre à Nightingale Street pendant que je suis encore parmi vous pour m'occuper des enfants. Vous savez bien que je ne puis rester plus longtemps. La révérende mère insiste pour que je regagne le cloître dès samedi prochain.

Voilà une semaine que Simon était décédé, et la visite de Lynn à la filature devenait inévitable. Lynn avait en effet reçu des douzaines de lettres de sympathie de ses employés, dont bon nombre travaillaient déjà à la filature alors que Simon n'était encore qu'un enfant. Par deux fois, ils s'étaient cotisés pour lui envoyer des fleurs, tandis que Peggy, inquiète, téléphonait régulièrement pour avoir de ses nouvelles. À tous ces gens-là, elle devait adresser des remerciements, dire les mots qui rassurent : que tout continuait.

Anna examina Lynn, les cheveux défaits, les vêtements froissés et les pieds nus, se disant que cette visite lui ferait le plus grand bien. Elle pourrait ainsi se rendre compte de l'intérêt que son personnel lui portait et se distraire de ses propres préoccupations. Cela, Anna le lui avait maintes fois répété. Ce matin, elle s'entendit rétorquer :

— Facile à dire. Je n'ai pas la moindre robe décente dans laquelle je puisse entrer; et puis, je n'ai pas le cœur à m'adresser à ces gens-là.

Anna s'impatienta :

— Peu importe votre tenue vestimentaire. Vous n'avez qu'à laver ce que vous avez sur le dos et lui donner un coup de fer. Mais faites donc quelque chose.

— Faites-le vous-même, marmonna Lynn. Puis, redressant la tête : C'est cela. J'irai à condition que vous m'accompagniez.

Lynn conduisait la Jaguar. Sa dextérité au volant de l'imposante voiture était d'autant plus étonnante qu'elle faisait d'elle un personnage à l'opposé de la veuve désabusée et indolente de Kingswalk.

Comme Anna la complimentait pour son adresse, la jeune femme répondit, sincèrement flattée :

— J'adore la conduite automobile. Mais j'ai horreur de manœuvrer pour me garer. Simon dit toujours... disait toujours...

Anna s'empressa d'éluder le sujet.

— Je n'ai jamais su quelles étaient vos occupations avant votre mariage.

— J'étais réceptionniste chez Hertz. Je m'occupais de la livraison de voitures de location aux hôtels, aux aéroports... l'hôtesse de l'air du pauvre, en quelque sorte. Nous devions porter de jolis uniformes noir et jaune et prendre la pose derrière d'élégants petits bureaux.... Anna, poursuivit-elle avec un brin de panique dans la voix, que vais-je pouvoir bien leur dire? C'est à peine si j'ai mis les pieds dans cette filature.

— Nous improviserons, répondit calmement Anna pour cacher sa propre anxiété.

Après toutes ces années de claustration, la perspective de s'adresser à tant de gens l'angoissait d'autant plus qu'elle ne souhaitait pas se fourvoyer dans une situation dont elle s'était sciemment détournée. En ce qui la concernait, sa décision était prise depuis longtemps et elle s'y tenait. Néanmoins, quels que fussent ses ressentiments, sa conscience lui dictait de soutenir Lynn dans l'épreuve qui l'attendait.

Les banlieues huppées lui parurent d'une certaine manière plus sombres que dans son souvenir. Au fur et à mesure qu'elles approchaient du centre-ville, les maisons des quartiers résidentiels firent place à des logements en terrasses. Là où elle s'était attendue à de la brique, Anna ne voyait que du béton, et des murs de verre là où se trouvaient des façades borgnes. Et puis, des lumières étincelaient de partout pour lui souhaiter la bienvenue, sur les façades, les cinémas... et l'une disait : BRADFORD, C'EST REPARTI!

Puis, au-delà du mille carré délimitant le centre-ville, des panonceaux minables rappelaient les vieilles manufactures datant de plusieurs générations : bobinage, teinture, tissage, cardage... Elles prirent la direction des entrepôts par un chemin encore recouvert de pavé rond, jusqu'à des bâtiments étroits et hauts où l'on avait accès par un empierrement de marches abruptes. Juste avant d'atteindre Nightingale Street, Anna remarqua la rangée de maisons étriquées de style victorien, inchangées depuis son dernier passage. Rassemblant ses souvenirs, Anna revit les portes d'entrée ouvrant directement sur des pièces étroites, les filets de pêcheurs accrochés au-dessus d'assiettes de faïence et de figurines d'Alsaciennes en crinoline, l'échoppe à journaux où Simon et elle avaient coutume d'acheter leurs « jelly-beans » et leurs bâtons de réglisse que Mlle Clegg prenait dans de grands pots de verre pour les verser dans de petits sachets de papier triangulaires.

L'échoppe était toujours là, mais l'enseigne au-dessus de la porte annonçait : « Tisdall Nelson Nadi ». Les maisons lui parurent plus petites, plus crasseuses. De nombreux graffitis sur les murs disaient : «Le pouvoir aux Pakistanais» ou «Dehors, sales bâtards d'étrangers». Des poubelles étaient renversées, leur contenu répandu sur la chaussée. Deux jeunes Indiens sur leurs planches à roulettes les frôlèrent, rebondissant sur les pavés de la grande cour qui faisait face à Nightingale Mill.

L'enseigne sur le mur n'avait pas été repeinte depuis la dernière fois où elle était venue : « Les filatures J.E. Summers & Fils », lettres d'un bleu délavé sur fond non identifiable. La porte principale était condamnée depuis toujours, afin que le hall fût aménagé en salle de dactylographie; c'est pourquoi le personnel administratif accédait au bâtiment par une porte dérobée. Anna suivit Lynn à travers une allée couverte parallèle au bâtiment, à travers des piles de caisses et de boîtes de carton. En poussant la porte, elle chercha à tâtons ses initiales, qu'elle avait tracées vingt ans plus tôt. « A.S. ». Elles étaient toujours là, profondément gravées dans la vieille peinture.

Les bureaux, qu'elle s'était attendue à ne plus jamais revoir, lui parurent aussi familiers que si elle les avait quittés la veille. Des murs couleur chamois, du linoléum brun sur le sol, des cloisons d'antique verre martelé séparant les cabines des préposés à l'expédition, l'immense et encombrant panneau électrique, le comptable payeur... À l'extrémité du couloir, se trouvait le bureau où avait travaillé son père, avec sa grande table tendue de cuir repoussé. Le directeur de production de l'époque avait son bureau à l'autre bout du bâtiment. Mais c'est ce bureau que Simon avait occupé, de son vivant et du vivant de son père. Cette pensée arracha à Anna un faible gémissement et ses doigts agrippèrent inconsciemment le chapelet qui pendait à sa taille. Près d'elle, Lynn annonça :

— Je vais aller voir si Peggy est ici.

Avant même d'avoir atteint la porte, Anna entendit l'accueil chaleureux que la secrétaire faisait à Lynn.

— Madame Simon, comme je suis heureuse de vous voir. Entrez et prenez un siège, je vais aller chercher M. Beattie.

— Un instant, Peggy, regardez d'abord qui est avec moi.

Lynn fit un pas de côté pour céder le passage à Anna. Peggy sembla tout à coup se figer, et la main qu'elle tendait à Lynn resta en suspens.

Peggy Dakins connaissait Anna depuis toujours. Elle se rappelait encore M. Summers l'emmenant avec lui à cinq, dix ans, avec ses nattes ou sa queue de cheval, avec sa prothèse dentaire en métal et ses sparadraps collés sur les genoux. Elle se rappelait l'adolescente un peu gauche, puis la lycéenne qu'elle avait été, avec son fichu noué autour du cou et son gilet d'homme trop grand pour elle, porté par-dessus une jupe très courte. Bien qu'elle ne fût pas pratiquante, Peggy avait écrit à Anna, au couvent; mais toutes les lettres lui étant revenues, alors, elle avait fini par renoncer à penser à elle.

Elle vit la silhouette élancée, revêtue de l'ample robe grise et dont les mains disparaissaient dans de larges manches. Sous le voile noir, la tête et le front étaient ceints de lin blanc. Le grain de peau n'était plus celui d'une petite fille, mais les traits avaient gardé leur finesse, même s'ils paraissaient tendus. Le deuil de son frère avait jeté une ombre au fond des yeux gris-bleu d'Anna. Peggy pensa d'abord que l'habit était la cause de la grande impression de calme qui émanait de sa personne, mais elle se ravisa. Elle avait devant elle une vraie religieuse digne et posée, même si, lorsque celle-ci souriait, c'était la petite fille qu'elle revoyait. Elle fit deux pas en avant pour la prendre dans ses bras.

— Comment ça va, ma chérie? demanda-t-elle en l'embrassant.

Anna en resta roide de saisissement. Mais, très vite, l'étreinte maternelle de Peggy, sa légère odeur de talc et d'eau de Cologne, le contact de son gilet d'angora — apparemment inchangé depuis des années — brisèrent les barrières de ses inhibitions, et Anna la serra à son tour chaleureusement dans ses bras.

— Oh, Peggy, comme je suis heureuse de vous voir!.. Elle se redressa. Ces cheveux gris bouclés, cette touche de rouge à lèvres... Peggy paraissait plus jolie que dans ses souvenirs, mais pas plus âgée — Vous n'avez pas changé.

— Allons donc, ma chérie; voilà longtemps que j'aurais pris ma retraite si l'on m'avait laissée faire — son sourire s'effaça — Mais je ne peux te dire combien cela m'attriste de te revoir en de telles circonstances — elle se tourna vers Lynn — C'est une bonne chose que vous ayez pu nous rendre visite, le personnel va être si content... Comment allez-vous, les enfants et vous? S'il y a quelque chose que je puisse faire...

Du coin de l'œil, Lynn adressa à Anna un appel au secours.

— Je voudrais d'abord vous remercier pour les gentilles lettres et les fleurs que vous avez envoyées. Je suppose... elle baissa le ton. Je suppose que je dois parler à Stan Beattie.

Anna vit Peggy battre des paupières d'un air hésitant.

— Eh bien oui, je crois que vous le devriez. Pourquoi n'irais-je pas le chercher tout de suite? Nous pourrions faire le tour des ateliers après. Il ne faut pas que vous fassiez trop d'efforts dans votre état.

Sans attendre de réponse, Peggy quitta son bureau en laissant la porte ouverte.

Sur le réchaud à gaz, la bouilloire se mit à siffler et Anna se mit à contempler l'étagère de métal peint, sur laquelle se trouvait l'image d'un hibou, une bouteille de lait à moitié pleine et cinq tasses toutes différentes. Au-dessus, sur l'appui de fenêtre, des pots de chlorophytum laissaient pendre leurs tiges jusqu'au niveau de la grosse machine à écrire noire. Quand elle était petite, Anna s'y installait pour écrire des histoires, au cours des longs samedis après-midi où, croyant lui faire plaisir, son père l'emmenait avec lui quand il avait du travail. Ici, rien n'avait changé, pas même le calendrier qu'un gros fournisseur envoyait chaque année ni l'armoire aux portes vitrées où s'empilaient les livres de comptes. Et l'odeur. Cette odeur de laine et de carton mêlée à celle de Peggy et à laquelle venaient s'ajouter des remugles de litière de chat.

— Savez-vous? c'est la première fois que je vous vois toucher quelqu'un; vous n'embrassez pas même les enfants.

Il ne s'agissait nullement d'une remarque désobligeante, mais d'une simple constatation. Anna détourna les yeux, blessée malgré tout. C'était la vérité bien sûr, mais elle n'avait jamais envisagé que quelqu'un pût s'en apercevoir. « N'ayez de contact physique avec quiconque, disait le manuel des novices, et ne permettez à quiconque de vous toucher sans nécessité ou raison évidente, quelque innocent que soit le geste. » Plus de dix années d'observance de cette règle l'avaient conduite à réfréner son envie de prendre ses neveux dans ses bras et de les embrasser.

Une voix d'homme, suivie de celle de Peggy se fit entendre dans le couloir. En revoyant Stan Beattie, debout devant la porte, Anna se souvint combien elle avait détesté cet homme.

Il avait vieilli, bien sûr, et grossi. Mais la voix était restée la même, grinçante à l'oreille, et il y avait aujourd'hui plus de gris que de brun dans ses cheveux huileux. Il portait la même veste de coton kaki qu'il mettait pour protéger son costume de la graisse des machines lorsqu'il se rendait aux ateliers, et dessous, une cravate jaune, imprimée de têtes de chevaux.

— Bonjour, madame Simon, c'est gentil de venir nous voir.

Après avoir serré la main de Lynn, il se tourna vers Anna. Celle-ci garda ses mains enfouies dans ses manches et, comprenant son erreur, l'homme mit précipitamment sa main dans sa poche.

— Bonjour, monsieur Beattie, comment allez-vous? demanda Anna, navrée par la gêne qu'elle venait de provoquer.

Beattie lui fit une réponse qu'elle n'entendit pas, consciente de l'examen minutieux dont elle faisait l'objet. Peggy proposa de faire du café. Pendant qu'on lui demandait combien de temps elle projetait rester auprès de Lynn, Anna se remémora ce qu'elle savait de l'homme.

Du temps de son père, Beattie avait débuté comme contremaître aux machines puis, quand Simon avait pris la relève, ce dernier l'avait nommé directeur de production. Marié et père de deux enfants, il possédait l'attitude mielleuse d'un Roméo de banlieue, comme disait sa mère. Anna l'avait associé aux gandins des bals du samedi soir et avait remarqué que les jeunes femmes de la manufacture avaient pour lui une profonde aversion. Il leur parlait de trop près, trop souvent ses mains frôlaient accidentellement une hanche ou un sein, quand il ne leur tripotait pas ostensiblement les fesses. Anna avait plus d'une fois entendu son père lui servir de sérieux avertissements, mais c'était un trop bon élément pour qu'il se permît de le renvoyer.

Anna savait que la considération de cet homme à son égard n'était guère plus enviable que celle qu'il portait aux femmes en général, et cela la hérissait. Depuis longtemps, elle avait cessé de se comporter comme un être sexué, et avait renoncé à tous les attributs de la féminité. Et aujourd'hui, sa poitrine plate, sa tête encapuchonnée et ses lourds vêtements faisaient d'elle un être curieux, un personnage hybride, affable et voilé, sans désirs ni besoins. Si, les religieuses étant toutes logées à la même enseigne, cet état ne lui posait aucun problème au couvent, une fois dans le monde extérieur, Anna avait une conscience aiguë de sa différence. Elle n'aurait souhaité à aucune femme d'être regardée comme le faisait Stan Beattie à cet instant précis, c'était par trop offensant. Aussi garda-t-elle les yeux sévèrement fixés sur sa tasse de café. Peggy s'adressa à elle :

— Vous joindrez-vous à nous? Cela fera plaisir aux filles.

— Je ne crois pas, merci.

— Vous le devez, Anna, vous m'avez promis, intervint Lynn, désemparée. Je n'irai pas toute seule. Je ne pourrai jamais leur parler si vous n'êtes pas là.

— Ce sont toutes de gentilles filles, madame Summers. C'est que vous n'êtes pas habituée à les voir... voulut la rassurer Peggy.

Comme Lynn ne semblait pas convaincue, Peggy jugea bon de faire appel à la collaboration d'Anna.

— Je crois que vous devriez... juste pour cette fois...

Anna y pensa : après tout, quelle différence cela ferait-il?

— Naturellement, acquiesça-t-elle d'un ton affable en se levant. Autant nous y rendre tout de suite.

La frontière qui séparait les bureaux des ateliers consistait en une vieille porte coulissant sur un rail profondément encastré dans le sol. Précédée de Peggy, Lynn posa le pied sur la dalle de pierre de l'atelier avec un frisson. Les trois femmes traversèrent la cour d'emballage, aire couverte qui séparait les deux parties du bâtiment. Stan Beattie fermait la marche.

L'escalier de bois brut conduisant à l'étage était si vieux que le centre des marches creusé par l'usure, était luisant. En posant la main sur la rampe rêche, Anna se souvint que, petite fille, elle refusait de s'y tenir; si bien que quelqu'un devait la suivre chaque fois qu'elle montait cet escalier. Avant même d'avoir atteint le palier, elle entendit les bruits des machines auxquels se mêlaient des accords de musique. L'odeur ne lui parvint qu'après. Une odeur aussi distincte que celle du bureau de Peggy, qui lui rappelait son enfance avec autant de précision que s'il s'était agi d'une photographie car, même si la filature ne produisait plus aujourd'hui que des fibres synthétiques, subsistait encore dans l'air une lourde odeur de lanoline. Plus loin, des lavabos anciens mais néanmoins d'une propreté extrême, s'élevaient de puissantes exhalaisons de désinfectant.

Les filles, comme on les appelait depuis toujours, n'étaient pas des jeunes filles mais plutôt, pour la plupart, des femmes d'un âge avancé qui travaillaient à la filature depuis toujours, et dont la relève était souvent assurée par leurs propres filles. Enfant, ces visites avaient toujours intimidé Anna, surtout à cause des plaisanteries qu'on faisait sur son passage ou des questions auxquelles elle devait répondre. Mais les filles étaient toujours pleines d'attentions pour elle. Il y en avait toujours une pour lui tricoter un habit de poupée : un bonnet, un collant, un manteau, dans des tons de rose ou de jaune vifs.

Peggy entra la première, et Anna, à qui Lynn venait de céder le pas, put constater que la grande salle au plafond bas était restée la même. Les vieilles et pesantes machines installées par son grand-père poursuivaient leur travail de filage dans un fin brouillard de poussière.

— C'est la petite Anna!

Toutes les têtes se tournèrent dans sa direction, toutes ceintes d'un fichu qui protégeait leurs cheveux des engrenages des machines. Bien que vieillis, ces visages lui étaient toujours aussi familiers. Elle reconnut Betty et Leila, Marlene et Sylv, et puis Rene, qui se précipitait vers elle, les joues brillantes de plaisir, le bigoudi bien serré sous le carré de toile grise.

Toutes les femmes semblaient rayonner de plaisir, tandis que Rene secouait énergiquement le bras d'Anna, avant de l'entraîner entre les rangées de machines pour qu'elle saluât chacune des employées comme quand elle avait douze ans. Un bref regard vers Lynn lui permit de voir que celle-ci, attachée aux pas de Peggy, faisait contre mauvaise fortune bon cœur.

— Ça fait plaisir de vous voir, cria Doris pour couvrir le vacarme. Nous nous sommes beaucoup inquiétées; comment prend-elle la situation? demanda-t-elle avec un geste vague en direction de Lynn, tout en proposant à Anna une plaquette de chewing-gum.

— Elle est dans tous ses états, avoua Anna à la plus intelligente de toutes, également réputée pour avoir la langue bien pendue. J'espère qu'elle se sentira mieux une fois que le bébé sera né.

— Vous n'êtes pas très exigeante, répliqua Doris en baissant un peu le ton. Seule avec trois enfants sur les bras, je ne crois pas que vos espérances suffiront à la sortir du pétrin.

Anna acquiesça. Elle s'apprêtait à dire quelque chose quand Doris l'en dissuada d'un geste. Parmi les visages des femmes qui l'entouraient, bon nombre lui étaient inconnus. C'étaient surtout des Indiennes et des Pakistanaises aux oreilles ornées d'anneaux dorés, à la narine percée d'un diamant, incongrûment attifées sous leurs blouses d'amples pantalons de soie. Elle fut présentée de façon protocolaire aux plus âgées d'entre elles, Mme Verma et Mme Chandubhai, qui répondirent par une petite courbette en révérence à son voile, alors que les plus jeunes, Rina et Lina, lui souriaient gaiement dans leurs survêtements colorés, tandis que leurs mains brunes s'affairaient adroitement sur leurs métiers.

— Et voilà Shiraz.

Rene s'était postée devant une machine arrêtée, dont l'opératrice, une beauté sombre aux longs cheveux tressés dans le dos, lisait un magazine aux caractères asiatiques brillamment colorés.

— Quant à Hal, il doit être quelque part…

De l'homme en question, Anna ne pouvait voir qu'une silhouette recroquevillée sous un enchevêtrement de métal et de bois. Rene eut beau crier son nom, l'homme ne l'entendit pas. De guerre lasse, elle se glissa sous la machine et lui tapota l'épaule.

L'homme sortit de sous le métier et se releva avec des mouvements d'athlète, à la fois lents et précis. Un bref regard suffit à Anna pour voir une paire d'yeux noisette cligner un peu à cause de la lumière, ainsi que des cheveux bouclés, brun doré, légèrement dégagés sur les tempes malgré son jeune âge. Anna se demanda si les sourcils fournis et gris qui se rejoignaient au milieu étaient responsables de son expression d'étonnement amusé. Après un bref sourire, elle se tourna vers Rene.

— Peter Hallam travaille sous les ordres de Beattie, expliqua Rene avec tout le mépris dont elle était capable. Il connaît absolument tout sur nos machines, pas vrai, Hal?

Anna écouta la voix ferme de l'homme, audible malgré le vacarme de l'atelier. L'accent était du nord, mais pas de Bradford, cependant. Rene la présenta en expliquant :

— C'est sœur Gabriel, maintenant...

— Je le vois bien, répliqua Peter Hallam.

Anna adressa un autre regard à l'homme et se rendit compte qu'il fixait les sandales qu'elle portait. Non pas avec l'arrogance de Stan Beattie, mais plutôt par timidité, comme s'il n'osait pas la regarder dans les yeux.

Lynn et Peggy s'étaient jointes à eux, à présent. Derrière elles, Stan Beattie annonça, faussement jovial :

— Nous ferions mieux de laisser ces dames ensemble; je crois que tu as pas mal de pain sur la planche — il pointa les machines du menton — C'est trop tranquille à mon goût, là-bas; il va falloir leur mettre un peu le cœur à l'ouvrage, conclut-il avec un gros éclat de rire auquel personne ne répondit.

— Au revoir, sœur Gabriel, dit posément Peter Hallam.

L'homme fit un signe de la main et tourna les talons. Anna le vit s'éloigner puis disparaître d'un pas tranquille entre les machines.

Une fois qu'ils eurent regagné le bureau de Peggy — Lynn refusant d'entrer dans celui de feu son mari — Stan Beattie se départit de sa fausse jovialité pour annoncer d'un ton maussade :

— Vous devez savoir que la situation va de mal en pis, ici.

Il y a des factures auxquelles nous ne pouvons faire face. Nous ne pouvons même plus acheter notre matière première et, depuis que Dawson est parti, le jeune Hal doit s'occuper à la fois des livraisons et de l'entretien des machines.

— Joe Dawson a pris sa retraite récemment, expliqua Peggy, et monsieur Summers a décidé de ne pas le remplacer. De toute manière, compte tenu de la situation, nous n'avons pas besoin de chauffeur à plein temps.

Anna attendit que Lynn répondît quelque chose. Mais comme rien ne venait, elle s'empressa de combler le mutisme gênant de sa belle-sœur.

— Mme Summers a l'intention de se rendre à la banque. Peut-être devrait-elle s'y rendre avec vous, monsieur Beattie. Mais entre-temps, disons pour une semaine ou deux, pourriez-vous faire en sorte que les salaires soient payés?

— Si je ne paie rien d'autre, marmonna Beattie, comme à regret.

— Nous ne savons pas encore où en est exactement notre situation financière, continua Anna. À cet effet, Mme Summers et moi-même avons l'intention de nous entretenir avec le directeur de la banque; mais en attendant, Mme Summers voudrait assurer à chacun que la filature continue et qu'il n'est pas question de licencier qui que ce soit.

— C'est cela, surenchérit Lynn avec effort. Je tiens à ce que tout continue. Pour commencer, je vais mettre la Jaguar en vente afin que vous puissiez acheter les matières premières dont vous avez besoin. J'espère que cela nous aidera à nous remettre en selle — Elle se leva péniblement de son siège — Excusez-moi, je me sens très lasse, il faut que je rentre.

— Quant à moi, je ferais mieux de retourner là-haut, dit Beattie en serrant la main de Lynn. J'attends donc de vos nouvelles — il se tourna vers Anna — Je ne pense pas que nous ayons l'occasion de nous revoir, mademoiselle Anna. Je tenais à vous exprimer mes condoléances pour votre frère. Il nous manque terriblement.

— Merci, monsieur Beattie, vous êtes bien aimable.

Une fois le directeur de production parti, Lynn s'adressa aux deux femmes :

— Excusez-moi, il faut que je m'absente une minute.

— Puis-je vous parler? commença Peggy en refermant soigneusement la porte de son bureau. Je veux dire : suis-je autorisée à parler finances, à présent que vous êtes... Elle fit un geste vague en direction de la robe d'Anna.

— Je me fais beaucoup de souci pour Lynn, comme vous toutes. J'ai bien écouté ce que Stan Beattie vient de dire. Tout cela ne laisse présager rien de bon.

— Justement : la situation n'est pas aussi catastrophique qu'il le prétend, annonça Peggy avec amertume. Il espère qu'en noircissant le tableau, Mme Summers la lui vendra à vil prix.

— Mais c'est impossible, Peggy! s'exclama Anna, effarée. De quoi vivrait-elle? Elle ne possède aucune fortune personnelle.

— Mais pour Stan Beattie, c'est le cadet de ses soucis. Et c'est aussi valable pour nous toutes, d'ailleurs. À la manière dont il voit les choses, il travaille ici depuis assez longtemps pour mener cette affaire tout seul, s'il parvient jamais à mettre la main dessus.

Anna se rassit pour mieux se concentrer sur les propos que lui débitait Peggy à la hâte, sur un ton de confidence.

— Je sais que vous n'avez jamais aimé Stan Beattie et moi pas davantage. Oh, il sait se montrer aimable quand il veut; nous travaillons ensemble depuis assez longtemps pour que je ne sois plus impressionnée par son comportement. D'ailleurs, voilà longtemps qu'il n'y a plus eu d'animosité entre nous. Mais il continue de m'inspirer de la méfiance. Je lui trouve un regard sournois.

— J'espère que vous avez de meilleures raisons que celle-là pour l'accuser, Peggy...

— Je ne peux pas supporter la manière dont il pose les yeux sur les gens, insista Peggy. Ces derniers jours, il n'a pas cessé de fureter dans le bureau de votre frère. C'est qu'il aimerait bien s'installer dans son fauteuil, croyez-moi. Et je n'ai pas l'intention de rester là, les bras croisés, à attendre sans rien faire.

— Mais a-t-il effectivement fait quelque chose de suspect? insista Anna. A-t-il dit quelque chose qui vous conduise à de telles conclusions?

— Hanh! s'exclama Peggy; et Anna ne put s'empêcher de sourire en se revoyant, pariant avec son frère, à qui parviendrait le premier à lui faire pousser son fameux « Hanh! ». Ça n'est pas nécessaire : je lis dans cet homme comme dans un livre ouvert — Elle tapota une pile de documents posés sur son bureau — Tout ce qui entre ici, que ce soit une facture, un chèque, ou une lettre de sommation passe sur ce bureau. Je peux lire un état de compte plus vite que n'importe qui; et s'il existe des choses que je ne connais pas, c'est uniquement parce que je ne veux pas les connaître. Ce que je peux vous dire, c'est que les commandes ne manquent pas, que nous en avons assez pour payer la main-d'œuvre et même laisser de quoi vivre à Mme Summers. Je ne dis pas que la situation est mirobolante, loin de là, mais elle n'est pas aussi dramatique que ce... monsieur veut le laisser entendre.

— Pensez-vous, demanda posément Anna, les yeux baissés, que mon frère est mort pour rien? que les affaires n'allaient pas aussi mal qu'il le croyait?

— Non, ma chérie, je ne dis pas cela. Votre frère était dans un état de dépression abominable. Je ne sais combien de fois je lui ai conseillé d'aller voir un médecin. Mais vous le connaissiez : il était têtu comme un mulet. Non, il avait de bonnes raisons de désespérer. Les affaires vont de mal en pis. Quand je pense à la manière dont ça marchait du temps de votre père, j'ai envie de me mettre à pleurer. Mais le problème de Simon, c'est qu'il n'a jamais accepté de réduire son train de vie. On aurait dit que, quelle que fût la situation, ce train de vie-là lui était dû.

Anna opina du chef. Elle ne le savait que trop. Avant même d'avoir vu la maison, avant même d'avoir découvert les factures secrètes, elle était parfaitement consciente du fait que Simon n'avait pas changé d'un iota depuis l'époque où, vivant encore chez ses parents, il dépensait l'argent qu'il ne possédait pas. Bien qu'à cette époque-là, ses besoins fussent infiniment moindres, il empruntait de l'argent à ses amis pour ses sorties nocturnes, soutirait secrètement de l'argent à sa mère et tirait des chèques sans se soucier de savoir si son compte était approvisionné. Cette manière d'être, mi-détendue, mi-inconsciente, faisait partie de son charme, semblait-il. Anna eut à peine le temps de dire à Peggy : « Merci pour ces paroles, je vous promets d'y songer sérieusement » que Lynn refaisait son apparition.

Une fois dans la voiture, Lynn s'emmitoufla dans son manteau.

— Honnêtement, je ne me sens pas la force de prendre le volant; j'ai un mal de tête épouvantable — elle s'abandonna contre son dossier — C'était affreux, j'ai cru que Simon allait entrer d'un instant à l'autre, que tout cela n'était qu'une méprise et qu'il allait revenir — elle prit une longue inspiration saccadée — Je ne reviendrai jamais ici; jamais au grand jamais...

— Cessez cela et rentrons, ordonna sèchement Anna.

— Je ne me sens plus capable de conduire cette voiture; je vais, dès demain, téléphoner au garage pour qu'on la mette en vente — Elle resta un moment silencieuse, les yeux fermés, puis ajouta sans les rouvrir : pouvez-vous conduire?

— Je... oui.

— Eh bien, rentrons, dans ce cas, reprit Lynn impatiemment, laissant clairement entendre les paroles qu'elle n'osait prononcer : «Décidément, y a-t-il une chose que vous ne sachiez pas faire?»

De fait, Anna conduisait depuis dix ans. Elle avait obtenu son permis de conduire avant même d'entrer au couvent car, avec un frère comme Simon, il était impensable qu'elle ne sût pas conduire dès l'âge requis. C'est d'ailleurs lui qui s'était chargé de lui donner ses premières leçons de conduite, si bien qu'elle avait obtenu ledit permis du premier coup, trois mois après son dix-septième anniversaire. Cela avait aussi donné à ses parents un argument supplémentaire pour la faire renoncer à entrer au couvent : « Nous t'offrirons une jolie voiture, lui avait-on dit. Une voiture sport ». Une tentative parmi tant d'autres... mais, sans doute à cause de cette obstination héréditaire, elle avait tenu bon.

Après deux ans de noviciat, après son conditionnement

initial et de longues heures passées à se pencher sur ses livres, on lui avait donné la charge du potager, laissé à l'abandon jusqu'à l'arrivée de mère Emmanuel, puisque personne, jusque-là, n'avait eu le courage ni la force de s'atteler à cette tâche. Le couvent employait un vieil homme, jardinier à l'occasion, qui se rappelait le domaine du temps où il appartenait au notaire de Welshpool. M. Dunbabbin, puisque tel était son nom, avait plus de soixante-dix ans, quand Anna l'avait rencontré pour la première fois. Silhouette voûtée aux mains noueuses, il s'était incliné nerveusement en portant deux doigts au chapeau dont il ne se séparait jamais. L'homme n'était censé adresser la parole aux sœurs qu'en cas de stricte nécessité et à la condition qu'elles fussent au moins deux. Cependant, malgré son âge, l'homme possédait encore toute sa vigueur. Ensemble, Anna et lui avaient débroussaillé la terre et l'avaient débarrassée de ses pierres, afin de pouvoir y faire passer le petit tracteur qui leur avait été offert par la veuve de la ferme voisine. Si, a priori, ce don avait été fort prisé par la petite communauté, son usage en avait cependant rebuté plus d'une. Même Anna, au commencement, avait éprouvé des craintes. Elle portait alors des gants épais et devait remonter ses jupes et les retenir avec une courroie de cuir, afin de les éloigner des rouages de la machine. Craignant d'avoir oublié ce qu'elle avait appris, Anna avait d'abord commencé en petite vitesse. Mais très vite, la tête au vent, elle avait appris à tracer de longs et profonds sillons bien droits, au point de devenir une experte en la matière.

Toutefois, se disait-elle, entre conduire un tracteur sur les coteaux du pays de Galles et piloter une Jaguar dans les rues encombrées de Bradford, il y avait une marge qu'elle redoutait de franchir. Près d'elle, nauséeuse, Lynn s'effondra sur le volant. Prise d'une vague de pitié, Anna alla ouvrir sa portière.

— Poussez-vous, je vous prie.

Après avoir réglé son siège, Anna se mit à examiner les commandes. Habituée à un levier de vitesse rudimentaire, elle se trouvait maintenant confrontée à tout un tas de cadrans et de manettes dont elle avait oublié l'usage, pour peu qu'elle l'eût jamais connu. Elle tourna la clé et le moteur ronronna doucement.

Puis elle engagea la première vitesse et se glissa en souplesse dans la circulation.

Elle conduisit avec une prudence excessive, attendant de longs moments avant de se mêler au flot de la circulation, ménageant une grande distance entre la voiture et celle qui la précédait. Pourtant, elle sentait la voiture comme un être vivant, prête à répondre à la moindre sollicitation. Elle songea à son tracteur bringuebalant et son siège en matière plastique. Un grand sourire éclaira alors son visage, le temps de retrouver l'air digne que lui imposait son état, trop absorbée par sa conduite pour remarquer les coups d'œil des autres automobilistes, intrigués de voir une nonne en uniforme au volant d'une Jaguar décapotable rouge écarlate.

Si l'orgueil est un péché, les vingt-cinq minutes de parcours jusqu'à Kingswalk firent d'elle une grande pécheresse.

CHAPITRE SEPT

La chapelle était un endroit tout en ombres veloutées : gris brumeux, bleus profonds, que venaient enjoliver les candélabres. Tandis que s'élevaient les voix cristallines des religieuses, le lent balancement de l'encensoir répandait un doux parfum d'encens. À travers ses cils, Anna observa le visage de la soliste absorbée par son plain-chant.

Cum transieris per aquas tecum ero, et fluminia non operant te.

«Quand tu traverseras la rivière je serai avec toi, et ses eaux ne te recouvriront point.»

À travers la grille, elle devinait l'autel avec son damas et ses cierges. Derrière, le crucifix, surchargé d'ornements, et le Christ, membres torturés, tête pendante sur un cou tendu, flanc percé. L'image de la douleur. Anna pencha la tête. « Pardonne-moi de T'avoir abandonné. J'étais absente de corps, mais mon esprit T'avait aussi oublié. » Les doigts sur son chapelet, elle avait retrouvé la paix de l'esprit. Deux heures s'étaient écoulées depuis qu'elle avait regagné le cloître.

Rien n'y avait changé. Le sourire bienveillant de ses sœurs, les cloches, le vent qui tourbillonnait dans la cour pendant qu'elle regagnait sa cellule. Elle en ouvrit fébrilement la porte, inquiète qu'elle ne lui parût subitement méprisable, après les deux semaines passées dans la maison de Lynn. Mais l'austérité de la chambre était telle qu'elle ne pouvait souffrir de comparaison. Elle lui parut plus grande qu'elle se la rappelait, plus calme, comme un havre de paix. Sur le crochet de la porte, l'attendait une chemise de nuit propre et, sur son lit, une guimpe propre soigneusement pliée. En signe de bienvenue, quelqu'un avait posé un chrysanthème sur le rebord de la fenêtre. Probablement sœur Dominic; cette chère Lis. Les rideaux avaient été tirés et il faisait bon. Anna dit une courte prière : « Merci, mon Dieu, de m'avoir ramenée saine et sauve ».

Il devait être presque six heures. Dans cinq minutes, ce serait l'heure du souper. D'un geste vif, elle ouvrit son sac en nylon et défit ses paquets, anxieuse d'effacer les traces de son voyage. Près de la porte, elle fit un tas des vêtements qu'elle devait laver, et posa son livre, « Somme théologique » de saint Thomas d'Aquin, sur sa table de chevet. En deux semaines, elle ne l'avait ouvert que trois fois.

Dans le long réfectoire, il y eut de rapides échanges de regards et quelques hochements de tête, sans que personne ne soufflât mot. Après avoir dit les grâces, mère Emmanuel ajouta : « Nous sommes heureuses d'avoir à nouveau sœur Gabriel parmi nous. À la récréation, nous pourrons échanger quelques mots avec elle ».

Comme il était de mise, le repas commença par une soupe faite des restes de la veille. Puis on fit circuler un grand plat ovale garni d'œufs au four. Anna passa le plat à sa voisine, accepta les pommes de terre bouillies et le chou, et traça un cercle sur la table pour que sœur Aelred lui fît passer le sel.

Vues d'un œil nouveau, les coutumes du couvent, tenues pour acquises depuis longtemps, lui paraissaient aujourd'hui pour le moins discutables : le concept de ses sandales et de ses sous-vêtements, l'organisation des journées, (avec cette manie de s'user les genoux sur les planchers), cette façon plutôt vulgaire de tremper des morceaux de pain rassis dans la soupe, cette habitude de ne boire que de l'eau tiède... Ces traditions perdaient soudain leur raison d'être; à quoi rimait cette marmite qui bouillonnait jour et nuit à l'office? C'étaient des pratiques qui remontaient à des temps immémoriaux, des règles qui leur avaient été imposées par la fondatrice de l'Ordre, mais qui appartenaient indéniablement au passé. Il était inconcevable qu'à l'aube du troisième millénaire, il existât des Anglaises vivant de la même manière que les paysannes françaises du treizième siècle.

Sœur Dominic apporta le dessert dans des bols de terre

qu'elles avaient elles-mêmes tournés. Anna remarqua qu'il y avait un abricot sec de plus qui flottait dans son lait chaud; quatre en tout, alors que la portion normale était de trois. Elle s'empressa de le manger, afin que les autres ne vissent pas le favoritisme dont elle faisait l'objet.

Sœur Dominic était une des plus jeunes religieuses du couvent. Au début, l'ensemble de la communauté avait douté qu'elle possédât la vigueur et l'endurance requises, nonobstant le fait qu'elle eût déjà vécu six mois de postulat et plus de deux ans de noviciat. Elle paraissait trop chétive pour supporter l'existence qui lui était imposée. Seule sœur Godric n'avait pas partagé ce point de vue.

— Les religieuses qui vivent le mieux la claustration, avait-elle expliqué, ne sont pas celles au tempérament calme et méditatif, mais plutôt les plus actives, les plus exubérantes, celles qui ne cessent de communiquer avec leurs compagnes. Ce sont elles qui constituent les meilleurs éléments.

Anna se souvenait que sœur Godric avait prononcé ces mots sans quitter sœur Dominic des yeux. Quelques nouvelles recrues décoraient la salle commune en l'honneur du saint du jour, quand sœur Godric et Anna étaient entrées sans bruit pour découvrir sœur Dominic debout sur une chaise, en train d'accrocher des guirlandes multicolores tout en riant à gorge déployée. Malgré leur présence, sœur Dominic n'avait pu réfréner son fou rire.

Ce fut la première fois qu'Anna la remarqua vraiment. Ses traits, agréables mais sans plus, et que mettait en relief son voile blanc de novice, étaient de ceux que l'on voyait sur les affiches publicitaires. Malgré son nez droit et ses belles dents, c'était l'éclat vif de son regard, comme animé d'une profonde exaltation, qui donnait toute sa vie à ce visage. C'était comme si, à tout moment, elle s'apprêtait à raconter une histoire merveilleuse.

La maîtresse des novices, sœur Thomas à Becket, avait été la première à s'inquiéter de l'arrivée d'Elisabeth Down, puisque c'est ainsi qu'elle s'appelait alors. « Trop passionnée », tel avait été son verdict. Mais mère Emmanuel en avait décidé autrement, consciente du fait que l'Ordre n'avait eu que deux postulantes en cinq ans. Par la suite, la précautionneuse sœur Thomas à Becket avait comme les autres succombé au charme de sœur Dominic, enchantée peu à peu par son enthousiasme en toute chose, sa vivacité d'esprit, son assiduité au travail. Ne pas aimer quelqu'un qui se donnait avec autant de générosité était chose impossible.

Cette fleur sur l'appui de fenêtre, c'était du Lis tout craché, se dit Anna en montant l'escalier conduisant à la salle de communauté. Quand elle y parvint, elle se retrouva juste derrière sœur Dominic.

— J'ai découvert la fleur. Merci pour cette gentille pensée.

— C'était la dernière du jardin. Il faudra attendre l'an prochain pour en avoir une autre. Et surtout ne soyez pas inquiète, elle ne sent presque pas.

«Tu ne humeras point les senteurs des fruits, des fleurs et des herbes aromatiques, et moins encore dans ta cellule ou sur ton corps pour leur odeur les porteras», se rappela Anna.

Malgré ce précepte, un grand bol de pot-pourri dispersait ses effluves aux quatre coins de la grande pièce, lieu de rassemblement des religieuses du couvent. De lourdes tentures voilaient les fenêtres et des chaises à dossier droit avaient été disposées à intervalles réguliers. Accroché au-dessus d'un antique buffet noir, un tableau représentant une procession pascale apportait l'unique touche de couleur. Ce tableau était l'œuvre de l'une d'elles. Onze ans plus tôt, Anna en avait fabriqué l'encadrement à partir du bois d'un chêne mort, s'initiant par le fait même au maniement de la tronçonneuse mécanique. Enfin, le dernier mais non le moins surprenant élément d'ameublement consistait en une table de ping-pong. L'étonnement d'Anna avait pris fin quand on lui avait expliqué que cette table faisait partie d'un lot de lits que mère Emmanuel avait acquis lors d'une vente aux enchères. Elles s'en servaient pour se distraire les jours de fêtes ou durant leur récréation, le reste du temps les raquettes et le filet étant gardés sous clé dans le buffet, avec le jeu de Monopoly.

Les récréations avaient lieu trois fois par semaine et duraient une heure et demie. Dans l'ancien temps, la coutume voulait que les religieuses s'asseyent sur deux rangs avec leur panier à ouvrage, toujours à la même place, pour ne parler qu'à sa proche voisine. Mais aujourd'hui, elles étaient libres de choisir leur siège et de parler à qui bon leur semblait, démontrant de ce fait que personne n'aimait bavarder davantage qu'une nonne cloîtrée. Toutefois, on se gardait bien de colporter le moindre commérage, sous peine, pour paraphraser mère Emmanuel, « de voir le couvent se changer en enfer ». « Parler boutique », ajoutait-elle, était, d'une manière générale, fortement déconseillé.

Quelquefois, il leur arrivait de sortir leur vieux phonographe et la demi-douzaine de disques qui l'accompagnait, un mélange bigarré de succès des années cinquante et de musique religieuse. La vieille radio dont elles se servaient de temps à autre pour écouter les reportages sportifs était elle aussi gardée sous clé. Mais la dégradation de langage et l'emploi de plus en plus fréquent de termes triviaux écorchaient les oreilles de quelques-unes, et elles avaient dû définitivement y renoncer. Ce langage choquait surtout les religieuses entre deux âges, avait remarqué Anna. Sœur Godric, avec la volubilité qu'on lui connaissait, n'avait pas le moins du monde paru dérangée.

À présent, la mère prieure montrait du doigt la chaise à côté d'elle et Anna put presque entendre le soupir de sœur Dominic quand celle-ci s'éloigna d'elle. Anna commençait à déballer son ouvrage de couture quand la supérieure l'arrêta d'un geste.

— Laissez cela, ma sœur, vous avez eu une rude journée. Cependant, nous aimerions vous entendre nous parler de votre séjour, du moins s'il vous agrée, ajouta-t-elle avec la scrupuleuse courtoisie dont elle se faisait fort de traiter sa « famille ».

Quand Anna était entrée au couvent, mère Joseph — Dieu ait son âme — avait fait alors remarquer : « Si je suis votre supérieure, cela implique que vous soyez mes subordonnées. Mais ce n'est pas ainsi que je conçois la chose. Même s'il est vrai que, dans certains ordres, les sœurs doivent encore faire la révérence chaque fois qu'apparaît une supérieure. »

Un coup d'œil circulaire rappela à Anna combien ces nonnes faisaient penser à des filles victoriennes sagement assises autour de la pièce. Mais un second regard dissipa cette impression. Certaines d'entre elles étaient très jeunes. Sœur Rosalie, l'externe, n'avait que vingt-trois ans et sœur Dominic, vingt-deux. Nombreuses étaient celles qui, comme Anna, étaient dans la trentaine : sœur Louis, la mince Irlandaise à l'étrange voix de haute-contre, avait trente-cinq ans, et sœur Thomas à Kempis, la musicienne, environ un an de plus. La maîtresse des novices, sœur Thomas à Becket en avait quarante, comme sœur Vincent, alors que sœur David et sœur Julian en avaient quarante-cinq. Cependant, dans la plupart des couvents de quelque ordre que ce fût, l'âge moyen des religieuses était de cinquante ans, et le leur ne faisait pas exception. Il était pourtant difficile de croire que la vigoureuse sœur Peter eût cinquante-deux ans ou que sœur Matthew, avec ses grands yeux noirs qu'elle tenait de sa mère espagnole, fût d'un an plus âgée. La prieure avait soixante ans et sœur Aelred était assez vieille pour qu'on oubliât son âge. Quant à sœur Godric, elle admettait être une octogénaire, ajoutant aussitôt que les dates et le temps ne lui importaient plus.

Cependant, ces femmes avaient toutes en commun quelque chose qu'Anna n'avait décelé sur aucun visage durant son séjour à l'extérieur du cloître. Elle avait alors découvert des gens dont l'expression de visage reflétait invariablement leurs sentiments, qu'ils fussent inquiets ou heureux, furieux ou préoccupés. Les jours passant, elle avait appris à les observer, évitant de se laisser captiver par leurs regards. Ainsi, elle avait découvert que le médecin de Lynn était un homme de quarante ans dont le visage prétendait exprimer une certaine jovialité, mais qui, en réalité, était dévoré d'angoisse. Malgré sa solennité, le policier qui était venu leur rendre visite pour leur faire part des procédures à suivre pour récupérer le corps de Simon lui avait paru trop jeune pour la lourde tâche qu'on lui avait assignée. Pendant l'office qui avait précédé la crémation du corps, elle avait aussi reconnu un chagrin sincère dans le regard des gens qui avaient aimé Simon.

En revanche, les visages de ces nonnes cloîtrées qu'elle voyait à présent étaient empreints d'une profonde sérénité. Aucun de ces visages ne reflétait lassitude ou fatigue, puisque ces visageslà n'appartenaient plus au monde extérieur. L'expression de leurs yeux, le pli au coin du nez ou de la bouche, leurs expériences gravées dans les fines rides qui cernaient leurs yeux, tout cela ne ressemblait en rien à ce qu'elle avait vu ailleurs. La violence qui sévissait par-delà les murs de leur cloître, elles en étaient conscientes. Elles priaient pour les criminels et pour leurs victimes, mais jamais elles ne se montraient choquées par les conséquences de passions qu'elles n'avaient jamais connues. Car toutes leurs expériences passaient d'abord par le filtre du culte, qui leur permettait, même dans leur pleine maturité, de préserver en elles un brin d'innocence.

Anna sourit à sœur Godric, dont les lunettes aux verres épais ne parvenaient pas à éclipser le bleu pur du regard qui, tout en reflétant une grande intelligence, témoignait aussi d'une méconnaissance totale de la souffrance. Mère Emmanuel prit la parole :

— Comment vont votre belle-sœur et vos neveux?

Anna répondit avec calme et sensibilité, abordant des sujets d'ordre pratique, se disant que personne dans la pièce n'était capable d'appréhender l'ampleur du fardeau qui pesait sur les épaules de Lynn.

Jusqu'à cette escapade, elle ne s'était jamais rendu compte à quel point les religieuses étaient libres des chaînes qui entravaient la grande majorité des femmes. Les petites tâches monotones et répétitives auxquelles ces femmes étaient soumises ne faisaient pas partie de leur quotidien. Les petits plats, l'école des enfants, les couches, la lessive, l'intérêt et les instants que ces femmes devaient consacrer à autrui, elles, les religieuses ne connaissaient rien de tout cela.

— Votre belle-sœur sera-t-elle en mesure de s'occuper de l'enfant quand il sera là?

Anna se sentit prise au dépourvu. Il ne lui était jamais apparu qu'il pût se présenter quelque problème à ce chapitre-là et elle le dit. Mère Emmanuel tapota ses dents de son dé à coudre.

— Eh bien, vous la connaissez et nous pas. Cependant, j'ai le sentiment qu'elle aura du pain sur la planche. Je crois qu'il faudrait quelqu'un à la filature pour veiller à ses intérêts.

La perspicacité de la supérieure inspirait le respect. C'est à peine, en effet, si Anna avait fait allusion à la filature et aux problèmes que Lynn devait affronter.

— Sœur Gabriel peut-elle nous parler de son séjour, s'il vous plaît? demanda en rougissant sœur Rosalie, qui aurait normalement dû accompagner Anna dans son voyage.

Anna s'exécuta volontiers, parlant aussi bien de la coiffure rose de son chauffeur de taxi, que de la folle musique diffusée dans l'*Inter City Express*. C'est alors que ses compagnes la pressèrent de questions : s'était-elle sentie effrayée de se retrouver livrée à elle-même? À quoi ressemblait Bradford, aujourd'hui?

— Il y a bien des musulmans là-bas, à présent? interrogea sœur Louis comme s'il s'était agi de créatures fabuleuses; et mêmes des Hindous, je crois?

Anna parla des gracieuses jeunes filles dont elle avait fait la connaissance, avec leurs pantalons de gaze et leur diamant à la narine.

Sœur Thomas à Kempis s'enquit, mélancolique :

— À quoi ressemblent les jeunes, aujourd'hui, comment s'habillent-ils?

— N'importe comment. On voit aussi bien des shorts minuscules sur les collants aux couleurs vives que des pantalons très amples au-dessus de la cheville. Certains portent des blousons de cuir avec leurs noms cloutés sur le dos. Leurs cheveux sont étonnants : j'ai même vu une jeune fille avec une crête et les tempes rasées comme un Iroquois. La crête était teinte en violet. J'ai vu aussi des garçons avec pour seule chevelure un toupet rouge, jaune ou vert. Ils portent tous, les garçons comme les filles, de gros godillots lacés très haut, avec des semelles très épaisses.

— Même les filles?

— Particulièrement les filles. Certaines se fardent le visage en blanc et se peignent les lèvres en noir.

Sœur David, la sœur tourière qui avait regardé Anna quitter le cloître, pinça les lèvres.

— En noir, répéta-t-elle avec répulsion. Voilà une chose à

laquelle je ne me ferais jamais. De mon temps, les jeunes filles se maquillaient les lèvres avec un peu de rose de Coty et c'est tout.

Anna lui adressa un rapide coup d'œil, et tenta, par charité chrétienne, de ne point voir les petites rides verticales qui fendillaient la lèvre supérieure de sœur David. Sœur Godric leva les yeux de son canevas. Elle avait si mauvaise vue qu'elle devait à présent utiliser le plus gros fil et des couleurs très vives, alors qu'elle avait à son actif des réalisations d'une subtilité de couleurs surprenantes. Mais elle faisait contre mauvaise fortune bon cœur et prétendait qu'aujourd'hui, ses œuvres étaient plus « commerciales », davantage prisées par les visiteurs du couvent.

— La plupart d'entre nous avons eu le crâne rasé, observa-t-elle. Nous prétendons l'avoir fait au nom de la vertu, et pour marquer notre aliénation du monde extérieur. Peut-être ces jeunes gens veulent-ils exprimer quelque chose de semblable.

— Ha!

Toutes les religieuses détestaient les ricanements sarcastiques de sœur Vincent qu'un rien provoquait mais, comme ils prenaient toujours des allures d'animosité retournée contre elle-même, personne n'en prenait ombrage. Cette fois-ci, c'était parce qu'elle venait de laisser tomber le bouton qu'elle tentait de coudre. Elle avait un profil d'oiseau de proie et un tempérament approprié. Malgré ses efforts, chaque parole qu'elle prononçait était aussi irritante que du papier de verre.

Le silence s'était installé quand, à l'autre extrémité de la pièce se fit entendre la voix claire de sœur Dominic. Incorrigiblement curieuse, elle demanda :

— Êtes-vous sortie en ville?

— J'y suis passée en voiture plusieurs fois, répondit Anna, préférant éluder l'épisode où elle s'était trouvée au volant de la Jaguar.

Dès cet instant-là, elle fut bombardée de questions : Comment était-ce? Y a-t-il de nouveaux immeubles? Avez-vous fait la connaissance de personnes intéressantes?

Histoire de faire montre d'un brin d'autorité, mère Emmanuel leva un doigt temporisateur, pendant qu'Anna écoutait les propos pleins de regrets de sœur Julian.

— Ç'a dû être intéressant. Comme j'aurais aimé regarder les vitrines des magasins tout illuminées, la nuit...

Anna aimait bien sœur Julian. Cette dernière était entrée au couvent à la mode ancienne, c'est-à-dire aussitôt après avoir quitté l'école. Elle portait sur elle-même un regard d'une navrante honnêteté, consciente de son insignifiance face à sa vocation de consacrer son existence à Dieu. Avec le temps, son visage rond et anxieux s'était empreint d'une pusillanimité de plus en plus envahissante qui, conjuguée à son allure effacée, la rendait presque invisible aux yeux de ses compagnes. Elle tressaillit en entendant sœur Vincent observer sèchement :

— Je ne crois pas que sœur Gabriel soit jamais sortie le soir; cela n'aurait pas été convenable. Et puis — elle cassa un morceau de fil avec un bruit sec entre ses dents — je ne crois pas qu'il soit utile d'évoquer les plaisirs du monde extérieur; cela nous détourne de notre tâche et encombre notre esprit de pensées futiles.

Anna se rassit. Son esprit, songeait-elle, était aujourd'hui étonné et amusé à la fois. Quelques semaines plus tôt, elle aurait vraisemblablement fait la même réflexion. Et pourtant combien touchante et naïve était la question, comme si la pauvre sœur Julian imaginait le monde comme quelque mystérieux et captivant endroit, débordant de plaisirs et de distractions. Il faut dire qu'elle avait aujourd'hui quarante-six ans et qu'elle était rentrée dans les ordres à l'âge de quinze ans, cet âge-là, à son époque, n'étant en rien comparable à celui d'aujourd'hui.

— C'est vrai. En entrant dans ce couvent, nous avons fait don de notre liberté à Dieu, et il en est de même pour vous, sœur Gabriel — mère Emmanuel leva les yeux de son œuf à repriser — Nous comprenons les raisons de votre visite à votre famille à qui nous adressons toute notre affection. Mais tous ces propos sur le monde extérieur sont tout à fait inutiles.

Le bruit mat que produisit la supérieure en reposant son œuf à repriser signala que le débat était clos. Anna sentit monter en elle une bouffée de colère qu'elle refoula néanmoins aisément : « Ce sont elles qui ont posé des questions »; mais le regard que lui adressa mère Emmanuel la rasséréna.

New York avait été la seule ville étrangère qu'elle avait connue. Simon l'y avait conduite au cours d'un voyage d'une semaine. Elle n'avait alors que seize ans, mais elle s'en souvenait comme si c'était hier. Elle se rappelait la chaussée fumante de la 5e Avenue, et le coup de fouet glacial de l'air conditionné quand ils étaient entrés chez Bloomingdales; les gaufres arrosées de sirop d'érable, le pastrami chaud des « delicatessen » et les bars sombres et frais dans lesquels Simon passait le plus clair de son temps. Un après-midi, ils s'étaient rendus au Metropolitan Museum et Anna avait remarqué un des gardes du musée, posté près d'une toile. C'était un homme dans la cinquantaine, de forte carrure, qui portait un uniforme et une lampe torche accrochée à la hanche. En voyant son expression farouche et son regard en alerte, Anna s'était dit que, s'il n'en avait tenu qu'à lui, plutôt que d'être exposés, ces tableaux auraient été gardés sous clé. Il posait sur les gens un œil accusateur, comme s'il soupçonnait chacun de vouloir dérober une toile.

C'est cette même expression qu'Anna retrouvait à cet instant précis dans le regard de mère Emmanuel. Plus clairement que des mots, son visage exprimait sa crainte de l'effet dévastateur que le monde du dehors pourrait produire sur ses nonnes. C'est à ce moment-là que son œuf à repriser lui échappa des mains pour aller rouler à ses pieds. Sœur Rosalie se précipitait pour le ramasser que déjà, sans même regarder, sans même savoir qu'on allait le ramasser pour elle, mère Emmanuel tendait la main.

— Merci, ma fille.

Anna ferma les yeux, éprouvant tout à coup une grande lassitude qu'elle fut tentée de mettre sur le compte du « choc culturel » des dernières semaines. Revenir au cloître, le revoir avec un œil nouveau, retrouver son mode de vie, c'était un peu comme revenir à l'époque victorienne, avait-elle pensé. Mais en réalité, c'était revenir à l'époque féodale. À l'extérieur, la filature et la situation désespérée de Lynn l'avaient contrainte à prendre des décisions, aussi mineures fussent-elles; alors qu'ici, elle devait se conformer aux règles imposées par l'Ordre, renoncer à avoir des goûts ou des opinions, répondre avec déférence à l'autorité supérieure et s'exécuter à la première sommation. Ici, elle n'était guère plus qu'une enfant. Elle s'adressa à mère Emmanuel :

— Suis-je autorisée à regagner un peu plus tôt ma cellule, ma mère? La journée a été longue...

Ainsi libérée, elle chemina à travers la bâtisse silencieuse dans une obscurité quasi totale, la plus grande parcimonie étant observée pour l'électricité aussi. Mais cette pénombre ne lui déplaisait pas. Elle frôla à peine la statue de saint Joseph et le pot de géranium au pied de l'escalier, jeta un rapide regard par la porte entrouverte de la cuisine où s'alignaient déjà les bols du petit déjeuner, chacun contenant son sachet de céréales dûment scellé. Dans la cour, un vent glacial chargé de pluie l'incita à s'emmitoufler dans son grand manteau, avant de parcourir rapidement la galerie qui menait aux cellules. Dans quelques mois, cet endroit triste et retiré brillerait des couleurs des narcisses qu'elle avait plantés, et cette perspective la ravit.

Anna s'endormit en pensant au printemps.

Cinq jours plus tard, il pleuvait toujours. Se dressant sur la pointe des pieds, elle regarda dehors, par la lucarne de l'office, pour ne voir que les rafales de pluie qui obscurcissaient la cour. Cet après-midi-là, le printemps était encore loin. Elle malaxa les restes de chandelles récupérés à la chapelle afin de se réchauffer les mains et se mit à huiler son énorme moule, semblable à une gaufre géante montée sur un établi.

Anna aimait confectionner les hosties. C'était une tâche spécialement impartie à la communauté parce qu'elle ne nécessitait aucune aide extérieure et que les gestes qu'elle suscitait laissaient une large part à la contemplation. Par surcroît, c'était une source de revenus appréciable puisque le cloître fournissait en hosties tous les détaillants, aussi bien anglicans que catholiques.

Elle y pensait justement en pétrissant des deux mains la farine et l'eau, à la manière traditionnelle. Avec le tour de main que lui conférait sa longue pratique, elle laissa tomber son mélange sur une plaque de métal carré. Puis, toujours à deux mains, elle abaissa la lourde plaque sur laquelle elle avait fixé le gabarit avec le dessin d'un crucifix, le préféré des anglicans. L'énorme emporte-pièce pressa la pâte en une série de pastilles plates dont elle détacha les découpes à l'aide d'un couteau pointu, pour les faire tomber dans une bassine. Quand son travail serait terminé, elle déposerait devant l'entrée du cloître ces découpes que le fermier voisin avait coutume de récupérer pour ses cochons.

La cuisson prenait exactement deux minutes trente. Pour respecter ce minutage, Anna surveilla l'unique pendule du monastère, jusqu'au moment opportun. Puis elle retira la plaque du four et la mit précautionneusement à refroidir, avant de recommencer l'opération.

Elle en était à sa huitième grande plaque. La lassitude commençait à gagner ses bras et ses épaules, quand on gratta à la porte si discrètement qu'elle crut être le jouet de son imagination. Quand, après un second frôlement, elle alla ouvrir, ce fut pour découvrir sœur Dominic, les bras chargés de torchons qu'elle venait de cueillir sur la corde à linge.

— Puis-je entrer? demanda-t-elle d'un signe de tête.

Anna jeta un rapide coup d'œil dans le couloir. L'autoriser à entrer, c'était enfreindre la règle, bien sûr. Mais, depuis son retour, elles ne s'étaient presque pas adressé la parole. Juste pour une fois, elle accepta donc de briser « la loi du silence », se disant qu'après tout, n'importe quel incident pouvait contraindre à s'adresser à quelqu'un : des hosties trop cuites ou une panne ménagère. De toute manière, elle s'infligerait une pénitence plus tard, et le tour serait joué. Mais pour le moment, elle ne pouvait résister au regard implorant de Lis. La jeune religieuse se glissa par la porte entrouverte et s'adossa contre le mur en riant doucement.

— Il faut que je me dépêche, murmura-t-elle, je dois repasser ces torchons — elle mit le gros paquet de linge sous son bras — Où étais-tu partie, si longtemps, Anna? tu nous as manqué. Tu m'as manqué — elle se mit à fixer Anna, mi-plaintive, mi-méfiante — Je me suis languie de toi. Et moi, t'ai-je manqué?

— Tu ne peux imaginer comme j'ai été occupée. Je n'ai eu

le temps de penser qu'à la foule de problèmes qui m'attendaient là-bas. En voyant le regard de Lis s'assombrir, Anna s'empressa d'ajouter : mais, oui, c'est vrai : tu m'as manqué. C'est merveilleux de rentrer chez soi et de retrouver les siens.

— Tu dois tout me raconter; je veux tout entendre, et pas seulement ce que tu racontes aux autres. Tout ce qui se passe dehors, comprends-tu? Toutes tes impressions, toutes tes pensées, si... tu as pensé à moi...

— Je te l'ai déjà dit, Lis. Tout est si programmé, ici, si minuté, qu'on en arrive à oublier qu'il peut en être autrement ailleurs. À Bradford, tout a empiré depuis mon départ. J'avais une autre perception de la vie et du temps qui passe quand j'étais jeune. Le temps a paru passer en un éclair. Malgré ma volonté de dire mes prières, j'avais toujours quelque chose de plus urgent à faire, durant ces moments-là. C'est seulement le dimanche matin que je retrouvais un peu de tranquillité, et même à ce moment-là, je devais aller à la messe de bonne heure afin de me rendre disponible le plus tôt possible.

Anna mélangea encore un peu de farine et d'eau et étala sa pâte sur la plaque chaude. Les deux femmes écoutèrent avec satisfaction le grésillement de l'appareil quand Anna en referma le couvercle. Anna fit ensuite courir son couteau autour des bords et ajouta, les yeux fixés sur la pendule :

— Cela m'a donné beaucoup à réfléchir, aussi. Cela m'a fait prendre conscience du monde étriqué dans lequel nous nous cloîtrons, mais aussi combien nous sommes protégées des vicissitudes du monde extérieur. En entrant ici, j'ai cru choisir une vie de dénuement, ce qui, dans un certain sens, est vrai : je ne possède rien. Mais en y regardant de plus près, j'ai, comme nous toutes ici, tout ce dont j'ai besoin. Je suis vêtue, logée; je vis ma vie sans m'inquiéter de chômage ou de retraite, puisqu'il n'est jamais question de congédiement ou d'exclusion pour nous. S'il est vrai que pour gagner notre pain quotidien, nous travaillons dur et donnons beaucoup de nous-mêmes, nous avons en même temps tout ce que nous désirons.

— Veux-tu dire par là que nous ne vivons pas dans la

pauvreté?

— Pas dans le sens où ce terme s'applique aujourd'hui, répondit Anna en malaxant une nouvelle boule de pâte. Je sais que nous faisons des dons en nature à des œuvres de charité, que nous prions pour les pays déchirés par la guerre, pour les enfants d'Afrique qui meurent de faim chaque jour par milliers. Mais laisse-moi te dire ceci, Lis : il y a une très grande différence entre le ouï-dire et constater certains événements de visu. J'y ai longuement pensé et je crois avoir compris.

Durant mon séjour chez mon frère, je n'ai jamais cherché à regarder la télévision. Cependant, un reportage sur l'Éthiopie a attiré mon regard et ce que j'ai vu dépasse l'imagination. On aurait cru voir un peuple aux prises avec une famine comme on en parle dans la Bible. J'ai vu d'immenses campements en plein désert, où l'on voyait des enfants se presser contre les genoux de leur mère, des jambes et des bras décharnés recouverts de poussière. Tout un peuple couleur de désert réduit à l'état de fantôme, avec des enfants si maigres qu'on aurait cru voir au travers — Anna fit un geste qui embrassait toute la pièce — Tout cela n'a rien à voir avec la vraie pauvreté.

— C'est la première fois que je t'entends parler ainsi, s'étonna sœur Dominic.

— En effet. Je ne suis pas ici pour exprimer des opinions. Mais si je n'étais pas sortie, si je ne l'avais pas constaté de mes yeux, je n'aurais jamais eu conscience de la souffrance de ce monde. Je me serais contentée d'assurer tranquillement ma survie. Aujourd'hui, j'éprouve de la honte en pensant aux prières que j'ai faites sous prétexte que j'avais faim — Anna hocha lentement la tête — Paupérisme, besoins, abstinence... nous n'avons pas la moindre idée du vrai sens de ces mots, Lis — La voix passionnée d'Anna atteignait à présent des octaves élevées. Lis lui fit signe de modérer ses transports en posant un index sur ses lèvres. Le visage sombre, Anna marqua une pause avant de reprendre : Et ce n'est pas tout. Les dernières semaines ont été terribles pour Lynn, la pauvre femme est si désespérée; et j'éprouve tellement de colère envers mon frère que j'en suis moi-même effrayée.

— Mais tu pleures, lâcha Lis d'une voix petite.

— Vraiment? renifla Anna, j'en suis désolée.

Elle s'assit sur une chaise et pêcha un grand mouchoir blanc de sous son jupon. Ayant recouvré son calme, elle conclut :

— Très bien. Je crois qu'en quinze jours j'ai connu plus d'émotions qu'en deux ans de séjour ici. Une longue promenade me ferait du bien, encore qu'avec le temps qu'il fait dehors, je risque d'en revenir avec une pneumonie.

— Peut-être fera-t-il meilleur, demain. Si c'est le cas, je t'accompagnerai.

— Non, merci.

La déception assombrit à nouveau le regard de Lis. Elle était comme une enfant, se disait Anna, un instant souriante, boudeuse celui d'après. Lis commença à lui tourner le dos, sa pile de torchons pressée contre sa poitrine.

— Tu as changé...

— Je ne le voulais pas mais c'est vrai — elle se remit à pétrir sa pâte — Et je ne crois pas pouvoir faire machine arrière.

La main sur la poignée de porte, Lis demanda une dernière fois, le dos tourné :

— Et moi? que ressens-tu pour moi?

— Je ne sais pas, Lis. Je ne sais trop que penser, en ce moment, répondit posément Anna.

— Eh bien, moi, fit Lis avec acrimonie, mes sentiments pour toi ne changeront jamais, peu importe ce qui peut arriver.

Elle se retourna brusquement, le visage pâle, les bras tendus, laissant tomber ses torchons sur le sol.

— Anna, je...

Derrière la jeune religieuse, la porte s'ouvrit et le premier réflexe de Lis fut de se pencher en avant pour ramasser son linge. La tête de sœur Peter apparut, deux doigts sur les lèvres afin de leur rappeler la consigne de silence en vigueur pendant les heures de travail.

— Benedicite, dit Anna.

— Dominus, répondit sœur Peter avant d'apercevoir sœur Dominic accroupie sur le sol. Excusez-moi, je n'avais pas l'intention de vous interrompre.

— Sœur Dominic était venue m'apporter la clé du cellier, improvisa précipitamment Anna malgré son aversion pour le mensonge.

— Je suis venue nettoyer les plaques.

Anna opina du chef en faisant un geste dans leur direction, montrant en même temps qu'elle avait presque fini. Du coin de l'œil, elle vit sœur Dominic disparaître en direction des cuisines pour aller faire son repassage. Tout en préparant sa dernière fournée, Anna songeait combien elle appréciait l'aide de cette religieuse à la forte stature et au langage débridé. En dépit de leur taille ou peut-être grâce à cela, ses doigts gros comme des saucisses travaillaient les métaux, argent ou étain, comme personne. Elle souleva sans effort quatre plaques d'un coup et suivit Anna dans le cellier. Semblables à des créatures nocturnes, elles se déplacèrent en silence, sans le moindre faux pas malgré la pénombre, pour ranger les plaques sur des claies de bois.

— Vous feriez mieux de vous méfier de cette jeune personne.

— Pardon? sursauta Anna, occupée à placer les dernières plaques.

— Elle est très... sœur Peter semblait chercher le mot juste... émotive; et ce serait une erreur de l'encourager dans ce sens, expliqua-t-elle sur le mode de la conversation à bâtons rompus.

— Mais je ne pense pas agir de la sorte...

Anna remerciait le ciel que l'obscurité cachât son embarras. Où diable voulait-elle en venir?

— Eh bien, enchaîna la religieuse, puisque vous le dites... mais je ne l'ai pas perçu ainsi.

« Mais que m'importe la manière dont vous l'avez perçu! » aurait aimé crier Anna. Elle se limita à répondre :

— Elle était bouleversée parce que je lui ai parlé d'images de famine que j'ai vues à la télévision. Tout est de ma faute : je n'aurais pas dû enfreindre la règle.

Sœur Peter poussa un long soupir et Anna vit sa silhouette

massive se diriger vers l'escalier.

— Non, c'est moi qui aurais dû me taire. Je n'ai pas à formuler de critiques et j'en suis désolée. Mais lorsqu'une de nous part, tout le couvent en est perturbé. L'ambiance n'était plus la même pendant votre absence; c'est peut-être à cause de votre personnalité, je ne sais pas...

C'était donc ça. Anna éprouva un élan d'affection pour sœur Peter et sa soudaine gentillesse.

— Mais je suis de retour, à présent. Tout cela est terminé, conclut Anna, néanmoins consciente que ses paroles manquaient de conviction.

Après les vêpres, Anna sortit pour soigner les animaux. C'était la seule tâche du couvent qu'elle exécutait si tard, mais c'était aussi celle qu'elle préférait entre toutes. Les pieds chaussés de lourdes galoches et le voile protégé par un bonnet de plastique, elle attira le troupeau d'oies vers son parc à l'aide d'un seau de graines et l'enferma soigneusement à l'abri des renards. Elle n'oublierait jamais le matin où elle n'avait plus découvert qu'un tas de plumes maculées de sang et une touffe de poils roux accrochée au grillage.

Puis, relevant ses jupes, elle traversa le potager et courut en direction du grand champ où, profitant de ces instants de liberté, elle inspira de longues goulées d'air frais. Son absence avait été assez longue pour qu'elle se rendît compte à quel point la vie de cloître était ennuyeuse, à quel point elle s'était sentie confinée avant que cet appel téléphonique ne l'eût brutalement propulsée vers le monde extérieur.

Elle était même parvenue à oublier l'intolérable bruit de mastication de sœur Mark. Bien sûr, ce n'était pas sa faute si elle perdait son dentier; mais ce désagréable « clic-clic » horripilait Anna; et, une fois encore, elle avait tenté de trouver patience et compassion dans la prière. À peine quelques heures plus tôt, dans le Chapitre des Fautes, la prieure les avait enjointes de confesser la moindre de leurs fautes. Face contre terre, les bras écartés, Anna avait énoncé les siennes : « Je confesse à vous, ma mère, et à vous, mes sœurs, avoir rompu le silence à l'office et avoir eu des pensées peu charitables. »

Elle atteignit l'extrémité du champ où paissait un troupeau de « Beulah Speckledface ». Elle en compta une douzaine et s'assura que la porte de l'enclos était bien fermée. Une jeune brebis vint frotter son dos contre la barrière de bois, et Anna passa aussitôt la main pour lui gratter la laine sur le sommet du crâne. L'animal la regarda, son regard couleur soufre dénué d'expression. Anna aimait bien les moutons, même s'ils ne le lui rendaient pas. Elle sentit les boucles serrées crisser sous ses ongles au fur et à mesure que ses doigts s'enfonçaient dans l'épaisse toison. Gentils animaux un peu stupides mais si peu exigeants qui, en retour, donnaient deux fois par an leur laine, à filer pour ses compagnes, à teindre pour Anna.

Au tout début, elle avait teint la laine dans des tons qu'elle avait vus autour d'elle : des verts lichens, des jaunes dorés, des rouilles... La variété de nuances qu'elle tirait des racines et des baies était infinie. Trois années s'étaient passées avant qu'elle ne découvrît que, grâce à l'adjonction de teintures synthétiques, elle pouvait obtenir des nuances spectaculaires tout en conservant leur subtilité. Peu après la tonte de printemps, elle pourrait commencer à penser teinture. Car, brûlant d'impatience, elle se demandait si elle allait réussir enfin à obtenir le fameux vermillon qu'elle souhaitait, la couleur du vernis à ongles d'Estée Lauder qu'elle portait le jour de son arrivée.

De fil en aiguille, ses pensées la conduisirent à faire une sorte de bilan de ses mains : elles se trouvaient dans un état abominable et du vernis à ongles n'y ferait rien, bien au contraire.

C'est sans doute la raison pour laquelle, jusque tout récemment, elle avait évité d'utiliser le rouge dans ses teintures. Bien que cette couleur évoquât la sexualité, elle n'avait point détesté la porter avant de prendre le voile. Curieusement, son vernis à ongles avait été un des articles de maquillage dont elle avait eu le plus de mal à se passer.

Encore une minute et elle devrait partir. Il faisait presque nuit et elle n'avait pas de lampe torche. Sur le coteau, à sa droite, elle capta un mouvement, l'arrière-train blanc de deux lapins. Cette vision lui rappela sœur Dominic. Lis. La seule personne au couvent à l'appeler Anna.

Le menton posé dans le creux de son bras, elle resta un instant appuyée à la clôture, songeant à sœur Dominic et aux paroles qu'elles avaient échangées à l'office. Leur relation semblait avoir pris un tour incontrôlable, mais de quelle façon? Si elle n'avait pas provoqué cette amitié passionnée, elle ne l'avait pas évitée non plus.

Cela faisait quatre ans que sœur Dominic avait rejoint le cloître, à un moment où elle-même avait été au creux de la vague. À cette époque, elle était devenue introvertie et paranoïaque, persuadée que le monde entier s'était ligué contre elle. Vidée, inutile, telle était alors l'image qu'elle percevait d'elle-même. Elle s'était réfugiée dans la prière et le travail qui, loin de l'apaiser, lui procuraient un sentiment toujours plus profond d'absurdité et de désespoir. L'étroitesse des jours sapait son énergie et sa vitalité, au point qu'elle avait toutes les peines du monde à quitter son lit le matin.

Durant toute cette période, elle n'avait créé aucun lien. Même à une époque antérieure à son arrivée, quand ses camarades commençaient à parler de mariage ou d'enfants, elle était restée seule. Le chemin qu'elle avait délibérément choisi, c'était celui de la solitude. Elle n'avait pas pensé un instant que c'était aussi le plus escarpé puisque, selon elle, chacun en ce bas monde était et restait seul quoi qu'il fît. Puis, comme son cœur et son corps étaient restés méconnus, elle s'était tournée vers Dieu.

Par la suite, la manière dont les jours s'étaient subitement transformés, ce brusque et inexplicable changement de climat mental qui avait suivi l'arrivée de Lis n'avaient pas cessé d'étonner Anna. Elle s'était mise à se mouvoir avec plus d'assurance, et même à fredonner en travaillant au jardin. À cause de l'importance toute nouvelle qu'elle revêtait aux yeux de Lis, elle ne s'était plus sentie insignifiante ni rejetée.

Il n'était alors apparu ni à l'une ni à l'autre que cette innocente complicité pût provoquer des commentaires de la part de leurs compagnes. Jusqu'au jour où sœur Godric était venue les rejoindre pendant qu'elles cueillaient des plantes aromatiques pour dire posément à Anna :

— Quand on va par paire, le diable n'est pas loin.

— Je vous demande pardon, ma sœur? avait prudemment répondu Anna en se redressant brusquement.

— Vous me comprenez très bien, sœur Gabriel, avait répondu sœur Godric. Ce n'est pas parce que j'ai mauvaise vue que je ne remarque pas certaines choses...

— Mais ce n'est que de l'amitié, sœur Godric, avait plaidé Anna, mortifiée. Simplement de l'amitié. Je n'éprouve pour sœur Dominic rien d'autre que de l'affection et je sais que c'est réciproque.

Sœur Godric était restée silencieuse.

— Me croyez-vous?

— Je vous crois, ma sœur. Vivre dans la chasteté ne signifie pas vivre dans l'indifférence. Nous avons toutes des émotions et, dans une certaine mesure nous tâchons de les réprimer ou de les atténuer, car elles n'entrent pas dans le cadre de notre vocation et de l'idée que nous nous faisons de nous-mêmes. Nous devons être « des miroirs, des lumières, des torches, des étoiles... » c'est bien cela? Voilà bien longtemps, quand je suis entrée ici, l'enseignement était autrement strict. Nous devions tout apprendre par cœur — Elle cita quelques extraits du « manuel des novices, du culte de la chasteté » : Réprime et fuis comme la peste, toute amitié particulière, même d'origine spirituelle, ainsi que les conversations familières engendrées par une apparence amène, de bonnes manières ou d'agréables dispositions.

Amitié particulière. C'était la première fois qu'on avait associé ces deux vocables en présence d'Anna. « A.P. » disait-on au couvent en référence au fameux roman français du même nom. L'amitié entre deux personnes du même sexe était un sentiment qui devait être abhorré, honni. Mais si personne n'avait le droit de lui prêter des pensées pernicieuses, il lui avait, au demeurant, été bien pénible de répondre :

— Il ne s'agit pas d'une relation... sensuelle. Elle n'est ni possessive ni exclusive et ne porte aucun préjudice à notre communauté. J'ajouterai que, grâce à sœur Dominic, je me sens une personne meilleure.

Ce qui était la stricte vérité. D'ailleurs, quelle que fût la tendresse qu'elle éprouvait pour Lis, elle n'avait jamais posé le petit doigt sur elle. Il y avait eu juste cette fois, où Lis avait pris le visage d'Anna entre ses mains en murmurant : « Quel adorable visage de madone ». Sans un mot, elle avait doucement repoussé les mains de Lis en refoulant les larmes qui sourdaient au coin de ses yeux. Ces quelques mots venaient de combler le vide de toutes les années passées à se demander de quoi elle avait l'air.

La vieille religieuse avait alors enfoncé ses mains dans ses larges manches.

— Je ne peux parler que de ce que je sais : l'amour humain peut nous écarter de notre vocation.

Anna avait écouté, mais n'en avait pas cru un mot. Il lui avait fallu attendre longtemps, avant de comprendre que sœur Godric avait raison. Loin de la combler d'aise, l'amour qu'elle portait à Lis ne faisait que lui rendre la vie plus difficile, a fortiori si, de son côté, Lis était loin de se satisfaire du peu d'intimité dont elles disposaient. « J'ai besoin que tu m'aimes; j'ai besoin de ta confiance. » Anna comprenait. Lis était de sept ans sa cadette et peu rompue à la vie monastique. Impulsive, démonstrative, elle s'efforçait néanmoins de triompher de ses instincts naturels, afin de se conformer à un précepte étranger à son tempérament. Anna était en quelque sorte un exutoire à ses élans affectifs, en même temps qu'un soutien moral.

De son côté, Anna avait éprouvé les mêmes pulsions. Aussi avait-elle déployé mille ruses pour se rendre disponible quand Lis avait voulu bavarder avec elle pendant la récréation. Mais elle s'était peu à peu rendu compte de la dépendance de la jeune nonne envers elle. Aussi longtemps qu'elles resteraient attachées l'une à l'autre, Lis serait incapable de faire face à sa véritable vocation. Et puis, Anna avait découvert son manque de concentration envers le Dieu qu'elle priait. Avait-elle perdu la vocation? Terrifiante perspective pour quelqu'un dont cette vocation était la seule raison d'être. Mais elle avait très vite compris que cet état d'esprit s'était emparé d'elle bien des années plus tôt. De manière fugace, son amour pour Lis l'avait rendue assez heureuse pour continuer la vie monastique, tout en esquissant une ébauche de possibilités qu'elle n'avait jamais soupçonnées.

Elle pouvait s'être fourvoyée en choisissant de prendre le voile lors de la cérémonie de profession de foi, au soir de la prononciation des vœux. Dans la chapelle, on avait alors dressé deux tables, sur lesquelles on avait déposé d'une part l'anneau, le capuchon, la mitre et la petite couronne de vierge, et de l'autre, soigneusement pliés, les vêtements qu'elle portait en arrivant. On lui avait demandé de faire son choix, de poser la main sur l'une ou l'autre table.

À cet instant-là, elle n'avait éprouvé aucun doute. Alors qu'aujourd'hui, elle en était pétrie.

CHAPITRE HUIT

— Je sais que je n'aurais pas dû vous appeler, Anna; mais je sens que je vais perdre la raison, si je ne parle pas à quelqu'un. Je ne m'en sors pas toute seule; un rien m'effraie.

Anna écouta les paroles entrecoupées de sanglots de Lynn, puis secoua la tête en murmurant :

— Je ne comprends pas très bien ce qu'elle veut me dire.

Elle avait été convoquée au bureau de la prieure afin de répondre à l'appel de Lynn. Sans lever la tête de ses factures, mère Emmanuel conseilla d'un air résigné :

— Essayez donc de la calmer…

— Cessez de pleurer et expliquez-moi plutôt ce qui est arrivé.

— Le médecin me recommande de prendre davantage de repos, commença Lynn en contrôlant ses pleurs. Mais avec les enfants, c'est impossible. J'ai demandé à Jean de venir m'aider mais sa fille a la varicelle. Pourriez-vous revenir, Anna? Je vous en supplie… gémit Lynn en fondant de nouveau en larmes.

— N'avez-vous personne d'autre? demanda Anna tout en sachant la réponse d'avance.

— À qui d'autre pourrais-je m'adresser? geignit Lynn, la voix brisée d'émotion. Peggy? Vous savez bien que son mari est impotent depuis des années, et mes amies sont toutes trop occupées. Le docteur Barnes affirme que si je ne me repose pas, cela pourrait avoir des conséquences graves pour le bébé.

— Que voulez-vous dire?

— Il dit que… je pourrais le perdre….

Anna prit une inspiration et serra les dents afin de contenir une compassion qui n'aurait fait qu'aggraver le désarroi de Lynn.

C'était une aide pratique, qu'il lui fallait et non pas des paroles de consolation.

— Cessez de vous tourmenter — elle jeta un bref coup d'œil en direction de la prieure — Je vous rappellerai dès que j'aurai eu l'occasion de parler à la mère supérieure. Est-ce que les enfants vont bien? Dites-leur ma tendresse et tâchez de vous détendre un peu — elle attendit un réponse — Êtes-vous là, Lynn? Elle pouvait entendre Lynn pleurer de nouveau, puis un bruit sourd suivi d'un gémissement de James, parvint jusqu'à son oreille. Lynn?

— ...petit voyou, éloigne-toi de moi, tu vas me rendre folle!

Anna perçut le bruit d'une gifle et le hurlement de l'enfant lui vrilla les tympans.

— Lynn, je vous en prie...

Cette fois les hurlements de Lynn lui parvinrent distinctement, si bien que mère Emmanuel leva les yeux vers elle.

— ... va dans ta chambre et n'en sors plus, tu m'entends!.. Je n'en peux plus, Anna, sanglota Lynn de plus belle, je n'en peux plus. Je voudrais être morte!

— Calmez-vous, la raisonna Anna. Inutile de gronder Jamie, cela ne fait qu'empirer la sit...

Avec un mouvement de recul, elle comprit que Lynn venait de raccrocher. Lentement, elle reposa le combiné sur son étrier. Le téléphone du couvent était un de ces vieux appareils mi-bois mi-bakélite avec un micro en forme de trompette que les religieuses avaient découvert dans une étable au moment où elles avaient pris possession du domaine, et qu'elles avaient réussi à faire réinstaller malgré les réticences du technicien. Les communications étaient entrecoupées d'une abominable friture, mais cela n'avait que peu d'importance, compte tenu de la rareté des appels. De plus, avait décrété mère Emmanuel, cela décourageait les importuns.

— Elle se trouve dans un affreux état mental.

— C'est ce que j'ai cru comprendre.

— Il semblerait qu'il n'y ait personne qui puisse lui prêter assistance… L'enfant va arriver dans quelques semaines, ma mère. Vous-même avez affirmé qu'il s'agissait d'un cas particulier. Puis-je être autorisée à y retourner?

— À Bradford? Je n'en vois pas la raison, ma sœur. Nous sommes des nonnes cloîtrées. Nous ne pouvons nous précipiter à l'extérieur de ces murs dès que quelqu'un éprouve des difficultés.

Habituée à une obéissance absolue, Anna dut fournir un effort pour poursuivre son argumentation.

— Je ne le demande pas pour moi mais pour Lynn. Elle est si seule, ma mère. Vous l'avez entendue au téléphone; je crains qu'elle ne fasse une bêtise. Étant donné les circonstances, je crois que vous pourriez faire une exception.

Mère Emmanuel retira ses lunettes et se massa la racine du nez entre le pouce et l'index.

— Je n'ai pas assisté aux funérailles de Simon, ajouta Anna.

— Ma propre mère est morte seule, peu de temps après la fin de mon noviciat, et je n'ai pas davantage été autorisée à sortir, soupira mère Emmanuel.

Anna ne répondit rien. Il y avait longtemps, quand, au cours d'un rare moment d'abandon, la prieure lui avait avoué qu'elle eût aimé devenir tailleur de pierre, elle avait considéré cet aveu comme peu vraisemblable. Aujourd'hui, la vérité lui apparaissait dans toute sa clarté, alors qu'elle remarquait ses larges doigts spatulés de femme pratique, plus encline à l'action qu'à la réflexion. Pourtant, son existence avait pris la direction opposée : en quarante-cinq ans de claustration, elle était à peine sortie une douzaine de fois, et chaque fois pour le bien du couvent.

Peut-être cela expliquait-il l'expression résignée qu'Anna décelait sur le visage de la mère supérieure, comme si les courants de la vie ne l'avaient jamais portée où elle avait espéré se rendre. Le sourcil grave, elle se mit à fixer la photographie en noir et blanc d'une vieille tombe irlandaise, légèrement de guingois, à flanc de coteau.

— Je suppose, fit-elle enfin, dubitative, que vous pourriez obtenir une prolongation d'absence. Mais l'évêque n'appréciera pas. Pas du tout.

— Lynn hurlait contre Jamie, dit Anna dans une dernière tentative. C'est un enfant de quatre ans, ma mère, et elle ne se comporte jamais de telle façon, en temps normal... Si elle ne prend pas de repos, le médecin craint qu'elle ne perde l'enfant.

Mère Emmanuel cacha son trouble derrière un battement de paupières.

— Vous ne m'aviez pas dit cela — elle se mit à ranger ses factures — Elle n'a aucune famille, disiez-vous? Pas de sœur ni de tante..?

— Personne.

— Hormis vous — mère Emmanuel referma son classeur avec un bruit sec — Très bien, ma sœur, je vous ferai part de ma décision.

Après le dîner du lendemain, ce fut au tour d'Anna de faire la vaisselle. Revêtue de son grand tablier de toile cirée, elle faisait couler l'eau chaude sur la pile de bols de teck, pendant que sœur Dominic essuyait les assiettes et les tasses qu'Anna venait de laver. Durant les dix premières minutes, tandis que sœur Rosalie préparait les bols de céréales du petit déjeuner, elles travaillèrent en silence. Quand cette dernière eut terminé et qu'elle s'en fut allée rejoindre les autres dans la salle de communauté, Anna s'adressa à Lis à voix basse.

— J'ai quelque chose à te dire.

Dans l'expectative, sœur Dominic s'empara d'une poignée de cuillers et se mit à les essuyer. Anna la regarda un moment avec insistance, observant les longs cils recourbés et luisants, la guimpe immaculée, la peau diaphane, puis se replongea dans sa vaisselle.

— Je repars pour Bradford demain afin d'apporter mon aide à Lynn. Mère Emmanuel a pris toutes les dispositions à cet effet.

— Et pour combien de temps?

— Mère Emmanuel m'a affirmé que j'avais la permission formelle de l'évêque. Il est question d'un mois. C'est la raison pour laquelle je voulais t'en parler.

N'obtenant pas de réponse, elle se tourna vers Lis, laquelle astiquait sa coutellerie avec une ardeur presque féroce. La jeune religieuse alla ensuite vers la table et se mit à ranger ses couverts avec une précision exagérée.

— Tu pars demain?

— Par le train de huit heures.

Lis s'approcha de l'évier pour prendre un grand plat de service ovale. Anna évacua l'eau de vaisselle sale, remplit à nouveau le bac et commença à laver les casseroles, les manches relevées, ses bras nus plongés dans l'eau savonneuse. À peine avait-elle frotté deux casseroles que Lis s'approcha d'elle et les remit dans l'évier.

— Voilà.

Anna leva les yeux, stupéfaite, impuissante à cause de l'eau grasse qui lui liait les bras. Lis fit alors un pas en avant et vint l'embrasser sur la bouche avec une violence telle, qu'Anna sentit les dents de Lis lui meurtrir les lèvres. Mais elle goûta aussi sur les lèvres de l'autre le goût sucré du pain d'épices qu'elles avaient eu comme dessert. C'était en quelque sorte le baiser passionné d'une enfant, quoique Lis n'en fût plus une depuis longtemps. Anna bougea un peu la tête de côté et Lis recula d'un pas, le visage exsangue, le regard plus sombre que jamais. Sans quitter Anna des yeux, elle leva le bras et essuya lentement d'un revers de manche ses lèvres entrouvertes. Puis, brusquement, elle lui tourna le dos et quitta la cuisine.

Elle marchait sur le quai de la gare de Bradford quand elle sentit quelqu'un la soulager en douceur de son bagage à main.

— Laissez-moi le porter, ma sœur, fit derrière elle une voix chaude et résolue.

Par-dessus son épaule, elle aperçut une chemise en denim, une masse de cheveux bruns et bouclés.

— Mon Dieu, c'est vous, soupira-t-elle, soulagée. Merci beaucoup — ils échangèrent un sourire hésitant puis, Peter Hallam attaché à ses pas, elle se dirigea vers la sortie — Allez-vous quelque part?

— Moi? Pas du tout. J'étais venu vous accueillir. Mme Summers m'a dit que vous arriveriez par ce train.

— C'est très aimable à vous.

Sans même le regarder, Anna sut que le jeune homme rougissait jusqu'aux oreilles, sans trop savoir, toutefois, lequel des deux était le plus intimidé.

— La voiture est dehors.

En voyant la Wolkswagen blanche toute propre garée entre les Ford Escort et les Astra, Anna eut un sourire. Nul doute qu'elle lui appartenait. Apercevant sa mimique, Peter Hallam annonça solennellement :

— Vous voyez celle-là, c'est une végétarienne alors que les autres sont des carnivores gloutonnes. Mais elle est à moi. Nous suivons notre bonhomme de chemin, sans dépasser personne, en stoppant aux feux rouges pour regarder traverser les jolies filles.

— Et en mangeant des bonbons, compléta Anna en remarquant le cendrier bourré de papier cellophane.

Il suivit son regard et avoua, faussement attristé :

— C'est mon vice caché.

Anna s'interrogeait sur les siens, tandis que la voiture quittait le parking en hoquetant. Totalement concentré sur la conduite, le jeune homme ne dit plus un mot jusqu'à ce qu'ils eurent atteint Kingswalk.

— Est-ce que je peux vous parler? je veux dire... il fit un geste vague en direction de sa robe de religieuse.

— Mais naturellement. Avez-vous quelque chose de particulier à me dire?

Les yeux fixés dans son rétroviseur, Peter Hallam gara sa voiture en marche arrière le long du trottoir.

— Je crois qu'on ferait mieux de parler ici. Je ne voudrais pas que votre belle-sœur s'inquiète.

Il se tourna vers elle, adossé contre la portière et Anna tenta de ne pas remarquer ses longs cils et ses yeux noisette. L'air songeur, il se mit à tapoter ses incisives avec l'ongle de son pouce. Il avait de belles dents, saines et blanches. Elle décida tout à coup d'ouvrir sa fenêtre. De la maison d'en face lui parvinrent les accords hésitants d'un violoncelle.

— C'est au sujet de Stan Beattie, poursuivit-il. C'est mon patron et je ne devrais pas vous dire ça, mais je sais qu'il trame quelque chose et je sais aussi que ce n'est rien de bon. Est-ce que je peux vous en toucher deux mots? demanda-t-il encore, l'air soucieux. Je ne voulais pas vous ennuyer avec cette histoire, mais vous êtes la seule à qui je peux en parler.

Anna se souvint des propos de Peggy, le jour où elle était allée lui rendre visite à la filature.

— Est-ce au sujet des affirmations de Beattie selon lesquelles la situation serait très grave, plus grave qu'elle ne l'est en réalité?

— Oh! je vois que vous êtes au courant! Peggy m'a raconté ce qu'il vous a dit. Son but c'est de vous faire peur, même si c'est vrai que ça ne va pas très bien à la filature. Non, ce que je voulais vous dire, c'est beaucoup plus grave que ça, sinon, je ne serais pas ici. J'ai un copain qui travaille chez les Land, vous connaissez, sans doute?

Anna fit un signe affirmatif. C'était une filature semblable à la leur, dont les propriétaires étaient deux frères.

— Il semblerait que Beattie s'y soit rendu, la semaine dernière, et même que ce ne serait pas la première fois. Mike, c'est le genre de gars qui aime bien savoir ce qui se passe. C'est pour ça qu'il a invité l'employée qui s'occupe de la facturation à prendre un verre — il sourit — Ça n'a pas été trop pénible, c'est un beau brin de fille. Comme elle est bavarde comme une pie, elle lui a raconté que Beattie aurait proposé aux Land de racheter une affaire moyennant une participation aux bénéfices — il marqua une pause — Vous comprenez ce que je vous dis?

— Il prendrait les commandes de Summers et les ferait exécuter par Land?

— C'est ça.

— Mais il n'en a pas le droit! C'est inhumain... criminel!

— Stan Beattie n'est pas un imbécile. Tout ça, il faudrait le prouver, et il ne fait jamais rien ouvertement. Il va probablement voir les clients en leur disant que Summers a des difficultés, mais qu'il peut leur assurer une livraison rapide en passant leurs commandes chez Land. C'est comme ça que beaucoup de commandes nous passent sous le nez. Mais attention : je ne dis pas qu'il le fait. Peut-être qu'il va seulement aux nouvelles, histoire de jauger les réactions des gens. Seulement, si vous voulez mon avis, tout ça, ça n'augure rien de bon.

— Je n'arrive pas à le croire, fit Anna, horrifiée. C'est impossible. Stan Beattie travaille pour notre maison depuis des années. C'est mon père qui l'a embauché, qui l'a formé, qui lui a fait confiance. Comment peut-il se conduire de telle façon? Une autre pensée lui fit ajouter, furieuse : et mettre Lynn dans une telle situation... Mais cet homme est un... un...

Le jeune homme opina sobrement du chef, ses mains occupées sur la manette des clignotants.

— Je ne voudrais surtout pas l'excuser, mais il existe une autre façon de voir les choses. Vous me dites qu'il est chez Summers depuis très longtemps. Peut-être qu'il a peur de se retrouver sans emploi, au cas où ça tournerait mal à la filature...

À présent, le violoncelle s'attaquait à *Robin Adair*. Anna dit posément :

— Si le pire devait arriver, vous seriez dans la même situation que lui et, que je sache, vous ne vous livrez pas pour autant à ce genre de manœuvres.

— Non, mais Beattie a plus de cinquante ans et moi seulement vingt-quatre. Je peux trouver un emploi — il fit claquer ses doigts — comme ça. En revanche, Beattie n'a aucune chance de retrouver un poste comme le sien, à moins d'apporter de nouveaux clients à ses employeurs. À moins encore que les Land se méfient de lui en se disant que s'il peut comploter contre les Summers, il peut aussi bien le faire contre eux. Il se peut aussi qu'il ait peur; et la peur, quelquefois, ça pousse à faire des choses bizarres.

— Cela se pourrait, en effet.

Anna regarda passer près d'elle une femme qui tenait un enfant par la main. Une question s'imposait, et c'est pourquoi elle la posa le plus naturellement du monde.

— Alors? Que devons-nous faire?

— Je pense qu'il faut en discuter avec Peggy. Je ne lui ai rien raconté encore, mais je ne crois pas qu'elle sera surprise en l'apprenant. L'important, c'est de s'assurer que Beattie cesse de faire ce qui lui plaît en toute impunité. Sauf votre respect, quelqu'un de la famille devrait s'occuper un peu plus sérieusement de cette affaire.

— Le bébé de Mme Simon devrait arriver dans quelques semaines. Il n'est pas question que ce soit elle qui s'en charge — Anna se souvint de la crise de larmes de Lynn lorsqu'elles avaient quitté la filature — De plus, elle ne veut plus mettre les pieds à la filature. Elle souffre trop de la disparition de son mari. Et je ne vois personne d'autre...

— Vraiment? fit innocemment Peter.

Lynn avait le visage pâle, les cheveux défaits, et ses joues chiffonnées portaient encore la marque de son oreiller. Mis à part son ventre proéminent, elle ressemblait à une enfant abandonnée. En voyant son œil creux et ses traits émaciés, on aurait cru que sa grossesse drainait toutes ses énergies. Apparemment indifférente au désordre environnant, elle était étendue sur le sofa de cuir et se réchauffait les mains autour d'une tasse de thé.

Il y avait des jouets partout. Des journaux d'enfants et une boîte d'aquarelle jonchaient le sol et quand Anna voulut les ramasser, elle découvrit que la moquette était tachée de peinture.

— Ce n'est que de l'eau colorée, fit Lynn en balayant l'air de la main. Ça se nettoie. Je crois... Elle frissonna malgré la couverture qui la recouvrait. Avez-vous assez chaud?

Anna toucha le drap de son habit.

— Je suis habituée à bien pire que cela.

— Je ne branche le chauffage qu'une fois la nuit tombée, maintenant. Et je me couche dès huit heures du soir de manière à économiser l'électricité — elle ferma les yeux — Dieu merci, vous êtes là. Vous devez rester, cette fois, vous devez rester; je vous en prie, Anna...

— Je suis ici pour quelque temps; inutile de penser à cela,

pour le moment.

Lynn ouvrit les yeux.

— Je ne fais que cela, penser. Je reste de longues heures assise ici en pensant à Simon, à ce que je dois faire, à tout ce qu'il reste à faire... J'ai vu quelqu'un susceptible de racheter ce mobilier. Trois cents livres, c'est tout ce qu'il m'a offert, alors que seulement la chaise sur laquelle vous êtes assise en vaut le triple. Quand je lui ai dit que c'était du cuir, il m'a parlé de pourcentage et de dépréciation. La situation est telle que je crois que je vais quand même vendre; mais cela ne couvre même pas le montant d'une facture. J'ai déjà vendu la Jaguar. Pour me déplacer, j'utilise la vieille camionnette de la filature.

— Y êtes-vous retournée? demanda doucement Anna.

— Non, je n'y remettrai plus jamais les pieds. Cet horrible endroit peut brûler de la cave au grenier, je m'en moque.

— Vous devriez y songer plus longuement, Lynn. Cet endroit, comme vous dites, est votre unique source de revenus. Quand l'enfant sera né, il n'est pas question que vous travailliez; et quand bien même cela serait, vous ne pourriez le faire qu'à temps partiel.

Lynn laissa retomber sa tête et se mit à fixer le plafond. Jaillies du coin de ses yeux, des larmes coulèrent lentement sur ses tempes jusque dans ses cheveux. Anna continua de lui prodiguer ses encouragements, lui expliquant la nécessité de trouver une occupation, de porter quelque intérêt à sa propre vie mais aussi à celle qu'elle allait donner.

— Peut-être devriez-vous embaucher une jeune fille au pair. Si vous pouviez retenir les services d'une telle personne, vous pourriez recommencer à travailler plus tôt.

— J'ai déjà eu une fille au pair, rétorqua sèchement Lynn. Elle nous a quittés avec l'arrivée de nos problèmes financiers. Nous en avons même eu plusieurs; sinon, comment croyez-vous que j'aurais pu continuer à travailler, avec ces deux-là? Les jeunes filles au pair? Laissez-moi vous en toucher deux mots : ce sont de très gentilles personnes, même quand elles passent le plus clair de leur temps dans la salle de bains. Elles adorent les enfants, mais néanmoins pas autant qu'on serait tenté de le croire. Elles les emmènent au parc, les plantent dans le bac à sable avec une demi-douzaine d'autres enfants et se regroupent pour rire ensemble et parler du merveilleux garçon dont elles viennent de faire la connaissance. Une fois, Jamie est tombé et s'est ouvert le front et c'est une autre mère qui a dû s'en occuper. Cette brave femme a cherché pendant plus d'un quart d'heure avant de trouver la gardienne de mon fils — elle s'essuya les yeux à l'aide d'un mouchoir qu'elle tenait chiffonné dans sa main — Je me souviens d'une autre pour laquelle je devais veiller à ce qu'elle prenne sa pilule tous les matins, tant je redoutais ses sorties nocturnes. Une troisième était au lit avec son petit ami pendant que Jamie jouait seul dans le salon à deux heures du matin. C'est Simon et moi qui l'avons découvert en rentrant d'une soirée — elle tourna la tête en direction d'Anna — Comment voulez-vous que j'aille travailler dans ces conditions? Quant à parler d'une vraie nounou, il n'en est pas question : je ne gagnerai jamais assez d'argent pour la payer.

Après un silence, Anna proposa :

— Ne soyez pas défaitiste; montrez-vous plutôt positive, il existe toujours un moyen. Vous parlez comme si vous étiez seule; mais vous ne l'êtes pas, personne ne l'est. Le Très-Haut veille sur nous.

— Sur moi aussi?

Anna ne releva pas le sarcasme, pas plus qu'elle ne remarqua la tension soudaine du corps de Lynn, la contraction de son maxillaire.

— Mais naturellement. Vous ne devez pas céder au désespoir, mais plutôt vous souvenir que rien qui ne nous soit imposé n'est au-dessus de nos forces.

— Taisez-vous! explosa brusquement Lynn.

La voix avait changé, sauvage et âpre, pendant que Lynn se redressait et repoussait brutalement sa couverture du pied, sans se soucier du thé qu'elle renversait.

— Taisez-vous! taisez-vous! taisez-vous! hurla-t-elle en crachant chaque syllabe, le visage tordu de douleur. Cessez de me servir vos absurdités de nonnette! Ne me parlez plus de force intérieure ni de Très-Haut ou de Tout-Puissant! Vous me la baillez belle avec vos discours! Ce n'est pas votre vie qu'on vient de détruire! J'ai été abandonnée et j'ai beau me tourner dans tous les sens, je ne vois pas d'issue. C'est que je ne possède pas de force intérieure, moi! Elle pressa ses mains contre son ventre. Tout ce que j'ai, c'est un enfant dans le ventre et je ne me sens pas capable d'affronter l'avenir toute seule! Alors, épargnez-moi vos balivernes, pour l'amour de Dieu!

Bouleversée, Anna ne trouvait rien à répondre. La seule personne qu'elle avait entendue crier ainsi, c'était sa mère, treize ans plus tôt. Au couvent, personne ne levait le ton, pas même de colère. Au couvent, on apprenait à contrôler ses émotions, à refouler les mots qui vous brûlent les lèvres. D'ailleurs, c'était beaucoup plus facile qu'on pourrait le croire. La plupart des esclandres éclataient surtout à cause de la proximité, d'un trop grand partage, dans les familles, à cause, surtout, de relations trop intimes. Ces contingences-là, Anna les avait définitivement écartées de son existence, en même temps que les tensions qui en découlaient. Mais il en existait d'autres, cependant. Il ne fallait en effet pas s'attendre à ce qu'une vingtaine de femmes de tous âges, de toutes origines et de tempéraments différents pussent partager une vie commune sans que cela ne donnât lieu à quelques frictions. Cependant, surmonter ces obstacles faisait partie de leur concept de vie et, en plus d'une décennie, elle n'avait jamais eu à faire face à une telle situation. N'ayant, par surcroît, aucune disposition pour la répartie, Anna se limita à fixer sa belle-sœur d'un air stupide, ce qui parut attiser sa rage, bien plus que n'importe quel argument qu'elle aurait pu produire.

— Ne restez pas assise, comme ça, avec votre air calme et digne et votre ridicule costume d'opérette, à me regarder comme si j'étais folle! reprit Lynn. Pour qui vous prenez-vous, pour me dire ce que je dois faire? Que savez-vous de ce qu'est que de se sentir ligotée, incapable de s'en sortir parce qu'on n'a plus personne pour nous aider à élever les enfants qu'on a mis au monde?

Elle s'interrompit, davantage par manque de souffle que

d'inspiration. Anna saisit l'occasion pour placer :

— Moi aussi, je suis liée; d'une manière différente, sans doute, mais je suis infiniment moins libre que vous.

— Ne dites donc pas de conneries, fit Lynn d'un air las.

— Je le pense, insista Anna. Et je crois que vous ne devriez pas battre Jamie.

— Parce que vous, pauvre mauviette, vous pensez peut-être que je lui veux du mal? Le ton méprisant de Lynn lui fit l'effet d'une gifle en plein visage. J'adore mes enfants. Si je ne suis pas devenue folle, c'est grâce à eux. Mais savez-vous ce que c'est de s'entendre à tout bout de champ demander quand papa va rentrer à la maison, de les voir prendre des initiatives qui tournent chaque fois à la catastrophe? Je n'en peux plus, la coupe est pleine — Elle posa les mains sur son front et repoussa nerveusement ses cheveux vers l'arrière — Et puis, qu'est-ce que vous entendez aux enfants, à la famille et tout le saint-frusquin?

Anna s'entendit répondre, un peu guindée :

— Il n'est pas nécessaire de se trouver dans votre situation pour comprendre vos problèmes.

Avant même d'avoir terminé sa phrase, elle prenait la mesure de la cruauté de ses paroles, un peu comme celles qu'avait prononcées l'assistante sociale.

— Vous n'avez pas compris un traître mot de ce que je viens de vous dire. Vous ne savez même pas de quoi je parle — Elle prit une longue inspiration hachée et souffla doucement : Je vous déteste. Vous ne savez rien et vous n'avez rien fait de votre vie. Vous n'avez personne au monde à élever, à qui vous consacrer; vous êtes libre comme l'air...

Anna s'était levée et se préparait à quitter la pièce, à aller se réfugier dans un endroit tranquille. Elle regrettait déjà son retour.

— C'est cela, sauvez-vous. Vous n'êtes bonne qu'à cela, espèce de salope égocentrique, railla Lynn avec aigreur.

Sous sa guimpe, Anna se sentit transpirer abondamment, perdre le contrôle de ses réactions.

— Vous ne savez pas ce que vous dites, commença-t-elle

en levant le ton. Je suis la dernière personne au monde qu'on puisse traiter d'égocentrique. Rien de ce que je fais n'est pour moi. Rien. J'ai renoncé à tout pour le bien d'autrui.

Lynn se retourna et empoigna le voile noir d'Anna, si bien que celle-ci dut s'y agripper pour le retenir.

— Renoncé à tout, vous? Allez donc servir vos salades ailleurs! Ce n'est pas à la sécurité, que vous avez renoncé, ni à vos trois repas par jour, ni à vos vêtements bien chauds! Les seules choses auxquelles vous ayez renoncé, c'est l'anxiété, les soucis, les responsabilités. C'est aux autres que vous avez renoncé, à dix-huit ans, quand vous avez abandonné votre famille. Ce qui s'y est passé après votre départ vous indifférait. Vous ne saviez sûrement pas, et ne vouliez surtout pas savoir, que votre mère s'est mise à boire, après votre départ, et que votre père lui reprochait que vous soyez partie. C'était par sa faute à elle, disait-il. Mais tout cela était VOTRE faute, Anna, à vous seule.

Anna plaqua ses deux mains contre ses oreilles, mais Lynn restait encore accrochée à son voile. Les deux femmes se débattirent, sans que cela empêchât Lynn de poursuivre sa diatribe.

— ... et vous avez laissé Simon se débrouiller seul, tout en sachant qu'il détestait la filature, probablement parce qu'il se savait condamné à s'en occuper tout seul. Vous avez abandonné tout le monde, sans jamais penser au mal que vous faisiez à votre famille.

— Ce n'est tout de même pas ma faute si les autres gâchent leur vie, fit Anna d'une voix enrouée. Et ce que vous avez dit sur ma mère est faux.

— Vraiment? Dites plutôt que vous refusez d'admettre l'avoir rendue malheureuse. Mais vous serez sans doute heureuse d'apprendre qu'elle faisait une alcoolique très respectable — Les paroles de Lynn se voulaient blessantes, à présent, destinées à faire mouche à tout coup — Elle ne buvait pas trop en public, juste un petit sherry avant le dîner. Mais nom de Dieu, qu'est-ce qu'elle descendait dans la cuisine! Il est arrivé que votre père ait été contraint de téléphoner à Simon pour l'aider à la monter dans sa chambre.

— Lâchez-moi! s'entendit hurler Anna, lâchez-moi!!!

Elle tira de toutes ses forces et Lynn lâcha prise si brusquement que, perdant son équilibre, Anna tomba contre une table basse en verre, entraînant dans sa chute une lampe allumée qui explosa sur le sol. Elle joua des bras et des jambes afin de se mettre à quatre pattes et de se dépêtrer de ses vêtements encombrants. Lynn la regardait, le souffle court, toute colère dissipée. Jamie, qui jouait dans la pièce voisine, apparut sur le pas de la porte, le visage grave.

— Vous criez, dit-il, accusateur. Et Snoopy n'aime pas quand on crie et qu'on casse des objets.

— Désolé, mon chéri, mais c'est fini, à présent.

Anna ramassa la lampe et la remit sur la table, écoutant, étonnée, le ton neutre de Lynn s'adressant à son fils. Rassuré, l'enfant opina de la tête et retourna à son jeu solitaire.

Lynn tendit la main à Anna pour se relever, et celle-ci l'accepta volontiers. Quand elle fut debout, les deux femmes évitèrent de se regarder, l'une réajustant son scapulaire, l'autre lissant ses cheveux.

— Je suis navrée, Anna, vraiment navrée. Je ne sais pas ce qui m'a pris...

— Pour une très large part, vos paroles étaient fondées, hélas — elle gardait le front baissé, ne pouvant se résoudre à regarder sa belle-sœur dans les yeux — Excusez-moi d'avoir voulu vous donner des leçons de morale. C'est vous qui avez raison : je n'entends rien à rien — elle déglutit péniblement — Mais je voudrais quand même vous dire ceci : si, comme vous me l'avez si bien fait remarquer, je n'ai personne à qui me consacrer, personne ne s'est jamais intéressé à moi. C'est un fait dont je viens à peine de prendre conscience et, croyez-moi, il est extrêmement douloureux à mon âge de constater que l'on n'a personne pour soi : ni mari, ni amant, ni enfant. On dit souvent que lorsqu'une religieuse meurt, c'est comme lorsqu'on casse une vitre : on la remplace. Et c'est ainsi que je me sens, Lynn, aussi incolore, aussi transparente qu'un morceau de verre — elle frissonna — Il fait froid, ici.

— Voulez-vous dire que vous n'êtes pas heureuse au couvent? demanda Lynn, intriguée. Vous aviez pourtant l'air si sereine quand nous vous rendions visite, si pleine de retenue. Nous avons toujours cru que vous vous trouviez parfaitement heureuse de votre choix.

— Je l'ai été, répondit Anna en se croisant les bras sur la poitrine. L'endroit n'a pas changé, sa vocation n'a pas changé non plus, mais moi si. Et quand vous m'avez dit ce que vous pensiez de moi, je savais que vous disiez la vérité.

— Je n'aurais pas dû parler de votre mère comme je l'ai fait.

— Oh, cela n'a rien de nouveau. Quand j'avais neuf ou dix ans, maman venait me chercher à l'école et mes camarades ricanaient parce qu'elle était déjà éméchée. Quelqu'un m'a dit une fois que ma mère buvait, mais je n'y ai jamais fait allusion à la maison. Après cela, je l'ai observée plus attentivement et j'ai souvent remarqué l'odeur douceâtre de son haleine. Mais cela ne l'a pas empêchée de s'occuper de Simon et de moi. Nous étions toujours très bien habillés et c'était une merveilleuse cuisinière. Je suppose que l'alcool devait l'aider à vivre. En y repensant bien, en plus de n'avoir aucune affinité avec mon père, elle n'avait aucune vie personnelle.

— Quand je l'ai connue, elle était bien pire. On aurait cru qu'elle ne trouvait le moyen de communiquer que dans l'ivresse.

— Pensez-vous réellement que ce soit ma faute?

Elle voulait tellement que ce ne le fût pas que les mots semblaient s'être échappés de ses lèvres malgré elle. Lynn s'approcha d'elle et posa une main amicale sur l'avant-bras d'Anna.

— Je voulais surtout vous faire du mal. Il est certain que votre départ y est pour quelque chose. En voyant son unique fille partir, c'est un peu d'elle-même qui s'en allait et, avec elle, les rêves d'un beau mariage, de petits enfants… mais honnêtement, Anna, cela n'a été qu'un prétexte. N'oubliez pas que l'alcoolisme était une maladie dont elle souffrait depuis des années. Je ne crois pas que cela aurait changé grand-chose, si vous étiez restée.

Bien qu'elle n'en fût pas entièrement convaincue, Anna adressa à sa belle-sœur un signe de tête pour lui exprimer sa reconnaissance. Jamie revint dans la pièce et alla directement se réfugier dans les bras de sa mère.

— Mais elle aurait pu avoir besoin de moi... De toute manière, j'ai tout raté. Ces derniers temps, il m'arrive de m'interroger sur les raisons qui font que je me lève tous les matins. Quelle différence cela fait-il pour les autres? En tant que personne, je ne compte pas. Personne n'a besoin de moi.

Confortablement installé dans les bras de sa mère, l'enfant leva les yeux vers Anna. Avec sa frange coupée au carré et ses yeux bruns mélancoliques, c'était le portrait même de son père. Retirant son pouce de la bouche, Jamie ânonna, le plus sérieusement du monde.

— Nous, on a besoin de toi, tante Anna.

— Et comment! surenchérit Anna avec un sourire en lui ébouriffant les cheveux.

Un emploi du temps fut établi pour la semaine. Anna conduirait Bax à l'école et déposerait Jamie à la garderie, permettant à Lynn de se lever un peu plus tard, lui laissant cependant le soin de le récupérer le midi. Anna resterait à la filature jusqu'à trois heures, après quoi elle irait chercher Bax à l'école. Puis, elle les emmènerait faire une promenade avant le dîner, à la suite duquel elle se chargerait de les mettre au lit. Ce qui serait pour elle une sorte de distraction, s'avérerait un grand soulagement pour Lynn.

Cependant, ses visites à la filature restaient la partie la plus désagréable de son emploi du temps. Elle ne détestait pas le parcours. Tous ces gens dans les rues, ce mouvement, cette sensation de faire de nouveau partie du monde la captivaient. Mais chaque fois, elle franchissait la petite porte latérale de Summers & Fils le cœur battant. L'accueil chaleureux et l'esprit coopératif de Peggy parvenaient cependant à lui faire oublier sa nervosité et les obstacles qu'elle devait surmonter jour après jour. Malgré son désir de se cantonner dans son bureau, il s'avérait quelquefois essentiel qu'elle se rendît à l'étage. Elle montait alors lentement les marches, comme pour retenir le temps, et marquait une pause devant la grande porte à l'oculus en verre martelé en écoutant le vacarme des machines, la musique poussée au maximum et les instructions que l'on criait d'un métier à l'autre. Anna redoutait le souffle d'air chaud, où se mêlaient des odeurs de laine, de talc bon marché et de métal chauffé, qui lui desséchait la bouche et lui rappelait ses dix ans, quand elle devait répondre en souriant au bonjour de Sylv ou de Rene, puis à celui de tout le personnel, avant de repousser la porte coulissante derrière elle avec un soupir de soulagement.

Sa grande frayeur d'aujourd'hui s'expliquait par le sentiment d'inutilité quasi obsessif qu'elle éprouvait, sans se douter un instant combien elle se sous-estimait, combien son enfance avait été tissée de connaissances inconsciemment acquises auprès de son père. Ainsi, elle se rendit peu à peu compte qu'elle savait lire un bon de livraison, taper une facture, rédiger un bon de commande et faire un état des stocks presque aussi bien qu'elle l'avait vu faire à son père, car ce dernier avait toujours caressé l'espoir de la voir prendre la relève avec son frère. « Simon, fils et fille » en quelque sorte. Il avait su éveiller son intérêt en l'emmenant par exemple aux ventes aux enchères de laine de mouton, au vieux « Wool Exchange » du centre-ville.

À la fin de la première semaine, Peggy fit irruption dans le petit bureau de clerc où Anna s'était installée et, posant une tasse de thé devant Anna, annonça péremptoirement :

— Nous sommes vendredi matin et je crois que vous, M. Beattie et moi, nous devrions avoir une conversation.

Anna acquiesça à contrecœur en mordant dans un biscuit.

— Je vois que vous n'êtes pas très enthousiaste, mais les problèmes ne se règlent pas tout seuls. Vous avez bien cinq minutes?

La porte sur laquelle était annoncé en lettres noires « Directeur » était ouverte. Stan Beattie était assis à son bureau, quoique Anna eût remarqué qu'il passait de plus en plus de temps dans celui de Simon. Quelques lettres éparses tentaient de cacher un magazine où l'on entrevoyait la photographie d'une jeune personne passablement dénudée. Peggy émit une sorte de grognement et, s'emparant du magazine, s'empressa de l'enterrer sous une pile de dossiers.

— J'espère que vous avez mis Mlle Anna au courant de la situation, Peggy, articula lentement Beattie sans lever les yeux de sa colonne de chiffres.

Anna prit une chaise et s'y installa, les mains enfouies dans ses larges manches.

Sale petit bonhomme. Le sommet de son crâne luisait de la brillantine qu'il appliquait abondamment sur ses cheveux clairsemés.

— J'avais pourtant spécifié à Peggy que je souhaitais que Mme Simon entende ce que j'ai à dire.

« Je l'aurais parié », aurait voulu répondre Anna. Mais elle préféra opter pour un style nuancé.

— Comme vous avez pu le constater, elle n'est pas en situation de s'occuper de ses affaires, en ce moment; c'est pourquoi je parlerai à sa place, ne vous en déplaise.

— Peut-être, fit l'homme. J'ai examiné les chiffres du mois et je crains qu'ils ne soient pires que ce que je croyais. Nous avons récupéré six mille livres grâce à la vente de la Jaguar, mais cette somme a à peine suffi à payer les salaires et quelques factures. Je m'attendais à ce que cette vente rapporte plus.

Anna garda le silence. La vente de la voiture avait rapporté vingt et un mille livres. Lynn en avait prélevé dix pour régler les factures de la maison, y compris celles que Simon avait tenues secrètes. Elle s'apprêtait déjà à faire un chèque à la filature au montant des cinq mille restant, mais Anna l'en avait dissuadée, arguant qu'elle devait garder cet argent comme fonds de sécurité, puisqu'elle ne possédait ni économies ni police d'assurance-vie. Si Beattie était un homme aussi peu fiable qu'on le disait, il était inutile qu'elle dilapidât ses quelques avoirs pour la filature. Dans le cas contraire, si les choses allaient aussi mal que le directeur le prétendait, ce n'était certes pas cette somme qui sauverait la filature de la faillite. Lynn avait insisté, mais Anna était restée inflexible.

— Quel est notre déficit? voulut savoir Peggy.

— Si Alexander nous paie notre commande dans les délais, nous serons déficitaires d'un millier de livres seulement. Sinon... il haussa brièvement les épaules — nous ne pourrons même plus nous adresser à la banque.

— Le jour où Alexander paiera dans les délais.., grommela sombrement Peggy. Ils sont tellement importants qu'ils pensent pouvoir payer ce qu'ils veulent et quand ils le veulent.

— Vous pourriez peut-être les appeler en leur expliquant l'urgence...

Stan Beattie se leva et, contournant son bureau, vint se planter devant Anna. Juché sur sa table, il se mit à la toiser, les jambes ballantes, décidé à envahir l'espace d'Anna, à l'acculer psychologiquement dans ses derniers retranchements. Mais Anna ne bougea pas d'un pouce, et tenta plutôt d'ignorer l'odeur poivrée d'eau de Cologne bon marché qui se dégageait de sa personne.

— Mais bien sûr, rétorqua-t-il sur un ton moqueur. Naturellement. Je n'ai qu'à insister en disant que je fais partie de la famille... il se pencha vers Anna — Avez-vous la moindre idée du nombre de fournisseurs avec qui Alexander fait affaire? Ces gens-là ne se servent que dans les meilleures filatures; ils ont des magasins dans tout le pays, et ils exportent même en France et en Allemagne. Croyez-moi : nous avons bien plus besoin d'eux qu'eux de nous.

— Je ne vois toujours pas ce qui vous empêche de leur envoyer un rappel.

— Parce que ce ne sont pas des façons de faire. On ne sollicite pas des gens comme ceux-là. Et ceci n'est pas notre plus gros problème — il se retourna pour mettre la main sur un dossier — La nouvelle fileuse que votre frère a commandée nous coûte une fortune : un millier de livres par mois et elle ne fonctionne que la moitié du temps. C'est criminel. Au train où vont les choses, nous allons devoir la restituer.

— Nous ne pouvons même pas faire face au coût des matières premières, enchaîna Peggy. Nous sommes sur le fil du rasoir. M. Simon avait de grands projets mais...

Peggy laissa la phrase en suspens, mais Anna n'eut aucun mal à imaginer la suite. À présent que Simon n'était plus là, la marge de crédit de la filature s'était effondrée. L'initiative la plus sensée eût été de vendre la filature en récupérant tout ce qui pouvait l'être pour Lynn et les enfants.

Comme s'il avait lu dans ses pensées, Beattie tenta de la gagner à ce point de vue.

— Tout va de mal en pis. Si nous fermons la filature, ils faudra nous acquitter de toutes nos dettes auprès de nos créanciers sans que nous récupérions un penny de la vente. La nouvelle fileuse sera saisie...

Beattie se mit à examiner la chevalière qu'il portait à l'auriculaire et se mit à l'astiquer contre sa chemise d'un air satisfait. Le téléphone sonna. Peggy le décrocha, échangea quelques mots avec son interlocuteur et se précipita vers la porte.

— Je reviens tout de suite. Les Latimer ont perdu une commande.

Stan Beattie était toujours juché sur son bureau, tambourinant nerveusement le bois verni du bout des ongles. Occupée à se demander si elle pourrait obtenir de l'aide autre que celle de la banque, Anna ne prêta pas attention aux paroles de Beattie. Néanmoins, le ton de sa voix la mit en alerte. Si l'homme s'exprimait ordinairement d'une voix claironnante, il empruntait à présent le ton du marchand de tapis proposant une affaire douteuse.

— La première des choses à faire, c'est congédier quelques filles, le temps que les affaires reprennent.

Enfouis dans les larges manches, les doigts d'Anna se crispèrent. Elle tenta une répartie pour exprimer son désaccord.

— Mon père disait toujours, hasarda-t-elle en déglutissant péniblement, qu'il ne fallait jamais licencier son personnel, quelle que soit la situation. Ces gens-là ne vont pas rester assis à attendre, prêts à répondre au premier coup de sifflet. Si nous les renvoyons, ils seront perdus pour toujours.

— Vous êtes bien la fille de votre père, allez! fit Beattie, d'un ton sans équivoque. Eh bien, dans ce cas, je n'ai guère d'autre suggestion à vous faire, quant à moi.

Histoire de mettre un terme à la conversation, Beattie sauta en bas de son bureau, frôlant « accidentellement » le genou d'Anna.

— Oh, désolé!

Anna réprima une violente envie de se frotter le genou. Elle entendit à nouveau son directeur lui dire :

— Ce doit être étrange, mademoiselle Anna, cette vie cloîtrée que vous menez parmi d'autres femmes. J'aimerais être une mouche pour écouter ce que vous vous racontez.

— Nous parlons très peu, répondit Anna en se levant.

Son opinion sur cet homme importait peu, se dit-elle, dans la mesure où Lynn avait besoin de ses services. Pendant un instant trop long, il resta planté devant elle, son sourire hypocrite découvrant une incisive noirâtre.

— Je vous laisse une copie des chiffres. Faites-moi connaître votre décision.

À l'heure du déjeuner, Anna se cantonna dans son petit bureau, déclinant une fois de plus l'invitation de Peggy de se joindre à elle. Sa condition de religieuse ne l'autorisait pas à se rendre au restaurant du coin, même si le restaurant indien d'Orchard Street suscitait sa curiosité. Mais elle n'avait pas mangé dans un endroit public depuis si longtemps qu'elle préférait se contenter d'un sandwich au fromage et d'une tasse de café instantané, tout en épluchant patiemment de longues colonnes de chiffres.

Ce travail ne lui était pas pénible. Enfant, elle aimait déjà le silence des bureaux vides, ponctué, à l'étage supérieur, par le grondement des machines qui ne devaient s'arrêter qu'à cinq heures trente. C'est pourquoi, peu avant treize heures, elle éprouva un vague déplaisir en entendant quelqu'un entrer dans le bureau de Peggy et remplir la bouilloire. Il y eut le tintement de la cuiller contre la tasse puis, quelques instants plus tard, un murmure qu'elle reconnut comme étant la voix de Stan Beattie. Absorbée par ses chiffres, elle eut vaguement conscience que l'homme passait des appels téléphoniques.

En y repensant plus tard, elle fut incapable de dire ce qui, dans les propos de Beattie, avait capté son attention. Une phrase, peut-être, ce ton de voix faussement confidentiel qu'elle détestait tant.

— ...fficile en ce moment, tout est désorganisé... Je ne voudrais pas vous faire attendre une commande que nous ne pouvons honorer... Non, bien sûr que non...

Il y eut un silence et, la gorge nouée, Anna reposa la pomme dans laquelle elle s'apprêtait à mordre. De quoi diable Beattie était-il en train de parler?

— Oui, entendit-elle, oui, c'est exactement ça. Vous n'êtes pas sans savoir comment vont les choses, ici, depuis pas mal de temps déjà; et ce n'est pas près de s'arranger, croyez-moi.

Anna eut brusquement l'impression que le sol allait s'ouvrir sous ses pieds et l'engloutir au fond d'un abîme vertigineux. Elle se recroquevilla sur son siège, refusant d'en entendre davantage et, en même temps, prêtant attentivement l'oreille. Elle avait bien compris : Beattie refusait des commandes en prétextant que l'usine était incapable de les satisfaire.

— Je sais que c'est contre nos intérêts, mais il s'agit de notre réputation et notre politique a toujours été le long terme. Il est certain que dès que tout sera rentré dans l'ordre... C'est cela, pas de problème. Merci, cher ami, à bientôt.

Elle ne se trompait pas. Les mots étaient on ne peut plus clairs. Quel autre sens aurait-on pu leur prêter? Le regard perdu dans le vague, elle prenait la dimension de la félonie de Stan Beattie, quand le téléphone sonna. L'homme décrocha, mais rien de suspect ne fut dit. Anna se demandait quel genre d'attitude devait avoir l'homme quand il allait rendre visite à la concurrence, comme le lui avait rapporté Peter.

Mais comment pouvait-il? Comment osait-il? Eût-il souhaité la ruine de Nightingale Mill qu'il ne s'y serait pas pris autrement. Lorsque Peter Hallam lui avait parlé des relations qu'il entretenait avec les frères Land, c'est à peine si elle y avait cru. Et où tout cela le mènerait-il? Peu à peu, Anna sentit sa surprise faire place à une grande colère. Laissant tomber ses restes de fruit dans un sachet de plastique, elle le ferma rageusement en faisant un double nœud et le jeta au fond de sa poubelle. Quel dommage qu'elle ne pût le mettre à la porte aussi facilement, se dit-elle. Elle se leva, résolue de lui dire son fait quand, arrivée à la porte, elle se ressaisit.

Lui dire son fait? Mais quel fait? On ne pouvait accuser cet homme de vouloir acculer la filature à la ruine et encore moins de transférer à la concurrence les commandes qui lui étaient destinées, sur quelques mots à peine entendus. L'homme nierait tout, en bloc, prétendrait qu'il s'agit d'une méprise…

Anna en vint d'autant plus vite à cette conclusion que confondre le personnage était une tâche qui la dépassait. Combien de fois lui avait-on répété de ne jamais se mêler des affaires d'autrui, de suivre ses convictions et son bonhomme de chemin sans s'occuper des autres?

Elle referma le tiroir de son bureau assez bruyamment pour que Beattie fût alerté de sa présence. Puis, elle alla aux lavabos où elle s'aspergea longuement le visage d'eau fraîche. Quand elle regagna son bureau, elle ne vit plus signe de Beattie.

À présent, se pencher sur ses colonnes de chiffres lui paraissait dérisoire, inutile. Elle bouillait d'une colère comme elle n'en avait plus connu depuis des années, qu'elle n'aurait jamais plus connue du tout, s'il n'en avait tenu qu'à elle. La pression de la guimpe contre son front lui parut soudain insupportable. Elle tira dessus pour la distendre un peu mais sans succès.

Ce forban voulait acculer les Summers à la ruine, peu lui importait que l'existence de Lynn et des enfants en dépendît. La seule décision qui s'imposait, c'était de mettre cet homme à la porte. Dans les plus brefs délais.

Mais cette pensée ne lui avait pas plus tôt effleuré l'esprit qu'elle l'écartait déjà. Qui s'occuperait d'obtenir les commandes qui assuraient la survivance de la filature? Elle se souvenait de la manière dont son père prenait soin de ses clients, combien il s'efforçait d'entretenir de bonnes relations avec eux. Quand Simon avait pris la relève, la situation s'était notablement dégradée; mais sans les relations et les compétences de Beattie, la situation était sans espoir.

Sans espoir... Y en aurait-il davantage si ce dernier détournait les commandes? Quel intérêt aurait-elle à le garder? Elle songeait à un moyen de lui faire comprendre qu'elle était au courant de ses manigances. En attendant, elle surveillerait de près leur carnet de commandes, décida-t-elle. Qu'avait donc dit Peggy à propos de la récession de l'entreprise, depuis la mort de Simon? Elle n'allait tout de même pas laisser le sort de la filature entre les mains de Stan Beattie.

Anna baissa les yeux vers les chiffres, à présent dénués de sens. Repoussant le lourd registre sur un coin du bureau, elle s'accouda sur sa table, le visage entre les mains.

Sœur Godric s'était toujours plainte de son peu d'inclination pour la comptabilité. Anna se prit à penser à cette femme qui lui avait appris à tenir des livres de comptes sous prétexte, avait-elle expliqué, qu'elle avait très mauvaise vue et que les chiffres dansaient devant ses yeux malgré les loupes qui lui servaient de lunettes. N'empêche que sœur Godric retenait par cœur tout ce qui était chiffres et qu'elle jonglait avec à une vitesse folle. On ne bavarde pas quand on fait de la comptabilité. Mais cela n'avait pas empêché Anna d'apprendre que, jusqu'à quarante ans, avant qu'elle ne décidât de prendre le voile, sœur Godric avait été un des plus redoutables directeurs financiers de *John Lewis Partnership*.

— Peut-être, avait-elle dit un jour à Anna, que cette vocation m'a été envoyée par Dieu afin que je tire le couvent du bourbier financier dans lequel l'avait mis mes prédécesseurs.

Il était alors apparu extraordinaire à Anna qu'une sœur cloîtrée se préoccupât davantage de finances que de charité chrétienne. Car ces pauvres contemplatives qui luttaient pour leur survie devaient faire face aux mêmes contraintes fiscales que n'importe quelle corporation.

— En cette époque moderne, avait observé sœur Godric, la prière n'est pas considérée comme un acte de cotisation.

Anna songeait à la vieille nonne avec affection. Sa vivacité d'esprit, ses bizarreries, cette manière qu'elle avait de s'asseoir dans le noir quand elle était seule, tout cela affluait à son esprit avec attendrissement.

— À quoi bon garder la lumière allumée quand je n'y vois goutte? Il ne faut jamais prendre ce dont on n'a pas besoin alors, autant économiser l'électricité...

Elle repoussa de nouveau le livre de comptes et laissa courir son crayon sur la longue liste des dépenses. Arrivée à la hauteur de la rubrique « outillage », elle marqua une pause, remarquant à quel point était onéreux le métier électronique dont son frère avait fait l'acquisition en début d'année. Pourquoi diable s'était-il encombré d'un pareil engin? Bien sûr, elle connaissait la réponse : à ses yeux, avec sa capacité infinie de produire toutes sortes de textiles, il avait dû représenter le métier à tisser de l'avenir. Elle pensa alors, non sans une certaine répugnance, à tous ces tissus à la mode qu'elle voyait porter par les gens dans la rue, et qu'elle trouvait, quant à elle, vulgaires et tarabiscotés. Difficile pour elle de croire que c'était ces tissus-là que les gens désiraient porter. Anna supposa que Simon savait alors ce qu'il faisait, qu'il voulait « répondre à la demande du marché ».

Son goût à elle se portait plutôt sur les fibres naturelles, simples et de bon goût. Il allait de soi que c'étaient aussi les plus onéreuses : les laines vierges, le fil d'Écosse..., mais également les plus classiques, les plus distinguées, les indémodables... N'importe quelle personne au monde soucieuse d'élégance reconnaîtrait les fameux tissus du Yorkshire.

Penchée sur les pages à l'écriture serrée, Anna se mit à rêver de nuances et de textures. Nightingale Mill avait toujours fabriqué les meilleures fibres. Elle se rappelait le temps où la mode ne changeait pas si vite, quand son grand-père lui parlait des grands métiers à tisser faits de métal et de bois qu'il avait fait installer dans ce même bâtiment. Au nom du modernisme et de la nouveauté, Simon avait remplacé ces pièces d'antiquité par du matériel prétendument moderne. Cependant, se dit-elle, ce qui avait été fait un temps pouvait être fait de nouveau.

Elle se gratta le cuir chevelu dans un geste inconscient

d'irritation qui, depuis quelques mois, était devenu une sorte de tic; et l'idée qui germait quelque part dans un coin de sa tête lui tomba dessus comme la pomme de Newton. « Ne jamais prendre ce dont on n'a pas besoin », avait dit sœur Godric.

Sirotant une gorgée de café froid, elle caressa un instant le projet de creuser un peu plus son idée mais, se ravisant, elle préféra se mettre en quête de Peter Hallam.

Elle le découvrit dans la salle d'emballage, assis les jambes étirées sur la table, profitant d'un rayon de soleil qui s'infiltrait par la lucarne. Il était vêtu d'un anorak et semblait tellement absorbé par sa lecture qu'il n'entendit Anna qu'après qu'elle eut prononcé son nom. Quand il leva les yeux, Anna aima la manière dont son regard véhiculait ses bons sentiments sans qu'il lui fût nécessaire de sourire. Au soleil, ses yeux avait une couleur surprenante; ils étaient verts, tachetés d'or et de brun, constata-t-elle, ... Mais elle se ressaisit : « c'est assez ». Et puis, il était bien plus jeune qu'elle; vingt-quatre ans, avait-il dit. Il attendit qu'elle fût près de lui pour lui tendre une boîte de bonbons.

— Ça vous dit? Des « jelly beans »...

— C'est très aimable à vous, mais je viens de déjeuner. C'est très tentant quand même...

— Peut-être une autre fois.

Peter Hallam referma son livre et le rangea soigneusement sur le dessus de son sac de toile pour consacrer à Anna toute son attention. Pendant une seconde, elle se sentit hésitante, comme un cheval devant l'obstacle ou... une femme indécise devant l'homme qu'elle désire.

— Y a-t-il quelque chose que je puisse faire pour vous?

— Je l'espère, commença-t-elle, histoire de rassembler ses idées. Savez-vous ce qu'est devenu le vieux métier à tisser que mon frère a fait remplacer?

CHAPITRE NEUF

Les caves de la filature étaient probablement plus vieilles encore que la filature elle-même. Basses de plafond et faiblement éclairées, elles s'étiraient très loin dans l'obscurité. Les mains frileusement enfoncées dans ses manches, Anna se félicita de porter sa lourde robe de religieuse. Cette visite lui rappelait le temps où son père avait interdit à Simon et à elle d'y descendre, surtout après que Simon, désobéissant aux ordres, s'était entaillé la cuisse sur un contenant d'osier. Encore aujourd'hui, parcourir ces lieux éveillait en elle une inexplicable anxiété.

— Ça fait longtemps que personne n'est descendu ici; la plupart des ampoules sont brûlées — Hal manipula quelques interrupteurs — je viendrai les remplacer plus tard.

Puis, plongeant la main dans la poche de son anorak, il tira, en même temps que quelques cacahuètes en écales, un couteau suisse. Cela permit à Anna de remarquer les deux écussons cousus sur son chandail. « Sauvez les baleines » disait l'un; tandis que l'autre arborait : « Ne touchez pas à la Manche » en référence au tunnel qu'on projetait d'y creuser.

— Vous portez vos opinions politiques sur vous, remarqua Anna en regrettant immédiatement ses paroles qui, à son sentiment, induisaient une familiarité et un esprit critique qu'elle n'était point censée manifester, mais qui, dans le même temps, lui faisaient comprendre combien son éducation monastique rendait toute conversation impossible.

Cependant, à son grand soulagement, Hal ne sembla pas ou fit semblant de ne pas remarquer son embarras. Ayant enfin trouvé la lampe de poche qu'il cherchait, il répondit gravement :

— Si vous êtes sensible à ce genre de situation, vous

devriez en parler autour de vous. Si vous y réfléchissez bien, l'inertie tue aussi efficacement qu'une arme. Si vous le désirez, je vous ferai passer quelques insignes de *Greenpeace*; ça mettra un peu de couleur sur vos vêtements que je trouve un peu — excusez-moi — tristes.

— *Greenpeace?*

— Ah, oui, c'est vrai, j'oubliais. Je vous expliquerai une autre fois.

Le faisceau de sa lampe parcourut rapidement les murs de pierre, pour s'arrêter sur un énorme objet compact recouvert d'une bâche goudronnée.

— Je l'ai, fit-il en poussant un grognement de satisfaction.

Anna l'aida à repousser la bâche qui recouvrait la machine, précairement appuyée contre le mur, trop haute pour être mise debout, trop encombrante avec ses vingt-deux pieds de long. Hal passa une main affectueuse sur le bois usé.

— « Hall & Shell, Keighley, 1926 » lut-il sur la plaque de laiton terni. Formidable machine.

Anna s'approcha de la machine qui avait œuvré sans faillir pendant soixante ans.

— Où sont les bobines? demanda-t-elle, brusquement inquiète sachant que les remplacer était impossible.

Hal se rembrunit.

— Attendez un instant... je crois qu'on les a mises...

Il souleva encore quelques bâches pour découvrir enfin trois bennes. De l'une d'elles il tira une vieille bobine de bois et de métal.

— Les grandes sont également ici.

— Il devrait y en avoir cent soixante en tout.

— C'est exact, sourit-il. Comment le savez-vous?

— Quand j'étais petite, j'aimais bien les compter. J'ai passé des heures à les regarder tourner, j'adorais cela — elle fit courir sur le métier un doigt appréciateur — Il est recouvert de poussière malgré la bâche; voyez-vous une pièce qui soit rouillée?

— Rien de grave. Il a besoin qu'on lui consacre un peu de temps, mais je ne vois rien de cassé. Cet engin pourrait tourner encore cent ans. Mais pourquoi tout cela? demanda-t-il, soudain intrigué. À moins que vous vouliez en faire don au Musée industriel de Moorside... Je crois même qu'il y en a déjà un d'exposé...

— Hal, commença Anna, intimidée parce que soudainement consciente qu'elle venait de l'appeler par son diminutif. Est-il possible de remonter cette machine là-haut et de faire en sorte qu'elle marche de nouveau?

Hal la regardait avec insistance.

— Il n'y a pas de place, à cause du nouveau métier qu'a acheté votre frère — il fit une grimace — Les tissus fantaisie, avec leurs franges, leurs nœuds et tout le saint-frusquin, ce n'est vraiment pas mon truc. De plus, cette machine a dû coûter une fortune...

— Soixante-dix mille livres.

— Eh, ben... fit-il avec un sifflement, avant de se ressaisir. Excusez-moi, je savais qu'elle coûtait cher, mais pas à ce point. De plus, on est loin de la rentabiliser au maximum. Mais pourquoi tout ça? demanda-t-il à nouveau. Pourquoi voulez-vous réinstaller cette vieille machine là-haut?

— Répondez d'abord à cette question : dans quel genre de tissage ce métier est-il le plus rentable?

— Eh bien... c'est vrai qu'il est beaucoup plus lent que le nouveau. Mais nous avons l'habitude de travailler par petites quantités. Cet engin-ci se charge avec cinquante kilos de fil alors que l'autre peut en prendre cinq cents. Mais comme vous avez pu le constater, on ne produit plus que des fibres synthétiques, de nos jours.

Anna acquiesça sans un mot, ses pensées allant vers les rangées de fibres multicolores, attendant d'être embobinées, à la pauvreté des textures, aux teintures aux nuances vulgaires...

— Je déteste ce genre de produit, les couleurs sont en général affreuses. Je préfère les laines naturelles.

— Bien sûr, mais c'est le marché qui fait loi, n'est-ce pas? Et ce sont ces fibres-là que les gens préfèrent.

— Je le suppose, soupira-t-elle — elle caressa une bobine

entre ses mains. Le bois poli était tiède, laissant sur ses paumes une pellicule de graisse dont elle apprécia l'odeur laiteuse — Dans le cas où nous pourrions nous séparer du nouveau métier, croyez-vous pouvoir poursuivre la production à partir de ce métier-ci?

— Bien sûr. Cette vieille machine peut produire une laine extraordinaire.

— Je veux dire par là, est-ce que les autres machines peuvent encore s'adapter à celle-ci?

— La nouvelle fileuse sûrement pas. C'est une machine italienne qui ne marche qu'avec le nouveau métier que votre frère a fait venir de Suisse. Comprenez-vous, elle file dans le sens opposé au déroulement de la bobine, ce qui donne une fibre plus serrée; mais pour ce que nous voulons faire, nous n'avons pas besoin d'une machine aussi élaborée... de toute façon, l'ancienne se trouve ici, quelque part.

Hal fit une pause avant de reprendre :

— Mais il va falloir trouver de nouveaux marchés, parce que chez Alexander, ils ne sont intéressés que par les tissus synthétiques bon marché. Si nous nous mettons à produire de nouveau des laines de qualité, ça va nous coûter beaucoup plus cher, et je ne suis pas sûr que les gens soient intéressés à payer pour la qualité, de nos jours.

— J'y ai pensé...

Anna hésitait. Ces années de silence forcé où elle avait appris à ne pas faire de commentaires, à ne pas se mettre en avant, à ne pas avoir d'opinions, amenuisaient ses facultés d'élocution. Comme pour partager son malaise, Hal s'éloigna de quelques pas et entreprit d'épousseter le vieux métier à tisser. Elle attendit qu'il eût le dos tourné pour avancer timidement :

— Je... nous... produisons de la laine, au couvent — Hal laissa son geste en suspens — Nous possédons un petit troupeau de Beulah dont nous avons commencé à filer la laine. C'est là que j'ai découvert que nous pouvions obtenir de merveilleuses nuances à partir de teintures naturelles et que les gens en raffolaient — Sans qu'elle s'en rendît compte, l'enthousiasme lui fit lever le ton et Hal se retourna pour la regarder — Nous avons vendu notre produit à une boutique de Welshpool et, après quelques mois, la demande est devenue si grande qu'il nous était impossible de la satisfaire. La boutique a eu beau augmenter ses prix, notre tissu se vendait quand même. Je persiste à croire que les gens aiment encore les laines de qualité.

— En effet... C'est impressionnant. Et vous estimez pouvoir vous-même trouver des acheteurs pour ce genre de produit?

— J'ai besoin que l'on m'y aide. Mais une fois que notre production aura démarré, je suis persuadée que la demande grandira autant qu'à Welshpool.

— Pardonnez-moi, mais j'ai du mal à vous suivre : nous avons une filature équipée pour fabriquer des tissus synthétiques; nous n'allons quand même pas revenir en arrière...

Accrochée à sa bobine comme s'il s'agissait d'un talisman, Anna monta les marches d'escalier du haut desquelles elle se retourna et adressa à Peter Hallam son plus beau sourire.

— Vous voulez faire quoi? croassa Stan Beattie en se raclant la gorge pour se donner le temps de réfléchir. Vous plaisantez, je suppose...

Les mains toujours invisibles dans ses manches, Anna se croisait les doigts, faisant de son mieux pour conserver sa voix la plus innocente.

— Mais c'est votre idée, monsieur Beattie, n'est-ce pas vous qui avez suggéré de nous débarrasser du métier fantaisie? J'y ai longuement réfléchi et j'en ai conclu que vous aviez raison : nous n'avons pas besoin de cette machine. C'est pourquoi nous allons la rendre et réinstaller l'ancien métier. Il est toujours en parfait état de fonctionnement et de plus, il va nous permettre de faire des économies substantielles.

— Qui vous a dit que... Ah, je vois! C'est le jeune...

— C'est moi qui l'ai interrogé, l'interrompit-elle brusquement. C'est mon idée.

— Écoutez, mademoiselle Anna, commença Beattie, déployant visiblement de gros efforts pour se contenir, je ne voudrais pas vous offenser, mais vous parlez de choses que vous ne connaissez pas. Avec ce métier, nous ne pourrons plus produire les tissus fantaisie qu'Alexander nous commande.

— C'est vrai, mais Alexander est en passe de devenir notre unique client et c'est la raison pour laquelle il se permet de différer ses paiements — elle marqua un silence, histoire que Beattie comprît que ses arguments se passaient de tout commentaire — Si nous persistons dans cette attitude, nous courons à la faillite.

— Nous devons surtout nous plier à la demande de notre clientèle et je doute que cette vieille machine puisse le faire.

Beattie prit quelques pelotes de laine qui traînaient sur son bureau et les poussa vers Anna. Non sans une certaine répulsion, cette dernière s'en empara et put ainsi voir les fils bouclés argentés torsadés dans la fibre de l'une, et les paillettes dorées dont était parsemée la seconde.

— C'est peut-être ce genre de produit que nous demandent nos clients, aujourd'hui; mais c'est aussi la raison pour laquelle nous allons devoir en trouver d'autres. J'ai ma petite idée sur la question. En attendant, le règlement de nos dettes doit rester notre principale préoccupation.

— Si vous croyez que le vendeur va reprendre cette machine, vous rêvez. Ou alors, il va nous en proposer une misère, argua Beattie avec un soupir mélodramatique.

— J'ai téléphoné chez Batsons, hier; ils vont nous envoyer un expert pour statuer sur sa valeur marchande. Comme vous l'avez si bien dit, c'est une machine presque neuve, qui n'a presque pas servi... Elle lui adressa un sourire et adopta un ton enjôleur comme si elle s'adressait à un enfant borné. Attendons de voir ce qu'il dira, nous n'avons rien à perdre...

Beattie avala une gorgée de café.

— Ça va mettre la pagaille dans l'atelier. Si nous avons une grosse commande, nous ne pourrons pas y faire face.

Mais elle s'était aussi préparée à cet argument.

— Il y a bien six ou sept métiers, là-haut, de ceux que mon père a fait installer, ils ont un excellent rendement. Et je crois me rappeler que lorsque le carnet de commandes était plein, les employés n'hésitaient pas à faire des heures supplémentaires, à travailler la nuit, s'il le fallait.

— Avez-vous seulement idée de ce que ça nous coûterait en salaires? renâcla Beattie.

Peggy, qui prenait la conversation au vol, intervint brusquement.

— J'ai calculé tout cela, Stan. Nous pouvons répondre à une commande de l'importance de la dernière en moins de deux semaines; et si nous parvenons à nous débarrasser du métier suisse, la situation ne pourra que s'améliorer.

Beattie se leva en repoussant brusquement son siège.

— Une commande pour qui, je vous le demande...si nous ne pouvons plus produire de fibres de fantaisie et la demande pour les fibres traditionnelles est quasiment nulle.

Malgré son estomac noué, Anna s'efforça de regarder Beattie droit dans les yeux.

— Mais cela n'est pas seulement dû aux fluctuations de la demande, qu'en pensez-vous, monsieur Beattie? — Toute morgue avait brusquement disparu du visage de l'homme — Et cela me fait penser, poursuivit-elle d'un ton lourd de sous-entendus, que dans la conjoncture actuelle, il serait bon que, les uns et les autres, nous évitions les communications téléphoniques personnelles, même en dehors des heures de travail.

Beattie resta impavide, les yeux fixés sur les mains d'Anna qui, pour cacher sa nervosité, jouait négligemment avec les pelotes de laine, laissant à l'homme le loisir d'assimiler la portée des paroles qu'elle venait de prononcer. Sans comprendre, Peggy captait cependant toute l'électricité dont la pièce était chargée, laissant son regard aller d'Anna à Beattie. Quand elle fut sûre d'avoir été bien comprise, dans un geste désinvolte, Anna laissa rouler les deux pelotes sur le bureau de l'homme.

— Il y a toute la production d'Aran à filer pour la commande de Scandinavie. Cela va bien prendre deux semaines; nous pourrons réfléchir, entre-temps... Mais peut-être souhaiteriez-vous voir la personne de chez Batsons avec moi.

La tête de Beattie paraissait dodeliner de l'une vers l'autre et Anna éprouva presque un élan de pitié pour cet homme, tant il ressemblait à vieux bœuf oublié dans un coin d'une cour de ferme.

— Je suis trop occupé. Faites donc ce qui vous chante; ruinez l'affaire que vous ont laissée vos parents, cela m'indiffère complètement. Quant à moi, je sais ce que je dis : vous avez perdu la tête.

En deux enjambées, Beattie alla cueillir son imperméable et sortit en coup de vent, laissant la porte du bureau claquer dans son dos. Anna tourna vers Peggy un visage faussement consterné, puis poussa un long soupir de soulagement.

— C'est la première fois que je fais une chose semblable.

— C'est un pas de géant pour la condition féminine, acquiesça Peggy en applaudissant.

— Et pour moi aussi, en tout cas — Anna prit une profonde inspiration — Seriez-vous assez aimable de téléphoner chez Batsons? Je n'ai pas encore pris l'habitude du téléphone.

— C'est déjà fait, répondit Peggy. Je me doutais que vous voudriez voir un de leurs experts.

— Mais que se serait-il passé s'il avait dit non?

Peggy s'empara du dossier sur le bureau de Beattie puis, du bout des doigts, laissa tomber dans la corbeille à papier la revue que Beattie avait tenté de dissimuler.

— Aucune chance. Ce pauvre type ne sait pas à qui il a affaire.

Sa facturation achevée, Anna leva les yeux et contempla quelques instants le téléphone qu'elle avait devant elle. Ne le décrocher que lorsqu'elle devait répondre à quelqu'un lui paraissait brusquement le comble du ridicule. La veille encore, elle avait voulu appeler mère Emmanuel et, pour ce faire, elle s'était adressée à Lynn, qui avait composé le numéro à sa place. Un peu lassée de ce comportement timoré, elle décrocha le combiné et appela Lynn pour lui annoncer qu'elle serait en retard.

Le vendredi, Peggy partait tôt et, au moment où Anna traversa la filature, les bureaux étaient déserts. Les caves lui semblèrent plus froides qu'elle ne s'en souvenait. Le faisceau de la lampe torche qu'elle avait récupérée dans le garage de Simon diffusait une lumière sinistre, projetant sur les murs de pierre l'ombre démesurée de sa coiffe. Repoussant les bâches, elle découvrit les boîtes et les paniers d'osier contenant les fameuses bobines et se mit à en vérifier soigneusement le contenu, soucieuse que quelques-unes ne fussent pas voilées ou manquantes.

À l'aide du chiffon de coton qu'elle avait eu soin d'emporter, elle se mit à astiquer le bois de la précieuse machine, patiné par des années d'usage. Cette machine représentait pour elle plus qu'un métier à tisser. Son grand-père en avait fait l'acquisition alors que son père à elle n'avait que dix ans. Et tout comme lui, elle en avait admiré chaque rouage, chaque poulie, elle en avait écouté le cliquetis chantant. Dans quelques jours, ce vénérable métier allait retrouver la place qu'il méritait : dans l'atelier.

C'est que, du temps de son grand-père et de son père, ce métier à tisser-là avait fabriqué les plus belles fibres à partir de la laine de mouton de Clun Forest, de Leicester, de Derbyshire Gritstone. Au moment où elle avait eu quinze ans, grâce aux leçons de son père, elle était en mesure de reconnaître une laine rien qu'à la vue et au toucher, alors que son frère n'y trouvait aucun intérêt. En y repensant, Anna était incapable de dire si son attirance pour ce métier était motivée par le désir de faire plaisir à son père ou par une réelle attirance pour l'artisanat ancien. Mais en grandissant, ses visites à la filature s'étaient espacées; elle ne souhaitait pas que ses amies eussent vent d'une passion considérée alors comme excentrique.

Elle avait oublié combien elle aimait le procédé de filage. Cela commençait par le lavage des flocons de laine afin de les débarrasser de toute graisse et impureté; puis il y avait le cardage qui en faisait de minces fils, et finalement le filage lui-même au cours duquel le fil était embobiné en écheveaux complexes. Mais c'est seulement quand elle avait découvert que le couvent possédait quelques moutons qu'elle avait mis ses connaissances en application. Elle avait pris en charge l'ensemble du processus, apportant son aide au moment de la tonte, puis teignant la laine avec tout ce qui lui tombait sous la main : chrysanthèmes, jonquilles, noyers, baies, lichens, créant de subtiles et surprenantes couleurs.

Perdue dans ses pensées, Anna suspendit son geste. Sa laine avait connu un énorme succès. Clover Connection en avait commandé bien plus qu'elle ne pouvait en fournir. Cependant, avec les couleurs organiques, le problème se situait au niveau du réassortiment. Même si elle notait soigneusement les proportions des éléments entrant dans la composition de ses teintures, il subsistait invariablement de légères nuances entre chaque bain. Mais à coup sûr, un professionnel saurait y remédier, apporter les adjuvants permettant de stabiliser les couleurs.

Anna se sentit frissonner en prenant conscience du silence qui l'entourait. Depuis combien de temps se trouvait-elle là? Laissant le métier découvert, elle éteignit sa lampe et remonta rapidement les marches d'escalier. Quand elle émergea dans la cour d'emballage, elle fut si surprise par l'obscurité ambiante qu'elle crut à une coupure de courant. Mais le silence lui apprit que la bâtisse était déserte. Il devait être très tard. Elle fit coulisser la porte des bureaux pour se rendre compte qu'ils étaient aussi plongés dans le noir. Dans le couloir, sa lampe torche éclaira la pendule portant l'inscription « Summers » que son grand-père avait fait installer et elle vit qu'il était sept heures et demie.

Le fait que tout le monde fût parti lui fit prendre conscience du contexte dans lequel elle évoluait. Elle n'était plus au couvent et, pour n'avoir dit à personne qu'elle se rendait à la cave, elle risquait de se retrouver enfermée dans le bâtiment. Les corridors lui parurent brusquement très longs et très étroits. Le faisceau de sa lampe ne se heurtait qu'à des cloisons et des portes fermées. Nightingale Mill était fermé jusqu'à lundi. Sous la guimpe, elle sentit la sueur perler sur son front.

Elle se ressaisit, cependant : elle n'avait qu'à téléphoner. Elle se trouvait devant la porte du bureau de Peggy, le halo de sa lampe cherchant l'interrupteur, quand elle aperçut l'armoire aux clés. Soulagée, elle décrocha celle de la porte d'entrée.

Elle s'apprêtait à faire demi-tour lorsque, derrière elle, une ombre bougea. Encore son imagination qui lui jouait un tour, s'admonesta-t-elle, continuant néanmoins à fouiller l'obscurité du regard. Un rapide tâtonnement, puis un bruit de verre brisé l'incitèrent à braquer sa lampe droit devant elle. Elle vit alors la bouteille de lait cassée et le chat noir famélique qu'elle avait déjà aperçu. Ce dernier vint aussitôt se frotter contre sa robe en ronronnant.

Après avoir flatté l'animal, Anna se redressa. D'aussi loin qu'elle se souvînt, il y avait toujours eu des chats à la filature. Ceux-ci amélioraient leur ordinaire en chassant les souris et pouvaient circuler librement des bureaux à l'atelier par une trappe spécialement aménagée à cet effet. Sans allumer les lumières, elle se dirigea vers la porte de sortie latérale. La clé était déjà dans la serrure quand elle entendit un grognement sourd.

Il n'y avait pas d'erreur, cette fois. Ses doigts palpèrent instinctivement le chapelet accroché à sa ceinture. « Sainte Marie, mère de Dieu... » Voilà que ça recommençait; une voix d'homme. Quelqu'un qui souffrait; peut-être; quelqu'un entré par effraction et qui s'était blessé.

Anna déverrouilla silencieusement la porte. Il fallait appeler la police. À peine eut-elle le temps d'ouvrir la porte, que la voix émit quelques mots inintelligibles mais suffisamment clairs, cependant, pour qu'Anna reconnût Stan Beattie. Peut-être était-il malade... une crise cardiaque... Sans prendre le temps de faire la lumière ni même de réfléchir, elle se précipita vers le bureau d'où provenaient les sons.

C'était le bureau de son frère. Il se trouvait à l'écart des autres, et c'est sans doute la raison pour laquelle elle n'avait pas remarqué qu'il était éclairé. Habituée comme elle l'était à garder le silence, elle poussa la porte sans dire un mot, s'attendant à trouver un homme malade, gémissant sur le sol...

La lampe de bureau répandait au-dessus de la table un cercle lumineux. De l'autre côté de la pièce, dans la pénombre, elle reconnut Stan Beattie affalé dans un fauteuil qui, la tête renversée, les yeux révulsés, murmurait sur un ton monocorde des mots obscènes.

Mon Dieu, mais que se passait-il donc? Les mots qu'elle

entendait n'avaient aucun sens. Pétrifiée, la main posée sur la poignée de porte, Anna comprit enfin qu'il y avait non pas une mais deux personnes dans la pièce. Une femme aux cheveux noirs était agenouillée entre les jambes de Beattie. Au-dessus d'une jupe étriquée, la poitrine était dénudée, les seins pendants. Anna remarqua les chaussures à talons aiguilles dont le prix était encore collé sur la semelle. D'une main, Beattie pressait la tête de la femme contre lui, pendant que l'autre main triturait son mamelon. Dans la même seconde, Anna vit que l'homme avait ses pantalons baissés et que les cheveux de la femme reposaient sur sa chair nue.

Anna dut pousser un cri, car Beattie ouvrit les yeux. Il l'avait reconnue, c'est sûr. Cependant, il la fixait sans un battement de cils, le visage tendu, la mâchoire crispée en un rictus grimaçant.

Dans la pièce, l'atmosphère était suffocante, imprégnée d'odeur de tabac, de l'eau de toilette de Beattie et aussi d'un parfum musqué qui prenait à la gorge. Anna chancela vers l'arrière en se couvrant les yeux, trop tard cependant pour ne pas voir la ceinture défaite, les vêtements débraillés, la peau du ventre ratatinée...

En un instant, Anna fut dans le couloir. Elle poussa la porte grande ouverte. Relevant les pans de sa robe, elle courut jusqu'à la voiture tout en cherchant ses clés, puis tâtonna fébrilement pour trouver la serrure qu'elle réussit enfin à ouvrir. Une fois installée au volant, elle mit le contact. Moteur froid. Où diable se trouvait le starter? Le frein à main hâtivement libéré, elle passa la première et arracha la voiture du trottoir avec des soubresauts semblables à ceux de Stan Beattie.

Au bout de Nightingale Street, un homme lui cria quelque chose en montrant la voiture du doigt. Mais c'est seulement en arrivant au coin de Berry Street qu'elle se rendit compte qu'elle roulait tous feux éteints. Elle eut à peine le temps de se garer et d'ouvrir la portière pour vomir une bile amère, la gorge serrée, la poitrine et l'estomac secoués de longs hoquets douloureux.

Après, elle se sentit mieux. La portière refermée, elle s'essuya la bouche à l'aide d'un Kleenex, avant d'appuyer son front sur ses mains jointes accrochées au volant.

Jamais elle n'aurait dû quitter le couvent. Les vieilles religieuses avaient raison : le monde extérieur était imprévisible, plein d'aléas, dangereux. En prenant le voile, elle s'en était sciemment exclue, et, après tant d'années, c'était folie que de vouloir s'y replonger. Jusqu'à présent, songeait-elle, c'était son ignorance, et non point son innocence qui l'en avait protégée. Elle commença à psalmodier une prière, mais les mots lui parurent vides, dénués de sens. En un moment comme celui-là, on ne prie pas. La prière, ce n'est pas une amulette que l'on brandit pour se protéger du mal.

Elle se remémora les règles de son Ordre, qui, entre autres, afin de lui éviter toute errance du regard, lui dictaient de garder les yeux toujours baissés. On ne porte pas impudemment le regard sur un homme, car l'homme est un animal dangereux.

Les nonnes riaient beaucoup de cet aphorisme puisque, fors à l'occasion des rares visites autorisées, les hommes étaient aussi répandus au couvent que les ours au Congo. Le curé taciturne qui leur rendait quotidiennement visite au couvent pour y célébrer la messe et pour les entendre en confession était à peine entré une ou deux fois au parloir. Quant au vieux jardinier, M. Dunbabbin, il préférait la compagnie de ses plantes à celle des humains. L'employé des télécommunications qui était venu réparer le téléphone de la mère supérieure avait été la seule personne étrangère à franchir les murs du cloître. Même un plombier n'y avait jamais mis les pieds, attendu que sœur Peter réparait les tuyaux et remplaçait les siphons mieux que n'importe qui.

Deux jeunes Pakistanaises tapotèrent l'aile de la voiture, leurs soieries incongrûment recouvertes de volumineux anoraks, leurs pieds chaussés de talons aiguilles émergeant d'amples pantalons vaporeux. Elles se retournèrent pour la regarder avec leurs yeux de gazelle cernés de khôl. Quand elles ramenèrent leur sari devant leur visage, Anna entendit le cliquetis de leurs bracelets, et prit soudain conscience combien peu elle leur ressemblait.

Elle avait assez perdu de temps comme cela. Elle alluma ses phares et, un peu calmée, regagna le domicile de Lynn.

Ce soir-là, elle ne put fermer l'œil, tant les images de la scène sordide, qu'elle n'avait pourtant qu'entrevue, affluaient devant ses yeux. Comment Beattie avait-il pu, dans le bureau de Simon, qui plus est, se livrer à de tels actes? Comment cette femme avait-elle pu se commettre dans de telles horreurs? Anna voyait encore sa poitrine, ses aréoles noires... C'était répugnant, ou plutôt non : pathétique. Finalement, le sommeil ne venant pas, elle alluma sa lampe de chevet.

La contemplation des animaux en peluche de son neveu l'amena à penser que la conduite de Beattie avait été pire que celle d'un animal. Pour autant qu'elle le sût, les animaux ne se livraient pas à des actes aussi obscènes. Elle ne pourrait jamais lui adresser de nouveau la parole, décida-t-elle de prime abord. Mais elle se raisonna, se rappelant que tous les êtres humains étaient des pécheurs, qu'elle-même avait dû confesser bien des fautes, que seul Dieu pouvait juger nos actes, etc., etc., pour conclure enfin qu'elle devrait bien, vaille que vaille, dès le lundi suivant, se comporter comme si de rien n'était.

Elle se frotta les yeux. Si fort qu'elle en vit des étoiles. Si seulement elle n'avait pas vu... On ne souffre que de ce qu'on voit. Mais elle, elle avait vu.

Si, au couvent, elle gardait les yeux baissés afin de ne pas distraire ses pensées de Dieu, au-dehors, l'application de ce précepte s'avérait impossible. Au cours des dernières semaines, elle n'avait à peu près pas regardé la télévision. D'une part, parce que les programmes télévisés ne l'inspiraient guère, et d'autre part, parce qu'elle disposait de très peu de temps libre. C'est pourquoi elle n'éprouvait aucune difficulté à suivre les directives de la mère supérieure en quittant la pièce dès que le téléviseur était allumé. Si elle avait été quelquefois tentée d'y poser le regard, comme lors de ce reportage sur la famine en Éthiopie, la vue des spectacles et des films qu'on y présentait, ces gens au sourire affecté, ces femmes trop vêtues ou trop dévêtues, ces effusions en veux-tu en voilà, ces gens qui s'étreignaient pour un oui pour un non, cette éternelle adolescence qu'on chantait sur des musiques abrutissantes, tout cela ne l'intéressait pas. Elle qui n'était que réserve et pudeur, elle avait vu des gens s'embrasser à moitié nus, dans un lit ou sur la plage, et en avait conclu que ce genre de situation pouvait survenir n'importe où et n'importe quand, et que ces scènes faisaient partie du quotidien de chacun au même titre que le gîte et le couvert.

Peut-être était-ce à cause d'une sensibilité exacerbée, d'une vulnérabilité inhérente à son tempérament réservé, mais, avant de prendre le voile, elle ne se souvenait pas avoir assisté à un tel étalage de chair et de sentiments. Des événements choquants, il y en avait pourtant eu dans son adolescence; notamment les vitupérations causées par le film « Le dernier tango à Paris » qu'elle avait juré à ses parents de ne pas aller voir. Il y avait eu aussi toutes ces « rock stars » qui mimaient à qui mieux mieux des scènes obscènes en hurlant dans leur micro. Quelques chansons avaient même été proscrites par la BBC, mais elle et ses camarades les écoutaient en cachette au gymnase, sur un vieux tourne-disque, pendant les heures de repas. Elle avait l'impression de sentir encore vibrer leurs corps d'adolescentes, pendant que Jane Birkin susurrait : « Je t'aime... je t'aime... » Et quand M. McColl leur demandait où elles étaient passées, elles pouvaient répondre sans mentir : « Nous révisions notre français ».

Jusqu'à ce jour, elle avait soigneusement enfoui ces souvenirs dans sa mémoire de telle sorte qu'ils ne fissent aucune intrusion dans sa vie de claustration. Car, si un petit échauffement des sens à l'heure du déjeuner était une chose, l'impudicité insistante qui, à chaque coin de rue, agressait son regard en était une autre. Ici, c'était un panneau publicitaire montrant une femme en bas de nylon noir dont un homme caressait langoureusement la cuisse; là, la photographie d'un jeune homme vêtu d'un slip aux couleurs du drapeau américain s'étalant sur la largeur de la vitrine... Dans ce cas-ci, il lui avait fallu plus d'une semaine avant de comprendre qu'il s'agissait d'une affiche vantant les mérites d'une marque de denim.

Anna avait mal à la tête. Un mal de tête qu'elle traînait depuis des années, résultat de la pression de sa guimpe sur son crâne. Elle en était même arrivée à rêver qu'elle suppliait à genoux qu'on l'autorisât à retirer son bonnet et son voile et qu'on le lui refusait. Elle se réveillait alors la gorge serrée et la tête plus douloureuse que jamais.

Elle se frotta très fort le sommet du crâne, massant longuement le cuir chevelu contre sa boîte crânienne. Cette nuit-là, elle avait négligé de mettre son bonnet; ou plutôt, elle avait délibérément décidé de ne pas le mettre. Elle ralentit son geste. Ah, la liberté de choix! le libre arbitre! Voilà des années qu'elle y avait renoncé, voilà des années qu'elle avait accepté de se soumettre à la règle, à l'emploi du temps, à la mère prieure.

Aujourd'hui, Anna se sentait comme une voyageuse en pays étranger. Au couvent, elle savait ce que chaque jour, chaque heure lui réservaient. Sa vie était programmée. Un temps pour chaque chose : huit fois par jour, la prière à la chapelle, trois fois par jour, le réfectoire. Chaque repas était identique à celui de la veille et semblable à celui du lendemain... C'est pourquoi toute réflexion était inutile, même lorsqu'elle se retrouvait dans l'espace restreint de sa cellule, où elle connaissait par cœur la portée et la durée du moindre de ses gestes.

Elle ouvrit de nouveau les yeux et laissa son regard errer sur la petite chambre lumineuse. Une rangée de créatures aux yeux de boutons de culottes la regardaient, assises sur l'étagère au-dessus du lit. Des éléphants, des pandas, un Snoopy crasseux qui s'appuyait contre une souris en pantalons de velours. Des affiches très colorées montraient des éléphants assis dans une baignoire en train de s'asperger à grands coups de trompe ou faisant des tractions en survêtements avec un grand E dessiné sur la poitrine. Accrochée à une patère derrière la porte, sa robe ressemblait à un costume d'extraterrestre.

Pendant longtemps, Anna avait pressenti que ce qu'elle détestait le plus au couvent, c'était la monotonie des jours. Quand elle en avait pris pleinement conscience, son aversion pour cette existence uniformisée avait centuplé. Elle aspirait ardemment à un assouplissement des règlements et de l'emploi du temps.

Elle tendit la main pour éteindre la lampe. L'obscurité sembla adoucir son mal de tête et les muscles de sa nuque et de ses mâchoires se détendirent un peu. Comment avait-elle pu ignorer qu'aller au-devant de cette liberté ne se ferait pas sans problèmes? Pareille à un détenu qu'on vient de libérer, elle s'était sentie transportée de joie et s'était fait une très haute idée de ce qui l'attendait. La scène à laquelle elle avait assisté ce soir la jetait dans une frayeur et un désarroi inattendus et, en dépit d'elle-même, elle se mit à regretter ce qu'elle avait cru haïr. La captive aspirait à retrouver ses chaînes.

CHAPITRE DIX

Sanglier hybride extra-fin. Fil d'Écosse. Lincoln lustré. Prince de Galles... Anna referma le catalogue de *British Wool Sale N°43* en tentant de contenir sa nervosité. Situé à quinze minutes du centre-ville de Clayton, le magasin de vente de laine en gros d'Oak Mills était aussi vaste et nu qu'un hangar d'avion, n'eût été les ballots de laine empilés de chaque côté. Au centre, d'autres ballots de laine non traitée jonchaient le sol, classés par type et dont chaque lot était numéroté. L'air était glacial, et l'odeur de graisse de mouton si forte qu'on en avait le goût dans la bouche.

C'était un mardi, en fin d'après-midi, dernière possibilité d'examiner les lots avant la vente aux enchères qui devait se dérouler le lendemain matin, dans une salle prévue à cet effet. Malgré la présence à ses côtés d'Hal, à qui elle avait demandé de l'accompagner, Anna prenait la mesure des décisions auxquelles elle devait faire face et en était tout intimidée.

— Attention devant! cria le chauffeur d'un chariot élévateur en prenant position près d'eux.

Ils firent aussitôt place, et l'homme leva une balle de laine emballée dans du film plastique noir, puis repartit par où il était venu. Un coup d'œil permit à Anna de se rendre compte que sa jupe grise était déjà parsemée de fils de laine.

— Ça sera pire quand tout sera terminé, fit Hal qui avait suivi son regard. Je n'avais jamais vu autant de laine à la fois. Approchons-nous, nous aurons un meilleur aperçu. Tiens, du *Welsh Rad*... excellent pour les tweeds.

— J'ignorais que vous étiez un expert en la matière, lâcha-t-elle, amusée. Je vous croyais cantonné dans le fonctionnement des machines.

— Pas du tout, pas du tout, répondit-il hâtivement. Quand j'étais enfant, nous mangions du mouton tous les dimanches avec de la sauce à la menthe et des pommes de terre rissolées.

— Que faisait donc votre père?

Elle se força pour poser cette question, car les questions d'ordre personnel étaient interdites au couvent. Cependant, elle s'intéressait sincèrement au jeune homme qui, de son côté, semblait ravi de l'attention qu'elle lui portait.

— Conducteur d'autobus. Pendant plus de trente ans. Mais maintenant il est devenu inspecteur et il affirme que ce n'est plus la même chose. M'man, elle, travaillait dans une cantine scolaire. Gamin, j'étais un vrai petit mioche du Yorshire; mon horizon s'arrêtait au magasin de frites et à Woolworth's.

Ce disant, Hal se tirailla l'oreille et Anna remarqua qu'il avait encore les gestes attendrissants d'un jeune garçon. Elle lui adressa un sourire.

— Milieu inapproprié pour le défenseur de la nature que vous êtes.

— En effet (elle aimait le sérieux avec lequel il répondait aux remarques les plus désinvoltes). Je n'avais que douze ans quand j'ai vu ma première crécerelle. Elle avait niché sous les toits de l'Hôtel de ville. Elle flottait autour du dôme comme une créature venue d'un autre monde. J'étais tellement excité — il fit une pause, comme s'il hésitait à lui confier un secret — que j'ai failli vomir. Après cela, j'ai pris le bus tous les dimanches, même quand il pleuvait des hallebardes, pour me rendre dans des endroits retirés où il y a des fougères, de la bruyère et des rochers escarpés. C'est là que j'ai découvert que le vent qui faisait rouler les boîtes de conserves vides de ma rue était le même que celui qui soufflait en hurlant autour des rochers de Ilkley Moor. J'ai aussi découvert que la rivière boueuse, polluée par les détergents des filatures, que je voyais chaque jour en allant à l'école, grouillait de truites en amont, à l'endroit où elle devient un affluent de la Dales — il s'interrompit soudain — Bon, ça suffit comme ça. Nous ferions mieux d'aller voir ce qui se passe...

Anna pêcha un crayon au fond d'une de ses grandes poches

et ouvrit à nouveau son catalogue.

— J'avais l'habitude d'accompagner mon père aux expositions mais je ne l'ai jamais accompagné aux ventes aux enchères. À l'époque, les transactions se déroulaient dans un autre bâtiment. J'espère ne pas avoir oublié tout ce qu'il m'a enseigné...

— C'est comme monter à bicyclette, répliqua Hal avec un sourire, une fois qu'on a appris...

— J'aimerais avoir votre assurance.

Elle se pencha en avant et cueillit un flocon de laine qu'elle déchira doucement afin d'en écarter les fibres dont elle examina le lustre et la couleur. « Il faut regarder et toucher, répétait son père, regarder et toucher ». Elle frotta la laine entre ses doigts et sentit la rugosité de la paille qui s'y trouvait car, si les animaux avaient été rentrés pour l'hiver et si les râteliers avaient été placés trop haut, lui avait-il encore expliqué, la toison pouvait contenir des brins de matières végétales. Anna se déplaça en direction des ballots de *Devon Longwool* et, après qu'Hal l'y eut rejointe, elle murmura :

— Celle-ci est décolorée.

— La nature des sols procure quelquefois à la laine une nuance rosée. C'est le cas pour le *Berwickshire*, je crois, la *Devon*, la *Brecon*...

— Vous me faites marcher, interrompit-elle en se sentant rougir sous sa guimpe.

— Je ne me le permettrais pas, répondit Hal le plus sérieusement du monde. Pas après tous les efforts que je vous vois déployer.

Anna lui adressa alors un regard plein de gratitude.

— Désolée. Je suis probablement trop susceptible. Cette tâche est plus difficile que je ne l'imaginais.

— Ce doit être en effet très difficile pour vous, qui n'êtes pas habituée à ce genre de travail — il frotta le bout de son pied contre un ballot de laine — Je ne devrais probablement pas vous dire ça, mais acheter de la laine aux enchères représente des coûts importants. Stan Beattie prétend que vous devriez vous en tenir aux fibres artificielles et n'accepter que de petites commandes de tissu de laine; ce serait un bon moyen de réduire les dépenses.

— C'est ce qu'il affirme depuis des mois. Mais il y a une autre vente aux enchères prévue dans huit semaines; d'ici là, nous aurons écoulé les commandes que nous aurons exécutées à partir de nos achats de demain matin. Je compte bien que la filature en tire de bons bénéfices. Ce qui importe au premier chef, c'est de remettre la filature sur la bonne voie.

— Et, compléta Hal pour elle, ce n'est pas précisément le vœu de Stan Beattie.

Bien que persuadée qu'elle pouvait se fier à lui, elle lui adressa un coup d'œil bref et circonspect.

— En effet — Puis, se tournant vers les ballots de laine — Ceux-ci conviendront à condition que nous utilisions des tons de couleurs vives.

— Vous n'avez pas l'air d'en être très sûre...

— Je pense à des bleus profonds, à des rouges comme ceux des robes des cardinaux — elle hésitait, incertaine quant à la réaction du jeune homme — Je souhaiterais ne pas utiliser de teintures chimiques.

— Est-ce qu'il en existe d'autres?

— Bien sûr, des teintures naturelles fabriquées à partir de baies, de lichens... J'ai réussi à réaliser de très belles laines, au couvent. Des feuilles de sureau bouillies avec du sulfate de cuivre donnent de merveilleux vert tendre; des mûres mélangées à de l'étain et du vinaigre, poursuivit-elle, transportée d'enthousiasme, il n'y a rien de mieux pour les tons de vieux rose. Nous prendrons de la guède pour les bleus, il en ressort des nuances fantastiques. Les rouges sont plus difficiles : nous devrons acheter de la cochenille...

— Un instant, un instant. Voulez-vous dire que nous devrons préparer nos teintures nous-mêmes?

— Naturellement. J'avais l'habitude de me servir d'un mortier et d'un pilon; mais pour de grandes quantités... Eh bien, nous trouverons toujours une machine très simple pour les fabriquer.

— Probablement, admit Hal. Mais vous voudrez aussi créer

des nuances de fruits et de fleurs. J'ignore la quantité de laine que vous produisiez, mais, sauf votre respect, ce n'était pas à une échelle commerciale — Comme elle acquiesçait, il poursuivit : Et puis, qui se souciera du mal que vous vous serez donné à fabriquer des teintures naturelles? Si une dame achète votre laine, c'est parce que sa couleur est assortie à celle de son chemisier; et les mûres que vous aurez cueillies à la main ne vous auront pas rapporté grand-chose.

— Bien sûr que si! s'insurgea Anna. Il y a des gens qui recherchent la qualité, un produit qui soit différent de ce qu'on trouve sur le marché. Vous portez des jugements avant même d'avoir vu les résultats. Comment voulez-vous que nous parvenions à quelque chose si vous ne prenez pas en considération ce que j'essaie de...

— Très bien, très bien, capitula Hal avec un geste apaisant pour l'inciter à baisser le ton. Ne vous fâchez pas, je ne suis pas en train de battre votre grand-mère....

— Je vous le dis : ma... notre laine était si demandée, à Welshpool, que nous ne pouvions plus fournir. Elle se vendait très cher, mais les gens l'achetaient quand même parce qu'ils savaient que cela donnerait un produit fini unique. Je sais que nous y arriverons, Hal. Nous irons dans les Moors, c'est là que nous trouverons les baies et les mousses qu'il nous faut.

Elle revit soudain les Moors comme un endroit magique, chargé de promesses.

— Honnêtement, fit Hal, hésitant, je crois que vous êtes un peu trop optimiste.

— Pas du tout. Ce sera magnifique. Si vous acceptez de m'accompagner, nous irons cueillir ensemble ce dont nous avons besoin. Cela nous demandera sans doute plusieurs voyages mais qu'importe? Vous m'accompagnerez, n'est-ce pas?

— Bien sûr, répondit Hal, ne pouvant résister à l'exaltation qui se lisait dans les yeux d'Anna — il montra du doigt le lot qu'elle venait de choisir — Et on en offre combien?

Un long soupir exprima son exaspération pour son ignorance en la matière.

— Aucune idée.

— Je pensais que Stan Beattie devait vous accompagner, dit-il simplement, sans arrière-pensée.

— Il a la grippe, semble-t-il. Je crois plutôt qu'il éprouve quelque malaise à se montrer en ma compagnie. Mais je lui ai dit qu'il avait tout intérêt à se mieux porter demain matin.

— C'est idiot de sa part, fit Hal sans la moindre rancœur.

Anna promena son regard dans le hangar à moitié vide, où des hommes rassemblés en petits groupes semblaient discuter ferme devant des ballots de laine. Sentant peu à peu les regards converger sur elle, Anna se retourna vers le jeune homme.

— Nous attirons un peu trop l'attention, fit-elle. Je n'ose penser ce que ce sera demain matin. Je commence à éprouver le sentiment d'être déguisée.

— Nous sommes deux, répondit Hal en ouvrant son manteau.

Il portait en effet un gilet de cachemire noir de coupe classique, avec les revers bordés de velours comme ceux que portait son grand-père. Anna et sa belle-sœur avaient passé plusieurs heures à feuilleter des catalogues afin d'y puiser quelques idées originales et, ce voyant, elle devait admettre que, transposé dans n'importe quelle métropole européenne, Hal n'aurait eu nullement l'air déplacé. Il portait aussi un pantalon très ample et un tricot de coton blanc sur lequel était écrit : « le Nicaragua survivra ».

— Je pense en effet que nous faisons la paire. À présent — elle le conduisit à l'allée suivante — que pensez-vous de ce lot de *Devon lamb N°3*?

— Et maintenant, messieurs, le lot N°409 : vingt-quatre ballots de très beau *Radnor*.

La voix du commissaire-priseur était sèche et autoritaire. Debout sur son estrade, le visage mat, la silhouette élancée dans un costume de laine peignée du bon faiseur, il dominait l'assistance.

— Quelqu'un me dit quatorze? douze? dix? on me dit huit

à droite... vendu à Sutcliffe & Street pour huit.

Le marteau s'abattit et, deux rangs devant, un solide gaillard tira sur ses manchettes avec une visible satisfaction. Le commissaire-priseur avala une gorgée d'eau et l'un des deux hommes assis à ses côtés prit quelques notes.

— Lot 410 : deux ballots à deux pence, deux et demi, trois, trois et demi...

L'homme regarda avec insistance les personnes assises aux premiers rangs de la grande salle, et Anna eut l'impression d'assister au spectacle du professeur interrogeant ses élèves. Sur les murs, elle remarqua des photographies du Yorkshire Dales, ainsi qu'un montage de laines multicolores illustrant des collines et des prés où paissaient des moutons. De tous les coins, on criait : « Quatre! Cinq! »

— L'ensemble du lot vendu pour cent quatre-vingt-quinze pence à Waterhouse... Lot 412, à présent : agneau de Mule, trois ballots. J'ai une offre à cent cinquante. Cinquante et un, deux, trois, quatre, cinq... vendu pour cent cinquante-cinq!

Anna était assise à la même rangée que Beattie, bien qu'elle eût pris la précaution de laisser deux sièges vacants entre eux. Depuis la fameuse soirée, ils avaient, l'un comme l'autre, mis le plus grand soin à s'éviter. Bien qu'ils se fussent gardé d'y faire allusion, le malaise subsistait, créant entre eux une sorte de complicité forcée qui envenimait leurs relations déjà tendues. Le trouble et l'animosité de Beattie se lisaient aussi clairement au-dessus de sa tête qu'un phylactère.

Ce matin-là, il avait contraint Anna à l'attendre à l'extérieur de la salle des ventes, pour arriver enfin le souffle court, rouge de confusion à cause de son retard. En la voyant patienter dans le vestibule, alors qu'elle tentait d'ignorer les regards intrigués qu'on posait sur elle, en guise de salut, il lui avait adressé un regard hostile. Cette apparente passivité qu'elle avait le don d'afficher en toute circonstance avait le don de l'irriter au plus haut point. Il avait coupé court à la tentative qu'elle avait faite de lui montrer dans le catalogue les lots qu'elle souhaitait qu'il achetât pour elle, et l'avait précédée dans la salle des ventes avec des allures de matamore.

De ce fait, cela avait été d'autant plus difficile pour elle d'y entrer seule, consciente de son allure affectée, de ses mains rentrées dans ses manches et de sa démarche raide. Au fur et à mesure qu'on remarquait sa présence, un petit nerf s'était mis convulsivement à battre contre sa tempe. Partagée entre amusement et irritation, elle avait vu le commissaire-priseur suspendre sa conversation avec son adjoint pour la regarder prendre place. Ces gens-là n'avaient-ils donc jamais vu de religieuse de leur vie? À présent, Anna se penchait vers Beattie pour lui murmurer :

— Ce lot m'intéresse, faites une offre.

L'homme se tourna vers elle, exhalant une odeur d'eau de Cologne bon marché.

— C'est trop cher pour nous. Je vous avais prévenue : nous ne pouvons nous offrir ce genre de marchandise. De plus, vous ne savez même pas de quoi il retourne et les femmes n'ont rien à faire dans une vente aux enchères comme celle-ci. Vous ne faites qu'attirer l'attention sur moi.

Anna ne répondit rien. Ce problème-là, elle en avait longuement débattu avec Peggy et le fait qu'il n'y eût aucune femme parmi les acheteurs ne lui interdisait en rien l'accès à cette vente. En raison de cela, morose et réticent, Beattie avait été contraint de lui faire de plates excuses pour ne pas voyager en sa compagnie jusqu'à Clayton.

— Lot 413, *Devon et Cornwall Longwool*, cinq ballots, annonça le commissaire-priseur en parcourant la salle du regard. J'ai ici deux pence... deux et demi, trois, trois et demi... quatre pence...

« Allez-vous faire une offre! » eût voulu crier Anna. Mais elle préféra murmurer les dents serrées :

— Je vous prierais de faire une offre, s'il vous plaît.

Pour toute réponse, Beattie quitta brusquement son siège pour aller s'installer dans la rangée opposée, entre deux acheteurs, et entamer avec eux une conversation à voix basse. Livrée à elle-même, Anna serra nerveusement ses mains l'une contre l'autre afin de tenter de surmonter sa colère et son anxiété. Elle s'efforça de décoder les gestes presque imperceptibles par lesquels se pratiquaient les enchères : c'était un hochement de tête, un index posé sur l'aile du nez... Les offres se faisaient à un tel rythme qu'elle eût tôt fait d'en perdre le fil. Cette sorte de « sténophonie » durant laquelle la surenchère se faisait par petits montants mais à un rythme extrêmement rapide la plongeait dans une extrême confusion d'esprit.

— J'ai une offre à neuf pence, lança le commissaire-priseur. Vendu donc pour cent cinquante-neuf à Bussey Hewitt.

La marteau s'abattit à nouveau, et un jeune homme en veston élimé se dirigea vers le fond de la salle pour récupérer le formulaire de réclamation de son achat. Le lot suivant faisait aussi partie des lots qu'Anna avait cochés dans son catalogue. C'était un petit lot, mais de très haute qualité dont elle tenait absolument à faire l'acquisition. La vente aux enchères suivante devait se dérouler bien des semaines plus tard et la mise à prix pour la même laine, alors nettoyée, serait beaucoup plus élevée.

— Maintenant, lot 415 : du *North Leicester Blue Face*, trois ballots. Deux... deux et demi, trois, trois et demi, quatre... La voix du commissaire-priseur débitait les chiffres en un rapide staccato. J'ai une offre à quatre; qui dit quatre et demi?

Sans même se donner le temps d'y penser vraiment, Anna leva la main, fit un signe du menton. Le commissaire-priseur capta son regard et attendit, perplexe. Puis il murmura quelques mots à son adjoint dont le regard convergea aussitôt vers Anna, alors qu'elle bredouillait, rouge de confusion :

— Je représente Summers. Je m'appelle Anna Summers et je vous prie d'enregistrer mon offre.

Visiblement étonné, le commissaire-priseur se racla la gorge.

— Je crains que ce ne soit pas possible. Nous n'acceptons que les offres d'acheteurs accrédités, dans cette salle des ventes...

Des visages se retournèrent, accompagnés de bourdonnements amusés. « Donnez-lui quand même sa chance! » cria quelqu'un du fond de la salle, et le commissaire-priseur, l'air soucieux, murmura quelques mots à son adjoint qui se redressa aussitôt pour demander à Stan :

— Participez-vous aux enchères, monsieur Beattie?

Anna retint son souffle, n'osant espérer la collaboration de Beattie. Le visage dénué d'expression, l'homme lui darda un regard qui lui fit l'effet de deux poignards, brandis au vu et au su de tous. Le temps s'étira jusqu'à la limite du supportable avant qu'elle n'entendit Beattie déclarer :

— Mlle Summers y participe à ma place, monsieur — il s'éclaircit la voix — Je souffre d'une extinction de voix. Désolé de ne pas vous en avoir avisé plus tôt.

— Très bien. En de telles circonstances, j'accepte l'offre de Mlle Summers.

— Merci, murmura Anna, à la fois au commissaire-priseur et à Beattie.

— Nous en sommes donc à cinq pence, continua l'homme comme si de rien n'était. Est-ce qu'on me dit cinq et demi?

En quête d'une manière de coopération, Anna se tourna vers Stan Beattie, mais elle se heurta à son profil de marbre. Le temps n'était plus à la réflexion. Elle fit un signe de l'index.

— Nous avons sept et demi à droite... personne ne dit mieux? Vendu donc à Summers pour cent soixante-quinze.

Consciente des regards inquisiteurs tournés vers elle, Anna s'efforça néanmoins de se concentrer sur ses chiffres. Elle écouta ensuite attentivement la vente d'une douzaine de lots, avant de faire à nouveau une offre qui lui permit de se porter acquéreur de cinq autres ballots de laine. Durant tout ce temps, elle garda les yeux modestement baissés, luttant contre un sentiment d'euphorie inattendu. L'annonce de la fermeture des ventes par le commissaire-priseur lui causa presque du regret.

— C'est terminé. Merci messieurs. Et madame, ajouta-t-il brièvement, mais en levant le ton pour couvrir les éclats de voix et le raclement des chaises sur le plancher.

À la table du commissaire-priseur, les trois hommes attendaient que les heureux acheteurs vinssent remplir les formulaires d'achat. Parmi eux, Anna, qui se retrouva presque nez à nez avec Beattie.

— J'ai apprécié votre geste, dit-elle posément. J'ai craint que vous ne vous désistiez.

— Si, avec cette laine, vous souhaitez tresser un nœud coulant pour vous pendre, libre à vous, rétorqua âprement Beattie avec un haussement d'épaules.

Qu'il aille au diable! Qu'est-ce qui lui permettait d'être si sûr de lui? Elle prit le parti de la légèreté.

— Filer, monsieur Beattie, je vais le filer, ce nœud coulant. Désolé d'avoir empiété sur votre territoire, mais vous ne m'avez guère laissé le choix.

Beattie ouvrait la bouche pour lui répondre, quand elle sentit une main se poser sur son épaule.

— Alors, Anna? À moins que je doive t'appeler sœur quelque chose?

Treize années de claustration ne pouvaient lui faire oublier cet accent gouailleur du Yorkshire sans même se retourner.

— Monsieur Walter Street, quelle joie de vous voir! Comment allez-vous? s'exclama Anna avec un réel plaisir.

Pour avoir été un vieil ami de son père, Walter Street faisait partie des personnes qu'elle connaissait depuis toujours. Il avait représenté une sorte de parrain officieux, pour Simon comme pour elle, et l'ourson en peluche qu'il lui avait offert pour son troisième anniversaire était encore assis sur son lit le jour où elle avait quitté la maison familiale.

— Pas aussi bien que toi, si j'en juge par ta récente performance. Tu es bien la fille de Ted. C'était un amateur de ventes aux enchères acharné... Dites donc, Beattie, j'ai l'impression qu'elle vous a coupé le sifflet, la petite...

Beattie grommela quelques mots incompréhensibles et se dirigea vers la sortie, sous l'œil bienveillant, autant qu'il se pouvait, de Walter Street. Anna regarda avec affection le ventre proéminent étroitement contenu dans son gilet, et les jambes courtes finissant sur de petits pieds chaussés de souliers vernis. Walter fit quelques pas autour d'elle afin de s'en faire une meilleure idée.

— Je suis un peu fâché contre toi, sais-tu? fit-il avec un

regard gentiment réprobateur. La minute où j'ai appris ta présence à Bradford, je me suis empressé de te téléphoner, mais tu étais déjà repartie. C'est toute une surprise que de te revoir parmi nous.

— Je suis navrée, Walter. Mais vous ne pouvez savoir à quel point j'ai été occupée, avec Lynn, les enfants, la filature...

Ses regrets étaient sincères. Ils l'étaient d'autant plus que s'il était une personne qu'elle aurait dû s'efforcer de revoir, c'était bien Walter Street. Hormis les étroites relations qu'il avait entretenues avec ses parents, Walter était le plus grand expert dans sa partie que l'on pût trouver dans la région. Mais tout cela n'était encore rien en regard du sentiment que lui procuraient ces retrouvailles. Voilà que tout à coup, elle se sentait redevenir la fille Summers.

— Ne fais pas l'enfant, bien sûr que je comprends...

Il balaya ses excuses d'un revers de main et Anna vit le pli crispé de sa bouche quand il pointa du menton l'escalier par où Beattie s'en était allé.

— Je n'ai pas de conseils à te donner, ma petite fille, mais ce n'est pas une façon de se conduire, pour un directeur.

Anna jeta un coup d'œil nerveux autour d'elle, sachant que Walter et elle n'avaient pas du tout la même conception de la discrétion.

— Je le sais, Walter. Mais en dépit de son manque de coopération, j'ai réussi à obtenir ce que je voulais.

— C'est tout à fait vrai — il s'empara des documents qu'elle tenait dans les mains — Et maintenant, laisse-moi t'aider à remplir ces papiers, ensuite, nous irons ensemble boire un bon café.

Ils s'installèrent en toute simplicité dans la petite boutique-restaurant du *British Wool Centre*, à une des tables en pin disposées au-delà des présentoirs à couvre-lits et pantoufles de laine, des savonnettes à la lanoline, des supports à jupes et chandails, des agneaux en peluche et des photographies de troupeaux de moutons. Walter Street commanda un café et des pâtisseries viennoises, déboutonna son gilet pour leur faire de la place et s'adossa enfin à son siège pour contempler Anna.

Elle lui rendit son regard en l'accompagnant d'un sourire attendri, devant ce qu'elle considérait comme la caricature en pied du tisserand victorien. En effet, Walter Street portait encore des rouflaquettes en côtelettes de mouton, tandis que ses cheveux, inexistants sur le devant, descendaient en longues mèches droites sur sa nuque. La chaîne en or était là aussi, et même si elle en connaissait l'existence, Anna ne l'avait jamais vu consulter l'oignon qui la prolongeait. À l'occasion, Walter pouvait se montrer vantard et emporté, véritable acteur shakespearien jouant son propre rôle. Mais dans son visage à l'expression partagée entre humour et intégrité, rien n'était caricatural. Ni le nez ni le menton volontaire, ni les yeux clairs toujours en alerte sous une paupière humide et plissée par le temps, pas plus que la bouche au pli suave et généreux.

Walter Street était l'ami du père d'Anna de longue date. Leurs grands-pères respectifs se connaissaient déjà. Le jeune Street était né dans une petite maison fournie aux employés par la famille Summers; et quand le grand-père d'Anna avait fait construire Nightingale Mill, le père de Walter Street avait décidé de s'installer à son compte. Aujourd'hui, songeait-elle avec amertume, Nightingale Mill était au bord de la faillite alors que Sutcliffe & Street était devenu une affaire énorme, avec une immense filature ultramoderne installée dans les environs de Keighley. Peggy racontait que Walter possédait les machines les plus grosses et les plus perfectionnées de la région et que ses trois fils travaillaient encore sous ses ordres malgré ses soixante-dix ans passés. Il lui tendit son étui à cigarettes en cuir, mais elle déclina l'offre d'un mouvement de tête.

— Je suppose que tu as dû renoncer à toutes ces choses, n'est-ce pas?

Elle balbutia, vaguement sur la défensive :

— Ce n'est pas ça...

Mais quand elle capta l'éclat de son regard qui disait qu'on ne la lui faisait pas, à lui, Walter Street, elle se hâta d'ajouter :

— Enfin, plus ou moins. Ce n'est pas que je tienne ou non

à fumer : la question ne se pose même pas.

— C'est comme ton costume, insista-t-il. Ce n'est pas que je déteste les robes longues, mais si l'existence que tu mènes est aussi arriérée que tes vêtements, tu ne dois pas rire tous les jours — il alluma sa cigarette — Es-tu heureuse, au moins?

La question était si brutale et elle se sentit tellement prise de court qu'elle répondit « non » presque à son insu. La serveuse leur servit cafés et pâtisseries et échangea quelques mots aimables avec Walter qui, selon toute apparence, était un habitué des lieux. Le vieil homme attendit qu'elle se fût éloignée avant de reprendre, le nez plongé dans sa tasse.

— J'ai vraiment été désolé d'apprendre la mort de ton frère. Il n'est jamais venu me voir et pourtant il aurait dû. Je ne l'aurais pas laissé repartir les mains vides. J'aurais certainement pu l'aider à redresser la barre; il aurait suffi qu'il me le demande. Je me sens très mal à l'aise en pensant à cette triste histoire.

— Pauvre Simon. Saviez-vous que sa femme attendait un bébé?

— J'ai entendu dire que c'était la raison de ta présence. Je veux bien être damné, mais je ne t'imagine pas en train de faire marcher la filature toute seule.

Anna ne prit aucunement ombrage des propos abrupts qu'elle entendait. Walter Street était un de ces hommes du Yorkshire « à l'ancienne ». Son père avait l'habitude de dire qu'on pouvait s'appuyer sur lui, mais qu'il ne fallait surtout pas espérer le faire fléchir. Walter poursuivit, songeur.

— Ce Beattie devrait s'expliquer sur les raisons de son attitude.

Il posait sur elle un œil inquisiteur sous des sourcils plus noirs que jamais. Longtemps elle avait cru qu'il les teignait, car les quelques cheveux qu'il lui restait, étaient blancs comme neige.

— J'ai été surpris en te voyant acquérir des laines de qualité; j'ai cru comprendre que Summers ne faisait plus que dans le synthétique.

— J'ai l'intention de ne plus en faire.

— Tu plaisantes?

— Je suis persuadée que Simon a fait une erreur et je suis décidée à la réparer. J'ai l'intention de revenir à des fibres classiques, à trouver de nouveaux débouchés.

— Voilà des paroles très courageuses, fit pensivement Walter. Mais si tu permets à un vieil homme de te faire une observation, je te dirai que ce n'est pas le genre de projet qui se réalise derrière les murs d'un couvent.

— Je le sais.

— Il y a un instant tu disais ne pas être heureuse; et maintenant que je te regarde attentivement, je constate qu'en revanche, tu es vraiment dans ton élément, ici. Dois-je en conclure que la vie de cloître n'est pas faite pour toi?

— J'ai aimé cette vie au tout début, Walter. Mais je suis restée trop longtemps cloîtrée. Treize ans, c'est long.

Il attendit quelques instants avant de renchérir :

— Et alors?

Elle tourna distraitement sa cuiller dans sa tasse de café, comme pour gagner du temps. C'était du café noir et fort, le plus grand luxe dont elle pût jamais rêver à peine quelques semaines plus tôt. Elle aurait pu répondre franchement au vieil homme ce que personne, hormis mère Emmanuel, ne savait. Si, en bon « Yorkshireman », Walter Street n'était pas très démonstratif sur le plan des émotions, cela ne l'empêchait pas d'être d'une loyauté à toute épreuve.

— Je suis plus ou moins décidée à renoncer au voile. Ou du moins, je suis tentée de croire que c'est lui qui m'a déjà abandonnée.

Walter enregistra l'information sans manifester de surprise.

— Dans ce cas, inutile de perdre ton temps là-bas. Mais dis-moi : est-ce qu'on va te laisser partir, au moins?

— À vous entendre parler, on me croirait dans les griffes d'un ogre, dit-elle avec un petit rire imprévu. Mais bien sûr. Renoncer au voile est à la religion ce que le divorce est à la vie civile.

— Mais pourquoi tout cela, dans ce cas?

— Le sentiment de prononcer des vœux pour la vie a perdu

de son intérêt. Les attentes ont changé, elles aussi. On devient plus exigeant pour soi-même. C'est valable dans la vie religieuse comme dans la vie civile.

— Tu parles comme un sociologue, Anna, et je ne comprends pas un traître mot de ce que tu me dis. Oublie la religion et la société et pense d'abord à toi. Est-ce que tu penses quitter le couvent tout de bon ou bien es-tu ici comme qui dirait en liberté provisoire?

— Je suis officiellement ici pour un mois, dans le but d'apporter mon aide à Lynn. J'espère être autorisée à revenir la voir régulièrement, de manière à garder aussi un œil sur la filature.

— Ça demande beaucoup plus qu'un œil, crois-moi sur parole. Le genre de travail que tu entreprends n'a rien d'un passe-temps. Tu vas vite découvrir que c'est un travail à plein temps.

— Je le sais, Walter. Il est vraisemblable que je revienne à la vie publique, mais il me faut un peu de temps... Je vous en prie, n'en parlez encore à personne. Je n'ai pas encore pris de décision définitive.

Walter étendit le bras et lui tapota affectueusement la main.

— Ne sois pas idiote, je ne suis pas du genre à colporter des ragots. Mais tu risques de ne pas avoir la vie facile à te promener déguisée en sœur volante.

— Vous avez toujours su tourner le compliment, cher Walter, sourit Anna. Mais ce sont les seuls vêtements que je possède, et ils ne changent en rien la personne que je suis.

— Pourquoi les porter, dans ce cas?

— Je suis censée très modestement représenter un signe de Dieu en ce bas monde...

— Et faire peur aux hommes par la même occasion, sans doute... Le regard de Walter semblait plus intrigué que jamais. Et ces vœux t'engagent à quoi? À renoncer à ton argent, à tes biens...

— Ils m'engagent à la pauvreté, la chasteté, l'obéissance...

— Aïe-Aïe-Aïe!

Ce commentaire laconique n'en restait pas moins chargé de sens, surtout lorsqu'elle se souvint qu'il n'était pas un fervent adepte de la messe du dimanche. Walter finit sa tasse de café.

— Bien. Maintenant, parlons affaires. Tu n'as pas les moyens de commettre des erreurs et je peux contribuer à t'en éviter quelques-unes. Tu vas me dire ce que tu comptes faire de cette vieille filature qui est tienne et je te dirai ce que j'en pense. Mais ne me fais pas gaspiller mon temps. Ce que tu veux entreprendre ne se fait pas en un jour, tu en as suffisamment appris de ton père pour le savoir. Je veux bien t'aider, à condition que tu mènes à bien tous ces beaux projets dont tu m'as parlé.

Ce n'était pas une question et Anna ne répondit rien. Avec l'aide d'Hal et de Peggy, elle se débrouillerait, c'était certain. À ses yeux, sa prouesse durant la vente aux enchères avait rendu, comme on se plaît à dire à tout bout de champ, toute chose possible.

Anna se convainquit elle-même que jamais, ni la révérende mère ni l'évêque ne pourraient lui refuser une ou deux semaines de sortie. Il était évident qu'on lui permettrait de revenir voir sa famille et sa filature. Pouvait-on offrir de meilleures raisons que celles-là? Elle refusa catégoriquement de penser à la rigueur des règlements auxquels elle s'était soumise en prenant le voile. Ici, dans cette salle chaleureuse et étincelante au cœur de ce monde dont elle s'était retirée, la vie de cloître lui parut lointaine, irréelle, comme si c'était quelqu'un d'autre qui l'avait vécue.

Walter Street tira de sa poche son agenda doublé de cuir et un énorme stylo à plume.

— Une autre chose à laquelle il faut que tu te résolves, jeune fille : une vie de pauvreté, de chasteté et d'obéissance t'ouvre peut-être les portes du paradis, mais elle n'ouvre pas la porte du succès dans le monde des affaires. Tâche de t'en souvenir.

CHAPITRE ONZE

Il n'y avait aucune raison pour que cette lettre parût plus comminatoire qu'une autre, étant rédigée sur un épais papier crème, en tête duquel on pouvait lire en lettres bleues gaufrées : *Maynard Gideon (1870), White Lion Court, Cornhill, Londres EC2*. Elle se trouvait en haut de la pile que Peggy avait posée sur son bureau, encore pliée de sorte qu'elle ne put lire que les premiers mots. *Cher monsieur,..*

— J'ai pensé que vous deviez en prendre connaissance, commença Peggy, le visage cramoisi de fébrilité. M. Simon n'a jamais parlé de cette affaire. Je suis la seule à être au courant et j'ai pensé que vous ne souhaiteriez pas que M. Beattie le fût aussi.

Il ne fallut pas moins de trois lectures pour qu'Anna prît exactement conscience de son contenu. La lettre à la main, incapable de détacher son regard de la signature, elle s'assit pesamment sur son siège.

— Oh, Seigneur...

— Je ne vous avais jamais entendu jurer, fit remarquer Peggy.

— Je ne jurais pas, je l'invoquais, répondit-elle en laissant tomber la lettre sur son bureau. Faut-il la contester ou bien y donner suite?

— Donner suite? Cela reviendrait à nous mettre en faillite.

— Il se pourrait bien que nous n'ayons pas le choix — Anna reprit la lettre — Où était-ce?.. Voilà : « ...le non paiement de vos dernières mensualités ayant respectivement neuf et deux semaines de retard nous contraint à vous demander de remédier au plus tôt à cet état de fait, faute de quoi nous nous verrions dans l'obligation de procéder à... » Elle leva les yeux vers

Peggy. Cette lettre dit que nous leur devons trois mille livres... Que se passe-t-il? Pourquoi ne m'en a-t-on pas parlé plus tôt?

Peggy se mit à triturer les perles roses de son collier comme s'il s'était agi de grains de chapelet.

— Je ne sais pas... j'aurais dû... Ç'a dû me sortir de l'esprit. M. Simon refusait absolument que je m'occupe de ces choses-là, convaincu qu'il avait le pouvoir de les régler tout seul. Ce prêt-là n'apparaît sur aucun livre de comptes. C'est sans doute la raison pour laquelle j'ai omis de vous en parler.

— Mais c'est tout à fait illégal. C'est de la falsification d'écritures...

— Je le lui avais dit, acquiesça tristement Peggy, je lui avais expliqué qu'il serait très facile de retrouver la trace de ce prêt. Mais il n'a rien voulu entendre.

— Mais qui est *Maynard Gideon*? je n'en ai jamais entendu parler.

— Une banque privée. Votre frère les avait contactés au moment où les affaires ont commencé à mal tourner et ils ont été absolument extraordinaires. Votre frère a immédiatement obtenu l'argent dont il avait besoin.

Redoutant la réponse, Anna demanda cependant :

— Et il leur a emprunté combien?

— Deux cent cinquante mille livres.

— Mais ils ont dû quand même prendre certaines garanties...

— Il a hypothéqué la maison et la propriété foncière de la filature.

— Je ne pensais pas que la situation pouvait être pire que je le croyais déjà, et voilà que je découvre que nous devons faire face à une mensualité supplémentaire de — elle jeta derechef un coup d'œil à la lettre avec un geste d'exaspération — mille cinq cents livres. Sinon, c'est la faillite pour la filature et Lynn va se retrouver sur le pavé.

Anna porta la main à son chapelet et se mit inconsciemment à l'égrener.

— J'aimerais croire en vos prières, dit Peggy après un

silence, mais je pense que Lynn et vous devriez vous prendre par la main et aller discuter avec ces gens-là, à Londres — elle opina d'un mouvement de tête devant l'expression terrifiée d'Anna — Je vous comprends, ma chérie, mais bien qu'ils soient banquiers, il s'agit d'êtres humains avant tout. Pensez-y. Entre-temps, je vais nous préparer une bonne tasse de thé.

Anna l'accepta volontiers, espérant que ce thé aurait quelque vertu magique et qu'il lui permettrait de résoudre ce nouveau problème. Revenue de sa surprise, elle se sentait à présent animée d'un morne ressentiment envers son frère, qui avait risqué de ruiner la filature en cumulant des dettes auxquelles il avait été incapable de faire face, sans mettre qui que ce fût au courant. Horrifiée par tant de duplicité, elle ne voyait dans cet acte qu'une initiative criminelle. Cependant, cette pensée la conduisit à se remémorer l'homme effondré qui était venu lui demander secours au couvent et auquel elle n'avait répondu que par quelques phrases polies.

En vérité, son propre désespoir l'avait empêchée de voir celui de son frère. C'est pourquoi ils étaient restés assis là, face à face, repliés sur eux-mêmes, incapables de communiquer avec l'autre à cause de la similitude de leur désespérance.

Toute à ses réflexions, Anna prit soudain conscience que Simon et elle avaient été frère et sœur plus que par le sang. Comment ne s'en était-elle pas rendu compte plus tôt? Elle sentit son esprit chavirer en pensant que chacun avait porté son fardeau sans une plainte, tout en le haïssant de toutes ses forces. Devant la réalité, ils s'étaient voilé la face et avaient obstinément refusé d'admettre leur erreur, aussi profonde fût-elle. Là où d'autres auraient apporté à leur état de misère croissante une attention particulière, eux avaient poursuivi leur chemin sans regimber.

C'était Lynn, les enfants et le poids des responsabilités qui pesaient sur ses épaules qui avaient conduit Simon à un tel comportement et, bien que le contexte fût différent, elle avait agi de la même manière face aux engagements qu'elle avait pris devant Dieu et la communauté à laquelle elle appartenait.

Sans doute, cela expliquait-il la sourde colère envers son

frère qui lui brûlait le cœur. Dans sa vie monacale, faite de prière et d'introspection, par le truchement desquelles Dieu devait se révéler en elle, nulle pensée, nul désir ne restaient sans interrogation. C'est pourquoi aujourd'hui, en comprenant combien elle avait été malheureuse, elle comprenait aussi que peu de choses avaient existé auxquelles elle n'avait réussi à échapper. Jusqu'à cet instant, du moins, où elle prenait peu à peu conscience d'avoir, tout comme son frère, vécu une sorte de double vie.

Le lendemain matin, vers neuf heures, la Wolkswagen blanche d'Hal traversa en ahanant Keighley, tourna à droite vers Silsden, jusqu'à ce que son conducteur annonçât : « Bradley Moor » et qu'il mît pied à terre avec tant de précipitation que le véhicule en rebondit sur ses amortisseurs. Près de lui, Anna était restée silencieuse, impressionnée par la lande immense battue par les vents qui se déployait devant elle. Les couleurs de la bruyère et des fougères, les hautes montagnes, les éboulis de calcaire, elle les avait oubliés.

La bruine venait juste de cesser et un faible soleil filtrait à travers les nuages couleur ardoise, faisant scintiller les pâturages, adoucissant les contours de cette terre farouche. Au loin, pareils à un décor de légende, se dressaient des rochers escarpés dans un halo de brume. Ils étaient seuls, aucun autre véhicule n'était en vue. Rien que des pics s'élançant vers le ciel, que des murs de pierre montant vers l'horizon infini. En contrebas, à flanc de coteau, on pouvait voir la nappe mouvante d'un troupeau de moutons conduit par son berger et un chien noir et blanc disparaître derrière une crête.

Après une vingtaine de minutes de route, Hal engagea son véhicule sur un sentier et s'y gara. Une fois sortis, ils se mirent à regarder sans mot dire les grandes ombres grises balayer les pâturages recouverts d'une herbe pâle, tandis que le vent soufflait sur leurs esprits. Finalement, Anna prit la parole.

— Je ne me les rappelais pas comme cela.

— Vous n'avez encore rien vu. Attendez que nous soyons là-haut.

Anna se détacha de la voiture et releva ses lourdes jupes pour se jucher sur un tertre afin d'observer l'endroit d'où ils étaient venus. Plus bas, beaucoup plus bas qu'elle ne l'aurait cru, les cheminées des filatures semblaient se blottir les unes contre les autres. En descendant de son perchoir, elle faillit trébucher et observa, un peu pour elle-même :

— Je suis drôlement accoutrée pour faire de la cueillette.

— Les vrais marcheurs portent d'autres chaussures que celles que vous avez aux pieds; nous aurions dû nous en procurer une paire.

— Ils ont aussi de bons mollets. Ne vous inquiétez pas pour moi.

Hal ouvrit le coffre, en sortit deux sacs destinés à y mettre leur cueillette qu'il jeta par-dessus son épaule, et tendit à Anna une paire de gants de jardinier. Puis, prenant la tête, il la conduisit vers l'endroit où la muraille de pierre s'éboulait partiellement pour s'ouvrir sur la lande. Là, ils commencèrent à progresser à travers des buissons qu'Anna se mit à examiner attentivement et dont elle cueillit quelques baies. Hal la regarda faire, puis l'imita quelques instants avant de s'écrier :

— Il n'y a pas grand-chose, ici. Nous devrions peut-être regarder un peu plus loin.

— C'est vrai, répondit-elle, le dos plié. Les oiseaux ont dû passer avant nous.

Plus loin, leurs recherches ne furent guère plus fructueuses. En une demi-heure, ils avaient à eux deux à peine cueilli une douzaine de poignées de mûres ratatinées, quelques baies jaunes et vertes que ni l'un ni l'autre ne connaissaient. Anna se redressa avec un grognement.

— Tout cela est inutile. Allons vers ces rochers, là-bas, voir si nous pouvons trouver quelques lichens.

— Je ne suis pas très chaud. Vous savez que la cueillette des lichens est surveillée, comme celle des fleurs sauvages, d'ailleurs.

— Oh, non! s'exclama Anna, surprise.

— Je pensais que vous le saviez.

— Comment le saurais-je? Au pays de Galles, tout est si vert et si humide qu'il me suffisait de gratter les murs extérieurs du cloître pour en avoir. Cela nous donnait de merveilleuses nuances de vert, et j'avais l'intention de procéder de la même manière avec la laine que j'ai acquise mercredi. Pourriez-vous regarder s'il y en a un peu? s'entendit-elle demander d'un ton presque enjôleur.

— Eh bien, je vais voir...

Ils se hissèrent à travers un éboulis auprès duquel des rochers dentelés ne permettaient qu'un accès précaire. Hal examina les lieux d'un air circonspect.

— Ça ne me paraît guère prometteur.

Anna se déplaça jusqu'au rocher le plus proche et, à l'aide de la truelle de jardin qu'elle avait emportée, se mit à gratter soigneusement la mousse qui le recouvrait. Quelques laborieux instants plus tard, c'est à peine si elle en avait une poignée dans le creux de la main.

— C'est infiniment moins que ce qu'il en faut, annonça-t-elle.

Un peu coincée, elle sentait qu'il ne faudrait pas compter sur sa cueillette de baies et de lichens pour sa laine. Laine qu'au demeurant elle n'aurait jamais achetée, si elle avait eu vent de la dette envers Maynard Gideon seulement un jour plus tôt.

— Ça ne marchera pas, Hal; et pourtant j'y croyais si fort...

— Nous trouverons bien une solution.

Laissant tomber ses sacs sur le sol, il alla s'asseoir sur un rocher. Puis il lui tendit une des deux tablettes de chocolat qu'il venait de tirer de sa poche.

— En période de crise, il faut manger; ça évite de se ronger les ongles.

Elle accepta volontiers le chocolat qu'elle trouva cependant collant et trop sucré, sans doute parce que c'était le premier auquel elle goûtait depuis des années. Elle essuya ses doigts sur l'herbe, pendant que le jeune homme regardait solennellement le ciel pour ensuite lui effleurer le bras.

— Des crécerelles.

Elle vit alors le plané lent et paresseux de l'oiseau, admira son léger battement d'ailes, jusqu'au moment où des larmes vinrent brouiller sa vue. Se levant alors brusquement, elle s'éloigna afin qu'Hal ne vît pas ses larmes. Sans trop savoir où elle allait, elle descendit un sentier, l'esprit oppressé de désespoir. Elle n'était qu'une pauvre folle. Hal l'avait pourtant prévenue qu'elle courait à l'échec; mais elle était malgré tout restée persuadée qu'elle trouverait ici tous les produits naturels tant recherchés. Elle avait refusé de voir le doute dans le regard de son jeune assistant qui, dans le simple but de lui faire plaisir, avait accepté avec grâce cette escapade dans les Moors. Pourtant, elle savait, bien qu'elle le méritât, qu'il ne lui dirait jamais : « Je vous avais prévenue ».

Elle poursuivit son chemin, accélérant le pas au fur et à mesure que la pente s'accentuait. Bientôt, elle regagnerait le couvent. Mais auparavant, elle avait prévu de préparer ses teintures. Par la suite, elle escomptait une nouvelle permission de deux semaines pour aller voir Lynn, mais aussi pour travailler à la teinture de la laine. En une semaine, son projet aurait dû être terminé.

Mais cette belle initiative suffirait-elle à sauver la filature? La lettre pour le moins menaçante de Maynard Gideon avait beau gésir au fond d'un tiroir, la somme dont il était fait mention engloutirait le fruit de tous ses efforts et même davantage.

« Je devrais prier pour que Dieu m'aide » se disait-elle; mais les mots ne vinrent pas. Préoccupée comme elle l'était, c'est à peine si elle fut consciente de la verdeur de l'herbe qu'elle foulait. Une verdeur des plus inattendues pour la saison, une verdeur vive annonciatrice d'eau.

Cette constatation à peine faite, elle sentit son pied s'enfoncer profondément dans la boue. Sans s'en rendre compte, elle avait quitté le sentier pour aller s'enfoncer dans une tourbière. Elle releva les bords de son habit, tentant de regagner la terre ferme, quand son pied droit s'enfonça jusqu'au genou avec un « floc! » mou. Elle se débattit pour libérer sa jambe en criant : « Ha!

Ha! », mais le vent emporta ses cris. Elle se pencha alors en avant et tira sur son mollet qui se libéra enfin avec un affreux bruit de succion. Elle fit un grand pas pour se tirer d'affaire, mais son vêtement dont l'ourlet était englué de boue la tirait en arrière. Un instant en équilibre, elle finit par tomber sur le flanc, et ressentit une violente douleur au dos et au cou. Sa coiffe fut aussitôt aspirée. Elle sentit son voile se plaquer contre son visage; une motte d'herbe qui perçait le tissu la contraignit à fermer les yeux.

— Ha!

Le fait de crier lui emplit la bouche de boue qu'elle recracha avec dégoût. Seigneur, quelle idiote elle faisait! Jamais Hal ne pourrait l'entendre. Elle se débattit frénétiquement pour se libérer, mais plus elle se débattait, plus elle s'enlisait. Cette boue froide et gluante lui répugnait, tandis qu'elle se demandait quelle pouvait en être la profondeur, si un chrétien s'y était déjà perdu.

— Ha! cria-t-elle à nouveau désespérément.

— Ne paniquez pas, je suis là! cria Hal en dévalant le sentier. Ne bougez surtout pas, sinon vous allez vous enliser davantage.

Il avait raison; c'était exactement ce qu'elle était en train de faire. Son voile épais était tellement imprégné d'eau qu'il l'entraînait par la tête. Avec grand effort, elle parvint à recouvrer son calme, s'attachant à garder le visage hors de la surface limoneuse. Une éternité passa avant qu'Hal ne parvînt à la tirer d'affaire. Il tira sur sa longue mante avec tant de force et de hâte que les boutons en furent arrachés. Puis il la lui lança comme s'il s'était agi d'un filin.

— Accrochez-vous-y, je vais vous hisser jusqu'à moi! hurla-t-il malgré leur proximité. Je ne peux pas venir vous chercher, nous risquerions de nous enliser ensemble.

Anna s'agrippa des deux mains à une manche et Hal commença à la tirer vers lui de telle sorte qu'elle fut bientôt capable de progresser dans sa direction.

— Doucement, conseilla-t-il. Tout va très bien.

Accroupi sur les talons, il l'amenait lentement à lui. Elle pouvait voir les muscles noueux du poignet et du cou, tendus par l'effort. Bientôt, elle fut en mesure de l'attraper par une main, puis par l'autre, puissante et tiède, et il la traîna, le buste contre terre, jusqu'à lui. Elle s'abandonna alors sur l'herbe, haletante, exténuée, mais soulagée.

— Enlevez ces vêtements trempés.

Il tentait de lui ôter son voile, tâtonnant dans les plis boueux pour en trouver le nœud. Anna porta une main tremblante à l'épingle qui le retenait et Hal tira si fort sur le voile que la guimpe qui enserrait la tête d'Anna se défit du même coup. Épuisée, elle s'assit et entreprit de se débarrasser de son bonnet, sans se soucier de quoi elle avait l'air ou de ce qu'il en penserait. Mais Hal la prit par les aisselles et la força à se mettre debout.

— Il vaut mieux que nous retournions à la voiture, il fait un froid de canard, ici.

Anna acquiesça d'un signe. Rassemblant les pans détrempés de sa robe, elle s'aperçut qu'une sandale s'était perdue dans l'aventure. Elle commença à rire, faiblement parce que sa poitrine lui faisait mal, mais Hal la pressait sans chercher à savoir ce qu'elle trouvait si drôle. Ce n'est que lorsqu'elle poussa un cri de douleur en posant son pied nu sur un caillou qu'il se rendit compte que sous sa robe recouverte de boue, elle avait un pied nu. Il s'arrêta alors, ôta une de ses chaussures, et y glissa le pied d'Anna. C'étaient des chaussures de sport, bien trop grandes pour elle.

— Je vais la remplir de boue, protesta-t-elle.

— Aucune importance, répliqua-t-il en lui passant un bras autour de la taille.

Elle le repoussa.

— Je peux très bien me débrouiller toute seule, protesta-t-elle, comprenant au même instant que c'était loin d'être le cas, tant la tension nerveuse la faisait tressaillir.

Elle tenta de faire un pas qui faillit lui faire perdre l'équilibre. Hal la regardait faire avec une étrange expression au fond des yeux.

— Je ne voulais que vous aider. Je n'avais pas l'intention de profiter de la situation. Acceptez-vous mon aide ou bien allez-vous encore m'envoyer votre coude dans les gencives?

Anna tenta de sourire, mais sans succès.

— Je suis navrée, Hal. Je ne pensais pas du tout à cela. Simplement, je n'ai pas l'habitude de...

— Je comprends — il fit un pas vers elle — Allons-y.

Son bras était solide, rassurant, Elle dut résister à cette absurde impulsion de s'abandonner contre lui. Il leur fallut un bon quart d'heure pour se rendre à la voiture. À ce moment-là, Anna grelottait de froid. Il la poussa presque dans la voiture, avant d'aller en ouvrir le capot.

— Je dois avoir une couverture quelque part. Je m'en suis encore servi l'autre soir pour aller écouter les hiboux...Ah, la voilà — il commençait à l'emmitoufler dans la couverture, quand il laissa son geste en suspens — C'est ridicule, vous n'aurez jamais chaud, votre robe est trempée. Vous feriez mieux de l'ôter.

— C'est impossible, articula-t-elle, espérant cependant n'avoir pas l'air aussi scandalisée qu'elle l'était.

Il lui fit encore un de ses étranges regards et conclut par un haussement d'épaules.

— C'est comme vous voudrez, ma sœur (c'était la première fois qu'il l'appelait ainsi) Je viendrai à vos funérailles. Nous sommes à plus de dix milles de la maison la plus proche, si tant est qu'on consente à vous prêter des vêtements; sans parler du système de chauffage de ma voiture qui est en panne.

Elle palpa le devant de son vêtement. Le drap épais était imprégné de vase et elle savait qu'il faudrait bien deux jours avant qu'il ne fût complètement sec. Elle ne possédait que deux habits et ce n'est qu'une fois passées les rigueurs de l'hiver qu'elle lavait le plus chaud afin qu'il pût sécher pendant plusieurs jours sur la corde de sa cellule. À présent, elle avait froid, certes, mais cela l'incommodait infiniment moins que l'odeur pestilentielle qui se dégageait de son vêtement.

— Vous avez raison, dit-elle. Accordez-moi quelques minutes.

— Bien. Vous n'aurez qu'à m'appeler dès que vous aurez terminé — Il ôta son chandail — Mon manteau est trop mouillé, expliqua-t-il, ignorant ses protestations. Mettez cela en attendant que nous trouvions autre chose pour vous.

Cela dit, il referma la portière et s'éloigna. Alors qu'elle se démenait dans l'espace exigu, elle put voir qu'il lui tournait poliment le dos, sautillant sur place afin de réchauffer ses muscles. Elle se défit de son manteau sans manches, de son scapulaire, déchirant au passage le tissu sur des épingles oubliées, ôta sa robe enfin, dans un embrouillement de plis et de drapés, de bras et de jambes. Avec le jupon de tweed, ce fut plus facile, mais le justaucorps à manches longues (comment avait-elle fait pour le salir autant?) lui collait à la peau. Elle réussit néanmoins à s'en défaire et s'empressa aussitôt de le remplacer par le chandail d'Hal, avant de se recouvrir de la couverture, (une de ces choses constituées d'un assemblage de petits carrés de toutes les couleurs faits au crochet, communément appelée « patchwork »). Encore heureux que ses sous-vêtements fussent secs. Elle assura une dernière fois la couverture autour de sa taille et frappa contre la vitre. Hal revint vers la voiture et se mit à fixer la montagne de vêtements d'un air amusé.

— Je ne vous demanderai pas pourquoi vous avez pris tant de temps; on pourrait habiller un régiment avec tout ça. Tenez — il lui tendit une tasse de thermos pleine de café chaud — Ce n'est que de l'instantané mais c'est mieux que rien. Comment vous sentez-vous? s'enquit-il en s'installant au volant.

— Comme un escargot sans coquille...

De fait, le poids de vêtements auquel elle était habituée depuis des années lui manquait. Elle prit brusquement conscience que ces mains blanches qui émergeaient de la couverture pour se réchauffer contre la tasse auraient pu être celles d'un terrassier. Leur aspect désastreux, causé par des années de servitudes, elle s'en était accommodée en les cachant dans ses larges manches. Mais ces taches sombres sur les paumes, ces callosités jaunâtres, ces cernes noirs autour des ongles, elle en avait honte, à présent... Honte? N'était-ce pas là un signe de vanité? Mais que se passait-il, à la fin?

Elle fut parcourue d'un long frisson puis, recroquevillée sur son siège, se mit à grelotter de manière incontrôlable. Brusquement, elle se sentait la tête et le cou étrangement légers, un peu comme lorsqu'on lui avait rasé le crâne. En sentant les doigts d'Hal se poser sur sa main, elle sursauta.

— Vous êtes gelée.

Elle fuyait son regard et l'inquiétude qu'il exprimait.

— Il faut faire quelque chose, sinon vous risquez d'attraper la mort.

Il lui retira la tasse des mains, mit ses bras autour de ses épaules et l'attira contre lui. Elle se raidit aussitôt, et commença à émettre de vagues protestations qu'il décida d'ignorer.

— Ne soyez donc pas stupide.

La main bien à plat sur le dos, il la plaqua contre son torse et se mit à la frictionner avec vigueur. Incapable de réagir, elle sentit la chaleur de l'homme contre sa peau. Si, en regagnant la voiture, elle avait résisté à l'envie de s'appuyer contre lui, elle ne pouvait à présent s'empêcher de s'abandonner totalement.

À quand remontait la dernière fois que quelqu'un l'avait prise dans ses bras? Elle était incapable de s'en souvenir. Son père l'avait bien embrassée quelquefois, mais c'était il y a longtemps et, dans la famille, on n'était guère démonstratif, ni physiquement ni sentimentalement. Occasionnellement, sa mère posait un baiser sur sa joue, mais le jour où Anna était partie pour le pays de Galles, elle lui avait refusé même cela. Simon, lui, l'avait brièvement serrée dans ses bras, et l'étrange jeune homme d'alors s'était montré aussi aimable que pouvait l'être un frère aîné.

Elle gardait un poing serré contre la poitrine d'Hal qui n'en avait apparemment cure. Le jeune homme lui frictionnait le dos d'un mouvement rapide, provoquant en elle une montée de chaleur.

— Ça va mieux? s'enquit-il.

Elle s'entendit répondre comme si rien n'était plus naturel au monde que de se trouver dans les bras d'un homme :

— Oui.

Elle disait oui, elle, sœur Gabriel qui, à dix-huit ans avait renoncé à tous les plaisirs terrestres qu'elle n'avait au reste jamais connus, elle qui, pour l'amour du Christ plutôt que celui de tout autre homme s'était aliéné sa famille. Elle avait même tiré une grande fierté du fait d'être différente de ses camarades de collège. Les contingences terre à terre, banales, comme un mari, des enfants, elle s'en était définitivement écartée. Sa jeunesse lui avait permis de concentrer toutes ses énergies sur sa nouvelle existence. C'est pourquoi, les dernières années, quand le doute s'était insinué dans son esprit, quand elle s'était sentie taraudée d'incertitude, elle avait tenté d'accepter sa désespérance, comme l'avaient fait bien d'autres avant elle.

Depuis des temps immémoriaux, cette triste mélancolie particulière aux religieuses portait un nom : accidia. Thérèse d'Avila avait appréhendé ce subtil malaise qu'elle avait appelé, « la mort cruelle des regrets ». Cette épreuve, autant physique que mentale, quel en était le prix? se demandait Anna. Il y avait des jours où tout son corps lui faisait mal. Quelquefois, cela s'était manifesté par une éruption de boutons sur le visage que le médecin du couvent, à qui l'on faisait uniquement appel en cas de risque de contagion, s'était avéré incapable de diagnostiquer. Elle qui n'avait jamais connu le moindre problème de menstruations, avait commencé, la trentaine approchant, à souffrir un véritable martyre, au point d'en faire des cauchemars.

C'est qu'il ne lui était jamais venu à l'esprit que cette douleur-là se situait avant tout dans sa tête. Le terme « psychosomatique » lui avait été totalement inconnu jusqu'au jour où, par chance, elle avait lu un livre écrit par une religieuse psychologue qui associait les éruptions de boutons à un brusque accès de frustration. On y parlait aussi de menstruations douloureuses. Une religieuse en souffrirait, avait-elle lu, vers l'âge de trente ans, quand le besoin d'amour et de procréation refoulé dans son subconscient ferait à nouveau surface. Elle ne devrait alors ni admettre le phénomène ni chercher à en débattre. Ces douleurs n'étaient que la preuve qu'elle pouvait enfanter et, à ce titre, elle devait les accepter.

Anna avait eu maintes occasions de s'informer sur le sujet, et sur les pensées qu'au demeurant elle ne s'était jamais autorisées.

Elle avait finalement compris que tout son corps, avec ses affreuses crampes pour lui rappeler les occasions ratées d'être mère, était bien plus sensé que son esprit.

Et voilà, songeait-elle amèrement, que son corps voulait répondre au contact d'Hal, qu'il souhaitait se lover contre le sien et oublier tout le reste. Mais au lieu de cela, elle se tenait toujours raide, à distance, pendant que sa voix un peu guindée disait pour elle :

— Je crois que je vais beaucoup mieux, merci.

— Parfait, dit Hal en se penchant vers elle de manière à placer son visage vis-à-vis de celui d'Anna.

Inaccoutumée à de tels rapprochements, elle tenta de prendre un recul que l'exiguïté du véhicule ne favorisait guère. Elle pouvait voir des paillettes d'or scintiller au fond de ses yeux verts bordés de cils clairs, les larges méplats de son visage, les pommettes saillantes, la bouche généreusement incurvée. Le jeune homme posa sur sa joue une main tremblante. De froid, pensa-t-elle un instant. Non : de peur, plutôt.

Quand il l'embrassa, ce fut si rapide qu'elle en eut à peine conscience. Elle tenta de se détourner, mais les lèvres d'Hal suivirent les siennes, maintenant une pression à la fois dure et tendre au goût de dentifrice et de café, accompagné d'une bouffée de savon et de sueur masculine vaguement citronnée, une odeur de peau jeune. Rejetant la tête en arrière, elle balbutia :

— Il existe toutes sortes de raisons pour que vous ne fassiez pas ce genre de chose.

— Et il en existe autant pour que je le fasse, répliqua-t-il sans se démonter.

Les inflexions de tendresse qu'elle décela dans sa voix lui donnèrent la chair de poule. Elle aurait dû s'éloigner de lui, s'arracher à cette irritante et fâcheuse posture... Seigneur Dieu, que lui arrivait-il? Elle avait d'une certaine manière le sentiment confus de ne plus s'appartenir, un peu comme si elle était étrangère à cette situation. C'était quelqu'un d'autre à sa place qui retenait son souffle, tandis que la bouche d'Hal s'approchait à nouveau d'elle, quelqu'un d'autre qui poussait ce petit soupir qui sembla galvaniser

Hal. Mais voilà que, la main posée sur la nuque d'Anna, il l'attirait vers lui, comblant le peu d'espace qui séparait leurs corps. À présent, sa bouche se faisait plus pressante. Elle entrouvrit les lèvres pour protester, mais il la serrait très fort, non pas comme il le faisait quelques instants plus tôt, non plus comme un ami attentionné mais avec une fougue de mâle qui lui coupait le souffle et l'empêchait de réfléchir. Elle sentait sur sa cuisse le contact de sa main, lourde et chaude, comme si la couverture qui l'en protégeait n'existait plus, comme s'il touchait sa chair nue.

Anna ouvrit les yeux sur un visage attentif, si proche qu'elle pouvait distinguer la peau translucide des paupières, les cils longs et recourbés... Hal dut sentir son regard car il se redressa un peu. Les mains en coupe, il prit alors le visage d'Anna entre ses mains, en un geste protecteur comme pour quelque chose de précieux qu'il craindrait de laisser choir. Il se mit ensuite à lui frôler des lèvres le front, les paupières, les cheveux, frottant sa joue contre la sienne en murmurant, le nez enfoui dans son cou, des phrases dénuées de sens.

— Vous êtes tellement... vous êtes la plus...

Dans l'habitacle exigu de la Volkswagen, Anna avait le souffle court et bruyant. Ses mains, qu'elle avait gardées inertes et pendantes, se posèrent à plat sur la poitrine d'Hal afin de le repousser. Mais en dépit de sa volonté, en dépit de longues années d'abstinence ou, que Dieu la protège, à cause de cela, elle ne put s'empêcher de répondre aux gestes d'Hal, à son ardeur, au corps qui se pressait contre elle. Refusant de lui obéir, ses bras glissèrent le long des côtes d'Hal, jusque dans son dos, bien plus loin qu'elle ne l'aurait souhaité. Elle le serra dans ses bras et apprécia le contact des muscles puissants de son dos.

C'était comme un mur, solide et protecteur. Ce contact était totalement différent de ceux qu'elle avait eus avec les garçons maigrelets de son collège. Son expérience sexuelle se limitait à quelques pelotages en règle avec David Clough et Alan Gow, après les quelques fois où elle était allée danser. Des garçons, elle n'avait connu que les mains moites et les langues épaisses qu'ils essayaient de lui enfoncer dans la gorge avec, entre-temps, des conversations à mourir d'ennui. Elle se souvenait néanmoins de son sentiment quasi extatique lorsqu'Allan avait glissé la main dans son soutien-gorge pour lui caresser les seins. La vitre de la Triumph Herald qu'il avait empruntée à sa mère était alors couverte de buée. Malgré cette inoubliable péripétie, elle était certaine d'avoir été infiniment plus sage que toutes les jeunes filles de son âge.

Si excitantes que fussent ces canailleries d'adolescents, Anna n'en avait pas moins été profondément troublée et même perturbée par l'aspect abstrus de ses réactions. Comme tout un chacun, elle avait suivi à l'école des cours d'anatomie, à la suite desquels, une fois passés les premiers stimuli suscités par les illustrations au demeurant peu explicites de son livre, le sujet ne lui était pas apparu plus intéressant que n'importe quel autre phénomène physiologique. Pendant que, par petits groupes d'affinités, les filles « en » parlaient en pouffant et lisaient entre elles des extraits du « courrier du cœur », Anna se détachait peu à peu de la « chose » sans chercher à en savoir davantage.

Elle se rappelait Marion Breakell, réputée pour commencer ses menstruations en classe, qui bredouillait timidement quelques mots d'excuses, pendant que le professeur femme de gymnastique lui lançait : « De l'exercice, c'est ce qu'il vous faut avant tout ». Il était également notoirement connu que Marion était une « rapide ». Elle laissait les garçons accéder à des parties de son corps auxquelles Anna refusait même de penser.

Ces événements, Anna ne les avait jamais rapportés au domicile familial, pas plus qu'elle n'avait cherché à aborder le problème de la sexualité avec ses parents. La seule fois où sa mère avait voulu en parler, elle l'avait fait de manière si allusive et d'un air si embarrassé qu'Anna avait éludé le sujet en prétextant qu'elle avait du travail. De toute manière, Janet Summers pensait avoir clairement exprimé son opinion en considérant toute activité sexuelle comme « un comportement animal ». Cette simple phrase avait suffi à Anna pour conjurer les images déplaisantes qu'elle s'évertuait à oublier.

Rétrospectivement, elle pouvait récapituler avec précision

la succession d'événements qui l'avaient conduite au couvent : une série d'expériences aussi négatives les unes que les autres. Rien de tangible qui pût, à un moment ou à un autre, la détourner de la vie religieuse qu'elle avait choisie.

Entre autres vœux, elle avait accepté de faire celui de rester chaste selon les termes de l'Église, c'est-à-dire librement. Encore faut-il préciser que ce vœu-là représentait plus qu'une simple continence physique : c'était la preuve de sa force d'âme. On lui avait dit que c'était dans la souffrance qu'elle puiserait sa grandeur. On lui avait dit aussi que les aléas du célibat étaient une sorte de crucifixion. Dans ce contexte-là, il lui était apparu évident que l'épanouissement sexuel était bien peu de chose en regard de ce qui l'attendait.

Il lui avait fallu des années pour comprendre que, quelque grandes que fussent ses vertus théologales, s'y vouer corps et âme et à jamais représentait une perte, une abnégation de soi considérable. Encore aujourd'hui, le couvent ne reconnaissait pas les pulsions sexuelles de la femme et les difficultés inévitablement engendrées par le fait qu'elles ne fussent jamais assouvies. Dans l'ordre auquel appartenait Anna, comme dans beaucoup d'autres, d'ailleurs, ces problèmes trouvaient leur réponse par la dénégation pure et simple de leur existence.

Mais c'était un leurre. Par les pâles nuits d'été, quand l'odeur des moutons et du chèvrefeuille envahissait sa cellule, elle passait souvent des nuits blanches, ponctuées toutes les heures par un tintement de cloche. Elle avait alors grand-peine à garder les idées claires et l'esprit pur, à ne pas se demander ce que serait la pression impérieuse d'un corps d'homme sur le sien.

Un indéfinissable malaise revenait sans cesse, à la fois douloureux et agréable, suscité par un besoin indéfinissable plutôt que par une pensée particulière. Alors, la tension de son corps la plongeait dans un profond désarroi et la faisait vibrer comme une corde de violon.

Puis, un matin, elle s'était éveillée, l'esprit encore plein du rêve qu'elle venait de faire et qui ne laissait place à aucune ambiguïté. L'horreur de soi, tel avait été son premier sentiment.

Que se passait-il? Avait-elle perdu la vocation? Toujours est-il qu'elle n'avait osé en parler à personne. Ce même rêve était revenu, plusieurs fois, avec des variantes. Mais au réveil, ses sentiments restaient les mêmes.

Dans ses rêves, elle courait en un lieu boisé interdit, poursuivie par d'étranges hommes ailés. Ces créatures étaient vêtues de noir et avaient le visage recouvert d'écailles. Seule, ne pouvant compter sur personne, elle entendait ces hommes lui susurrer des mots à l'oreille dans un langage qu'elle ne comprenait pas. Puis ils s'emparaient d'elle. Trois ou quatre d'entre eux la tenaient pendant que d'autres lui arrachaient ses vêtements; pas n'importe quels vêtements, non, des vêtements transparents, avec des frous-frous et de grands volants. Elle avait peur. Elle geignait, implorait comme elle ne l'avait jamais fait de sa vie, les suppliait de cesser, de la laisser tranquille. Mais, loin d'écouter ses supplications, ces hommes semblaient au contraire tirer un grand plaisir de ses pleurs. Puis ils la levaient très haut et lui écartaient les jambes. L'un deux la couvrait en étalant ses grandes ailes noires au-dessus d'elle, et elle aimait et haïssait cela à la fois.

Elle faisait aussi un autre rêve, au cours duquel elle était allongée sur un tapis d'herbe humide et froide dans les bras d'un homme qui lui murmurait des mots qu'elle ne comprenait toujours pas. Complètement nu, il portait sur le côté un sabre dans un fourreau doré, de la même couleur que ses cheveux. En baissant les yeux, elle pouvait voir entre les jambes de l'homme trois boules dorées, semblables à l'enseigne d'un prêteur sur gages, mais incrustées de diamants. Comprenant qu'il s'agissait d'un prince, elle l'attirait alors contre son sein et ils s'élevaient ensemble au-dessus des prés.

Elle s'éveillait chaque fois déçue, le cœur plein d'amertume d'avoir trop vécu son rêve, une main enfouie entre ses cuisses comme si, pendant son sommeil, elle avait renoncé au culte de Dieu pour celui d'Onan. Elle se sentait sale, terriblement honteuse. En plein milieu de la nuit, elle s'était levée pour se laver de la tête aux pieds dans l'obscurité.

Mais en cet instant, c'était moins de la honte qu'elle

éprouvait dans les bras d'Hal, qu'un besoin de refouler le désir qui montait en elle, de dominer ses pulsions longtemps réprimées et si explicitement physiques qu'elle en était terrifiée. C'était un peu comme si on avait mis le doigt sur une ancienne et douloureuse blessure dont elle ressentait à nouveau les élancements. « Oh, mon Dieu, je me souviens, maintenant. »

Il lui caressait la gorge, laissant glisser le bout de ses doigts vers la longue échancrure en V du chandail, bas entre les seins. Lorsqu'il frôla le mamelon, elle sentit ce dernier se contracter comme lorsqu'elle faisait sa toilette dans sa cellule. Mais à quoi jouait-elle donc?

L'éducation qu'elle avait reçue l'avait conduite à considérer avec une inflexible honnêteté la moindre pensée, chacun de ses actes. C'est pourquoi elle se surprit à penser qu'elle souhaitait avant toute chose qu'Hal ne découvrît pas le sous-vêtement de laine qu'elle avait elle-même tricoté.

Choquée, (comment pouvait-elle avoir d'aussi basses pensées alors qu'elle était sur le point de rompre ses vœux) elle tenta de se libérer, força les bras de l'homme à desserrer son étreinte. Repoussant son torse tiède, elle balbutia :

— Non, je vous en prie... il ne faut pas... Hal...

Le visage enfoui dans le cou d'Anna, Hal s'immobilisa.

— Hal!

Il la relâcha et alla s'adosser à son siège. Anna respira profondément et, sans même y penser, essuya ses lèvres d'un revers de main, sans voir la lueur incrédule et amusée dans le regard de l'homme.

Ils restèrent assis un moment côte à côte sans se regarder. Trop désemparé pour parler, Hal se mit à tripoter les commandes du tableau de bord, tandis qu'Anna gardait les yeux fixés sur les mains qui venaient de la caresser, aux doigts longs et minces, aux gestes souples et précis. Elle les sentait encore errer sur elle... Non, c'était assez comme cela.

— Une pastille à la menthe?

— Pardon?

Cette offre terre à terre la désarçonna, incapable qu'elle

était de comprendre qu'il pût encore lui manifester quelque aménité.

— Non... non, merci. (tout cela était ridicule) Je veux rentrer, répondit-elle en espérant qu'il ne remarquât pas les trémolos de sa voix.

— Très bien. Allons-y, fit-il le plus cordialement du monde en mettant son moteur en marche.

Elle s'emmitoufla dans sa couverture, tentant de voir clair dans les émotions contradictoires qui la submergeaient. Elle éprouvait des regrets, bien sûr, car, si bref qu'eût été cet épisode, cela ne changeait rien au fait qu'elle avait rompu ses vœux, regrets néanmoins contredits par le bien-être pur et simple qu'elle en avait retiré. Cependant, pour avoir tacitement encouragé Hal dans son initiative, elle éprouvait aussi de la culpabilité; mais, plutôt qu'obscurcie par un légitime sentiment de colère ou de dégoût de soi, cette culpabilité s'auréolait d'une sensation de triomphe. En dépit de ses cheveux ébouriffés, de ses seins plats, de ses années d'abstinence et de totale abnégation de soi, sa féminité était encore intacte.

Elle était un être normal. Elle était une femme, tout simplement.

CHAPITRE DOUZE

Tous les vendredis, après tierces, sextes et nones, les religieuses mettaient les bras en croix pour réciter le miserere.

Domine miserere super peccatrice.

Les fumées des chandelles artisanales s'élevaient dans la chapelle, libérant une odeur musquée de cire d'abeilles. Des filets de lumière émeraude et turquoise perçaient le vitrail que sœur Peter avait conçu et réalisé au cours de cet hiver sans fin où il avait neigé de novembre à Pâques.

Domine miserere super peccatrice.

Pardonnez mes péchés, ô Seigneur.

Les bras douloureux, psalmodiant sa longue prière, Anna gardait l'esprit fixé sur la statue de la Vierge. Des sévères pénitences pratiquées pendant des siècles et abandonnées seulement dix années plus tôt, ne subsistait que cette prière. Et pourtant, elle les méritait toutes, se disait-elle. Elle méritait de sentir sur ses épaules la morsure de la traditionnelle flagellation exécutée à l'aide du chat à neuf queues fait de corde trempée dans la cire, après que l'on eut fait un nœud à chaque extrémité. La douleur atroce de l'anneau de métal auquel étaient accrochées cinq chaînes armées d'un crochet, elle la méritait. Et la longue tunique sans manches en crin de cheval qui irritait la peau à chaque mouvement, elle la méritait aussi.

Bien que proscrite, cette terrifiante panoplie indispensable à l'expiation des péchés subsistait encore à un quelconque degré. Au cloître, quelques religieuses s'infligeaient encore de tels sévices, sans que cela se fît quotidiennement comme le voulait la coutume. L'ascète cistercien Bernard de Clervaux avait exhorté les religieux à pratiquer cette forme de pénitence : « On a brisé le corps du Christ, apprenons à lui substituer le nôtre... notre corps doit se conformer à celui du Christ crucifié. »

Dès les premières années de claustration, Anna s'était pliée à cette doctrine. Le fouet attendait son heure, dans un coin de la cellule, rangé dans le fourreau noir qu'elle avait fabriqué à cet effet. L'attente représentait la partie la plus pénible du châtiment.« La première fois que je m'en suis servie, lui avait confié une religieuse, j'ai cru que ma tête allait éclater. » Cette nuit-là, Anna n'avait pas fermé l'œil.

Le vendredi était le jour de la mortification du corps. Le jour de pénitence. Après les grâces, les sœurs s'agenouillaient par rang de quatre, dénudaient leurs bras et acceptaient le châtiment en chantant « miserere mei ». Cela était censé discipliner l'esprit, les actes et les mots et cela, elle l'avait accepté aussi. Ce n'est que beaucoup plus tard qu'il lui était apparu étrange que la voie de Dieu et de Son amour passât par le châtiment corporel.

Les autres jours, jusqu'à trois par semaine, elle s'infligeait sa pénitence avant l'heure du sommeil. Seule dans sa cellule, elle faisait alors glisser sa robe jusqu'à la taille en se répétant que le châtiment ne durerait que six minutes pendant lesquelles, comme l'avait décrété la fondatrice de l'Ordre, elle se flagellerait le dos, puis les cuisses et le postérieur à l'aide de l'affreux instrument qu'elle n'osait regarder, tout en psalmodiant des prières de repentir. Par la mortification de l'esprit, le châtiment ferait d'elle une sainte, et douce lui serait alors l'humiliation du corps afin de gagner le pardon des offenses faites à Dieu.

Elle pouvait se fustiger le dessus, mais non point le dedans des cuisses, car cela pouvait se révéler dangereux, avait précisé la maîtresse des novices avant de lui prêter un manuel écrit par un Jésuite expliquant la technique ad hoc de la flagellation.

Ce châtiment l'avait toujours terrifiée. Quand bien même il leur était strictement interdit de verser le sang, jamais elle n'aurait pu concevoir douleur aussi aiguë. Par la suite, la rugosité du vêtement décuplait la sensation de brûlure et, la fois suivante, elle ressentait plus intensément la morsure du fouet.

Cependant, plus pernicieuse encore était la manière dont

cette discipline éveillait d'obscures et indéchiffrables sensations. D'ailleurs, elle n'était même pas sûre que c'en était, alors bien trop jeune et inexpérimentée pour savoir que cette autoflagellation, en dépit du prétexte religieux, pouvait procurer du plaisir, même s'il n'était pas perçu en tant que tel. Cette sensation-là était parfaitement détestable (et pourtant combien excitante quand elle s'était rendu compte qu'elle était à l'origine de ses rêves débridés).

Mais, comme d'habitude, la maîtresse des novices avait su tout expliquer : elle, jeune novice, représentait l'enjeu de la guerre sans merci que se livraient les inclinations de la chair et la volonté de l'esprit. Tout n'était qu'une question de discipline et de force d'âme. L'accomplissement de la spiritualité passait nécessairement par l'assujettissement du corps à l'esprit et, si elle poursuivait dans cette voie, elle serait infailliblement vouée aux gémonies de Dieu, ad vitam æternam.

Anna avait clairement entendu le propos sans que cela aidât d'aucune façon. Peut-être était-ce en raison d'une trop grande légèreté d'esprit, mais cette notion d'assujettissement lui avait totalement échappé.

En revanche, elle avait très bien perçu la sensation d'abandon qu'elle venait d'éprouver dans les bras d'Hal. Cette brutale révélation d'elle-même l'avait poussée à regagner le couvent, à retrouver la sécurité, à oublier sa folie. Aujourd'hui, la prise de conscience que, même entre les murailles de son cloître, elle ne pouvait échapper à ses propres pensées la plongeait dans un état de profonde prostration. « Quelles que puissent être la littérature ou l'imagerie religieuse, elles nous ramènent toujours à des notions de mariage et de procréation », pensait-elle à présent. Tout ne faisait référence qu'à la *sexualité*. Bien que le ton eût changé, bien qu'on ne les encourageât plus à se considérer comme les épouses passives du Christ, les mots étaient restés les mêmes et avaient gardé leur sens intrinsèque. Quelques vieilles prières, éjaculations mentales dévolues au Ciel, comme on les appelait, évoquaient crûment, impudemment sa vocation corporelle : « Vis, respire et halète pour ton divin Époux », « Laisse-Le t'embrasser des baisers de Sa divine bouche ».

Pareilles à des poèmes d'amour, d'autres prières étaient allusives, comme le Cantique des Cantiques, où l'amour du Christ s'exprimait en termes allégoriques : « Montre-toi avec les yeux de ton cœur. Je ne suis pas audacieux et n'embrasse ma bien-aimée qu'en des lieux retirés ».

Anna étira les bras plus fort, muscles du dos douloureux, doigts engourdis, le temps de finir le psaume. Elle aurait aimé châtier son corps pour avoir été infidèle, pour avoir oublié qu'elle était une femme à part, une vierge consacrée, l'épouse du Christ.

Domine miserere super peccatrice.

Anna songeait à toutes ces femmes avant elle qui avaient offert leurs souffrances pour racheter les péchés du monde. Sainte Rose de Lima, qui dormait sur un lit de pierres avec du fil de fer barbelé autour du crâne en guise de couronne, portant une croix sur ses épaules ensanglantées; la petite Thérèse crachant joyeusement ses poumons et sa vie au fond du couvent des Carmélites, à Lisieux.

Le psaume n'était pas encore fini qu'Anna laissa lentement retomber ses bras. Ce n'était pas l'usage, mais les images qui autrefois l'avaient si grandement inspirée s'avéraient à présent ridicules, pas plus incitatrices ni significatives que les images religieuses aux couleurs criardes vendues sur les lieux de pèlerinage.

Les larmes firent trembler les filets de lumière. L'autel recouvert de damas se mit à danser. Comme un assassin qui avoue enfin son crime, Anna admit ce qu'elle niait depuis toujours.

La conviction profonde, la foi passionnée qui l'avaient conduite à prendre le voile, tout cela était mort.

Dieu ait pitié de son âme.

Sœur Godric écouta sans interrompre et Anna se surprit à penser combien la vie au couvent était différente de celle, trépidante et brutale, de l'extérieur. Entre les murs du cloître, le respect d'autrui était de première importance, la courtoisie, un impératif absolu. La règle impliquait que, lors d'une conversation, une religieuse devait faire preuve d'une « parfaite patience » jusqu'à ce que son interlocuteur ait achevé son propos.

Les deux religieuses étaient assises dans l'ermitage, à quelques pas du poulailler, et faisaient face à un arbre que l'été changerait en cerisier en fleur, mais qui, aujourd'hui, n'offrait au regard que de minces branches grises se découpant sur fond de ciel bas. Si, avec son unique fenêtre, l'ermitage était à peine plus qu'une remise de jardin, la communauté avait néanmoins attendu des années avant de pouvoir s'offrir un tel luxe. À grand peine, elles avaient recouvert l'affreuse toiture d'amiante de branches de saule reliées entre elles par du fil de fer.

Une fois par mois, chaque religieuse avait droit à une journée de recueillement, durant laquelle elle était exemptée de travail et de prière, n'ayant pour obligation que d'assister à la messe. Même les repas étaient pris dans la solitude. Anna se rappelait combien elle avait apprécié ces instants, jusqu'au jour où ils étaient devenus une nouvelle pénitence.

Cette sorte de hutte ne contenait qu'une table, un crucifix orné d'une branche de pin, une statue de la Vierge et un vieux poêle éteint en dépit du froid, étant donné que, ce mois-ci, les revenus de la communauté n'avaient pas permis de renouveler la commande de fuel. La sœur dépositaire de cette charge, la comptable du couvent, se tenait sur l'unique chaise, tandis qu'Anna était assise à même le sol, les bras serrés autour de ses jambes repliées.

— Que pensez-vous que je doive faire? demanda-t-elle d'un air implorant, le menton posé sur les genoux. J'ai le sentiment de me heurter à un problème insurmontable. Je sais que je n'aurais pas dû vous importuner avec mon dilemme, mais la révérende mère élude le sujet chaque fois que j'essaie de l'aborder. Je dois m'efforcer de sauver la filature pour Lynn et les enfants; c'est leur unique source de revenus.

— Naturellement, fit sœur Godric d'un ton posé, presque soporifique. Je suis persuadée que mère Emmanuel comprend votre situation, mais à votre tour de comprendre ses difficultés à admettre que des contingences matérielles puissent faire intrusion dans notre vie de recluses — elle tendit la main comme pour toucher l'épaule d'Anna mais la retira à temps, laissant néanmoins à celle-ci le temps de voir la peau fine comme du parchemin parcourue de veines bleues et saillantes — et je suppose que je ne devrais pas plus qu'elle aborder ce problème avec vous. Mais en dépit des apparences, rien ne me plaît davantage que le bruit de la bataille. Cependant, avant de vous donner un avis tant soit peu éclairé, il me faut tout d'abord jeter un coup d'œil aux livres de comptes de la filature.

— Ils sont dans ma cellule, répondit instantanément Anna. Je les ai ramenés avec moi. Mais loin de moi l'intention de vous forcer...

Sœur Godric s'adossa à son siège et enfouit ses mains dans ses manches pour y puiser un peu de chaleur.

— Vous avez très bien fait, au contraire. Compte tenu de mon âge, je n'ai habituellement rien à faire, à cette heure-ci.

Sœur Godric resta le nez plongé dans les livres pendant plus d'une demi-heure avant d'ôter ses lunettes pour se masser lentement la racine du nez. Attentive, Anna attendait le verdict, déjà reconnaissante, quel qu'il fût.

— Vous ne m'avez jamais parlé de votre existence avant d'entrer au couvent, dit Anna. Je savais seulement que vous étiez directrice financière chez John Lewis.

— Les titres sont toujours plus impressionnants que la fonction, répliqua sœur Godric avec un haussement d'épaules. Je n'ai jamais eu de plan de carrière, je ne l'ai jamais souhaité. Je voulais seulement avoir un mari et des enfants. Nous vivions à Londres et une amie de ma mère travaillait dans une boutique d'Oxford Street. C'est ainsi qu'à dix-sept ans, j'ai trouvé un emploi de mercière jusqu'à la guerre, après quoi j'ai commencé à prendre des cours du soir de comptabilité. Les temps l'exigeaient, je suppose. La guerre avait changé la vie de bon nombre d'entre nous.

Sœur Godric lui avait une fois avoué qu'elle avait été fiancée, mais que son promis était décédé. De quoi, elle ne l'avait pas dit et Anna ne le lui avait pas demandé. Peut-être était-il mort à la guerre. Durant ses premières années de noviciat, à une époque où elle devait travailler sous la direction d'une religieuse plus ancienne qu'elle, Anna passait de longues heures dans le potager en compagnie de sœur Godric, qui avait l'habitude de fredonner dans sa barbe tout en cueillant des petits pois. Anna en avait été étonnée. Elle connaissait alors si peu de choses du couvent qu'elle était persuadée que nulle pensée autre que religieuse ne pouvait effleurer l'esprit de ses compagnes. Nonobstant, le vaste répertoire de sœur Godric puisait ses sources dans le monde profane, puisqu'il s'étendait de Cole Porter à Louis Armstrong, de Bobby Darin à Marlene Dietrich. Anna songeait aux mots déchirants d'une chanson entendue plus d'une fois, parmi les haricots et les choux de Bruxelles : « Dépêche-toi, dépêche-toi, j'ai tant besoin de quelqu'un pour veiller sur moi ».

Spontanément elle demanda, sans se soucier de l'incongruité de sa question :

— Mais dites-moi, sœur Godric, ne vous êtes-vous jamais sentie seule? N'avez-vous jamais éprouvé de regrets d'avoir choisi de vivre cloîtrée? Vous viviez dans le monde, vous prospériez, vous auriez pu vous marier, fonder une famille...

La vieille religieuse resta si longtemps silencieuse qu'Anna crut qu'elle s'était assoupie. Quand elle répondit, ce fut pour expliquer d'une voix assurée.

— Chacune d'entre nous, qui avons voué notre vie au célibat, souffre de solitude. Devant Dieu, nous sommes toutes seules. Quand nous avons prononcé nos vœux, nous en connaissions la finalité. C'est, pour nous, une manière de dédier notre amour à l'humanité tout entière.

— J'avais cru comprendre que ce n'était pas seulement matière à continence physique, mais que l'élévation de l'âme passe par la négation du corps, argua Anna, les mains tordues d'anxiété, sous l'œil compatissant de la vieille nonne. Seulement, je pensais que Dieu me rendrait la tâche plus facile.

— Quand je suis entrée au couvent, on nous a recommandé, au premier chef, de faire le deuil de toutes nos inclinations naturelles, répliqua sœur Godric, penchée en avant avec une mine de conspirateur. Comprenons-nous : nous n'avions même pas le droit de croiser nos jambes; c'était antireligieux. Mais ce genre de comportement tend à disparaître, car je crois que les femmes commencent à comprendre qu'elle ne peuvent faire totalement abstraction de leur sexualité, quoique Dieu nous soit témoin que ce n'est pas faute d'essayer. Certaines d'entre nous considèrent encore leur sexualité comme quelque chose de superflu qu'elles traînent avec elle; un peu comme un jerrycan d'essence fixé à l'arrière d'une voiture et dont on ne se sert jamais.

— Il m'arrive d'éprouver le besoin de débattre à fond de certains sujets; des sujets personnels d'ordre sexuel, en général. En entrant ici, j'étais totalement ignorante de ce qui m'attendait; et c'est là une des raisons pour lesquelles mes parents y étaient si farouchement opposés. Tout bien pesé, je crois qu'ils avaient raison. Même si, en théorie, je croyais tout connaître, je n'avais aucune expérience de la vie — elle tira sur sa guimpe, afin de soulager son front de la migraine qui commençait à poindre — J'étais inconsciente, bien sûr. Mes certitudes ne reposaient que sur des présomptions. Néanmoins, je me suis demandé plus tard si je n'avais pas pris le voile uniquement pour prendre le contre-pied des attentes de mes parents. Une manière de rébellion, en quelque sorte. Dans un second temps, j'ai pensé que si tel était le cas, je n'aurais certes pas pu continuer ainsi longtemps.

— Si vous êtes rentrée au couvent pour des motifs erronés, il se peut très bien que, malgré cela, vous fassiez une religieuse très convenable, mais certes pas une religieuse heureuse, une de celles que la vie aura comblée, personnellement et non professionnellement s'entend. Vous pouvez, bien sûr, vous jeter de la poudre aux yeux en considérant cet état d'esprit comme votre chemin de croix; de nombreuses religieuses le font, ajouta-t-elle, désabusée, en remuant sur son siège. Il fait si froid que je suis percluse de rhumatismes, mais c'est peu cher payé en regard de tant de tranquillité.

Sœur Godric se tortilla à nouveau sur sa chaise, parut trouver enfin une position plus confortable, et se mit à observer sœur Gabriel. Cette dernière avait depuis toujours été sa préférée.

Elle s'astreignait cependant à ce que cela ne transparût point dans son attitude, puisque la règle dictait que l'on devait faire montre d'aménité et de courtoisie sans la moindre discrimination. Toutefois, pour peu qu'elle eût connu la joie d'être grand-mère, avec son profil droit et sa lèvre inférieure longue et ourlée comme la sienne, sœur Gabriel aurait aisément pu passer pour sa petite-fille. Mais ce soir, sœur Gabriel paraissait nerveuse et agitée : le monde extérieur avait déjà fait sa marque.

— Il me semble que cette conversation est moins abstraite qu'il n'y paraît, fit-elle gentiment remarquer.

Anna battit des paupières et eut un brusque frisson.

— Je viens de sentir passer la mort.

— Quand vous aurez mon âge, ma sœur, vous vous garderez de telles réflexions car, à ce moment-là, je doute fort que vous les trouviez drôles. Cela dit, je vous rappelle que vous n'avez pas répondu à ma question.

— Je ne suis pas sûre de le pouvoir. Je ne pense pas que ce qui m'arrive soit très significatif, ou, du moins, ce l'est seulement pour moi — Anna se leva et alla s'accouder sur l'appui de fenêtre pour regarder le soir tomber sur le jardin — Je vais bientôt avoir trente-deux ans. J'ai déjà pratiquement vécu la moitié de ma vie et pourtant, j'éprouve le sentiment extraordinaire de commencer quelque chose de nouveau — elle tourna la tête pour observer dans la pénombre le visage de la vieille religieuse — J'ai répondu aux attentions de quelqu'un... un jeune homme, comme si ce n'était plus moi, sœur Gabriel; comme si j'avais encore dix-sept ans...

— Ma pauvre amie...

— Ne vous inquiétez pas, la rassura Anna avec un sourire. Dix-sept ans, pour moi, cela veut dire être mal attifée et avoir des rondeurs et des boutons sur le visage. Non, ce que je veux dire c'est qu'au-dedans de moi je me sentais à nouveau nerveuse et hésitante. C'était à la fois terrifiant et... merveilleux, conclut-elle, hésitante.

— Vous retrouvez votre jeunesse, en quelque sorte.

— Il est bien trop tard pour cela. Voilà treize ans que j'ai brûlé mes vaisseaux.

— Il n'est jamais trop tard, croyez-moi. Lorsqu'on est vieux, il nous est plus facile de croire que nos émotions sont en aussi pitoyable condition que notre corps. Mais, croyez-moi : seule l'enveloppe extérieure vieillit; au fond de nous-mêmes, nous avons toujours dix-sept ans, commenta sœur Godric avec un sourire désabusé.

— C'est exactement ce que je ressens, poursuivit Anna en se retournant vers la fenêtre. J'ai toujours trouvé relativement facile de respecter mes vœux, de vivre entre quatre murs retirée du monde. Comme je ne pouvais m'y dérober, cela faisait partie de ma vie. Mais ces quelques semaines passées au-dehors m'ont appris que ce n'est pas aussi facile qu'il ne m'était apparu. Je me suis adressée à des personnes comme je ne l'avais jamais fait auparavant, c'est-à-dire d'une manière normale, en tissant des liens amicaux; pas nécessairement avec des hommes, ajouta-t-elle précipitamment, mais des liens d'amitié comme je n'en avais pas connu.

— Mais il y a tout de même cet homme...

— Oui. Non... je ne sais pas... Il est plus jeune que moi, expliqua-t-elle d'un air malheureux. Et je ne sais pas si je l'intéresse vraiment. Il faut dire qu'avec mon ignorance de la nature humaine, je ne suis sûre de rien. La semaine dernière, nous sommes allés à Bradley Moor afin de cueillir des baies pour teindre la laine. Mais tout a échoué : je me suis enlisée dans un bourbier et il m'a sauvée. J'étais trempée au point que j'ai dû me déshabiller dans sa voiture. Vous rendez-vous compte? — Elle interrompit le flot précipité de son récit afin de reprendre son souffle, puis elle se retourna en souriant tristement avant de poursuivre : Et quand je suis rentrée, quand je me suis retrouvée seule avec sœur Gabriel, je me suis surprise à prier : Oh, mon Dieu, je ne veux pas rester ce que je suis, seule, sans personne... » Je n'osais même plus aller me coucher seule dans ma chambre.

— Avez-vous conscience, fit alors sœur Godric qui comprenait l'importance que revêtaient ces dernières paroles, qu'en bien des façons, vous vivez vos pires années? Mais vous n'êtes pas la seule. Pour la plupart des religieuses, la trentaine est un cap très difficile. Quand vous êtes entrée ici, vous aviez de nombreux buts à atteindre, une foule d'aspirations à combler, à tel point que vous n'aviez pas le temps de penser. Mais à présent, si; et c'est pourquoi vous prenez conscience de tout ce qui vous fait défaut et que votre âge ne vous permettra bientôt plus de connaître. C'est bien à cause de cela que vous vous sentez malheureuse, n'est-ce pas?

— J'ai lu dans un livre qu'il fallait de nombreuses années avant que l'on ne parvienne à se résoudre à cet état de chose; qu'en fait, cela arrivait avec la ménopause. Mais ce n'est pas seulement difficile, c'est effrayant, expliqua-t-elle sans pouvoir regarder sœur Godric dans les yeux. J'ai envie d'avoir un enfant. Je sais bien que ce n'est qu'une simple pulsion biologique, mais ce n'est pas de cette façon que je le ressens. Quelquefois, j'ai l'impression que je mourrais, si je n'en avais pas un.

Anna comprenait les résonances terriblement choquantes de ses paroles, mais c'étaient les seules qui pouvaient exprimer la douleur de son corps.

— Un enfant à aimer, continua-t-elle, les larmes aux yeux. Excusez-moi, je n'ai pas l'habitude de me confier ainsi...

— Allons donc, répliqua précipitamment la vieille femme dans un élan d'empathie. Inutile de vous excuser. Remerciez plutôt Dieu d'avoir fait de vous une femme à part entière, en possession de toutes ses émotions.

Pour avoir déjà entendu ces paroles-là, Anna ne répondit rien. Dieu ne souhaitait pas que l'on s'étiolât en son nom pour n'avoir rien eu à Lui offrir. Si elle avait cru dur comme fer à la théorie selon laquelle la grandeur du sacrifice était à la mesure de Son amour, elle n'en était plus, aujourd'hui, aussi convaincue. Sœur Godric observait le visage qu'Anna gardait détourné d'un air empreint de compréhension.

— J'ai connu la ménopause comme tout le monde et je sais combien il m'en a coûté de l'accepter en étant célibataire et sans enfants. Car, non seulement je n'avais jamais connu les joies du mariage et de la maternité, mais je savais qu'elles m'étaient aliénées à jamais. Je ne le devrais pas, mais je vais vous répéter ce que je me suis dit à ce moment-là : si, à votre âge, vous souffrez autant que vous le prétendez, la ménopause s'avérera pour vous une épreuve terrible. Il vous faudra beaucoup de courage et de volonté pour la surmonter. Trouverez-vous ce courage et cette volonté, sœur Gabriel?

— J'ai l'impression d'être une traîtresse, répliqua Anna presque sans y penser, inconsciente du fait que c'était la première fois qu'elle confiait à quelqu'un ses velléités de renoncement. Si je pars, j'abandonne tant d'amies...

Sœur Godric baissa les yeux pour cacher le profond désarroi qu'elle éprouvait devant Anna dont elle n'avait jamais soupçonné un tel égarement. Elle aurait voulu pleurer, la supplier de ne pas partir, lui dire combien sa jeune présence lui faisait du bien. Mais elle préféra lui répondre posément :

— Renoncer au voile est en général perçu comme une sorte d'acte d'adultère. Deux possibilités s'offrent à vous : ou bien vous continuez à vous torturer en pensant que vous n'êtes plus faite pour porter l'habit de religieuse, ou bien vous admettez votre besoin de contacts humains, des profondes relations que nous ne pouvons avoir en raison de notre engagement envers Dieu. En entrant ici, vous avez visé très haut. Vous avez respecté vos engagements treize années durant. Ce n'est pas un crime d'admettre que vous avez failli; le crime serait plutôt de rester ici en n'ayant plus la foi.

— Comprenez-moi bien : il n'est pas question de me détourner de Dieu. Mais j'ai le sentiment d'avoir renoncé à ma liberté et cela, je ne puis le tolérer plus longtemps.

— Vous n'avez pas à vous justifier à mes yeux, ma sœur. Seul votre passé vous retient encore ici. Mais peut-être aussi le sentiment de sécurité que vous en retirez et la crainte de heurter quelques-unes d'entre nous. Vous nous êtes très chère et il est de fait que votre départ causerait une tristesse certaine parmi nous. Vous avez la possibilité de remettre en cause une décision que vous avez prise voilà des années et que vous croyiez alors irrévocable. Assurez-vous de prendre la bonne, cette fois — sœur Godric s'interrompit, l'oreille dressée — C'est l'heure des vêpres

— elle tapota de ses lunettes les livres de comptes devant elle — En attendant, nous ferions bien de penser à la manière d'approcher ces banquiers londoniens.

— Cela ne peut continuer ainsi, ma sœur, décréta mère Emmanuel en recouvrant ses bulbes de terre. Cette situation tourne à la farce.

Elles étaient aux étables, en train de mettre des jacinthes en pots en prévision de Noël. Sans répondre, Anna continua d'effriter son compost pour en saupoudrer les narcisses qu'elle venait de mettre dans un panier d'osier. Malgré la faible lumière, elle pouvait voir le pli déterminé sur la bouche de la mère supérieure. Et quand celle-ci ajouta : « Je ne puis continuer à vous accorder autant de liberté; c'est aller à l'encontre de nos règles », Anna jugea plus prudent d'acquiescer.

— Je le sais, ma mère. Je n'avais pas prévu que cela me prendrait autant de temps. Mais il y a tant de choses à faire, à la filature. Et dans la maison. Au point que j'ai quelquefois l'impression que je n'en viendrai jamais à bout.

— Cela ne vous concerne pas, ma sœur. Vous avez déjà fait plus que votre part.

— Mais je ne peux abandonner Lynn et les enfants à leur sort.

En voyant le regard désapprobateur de mère Emmanuel, Anna sentit vaciller son assurance déjà chancelante. Elle regarda la supérieure finir de tasser la terre dans un pot avec des gestes exagérément mesurés qui cachaient en fait une violence à peine contenue.

— Voulez-vous dire que vous renoncez à vivre parmi nous? Que vous avez décidé de nous abandonner à notre sort, vos sœurs et moi-même? fit-elle d'un ton qui corroborait la colère contenue de ses gestes. Notre Seigneur a besoin de vous ici, sœur Gabriel. Vos sœurs ont besoin de vous. Dans notre communauté, vous êtes parmi les plus actives — elle fit un geste en direction des pots soigneusement alignés témoignant des longues heures qu'Anna venait de passer dans l'air glacial de l'étable — Je crains que vous n'ayez tendance à oublier à qui vous devez loyauté.

L'argument fit ciller Anna. C'était chaque fois la même chose : mère Emmanuel pouvait se révéler merveilleuse de compréhension dans la mesure où elle sentait qu'on avait besoin d'elle; mais se montrait en revanche peu disposée à discuter de préoccupations personnelles. Si Anna faisait de son mieux pour se comporter en personne adulte et responsable, le regard intimidant de la mère prieure la réduisait au statut d'être « inférieur ».

— Avez-vous quelque chose à ajouter, ma sœur?

— Non, ma mère... Si, ma mère. Je dois encore quelque chose à Lynn, exposa-t-elle péniblement. L'enfant va naître d'un instant à l'autre et Lynn ne pourra s'occuper des affaires de la filature, du moins pour quelque temps. C'est pourquoi il faut que j'aille voir les banquiers à sa place. De toute manière, elle est tout à fait inapte à faire cette démarche.

— Et vous le pourriez, vous? s'enquit froidement la mère supérieure.

— Je... La filature doit renégocier un prêt contracté par mon frère. Nous craignons que la banque n'entame des procédures — elle plongea à nouveau ses mains dans le sac de compost — Je vous en prie, ma mère, c'est l'affaire de quelques jours; cette démarche est essentielle à l'avenir de Lynn et des enfants.

— La banque, dites-vous...

Comme toute personne connaissant des problèmes de trésorerie, mère Emmanuel avait une sainte horreur des banques et des banquiers.

— Oui, ma mère.

Il n'était nullement besoin de préciser que cette banque se trouvait à Londres, cela n'arrangerait rien à l'affaire, se disait Anna en constatant par ailleurs que, seulement quelques semaines plus tôt, elle ne se serait jamais permis de taire un telle information. Le silence s'éternisait. Anna poursuivit machinalement sa mise en pot, sans trop savoir ce qu'elle plantait exactement.

— C'est terrible de mettre au monde un enfant toute seule; votre belle-sœur doit être bien malheureuse.

Avec une douceur inattendue, mère Emmanuel enfonça

quelques bulbes dans la terre, puis les recouvrit de compost. À ses gestes mesurés, Anna put déceler la générosité d'esprit dont cette femme fruste était capable.

— S'il en est ainsi, nous vous accordons une semaine de plus — elle hésita, comme pour se donner le temps de lire les pensées d'Anna — Non. De toute manière, je devrai en référer à l'évêque : nous dirons deux semaines — elle se mit à garnir un nouveau pot — Téléphonez-nous dès que vous aurez des nouvelles du bébé; nous prierons pour lui.

CHAPITRE TREIZE

— Cinq fois six trente, cinq fois sept trente-cinq, cinq fois huit quarante, cinq…

Tout en recousant un bouton de sa chemise, Anna faisait réciter à Baxter ses tables de multiplications.

— Cinq fois douze…

À un bruit de vaisselle cassée succéda un cri de colère de Lynn.

— Qu'as-tu encore fait? espèce de petit…

On entendit un claquement sec, puis les hurlements de Jamie. Abandonnant ses tables de multiplications, Bax se précipita dans la cuisine.

— Arrête, m'man, ce n'est pas bien. Tu lui avais dit qu'il pourrait t'aider à faire une crème pâtissière. Tu as même dit qu'il FALLAIT qu'on t'aide; tu l'as dit!

Anna, qui l'avait suivi, vit le visage rouge d'indignation de l'enfant, tandis qu'il passait un bras protecteur sur les épaules de son frère. Aux pieds de Jamie, d'un bol brisé s'échappait un mélange jaunâtre.

Se penchant pour essuyer les dégâts, Anna murmura, de manière à ne pas être entendue par les enfants :

— Ce n'était pas une raison pour le battre.

Véritable loque humaine au bord de l'hystérie, Lynn se laissa aller contre la cloison, et se mit à sangloter sans un mot.

— Allons, les enfants, allez jouer au salon, tout va bien, maintenant.

Anna entraîna ses neveux hors de la cuisine, puis revint se planter devant sa belle-sœur, réprimant une forte envie de la gifler, puisque, selon elle, c'était la seule manière d'endiguer la crise de nerfs qu'elle sentait venir. Cependant, ne pouvant s'y résoudre, elle préféra la prendre dans ses bras. Lynn la fixa un instant sans trop comprendre, puis s'abandonna contre Anna en sanglotant douloureusement.

— Oh, Anna, je suis si désespérée que je ne sais plus ce que je fais. Je crains ne jamais pouvoir m'en sortir sans Simon... Entre deux sanglots, les mots se bousculaient, incohérents, enfantins. Je ne veux pas rester seule; je veux Simon; je veux qu'il revienne...

Anna faisait de son mieux pour soulager le chagrin de Lynn, trop démesuré, trop étranger cependant pour qu'elle pût entièrement l'appréhender, même si elle sentait le cœur de Lynn battre à l'unisson avec le sien. Elle se surprit à la bercer comme une enfant, se découvrant brusquement une chaleur humaine à laquelle elle n'était pas accoutumée. Elle lui souffla doucement :

— Allons, allons, ne pleurez pas, voyons... Vous n'êtes pas seule; je suis ici pour vous aider...

Un moment, long lui sembla-t-il, s'écoula avant que, le flot de ses larmes taries, Lynn se détachât enfin d'elle.

— Oh, fit-elle, excusez-moi, mais j'avais tellement besoin de m'appuyer sur quelqu'un. Je crois que c'est cela, le pire : n'avoir personne à qui parler.

— Vous sentez-vous mieux, à présent? Vous mettre dans des états pareils pourrait être néfaste pour le bébé.

— Le bébé va très bien, ça sera sûrement un footballeur. Touchez.

Sans crier gare, Lynn prit la main d'Anna et la posa contre son ventre. Anna résista quelques instants, mais, sous l'hémisphère tendu, elle sentit le tremblement furtif d'une vie à venir.

— C'est son pied, dit Lynn. Il bouge si fort qu'on dirait qu'il porte déjà des chaussures de footballeur.

— C'est formidable, fit Anna en récupérant sa main.

Tout heureuse de voir sa belle-sœur à nouveau capable de plaisanter, Anna se demandait cependant comment elle pouvait être si sûre qu'il s'agissait d'un pied. Par ailleurs, elle était incapable de concevoir que ce ventre pût contenir un enfant recroquevillé.

Elle ne le souhaitait pas, au reste; cette sorte d'excroissance avait quelque chose de répugnant, un peu comme une grosse tumeur. Lynn soupira et repoussa le torchon du pied.

— Seigneur, quel désastre! C'est de ma faute, je ne surveillais pas le petit diable. Mais je ne voulais pas le battre.

— Je le sais, fit Anna en se baissant pour ramasser les débris de verre. Je crois que Bax en a été perturbé. Il se sent responsable de son petit frère.

— Ils sont si mignons, reprit Lynn d'une voix enrouée, incitant Anna à ajouter précipitamment :

— Ce soir, nous irons manger un « fish and chips » ça nous changera les idées et c'est moi qui régale.

Après dîner, Anna surveilla les enfants pendant qu'ils prenaient leur bain. Quand elle enveloppa Jamie dans une serviette et qu'elle se mit à lui frictionner les cheveux, l'enfant s'appuya contre son épaule en suçant son pouce. Puis, le prenant dans ses bras, elle le porta jusqu'à son lit. Habituellement Lynn disait : « Donne un baiser à tante Anna » et l'enfant s'exécutait volontiers. Mais ce soir-là, il le fit spontanément. Enlaçant le cou de sa tante, l'enfant déposa sur sa joue un baiser, dont elle garda la fraîcheur pendant un long moment.

Plus tard, alors que Lynn regardait distraitement la télévision en faisant de la couture, Anna retourna dans la salle de bains. Rompant avec ses habitudes, à savoir ne jamais se déshabiller en pleine lumière, elle tâtonna vers l'interrupteur qui commandait une batterie d'ampoules autour du grand miroir, scintillantes comme celles d'une loge d'actrice. Une fois retirés son scapulaire et ses sandales, après qu'elle eut défait sa ceinture et laissé tomber sa robe sur le sol, son premier réflexe fut de tourner le dos à son propre reflet.

Ôtant sa lourde coiffe, elle se débarrassa de la guimpe blanche et du serre-tête étouffant. Ce n'est qu'après s'être complètement dévêtue qu'elle pivota lentement vers le miroir.

Étrangement captivée par ce personnage qui la regardait gravement, elle se mit à scruter avec attention ce visage qu'Hal avait embrassé. De longues années passées dans l'humilité l'avaient totalement déconnectée de tout sentiment de vanité ou même de perception de soi, lui permettant ainsi d'examiner les détails de son corps avec une candeur absolue, comme si elle était étrangère à elle-même. Une étrangère plus âgée, constatait-elle, plus posée que la jeune fille qu'elle croyait être encore. Aujourd'hui, c'était une femme qui la regardait. Une femme aux yeux gris-bleu, profonds comme la couleur de l'ardoise du pays de Galles. Elle voyait, sur fond de visage blême, des lèvres à la sensualité déroutante, contre lesquelles elle pressa lentement le dos de la main, comme pour y imprimer le baiser d'Hal.

Sa chevelure, ou du moins ce qu'il en restait, lui fit immédiatement horreur. Elle fit courir sa paume sur le sommet de son crâne, rude et tiède comme toujours, constatant à quel point elle avait le cheveu terne et sans vie, plat à certains endroits, en broussailles à d'autres, mèches irrégulières depuis si longtemps coupées à l'aide de ciseaux à ongles émoussés. Du plat de la main, elle tenta de se faire un semblant de frange, mais les cheveux restaient irrémédiablement rebelles.

Elle qui avait toujours gardé ses cheveux si longs, si épais, avec sa longue natte cuivrée... jusqu'au jour de la prise d'habit.

Cela s'était passé par une matinée d'automne, semblable à bien d'autres qu'elle avait connues depuis. Elle s'était agenouillée devant l'évêque, vêtue comme une mariée, avec son voile et ses fleurs d'oranger, espérant que le col de la vieille chemise de flanelle qu'elle avait mise pour avoir plus chaud ne dépassât point de sa robe.

Le vieux prélat s'était tourné vers elle, la soutane scintillant de reflets métalliques.

— Que demandez-vous?

— Je demande que Dieu ait pitié de moi et qu'il m'accorde la grâce de porter l'habit sacré.

— Le demandez-vous de tout votre cœur?

— Oui, monseigneur.

— Dieu vous apporte courage et persévérance, ma fille.

La cérémonie s'était déroulée comme dans un rêve. Elle

s'était agenouillée devant l'évêque pour une seconde fois, afin que les deux suivantes lui retirassent sa couronne et son voile. C'est à ce moment-là qu'elle avait vu l'éclat des ciseaux, trop petits lui semblait-il pour sa tresse épaisse. Ces ciseaux étaient le symbole de son renoncement définitif aux pompes terrestres. Après quoi, en gage de sacrifice, la tresse avait été brûlée dans la sacristie.

— En retour, elle recevra la bénédiction de notre Seigneur et le pardon de ses péchés.

Puis on l'avait conduite dans une petite pièce sombre, dont on avait soigneusement fermé la porte derrière elle. Se sentant observée, elle s'était retournée d'un bloc et, en entendant les murmures des autres novices, c'est à peine si sa frayeur s'était dissipée. Dans le coin le plus sombre, se tenait une religieuse en grand habit noir et gris, un crucifix étincelant accroché à la taille. Cependant, son visage était celui d'un crâne aux orbites vides comme deux puits sans fond, et au maxillaire grimaçant un sourire de mort. Sur son giron, reposait, menaçante, une main décharnée.

Cette relique était arrivée en Angleterre un siècle plus tôt, en même temps que l'Ordre, afin d'y tenir son rôle symbolique et macabre, sœur Camarde étant censée se lever pour accueillir la nouvelle venue.

Bien que consciente qu'on ne la quittait pas des yeux, Anna n'avait pu retenir un petit cri d'horreur. Encore un reliquat de l'époque médiévale, encore un signe de l'invisible gouffre qui séparait les anciennes pratiques des attentes des religieuses d'aujourd'hui. Un gouffre qui, avec le temps, s'était révélé bien trop large pour qu'elle pût espérer le franchir un jour.

La porte s'était alors ouverte et les sœurs avaient ri, comme pour une plaisanterie d'étudiant dont elle avait voulu ignorer le sens profond. Elles l'avaient ensuite aidée à retirer sa robe de mariée et à mettre son jupon de tweed, ses bas épais et ses sandales. Par la suite, Anna avait été éminemment consciente de la tondeuse que la mère prieure passait sur son crâne et des petites touffes de cheveux qui tombaient sur ses épaules et sur le sol. Elle avait beau s'y être attendue, le choc n'en avait pas moins été terrible.

On lui avait passé l'habit :

« Revêts mon âme de chasteté, ô Seigneur, de cette robe pure et immaculée que je porterai jusqu'au jugement dernier. »

Puis, la ceinture et la couronne :

« Ô, Seigneur Jésus, qui, pour sauver les hommes, as sacrifié ta vie sur la croix, insuffle-moi le véritable esprit d'obéissance et de prière. »

Puis, la guimpe :

« Place ton sceau sur mon front, ô, Seigneur, et compte-moi parmi ton troupeau. »

Puis, la coiffe :

« Fais de moi un cœur nouveau, ô Seigneur, et mets une âme neuve en mon sein. »

Et le scapulaire :

« Ô, Jésus, doux et humble de cœur, enseigne-moi l'humilité, apprends-moi à porter ma croix pour suivre Ton chemin. »

Quand elle était revenue vers l'autel, Anna ne ressemblait plus en rien à la promise qu'elle avait été quelques minutes plus tôt. Aux suivantes, l'évêque avait tendu le corset de cuir, afin d'en ceindre la taille d'Anna.

« Puisse Dieu vous ceindre de justice et de pureté afin que vous soyez digne de la divine voie céleste. »

Finalement, on lui avait passé le voile.

« Ô cœur immaculé de Marie, apporte-moi la pureté du corps et de l'âme. »

Une chandelle éclairée avait été déposée dans sa main.

« Accordez-lui la grâce de la persévérance, avait entonné le prélat, pour qu'avec Votre protection elle puisse accomplir les vœux qui la lient à Vous. »

Anna s'était agenouillée sur le prie-Dieu, le chandelier posé près d'elle, tandis que l'évêque lui parlait des fondements de sa future existence, des plaisirs des sens, auxquels elle devait à tout jamais renoncer, au dur labeur et à l'obéissance qu'on attendait d'elle, au silence et à la solitude qui seraient ses compagnons pour toujours, « d'aujourd'hui jusqu'à la mort ».

Après quoi, elle l'avait précédé dans la chapelle pour

conduire une procession à travers le domaine jusqu'aux portes du cloître auxquelles elle avait solennellement frappé.

— Ouvrez pour moi les portes de la justice...

De l'intérieur, on lui avait répondu :

— Celles-ci sont les portes du Seigneur, seuls les justes peuvent les franchir.

Et les lourds battants avaient pivoté lentement sur leurs gonds, révélant la mère prieure portant la grande houlette, symbole de l'Ordre, encadrée sur deux rangs par toute la communauté religieuse.

Anna avait franchi le seuil et s'était laissée tomber à genoux.

— Ceci est mon repos pour l'éternité.

L'évêque lui avait alors pris la main pour la tendre à la mère prieure.

— Par ce geste nous vous confions notre sœur, avait-il déclaré, et prions que par l'obéissance et sous l'égide de Sa Sainte Loi, elle puisse mériter d'obtenir l'union parfaite avec Dieu. Que la paix de Dieu soit avec vous à jamais.

C'est ainsi qu'elle était entrée au cloître. Derrière elle, les portes s'étaient refermées avec un bruit sourd.

Anna se frotta rapidement les yeux en reniflant un peu. Elle était alors si jeune... Pour avoir si longtemps échappé à son propre reflet, elle avait d'une certaine manière imaginé n'avoir en rien changé, alors que la réalité lui sautait au visage, atroce, bien pire qu'elle ne l'avait crue.

Le cerne rouge au ras de son arcade sourcilière, là où la guimpe avait fait sa marque pendant des années, ressemblait à présent à une méchante cicatrice qu'elle observa un long moment en la palpant précautionneusement de l'index. Elle frôla ses paupières inférieures, où de fines rides laissaient entendre de quoi elle aurait l'air dix ans plus tard. Si les ombres de fatigue de son visage n'échappèrent pas à son examen, elle parut cependant ignorer l'éclat bleu tout nouveau qui brillait au fond de sa prunelle.

Puis ce fut le tour du corps. Elle perçut le contraste frappant de la pâleur de sa peau avec la matité de ses mains et de ses avant-bras longtemps exposés au soleil et aux intempéries. Voilà longtemps que la frugalité de ses repas avait éliminé toute rondeur sur sa taille et ses membres. Les mains posées sur les hanches, elle sentit sous ses doigts la dureté saillante de l'os pelvien. Elle se savait mince, mais pas à ce point; cette peau tendue, semblable à celle d'un lévrier, elle ne l'avait pas soupçonnée. Du bout des doigts, elle pressa ses seins, comme s'il s'agissait de quelque chose qui lui était étranger. Ils n'étaient pas plus gros que lors de sa jeunesse, mais au contraire plus petits, sorte de molle évocation de poitrine délaissée, aux mamelons rabougris et noirs impitoyablement exposés à la lumière crue de la salle de bains.

Ses larges épaules lui donnaient l'impression d'avoir la tête ridiculement petite, disproportionnée par rapport au reste du corps. Même la forte colonne de son cou lui parut étrange. Peut-être ferait-elle mieux de se laisser pousser les cheveux. Elle pivota un peu pour se voir de dos : ce n'était pas si mal. Ils étaient assez longs dans le cou. En fait, avec sa longue taille étroite et gracieuse, le côté pile de sa personne lui procura quelque consolation.

Elle se pencha vers son autre pilosité, celle plus sombre et bouclée de son pubis. « La seule véritable preuve de ma féminité » songea-t-elle amèrement. Elle y passa une main hésitante et douce, chargée d'électricité, et ressentit un choc lorsqu'elle en capta la réaction frémissante.

Le souvenir de ce contre quoi elle avait tant lutté refit brusquement surface. Voilà longtemps qu'elle ne s'était plus touchée. Le règlement était clair sur la question : « Ne jamais toucher personne et ne jamais se laisser toucher sans nécessité absolue ou sans raison valable et évidente ». On l'avait bien avertie de surveiller ses sens, les cinq gardiens du cœur. Le mince anneau d'argent qu'elle portait à la main gauche lui signifiait qu'elle était l'épouse du Christ. Mais la maîtresse des novices lui avait cependant expliqué que la symbolique était quelque peu contestée depuis que certaines nonnes avaient argué que c'était une manière purement masculine d'appréhender leur rôle, alors qu'elles accomplissaient des tâches devant lesquelles bien des hommes se seraient dérobés. Néanmoins, pour des sœurs cloîtrées, avait-elle ajouté, la notion de mariage restait appropriée : c'était comme une cour, puis des fiançailles qui se terminaient par un mariage, à la suite duquel leur amour pour leur époux irait grandissant. Les paroles de la solennelle profession ne faisaient que le confirmer : « Le Seigneur a grand désir de beauté. » L'évêque avait glissé l'anneau à son doigt : « Gardez-Lui une parfaite fidélité, afin de mériter d'être admise à ses éternelles épousailles. »

— J'épouse, avait-elle répondu, celui que les anges servent et que la lumière du soleil et de la lune perçoit avec émerveillement.

C'est à cet instant-là que sa virginité avait revêtu toute son importance. Elle était la pucelle, la vestale, l'innocente. On lui avait assuré que c'était par son âme que se consommerait son mariage avec le Christ et, à ce titre, sa virginité n'en était que plus précieuse. La virginité est d'or, disait-on, la chasteté d'argent, le mariage de bronze. La virginité prenait racine et fleurissait sur le terreau d'une vie crucifiée. Victime de sa chasteté, la vierge s'immolait sur l'autel de la pureté.

Tout cela, elle l'avait accepté. Accepté qu'en faisant vœu de chasteté, elle clarifiait son esprit et purifiait son âme pour s'unir à Dieu. Cette acceptation était une pure grâce qui sacralisait chacun de ses actes.

Tout cela, elle y avait cru dur comme fer; et c'est seulement aujourd'hui, bien des années plus tard, que toute cette rhétorique lui apparaissait comme une triste et pitoyable manipulation. Tout cela, c'était il y avait longtemps; comme si c'était arrivé à quelqu'un d'autre. La vie n'avait pas changé : elle seule avait changé. Depuis l'instant où elle avait décidé de cacher son corps sous de pesantes draperies et son âme derrière des barreaux. Elle avait neutralisé son corps et ses émotions, avec l'orgueil pervers, la prétention absurde, de se dérober aux plaisirs et aux besoins inhérents à la condition humaine.

Anna poursuivit son examen. L'orgueil est souvent précurseur de chute et elle avait presque trente-deux ans. Peut-être devrait-elle envisager de bâtir une vie pour elle-même; mais seule, cette fois, sans la force ni l'appui secourable de sa communauté. Encore que cette perspective fût plutôt rebutante, car elle était sans profession, sans expérience particulière, sans talent discernable, même si elle avait une filature à faire marcher, un découvert à combler, la famille de son frère à protéger et des banquiers londoniens à affronter.

Cette dernière pensée l'incita à se rapprocher du miroir, à repousser ses cheveux de-ci de-là. Sous une brusque impulsion, elle remplit le lavabo d'eau chaude et les lava avec le shampooing des enfants. Puis, une fois séchés, elle se mit à fouiller dans la pharmacie jusqu'à ce qu'elle trouvât ce qu'elle cherchait : une bombe aérosol dont elle lut soigneusement les instructions avant d'en vaporiser dans le creux de la main une mousse blanche avec laquelle elle se frictionna le cuir chevelu. Peu satisfaite du résultat, elle fouilla dans l'étui à rouleaux de Lynn, et choisit les plus petits pour se faire une « mise en plis ». Les rouleaux tinrent quelques minutes, puis finirent par lâcher prise.

Elle s'enveloppa alors d'une serviette et se percha sur la marche accédant à la baignoire, le regard fixé sur ses pieds blancs et osseux. Ils avaient l'air aussi négligés que le reste du corps. Lynn, elle, se carminait les ongles des pieds. Elle n'avait pas ce fin duvet noir sur les jambes; ses jambes à elle étaient lisses et soyeuses. Lynn était comme les autres femmes : malgré sa détresse, elle jouait le jeu, se conformait aux règles, sauf que ces règles n'étaient pas les mêmes que celles que suivait Anna.

Elle ne put dire avec exactitude l'instant où elle se mit à pleurer; consciente cependant que c'était la première fois qu'elle pleurait depuis la mort de Simon. À l'instar de Lynn, elle pleurait sans retenue. Non pas à cause de sa triste mine, mais à cause de Lynn, des enfants, de Simon, et de tout ce qu'elle avait perdu à vouloir trop chercher ce qu'elle n'avait pas eu, et de l'immense faillite que cela représentait. Elle enfouit son visage dans sa serviette de bain de manière à étouffer ses sanglots. Effondrée, elle oscillait d'avant en arrière, donnant enfin libre cours à sa douleur. Derrière la porte, elle perçut une sorte de remue-ménage.

— Est-ce que c'est toi, tante Anna? Qu'est-ce qui se passe?

Anna renifla, déglutit précipitamment, tentant vainement d'effacer les traces de pleurs de son visage.

— Rien, Bax, tout va très bien.

— Je t'ai entendue pleurer, insista l'enfant. Je vais aller chercher maman...

Se ressaisissant, Anna se hâta d'enfiler le peignoir de bain que Lynn lui avait prêté, puis déverrouilla la porte. Quand Lynn entra, elle se rinçait le visage à grande eau au-dessus du lavabo.

— Que se passe-t-il? Bax me dit que... Comme Anna se redressait, Lynn la contempla avec des yeux ronds. Mais que diable...

Anna tenta de cacher les rouleaux qui pendouillaient de ses cheveux.

— Ne riez pas...

Lynn s'appuya contre le montant de porte.

— Voilà longtemps que je n'en ai plus eu envie. Mais... que signifie tout ceci?

Anna jeta un bref coup d'œil au miroir pour s'en détourner précipitamment.

— J'essayais d'arranger un peu ma coiffure, murmura-t-elle sachant que Bax écoutait derrière la porte. Mais j'ignorais que ce serait un tel désastre.

— Mais qu'importe? personne ne peut le voir... avança Lynn, perplexe.

— Je vais à Londres, la semaine prochaine; et je n'ai pas l'intention de porter ma robe. Je veux avoir l'air d'une femme d'affaires. Et une femme d'affaires ne porte pas de chapeau, que je sache.

— Ma pauvre amie, s'esclaffa Lynn, les yeux pétillants de malice. Je suis désolée, vraiment, mais je n'ai jamais rien vu d'aussi drôle de ma vie. Oh, mon Dieu! c'est tellement drôle que j'en ai des points de côté...

Cette gaieté si communicative, Anna n'y résista pas. Elle esquissa un sourire. Un nouveau coup d'œil au miroir lui révéla ses rouleaux de guingois et changea son sourire en une incontrôlable crise de fou rire, douloureuse cependant, venue du tréfonds de son âme, là où elle n'avait jamais osé s'aventurer.

Ce fut finalement Lynn qui, l'attirant contre elle, essuya ses larmes en lui annonçant :

— Vous devez prendre rendez-vous chez le coiffeur.

— C'est impossible! s'insurgea immédiatement Anna. Je ne saurai pas quoi dire! On me prendra pour une imbécile!

— Dans ce cas, nous allons faire un essai, décréta Lynn en la poussant vers un tabouret.

Quelques tentatives plus tard, la jeune femme renonçait avec un air navré.

— Je ne peux rien faire; les mèches sont de différentes longueurs, expliqua-t-elle. Vos cheveux ont besoin d'être égalisés. Je vais téléphoner pour prendre rendez-vous et je vous accompagnerai. C'est la moindre des choses, après ce que vous faites pour moi...

Anna ravala ses protestations. C'était la première fois qu'elle se sentait à son aise en présence de Lynn. Malgré le rapprochement qui avait suivi la crise de nerfs de Lynn le jour de son arrivée, les deux femmes n'avaient en commun que Simon, tant les mondes dans lesquels elles vivaient étaient différents. Si Anna comprenait que Lynn pût être jalouse de sa liberté, elle ne pouvait cependant s'expliquer qu'en retour, elle pût lui envier son allure, son maintien, ses enfants. Et même sa grossesse. Elle devait accepter l'effort que Lynn faisait pour elle et, plutôt que d'ergoter, elle opina docilement du chef.

— Vous avez raison. Je me fie à vous.

Lynn se tenait à ses côtés, un rouleau dans chaque main. Dans un élan spontané, elle serra Anna dans ses bras, laquelle se raidit instinctivement tout en prenant conscience d'une perception toute nouvelle : les gens commençaient à la toucher. C'est pourquoi elle lui rendit chaleureusement son étreinte.

— Merci, merci beaucoup, mais... parliez-vous sérieusement quand vous disiez que vous vous rendriez à Londres habillée comme...

— ... comme quelqu'un de normal, compléta Anna. Mais j'ignore encore ce que je vais mettre. Comme me l'a expliqué sœur Godric, je n'ai aucune chance d'être prise au sérieux si je m'y rends en robe de religieuse et je crois qu'elle a raison... Croyez-vous que je puisse emprunter quelques-uns de vos vêtements?

Elles parlèrent donc chiffons, à voix basse afin de ne pas réveiller Jamie, tandis qu'Anna essayait blazers et chemisiers de soie, jupes et loden, pour finalement porter son choix sur un ensemble de laine peignée bleu nuit qu'elle porterait avec un chemisier de soie blanc. La jupe était trop ample à la taille, mais une ceinture de cuir bleu marine suffit à y remédier. Anna étant plus grande que Lynn, la jupe lui effleurait à peine le dessus du genou. Anna protesta : « Mais non, ce n'est pas possible » mais Lynn lui tendait son rasoir électrique pour femme et une paire de collants très fins en déclarant :

— Quand faut y aller, faut y aller. Et tant qu'à faire, poursuivit-elle inexorablement devant le regard réticent d'Anna, achetez-vous donc quelques sous-vêtements. Aucun de ceux que je possède ne vous ira. Quant à ceux que vous portez actuellement, ils sont beaucoup trop volumineux. Il vous faut un soutien-gorge en dentelle que vous porterez sous votre chemisier et une paire de chaussures décentes. Avec des talons, conclut-elle, parce que ce tailleur ne supporte pas des talons plats.

Anna acquiesça docilement.

Le jour suivant, sur le chemin de la filature, elle gara sa voiture près de Darley Street et descendit jusqu'au centre-ville. Il était tôt, neuf heures à peine, et quelques magasins étaient encore fermés. C'était la première fois depuis longtemps qu'elle s'achetait des vêtements, et c'est pourquoi elle eut un mouvement de recul en voyant exposés des jupes exagérément courtes et des chemisiers généreusement échancrés. Ces styles de vêtements étaient extraordinaires, se dit-elle cependant. Ces collants portés sous une jupe assortie, longue et généreusement fendue, ces pantalons amples comme ceux des caricatures des marins assortis à des maillots rayés et des bottines à tige, tout cela, de conception trop extrême pour son goût à elle, l'impressionnait.

Au fond de Darley Street, elle eut l'heur de découvrir

l'unique magasin qui semblait n'avoir pas changé. Elle reconnut les foulards de soie élégamment exposés parmi des cravaches d'équitation dans une vitrine de Rackham, les robes du soir et les rangs de perles, les chaussures cousues main. À l'entrée, en revoyant les visages de porcelaine des vendeuses, aux paupières fardées et aux lèvres carminées, même le rayon des cosmétiques lui parut familier. Cela lui fit revivre les primes heures de son enfance, quand elle accompagnait dans les grands magasins sa mère pour qui ces produits de beauté faisaient partie du quotidien. Elle passa rapidement ce rayon, consciente des regards furtifs en direction de son habit, et prit l'ascenseur pour le premier étage où se trouvait le rayon lingerie. Là, elle resta si longtemps immobile sur le seuil de l'ascenseur que le vieux liftier lui demanda si elle ne s'était pas trompée d'étage. Avec un sourire désarmé, elle fit alors quelques pas en avant.

Devant elle, dans l'espace parfumé aux couleurs pastel, elle pouvait admirer des créations de satin, de dentelle et de lycra. Des soieries aux couleurs chatoyantes étaient exposées sans transition près de cotonnades imprimées. Des chemises de nuit transparentes côtoyaient des vêtements indéniablement plus appropriés à Scarlett O'Hara qu'à une religieuse de Bradford : soutiens-gorge pigeonnants, bustiers de dentelle... Détournant la tête, Anna se surprit à fixer d'un air ébahi des petites culottes de nylon couleur chair totalement transparentes.

Derrière leur comptoir, quelques employées tendirent le cou, dardant sur Anna un regard soupçonneux. Intimidée, elle se glissa silencieusement à travers les allées et alla trouver refuge parmi les manteaux. Un coup d'œil sur quelques étiquettes la fit sourciller : il n'y en avait pas un qui valût moins de cent quarante-cinq livres!

Après quelques circonvolutions, elle en vint à choisir une culotte d'une frivolité éhontée, quoique tout à fait banale pour l'endroit, et se mit à l'examiner d'un air circonspect. Avec un tel sous-vêtement, aucune chance qu'elle fût à l'abri des courants d'air, comparé à sa culotte de flanelle qu'elle avait cousue elle-même point par point. Encore devait-elle s'estimer heureuse car, comme le lui avaient fait observer quelques doyennes, certaines d'entre elles ne portaient pas de culotte du tout au moment où elles avaient pris le voile, pour la simple raison que, dans la garde-robe prescrite par l'Ordre, il n'était pas fait mention de culotte de quelque nature que ce fût. Néanmoins, Anna n'ignorait pas non plus que certaines religieuses n'avaient pas hésité à faire preuve de modernisme en s'octroyant des sous-vêtements de chez Marks & Spencer.

Avec un soupir de dérision, elle se dirigea vers les présentoirs de soutiens-gorge dont elle décrocha un emballage pour lire la description de son contenu : soutien-gorge sans armature, extensible, pigeonnant, au soutien parfait, bretelles ajustables, renfort caché, séparation marquée... un véritable mode d'emploi pour nuit de noces.

Les nombreuses photographies agrémentant les présentoirs, où l'on voyait des femmes exhibant de larges portions de chair au lustre satiné émergeant de réceptacles de styles variés ne l'aidèrent que peu. En dépit du fait que ces soutiens-gorge fussent disponibles dans toutes les tailles et les formes imaginables, aucun d'eux ne semblait convenir à son style de poitrine. Elle examina désespérément différentes pointures, sans toutefois réussir à se rappeler celle de son dernier soutien-gorge. Elle en avait pourtant apporté deux dans ses bagages. Mais le jour qui avait suivi la prise d'habit, quand elle était passée de l'état de novice à celui de religieuse à part entière, elle avait certes retrouvé ses vêtements propres sur son lit, mais ses sous-vêtements ne lui avaient jamais été restitués.

Des notes de musique filtraient doucement à travers l'atmosphère suffocante de l'étage. Anna scruta désespérément les présentoirs croulant de marchandises inconnues. Comment les femmes pouvaient-elles porter de semblables accoutrements? Comment faisaient-elles pour s'attifer de bas résille et de bustiers écarlates dignes d'un décor d'opérette?

Anna s'attarda longuement devant un mannequin revêtu d'une longue chemise de nuit et d'un peignoir de satin gris orné de petites perles disposées en forme de fleur. Voilà une tenue qu'elle ne détesterait pas porter le soir chez elle, constata-t-elle avec effroi, oublieuse que de tels vêtements étaient conçus pour des femmes ordinaires, celles qui n'avaient d'autre envie que d'être bien dans leur peau. Elle repensa à sa chemise de nuit de pilou à manches longues et col montant, et aux draps rêches dans lesquels elle se glissait avec réticence. Un tout autre monde, décidément. Elle osa une main en direction de l'objet de sa fascination, mais la retira aussitôt, trop rude, presque brutale en regard de la délicatesse et de la fragilité du vêtement. Les yeux brouillés, sentant qu'elle s'apitoyait sur elle-même, elle s'admonesta in petto : « Espèce d'idiote, ces choses-là ne sont pas faites pour toi. Tout cela n'est que vanité et complaisance de soi. Des extravagances pernicieuses. »

« Mais si jolies quand même », lui susurra une petite voix.

« Oui, mais pour les autres, pas pour moi, surtout pas pour moi ».

Elle détourna les yeux du visage inexpressif du mannequin, fit un pas en arrière et se rendit compte que son voile était accroché à un présentoir circulaire. Elle voulut se libérer, mais ses tentatives se soldèrent par bon nombre de sous-vêtements répandus sur le sol. Mortifiée par tant de maladresse, elle s'accroupit pour les ramasser. Ce n'est que lorsqu'elle vit des gouttes d'eau tomber sur ce dont elle tentait fébrilement de faire le tri qu'elle se rendit compte qu'elle pleurait. Que se passait-il donc? Personne ne verse de larmes sur de la lingerie fine. Elle qui avait une sainte horreur de se faire remarquer, voilà qu'elle pressait contre sa poitrine ces objets de fatuité, envahie d'un profond sentiment de ridicule. Comme si, persiflait la petite voix intérieure, une nonne larmoyant parmi des petites culottes pouvait passer inaperçue.

— Ne vous inquiétez donc pas, madame, je vais m'en occuper, la rassura une paire de bas noirs.

Anna s'entendit débiter un flot d'excuses, tandis que la jeune fille replaçait distraitement les différents articles à leur place.

— À présent, puis-je vous être utile, madame?

Le ton de voix laissait clairement entendre qu'on s'attendait à ce qu'elle achetât quelque chose. C'était une jeune personne aux cheveux tirés à outrance vers le sommet du crâne. Si elle trouvait étrange le comportement d'Anna, elle ne le montra pas.

— Cherchez-vous quelque chose pour vous ou pour quelqu'un d'autre?

— C'est cela, renchérit Anna avec un battement de paupières précipité, trop heureuse de saisir la perche qu'on lui tendait. Je voudrais faire un cadeau à ma belle-sœur. Elle a à peu près la même corpulence que moi et souhaiterait quelque chose de très simple. Malheureusement, je ne connais pas ses mensurations...

La jeune fille acquiesça et fixa la poitrine d'Anna avec un désintérêt tout professionnel.

— Un trente-quatre A devrait aller.

Anna se demanda aussitôt comment elle pouvait en être si sûre, compte tenu de l'épaisseur de son vêtement. Mais cela ne semblait guère tourmenter la vendeuse qui fit tourner le présentoir pour sélectionner trois modèles de soutiens-gorge différents.

— Ce sont les plus simples que nous ayons.

Anna désigna celui du milieu, tendit sans faire de commentaire la petite culotte qu'elle avait gardée serrée contre sa poitrine et se plongea dans son sac pour y pêcher son porte-monnaie. Assez d'emplettes pour la journée. Les chaussures attendraient un autre jour.

Pour se rendre chez le coiffeur, chez le styliste, corrigea Lynn, Anna dut emprunter une jupe et un gilet. L'échoppe, le salon, insista Lynn, était vaste et blanche, meublée de noir avec des « spots » encastrés surplombant chaque lavabo, sans qu'à son grand regret Anna y décelât de cabine privée. Avec sa chemise bouffante, son denim au ceinturon lourdement décoré, Alan se donnait des airs de faux dur et ce n'était certes pas son front dégarni qui contribuait à le rendre plus sympathique. Impitoyable, il repoussa d'un geste méprisant quelques mèches disparates.

— Affreux, lâcha-t-il avec cette moue caractéristique aux gens de sa profession. Puis, accusateur : Vous avez essayé de les couper vous-même, bien sûr...

Lynn jugea bon de s'interposer :

— Elle travaillait dans une... ferme du pays de Galles. Elle n'a jamais eu le temps d'aller chez le coiffeur.

Après un clin d'œil à Anna, Lynn annonça qu'elle allait faire quelques emplettes, pendant qu'Alan poursuivait son état des lieux, entrecoupé de grommellements et de soupirs las. Avec des gestes empruntés, il fit courir un peigne dans les cheveux mouillés d'Anna.

— Vous avez une jolie forme de crâne, c'est déjà ça, concéda-t-il. Je vais tâcher d'y mettre un peu de volume.

Tandis que, dans un cliquetis de ciseaux étourdissant, Alan s'attaquait aux cheveux d'Anna, celle-ci tenta d'ignorer l'air profondément navré de l'homme, un peu comme s'il avait assez de soucis comme cela, sans qu'il fût nécessaire d'y ajouter cette corvée-là. Occasionnellement, le geste en suspens, il lui posait une question impossible du genre : « où comptez-vous passer vos vacances cette année? » ou bien « quel genre de shampooing utilisez-vous... » Quand elle lui annonça qu'elle fabriquait elle-même son savon, toute velléité de conversation s'arrêta là.

Il ne fallut pas moins de deux personnes pour sécher les quelques mèches qu'elle avait sur la tête. Un jeune apprenti d'une quinzaine d'années à l'expression bornée tenait le séchoir pendant qu'Alan prenait un malin plaisir à lui passer sur le crâne une brosse si dure qu'elle avait l'impression qu'on lui arrachait le cuir chevelu. La touche finale se fit du bout des doigts, en tirant sur des mèches çà et là. Finalement, Alan s'empara d'un miroir et présenta son œuvre, de profil et de dos, sans un mot.

Comme l'eût si bien dit sœur Edburga, ce qu'elle vit dans le miroir pouvait être « n'importe qui », étonnée qu'Alan-le-styliste l'eût en un tournemain changée en un semblant de femme. Sur le devant, les cheveux étaient coupés court et remontés en brosse comme on en voit sur les caniches tondus; mais assez longs sur le dessus cependant, pour mettre en valeur la forme de son crâne — comme l'avait promis le cher Alan — avec des sortes de pattes qui dégageaient les oreilles — qu'elle avait fort heureusement petites et bien dessinées — en mettant en relief les pommettes hautes et saillantes qu'elle ne se connaissait pas. De dos, on aurait pu croire à une coiffure d'homme, n'eût été la longue mèche effilée qui descendait assez bas sur la nuque. Elle hocha la tête, incapable de supporter la vision froide et dure de son propre reflet.

— C'est... merci beaucoup, croassa-t-elle en déglutissant douloureusement.

Le styliste dut prendre son désarroi pour une manière d'émerveillement muet car, ravi, il ménagea un sourire à Lynn lorsque celle-ci passa à la caisse.

— C'en valait la peine, fit-elle, admirative. Même si nous devons manger des pâtes le restant de la semaine.

Puis Lynn la conduisit chez l'esthéticienne. Aux protestations d'Anna, elle répondit simplement :

— Je leur ai demandé de s'occuper de vous. Vous avez des années de laisser-aller à rattraper.

Ainsi donc, Anna fut ensevelie sous des monceaux de serviettes roses, tandis que Denise, une jeune fille à la peau si parfaite qu'Anna en fut tout intimidée, se mettait à lui épiler les sourcils. Penchée au-dessus de la grande blouse blanche qu'Anna avait dû enfiler presque de force, la jeune fille lui expliqua qu'elle ne lui en ôterait pas trop parce que, cette année, la mode était aux sourcils épais, comme on pouvait en juger par ceux de Margaux Hemingway. Tout en se demandant ce que les sourcils d'Ernest venaient faire dans cette galère (la petite-fille du célèbre écrivain lui étant parfaitement inconnue), Anna regimba un peu, puis se tint coite. Elle se soumit à la lotion clarifiante, à la crème exfoliante (au passage, ce vocable lui parut plus approprié pour un arbre), pendant que Denise lui expliquait comment appliquer l'ombre à paupières et le rouge qui siérait le mieux à ses lèvres. Cette fois, Anna apprécia le résultat avec un soulagement coupable : elle ressemblait enfin à n'importe qui. « Mieux que cela » surenchérit sa petite voix intérieure. Quand elle émergea de sa cabine, Lynn leva les yeux de son magazine.

— Mon Dieu, mon Dieu, fit-elle, et moi qui croyais que Cendrillon était un conte de fées.

CHAPITRE QUATORZE

En revanche, Anna n'eut aucun besoin d'emprunter un réveille-matin à sa belle-sœur pour savoir qu'il était cinq heures : malgré sa métamorphose, elle vivait toujours à l'heure du couvent. Elle resta un moment étendue, savourant la douceur tiède de son duvet. Plus de deux mois s'étaient passés depuis son douloureux réveil dans sa cellule. Comme pour se rassurer, elle parcourut des yeux la chambre, aux couleurs chaudes et lumineuses. La journée s'annonçait rude et, dérogeant à la règle, elle s'octroya le luxe de dire ses prières au lit. Juste au moment où elle se levait, elle entendit Lynn descendre; et quand elle descendit à son tour, douchée et vêtue, un petit déjeuner l'attendait déjà. Il était à peine six heures.

Appuyée contre l'évier, les cheveux rassemblés en plumeau sur le sommet du crâne, Lynn sirotait une tasse de thé. Elle semblait pâle et fragile, les yeux boursouflés des pleurs auxquels elle ne s'abandonnait que la nuit, au plus profond de sa solitude, quand Anna ne pouvait l'entendre, croyait-elle. Son poignet grêle émergeait de la robe de chambre rayée de son mari. Elle avait les joues creuses et le visage défait, et sa maigreur rendait sa grossesse encore plus évidente. Anna eut pitié d'elle. C'est pourquoi, en vérifiant ses documents, elle s'efforça de se montrer plus rassurée qu'elle ne l'était. Au moment où elle quitta la maison, elle perçut le regard que Lynn posa sur sa mallette, celle, en fait, qui avait appartenu à Simon. Lynn avait tenu à ce qu'elle s'en servît pour la circonstance, et, après quelques faibles protestations, Anna avait accepté, se disant que le porte-documents de cuir noir lui conférerait peut-être une autorité et une assurance qu'elle était loin de ressentir.

— Vous êtes magnifique, lança Lynn depuis le seuil d'entrée. Bonne chance!

— Je vous téléphonerai, promit Anna. À ce soir.

Peter Hallam avait proposé de l'accompagner à la gare, mais elle avait refusé. Après la désastreuse escapade dans les Moors survenue deux jours avant son retour au cloître, elle n'avait plus mis les pieds à la filature. En raison de son habit trempé, avait-elle prétexté, alors qu'en vérité, elle se sentait bourrelée de remords et d'appréhension.

Elle s'était comportée comme une idiote, et, sur le chemin du retour, elle ne s'était pas privée de le lui dire, ainsi que sa gêne de lui avoir causé tout ce dérangement. À cela, il avait laconiquement répondu qu'elle ne lui devait aucune excuse.

Les trois jours précédant son départ pour Londres, elle avait travaillé, enfermée entre les quatre murs de son bureau. Par ailleurs, Hal avait été si occupé qu'ils ne s'étaient parlé qu'en de rares occasions. En outre, avec toutes les allées et venues du personnel, il n'était pas question que l'un ou l'autre fît allusion à ce terrible et bouleversant baiser. Baiser qui, au reste, ne devait rien signifier pour lui, se répétait-elle. Ce comportement-là, il l'aurait eu avec n'importe quelle femme dans une situation similaire. Aussi prit-elle la résolution de ne plus y penser.

La correspondance de Leeds arriva avec quelques minutes de retard, et c'est pourquoi elle dut se hâter de traverser les voies pour attraper son train pour Londres déjà bondé. Les injonctions de mère Emmanuel, omniprésentes à son esprit, l'incitèrent à rechercher une place près d'une femme, mais à cette heure-là, peu de femmes se trouvaient dans le train. Elle en vit deux, revêtues de la tenue traditionnelle du cadre féminin, déjà plongées dans d'épais dossiers pendant qu'une troisième dictait son courrier à voix basse sur un magnétophone miniature. Là, c'étaient des jeunes filles, des secrétaires, probablement, qui regagnaient Londres après une fin de semaine passée chez papa et maman. Dans un autre compartiment, une femme en tenue de gardienne de prison s'installait, son manteau soigneusement plié sur ses genoux. Anna aurait bien voulu s'installer près d'elle, mais c'était un compartiment pour fumeurs. De guerre lasse, au bout du quatrième compartiment, elle opta pour une place près d'une fenêtre. Elle préparait son billet de chemin de fer advenant le passage du contrôleur, quand elle remarqua un exemplaire de l'*Independant* oublié à côté de son siège. Voilà qui tombait fort à propos, d'autant plus qu'elle avait envisagé d'acheter un journal dans un kiosque de la gare mais qu'elle s'était ressaisie à temps, considérant que cette dépense était un luxe qu'elle ne pouvait s'offrir. Au couvent, on ne lisait que l'*Osservatore Romano*, le journal officiel du Vatican, ainsi que le *Tablet*.

Anna déplia le quotidien. Bien que ce fût l'édition de la veille, les gros titres n'en paraissaient pas moins alarmants. Elle n'avait jusqu'alors eu que peu conscience du chaos qui régnait dans certains pays : Chili, Argentine, Liban... On rapportait des attentats sikhs aux Indes, des massacres de Noirs dans des ghettos de République sud-africaine. Les faits divers relataient le viol d'une femme par son père, alors qu'elle était enfant. Anna se rendit compte qu'elle grattait anxieusement la marque au-dessus de son arcade sourcilière, marque dont elle portait encore quelques traces malgré le fond de teint. Une jeune fille portant chemisier et cravate vint se pencher sur son épaule.

— Désirez-vous quelque chose? thé, café? proposa-t-elle avec un geste en direction de son chariot.

Anna prit un thé dont le goût était grandement redevable au gobelet de polystyrène qui le contenait. Alors que d'ordinaire elle s'évertuait à ne pas dévisager les gens, voilà que, tout en sirotant son thé, elle se mit à observer l'homme qui lui faisait face, oublieuse de la modestie du regard inhérente aux pratiques du couvent.

Comme se plaisait à le répéter la mère supérieure « la chasteté du cœur commence par celle du regard ». L'on ne devait regarder que devant soi, en direction de Dieu. À partir de ce précepte, certains ordres avaient poussé le zèle jusqu'à adopter une coiffe à œillères agrémentée de nombreux volants, afin que l'on ne fût point distraite de Lui. Anna baissa pudiquement les yeux, non sans avoir remarqué au passage l'intérêt que portait l'individu à ses genoux. Embarrassée, effarouchée même, elle tira tant qu'elle put sur sa jupe, tandis que lui montait au front une bouffée de chaleur. « Nom d'un chien de nom d'un chien » ragea-t-elle, sachant que l'homme persistait à la reluquer, à ne voir d'elle qu'une paire de (jolies?) jambes, et à lui porter un intérêt qu'elle ne souhaitait pas.

Dame! On ne regarde pas une religieuse de cette façon-là. Les quelques hommes qu'elle avait incidemment rencontrés au pays de Galles, en l'occurrence le jardinier et le vieux prêtre qui ne débordait pas d'affection pour les religieuses, mais venait tout de même leur dire la messe parce qu'elles faisaient partie de son diocèse, la considéraient moins comme un corps féminin à part entière que comme une esquisse stylisée faisant partie d'un tout. C'est sans doute la raison pour laquelle elle s'était toujours sentie en sécurité parmi eux. Même les allusions salaces et les regards obliques de Stan Beattie n'avaient pas réussi à lui faire perdre contenance. Sans lui être sympathique, l'homme lui était néanmoins familier; et pour repoussants qu'eussent été les ébats entr'aperçus dans le bureau de son frère, Anna ne s'était jamais sentie concernée, et encore moins menacée.

La notion ne lui avait jamais effleuré l'esprit, mais aujourd'hui, probablement pour ne l'avoir point endossé, son habit lui faisait l'effet d'une sorte de déguisement qui lui conférait une identité ou une non-identité. Elle en aimait pourtant chacun des éléments, comme le cordon autour de la taille avec ses trois nœuds, symbole de chacun de ses vœux. Même en envisageant d'y renoncer, son habit n'entrait aucunement en ligne de compte dans les raisons de son départ. De fait, il participait tellement de sa vie qu'il avait fallu un curieux événement pour qu'elle appréhendât pleinement son inadéquation.

Cela s'était passé à Bradford. Elle avait emmené les garçons au parc, non loin de la maison, pendant que Lynn prenait un peu de repos. Il faisait froid et, hormis un couple d'amoureux sur un banc, l'endroit lui appartenait. En les voyant enlacés et seuls au monde, Anna avait ressenti un petit pincement au cœur, mais avait néanmoins très vite oublié leur présence. C'est seulement quand Jamie s'était mis à pleurer à cause d'une écorchure au genou, que les amoureux avaient paru remarquer sa présence. En la voyant dans son costume, ils s'étaient mis à rire sous cape, à pouffer sous l'œil effaré d'Anna. Quelle qu'eût été leur impression personnelle, elle avait alors compris que ce qui les faisait réagir ainsi, c'était le message sous-jacent à son habit, sorte de dénégation de toute expression de vie, de vitalité, de sexualité. Tout compte fait, plutôt que d'être le symbole féminin et tangible de Dieu en ce bas monde, cet habit ne la réduisait-il pas à un rôle d'image pieuse?

D'autant qu'à cet instant, c'était en tant que femme qu'elle était perçue, même si l'expérience était loin de se révéler exaltante. Mais ne l'avait-elle pas « cherché »? Bien que discret, son maquillage — depuis le fond de teint jusqu'au mascara en passant par la légère touche de rouge à lèvres — lui procurait la sensation de s'être grimée. Le contact du tissu de son siège contre ses cuisses la gênait, sorte d'intrusion dans sa féminité, entre ses jambes trop nues et trop longues, si embarrassantes qu'elle ne savait ni où ni comment les placer. Elle envisagea de les croiser, mais elle se souvint de sœur Godric et de ses paroles sur la chasteté. Elle se limita donc à serrer les genoux, essayant d'oublier des petits boutons de son porte-jarretelles qui lui meurtrissaient les cuisses. Ces bas de nylon et ces talons hauts, sur lesquels Lynn avait soupiré d'un air fataliste sous prétexte qu'ils n'étaient pas assez hauts, lui donnaient le sentiment d'être aussi désarmée que l'agneau que l'on vient de tondre. Elle ferma les yeux. Le compartiment était mal aéré et, au-delà de l'odeur de café de la British Rail, elle reconnut celle de déodorant et de lotion après-rasage.

Dans l'obscurité ainsi créée, elle se mit à jouer à un jeu. À bien des égards, elle commençait à comprendre qu'elle n'était encore qu'une adolescente et que, si sophistiquée que fût son apparence (son miroir le lui avait confirmé ce matin-là), elle était totalement ignorante des règles de conduite les plus élémentaires entre personnes de sexe opposé. Comment réagissait une femme ordinaire face à un comportement semblable à celui de l'homme qui lui faisait face? S'en trouvait-elle ravie ou navrée? Restait l'indifférence...

Elle n'était pas même apte à donner un sens à l'attitude de Peter Hallam à Bradley Moor. Malgré sa conviction qu'il ne s'y frotterait plus, comment réagirait-elle (la tête lui tournait rien que d'y penser) si cela se reproduisait? Quels que pussent être ses projets d'avenir, elle n'en restait pas moins une nonne liée à ses vœux. Elle ne pouvait pas plus longtemps poursuivre cette vie-là, mais sa foi profonde n'en était pas pour autant affectée. N'empêche qu'Hal avait réussi à l'émouvoir au plus profond de son cœur. Elle pouvait tout nier, tout réfuter, mais pas les nuits blanches qu'elle avait connues depuis ce moment-là.

Anna avait été tellement conditionnée à refouler toute notion de sexualité, de la bannir autant que faire se peut de son esprit, qu'elle ne parvenait pas à démêler le nœud de ses sentiments contradictoires. D'une part, il y avait Stan Beattie et cette femme, qu'elle avait surpris dans une attitude innommable et traumatisante qui avait renforcé sa conviction selon laquelle sexualité équivalait à luxure, débauche, saleté, bassesse... De l'autre, il y avait ce baiser reçu dans les Moors et qu'il était difficile de loger à la même enseigne. Ç'avait été un baiser tendre et doux offert avec une spontanéité enfantine... mais qui lui avait néanmoins remué les sens, même si elle refusait de l'admettre. Son corps avait réagi sans tenir compte de ses vœux; mieux encore, il avait cherché à se rapprocher du corps de l'autre, à se comporter d'une manière échappant à tout contrôle. Il y avait eu cette moiteur entre ses cuisses et ses seins qui lui avaient fait mal, quand l'homme les avait pris dans ses mains.

Assez! Assez! Anna rouvrit les yeux et rectifia sa tenue. Mon Dieu, pardonnez-moi pour avoir eu de telles pensées...

Devant elle, le sourire de l'homme annonçait quelque velléité de conversation.

Elle se rappela un exemplaire de *Wool Record* que Peggy avait glissé dans sa mallette et se mit à le feuilleter, davantage pour faire écran que pour son intérêt. Elle dut lire un article presque en totalité avant d'en percevoir l'incidence sur un sujet qui la touchait de près. Au fur et à mesure de sa relecture, elle sentait son esprit s'embraser. Le prêt-à-porter japonais, lut-elle, était le chef de file dans l'utilisation de tissus écossais dans la composition desquels on trouvait aujourd'hui un grand pourcentage de soie. Le mélange laine et soie, parfaitement adapté à des latitudes tempérées, semblait combler les attentes des Japonais qui découvraient là des vêtements à la fois chauds et légers... Elle sauta la suite pour reprendre un peu plus loin : Aujourd'hui, ces filatures filent elles-mêmes leur propre soie. Pour la saison prochaine, on s'attend à voir apparaître un nouveau mélange, combinaison de laine, de soie et de lin.

« Si tu crois rêver, tu n'as qu'à te pincer » disait sa grand-mère. Elle se tourna vers la fenêtre, le regard perdu dans le lointain. Les mots qu'elle venait de lire résonnaient encore dans sa tête : vêtements plus légers... demande croissante... combinaison idéale... particulièrement appréciée en Europe...

La clé du problème était là. Comment n'y avait-elle pas pensé plus tôt? Lynn et elle avaient passablement débattu du sujet, teindre du fil de soie et le combiner avec du fil de laine afin d'obtenir des mélanges originaux; mais elles n'avaient pas poussé l'idée assez loin. Ces tisserands écossais fabriquaient des tissus pour vêtements; mais ce qui était valable pour le tissage l'était aussi pour le filage. À présent qu'elle tenait son idée, Anna se demandait comment quelqu'un n'y avait pas pensé avant elle. Mais, pour autant qu'elle s'en souvînt, ce genre de textile ne se fabriquait qu'en quantités très réduites et à des prix exorbitants pour les marchés de la haute couture et de la tapisserie d'art.

Nightingale Mill pouvait produire non seulement de la très belle laine, mais aussi de magnifiques fibres, mélange de soie, de lin, de mohair, légères et lustrées qui donneraient de merveilleux tissus. Son marché? Anna le voyait déjà : les milliers de femmes des petites villes comme Welshpool qui tricotaient pour le plaisir.

Elle lut attentivement l'article une troisième fois et prit quelques notes sur le calepin de son frère défunt.

La banque occupait une grande partie du bâtiment ancien.

Les dalles de marbre et des portiers en uniforme ne suffirent pas à la préparer à l'opulence des lieux.

Deux étages avaient été aménagés en galeries afin de dégager un grand espace du haut duquel tombait, sorti on ne sait d'où, une cascade d'eau parmi une végétation luxuriante jusque dans un bassin turquoise. Deux escaliers étiraient leurs courbes élégantes jusqu'aux étages des bureaux. Malgré la grande activité qui régnait parmi le personnel, Anna n'entendit que le bruit de la chute d'eau et les faibles accords d'une guitare espagnole.

Sans les mots de Maynard Gideon imprimés sur la brochure qui se trouvait devant elle, Anna se serait crue sur un plateau de cinéma et ce n'est certes pas l'homme qui se dirigeait vers elle qui l'aurait démentie. Il portait des lunettes à peine fumées et un costume légèrement ample du bon faiseur.

— Mademoiselle Summers, heureux de vous connaître, George Tyler. Nous nous sommes déjà parlé, je crois, commença-t-il, la main tendue.

Elle hésita une fraction de seconde, durant laquelle elle se rappela deux importantes recommandations que lui avait faites sœur Godric : « Premièrement, regardez les gens droit dans les yeux. Départissez-vous de votre attitude chaste et réservée, vous passeriez pour une imbécile. Deuxièmement, oubliez le manuel et ne refusez jamais de serrer la main de quelqu'un. Ayez une poignée de main ferme et franche ». Elle suivit ces conseils.

— Enchantée, monsieur Tyler.

Tyler lui tint la main à peine plus longtemps qu'elle ne l'avait escompté et le doute la saisit aussitôt. Peut-être avait-elle serré trop fort, peut-être avait-il perçu un message implicite. Ce n'était pas la première fois qu'elle regrettait de ne pas connaître le sens de tous ces non-dits.

— Venez donc vous asseoir, invita-t-il en l'orientant vers le bassin.

Deux sofas de cuir fauve disposés en angle formaient un coin conversation orné de tables basses surmontées de lampes orientales. Les sofas se révélèrent plus moelleux qu'elle ne l'avait prévu, aussi y prit-elle place avec précaution, le dos plat, de crainte de basculer les quatre fers en l'air, pendant qu'une domestique en uniforme s'empressait déjà de leur servir du café. Tout en portant la tasse de porcelaine à ses lèvres, elle jeta un coup d'œil autour d'elle, surprise de tant de modernisme.

Un coup d'œil de biais lui apprit que George Tyler plaçait discrètement devant lui un dictaphone et une calculatrice de poche. Bien qu'un peu prise de court, elle comprit que leur entretien allait prendre un tour des plus conventionnel.

— Tout d'abord, mademoiselle Summers, me permettez-vous de vous présenter nos condoléances pour le décès de votre frère. Cela a dû être un terrible choc pour la famille.

Après qu'elle eut bredouillé un remerciement, l'homme se pencha pour actionner sa machine.

— J'ai cru comprendre que vous aviez un directeur, un monsieur Beattie, je crois. J'avais espéré qu'il vous accompagnerait...

Elle repensa à Beattie et à son insupportable agressivité des dernières semaines. Lui révéler l'énorme dette contractée par Simon n'eût fait qu'apporter un peu plus d'eau à son moulin. Moins il en saurait et mieux ce serait, avait-elle décidé.

— Nous sommes si débordés qu'il lui était impossible de perdre une journée. À vrai dire, afin d'honorer nos commandes, nous nous sommes vus contraints d'instaurer un quart de nuit, dès la semaine prochaine (inutile de préciser que c'était parce qu'elle avait fait réinstaller les anciennes machines, beaucoup plus lentes).

— Et ces commandes vous viennent de...

— Courtaulds. Nous exécutons de petits lots pour leurs nuanciers.

Sans attendre, elle reposa sa tasse et ouvrit sa mallette. Sœur Godric lui avait expliqué en détail ses plans et projections et Peggy s'était chargée de les mettre noir sur blanc. Non sans mal, d'ailleurs, attendu qu'elle avait demandé à l'une de ses amies de le lui dactylographier sur traitement de textes, avant de se rendre au centre-ville pour faire relier le document. Bien que n'en ayant soufflé mot, Anna avait considéré cette démarche comme une perte de temps et d'argent. S'il n'avait tenu qu'à elle, la vieille Olivetti et une bonne agrafeuse eussent fait l'affaire tout aussi bien. Non point qu'elle considérât ce document de peu d'importance, mais c'est ainsi que cela se pratiquait au couvent. Si tant de manières avaient été pour elle une sorte d'orgueil mal placé, le fait d'exhiber de la belle mallette de Simon un document très « professionnel » lui inspira une profonde reconnaissance envers la vieille dame.

Tandis que George Tyler le parcourait, deux autres hommes firent leur apparition, et lui furent aussitôt présentés : l'un d'eux était le supérieur hiérarchique de Tyler, qui s'entretint quelques instants avec Anna pour dire combien il était navré des difficultés, en espérant que tout s'arrangerait au mieux... Le signal sonore d'un téléphone de poche le contraignit alors à s'excuser. Le second personnage se servit une tasse de café et alla s'installer à l'extrémité du sofa opposé à Anna.

Tyler prit quelques notes, puis se mit à poser quelques questions : quels étaient ses antécédents, son expérience? Summers avait deux versements de retard, quand pensait-elle régulariser sa dette? La filature serait-elle en mesure d'honorer les mensualités suivantes? Il reposa le document relié sur la table basse. Certains chiffres lui échappaient. Pourquoi Summers avait-il rendu une machine flambant neuve, alors que le prêt avait été accordé en vue de l'acquisition de nouveaux équipements?

Le second homme, Daniel Stern, s'empara du dossier et se mit à le parcourir, tout en écoutant Anna expliquer les deux derniers mois passés à se familiariser à nouveau avec la filature. Quand Tyler lui demanda quelles avaient été ses activités au cours des dernières années, elle se rappela la réponse qu'avait produite Lynn à son « styliste ».

— Je m'occupais d'une ferme au pays de Galles, dit-elle sans avoir l'impression de mentir. Je fournissais en laine les détaillants de la région; et la demande était si forte que je ne parvenais pas à en produire suffisamment — elle se pencha en avant, sûre de son propos, animée d'une conviction qu'elle voulait faire partager — Summers est une petite entreprise. Je crois même que c'est la dernière filature verticale de Bradford.

— Qu'entendez-vous par « verticale », madame Summers?

La question vint ex abrupto de Daniel Stern, qu'elle avait presque oublié. Elle se tourna lentement pour plonger son regard dans celui de l'homme.

— Mademoiselle, corrigea-t-elle avant de poursuivre. Une filature verticale est une filature capable de prendre en charge chacun des processus du traitement de la laine, car, de nos jours, en raison des fortes quantités à traiter, les différentes tâches sont confiées à des entreprises spécialisées. Il n'existe plus aucune filature qui traite le produit du producteur au consommateur, si je puis dire, alors que nous, si. Nous achetons de la laine, la traitons, la teignons, la filons nous-mêmes.

— Mais vous ne commercialisez pas le produit final...

— Non. Nous le livrons seulement en grosses bobines. Ce sont les grossistes qui se chargent de les distribuer sous forme de pelotes en y apposant leur étiquette.

Tout en exposant ses idées, Anna se mit à observer Daniel Stern. Avec son costume trois pièces impeccable et sa chemise blanche aux boutons de manchettes en or, ce dernier offrait une image bien plus conventionnelle que Tyler. Cela lui rappela une réflexion qu'elle faisait à son frère quand ce dernier se préparait pour aller danser : « Jusqu'à quelle heure dois-tu rester en vitrine? » se moquait-elle gentiment. Elle allait baisser la tête pour cacher le sourire qui montait à ses lèvres, mais elle se souvint des recommandations de sœur Godric : toujours regarder l'adversaire droit dans les yeux. Cependant, sans trop savoir pourquoi, quoique éminemment consciente de jouer son va-tout, elle avait confiance en cet homme.

— Dans le chapitre des projections, vous constaterez un changement de cap ou plutôt, corrigea-t-elle, une réorientation, dans la mesure où nous pouvons continuer à compter sur votre soutien, bien sûr. Jusqu'à ce jour, Nightingale Mill n'a traité que de la laine pure; mais si nous voulons survivre, je pense que nous devons évoluer.

— Excusez-moi, mademoiselle Summers, reprit Tyler, mais

je me souviens avoir ici même entendu votre frère me faire part de ses intentions de produire des fibres exotiques, c'est ainsi qu'il les appelait, d'où son besoin de s'équiper de machines suisses qui, comme on peut le constater, ont été rendues. Serait-ce parce qu'elles ne vous auraient pas donné satisfaction ou parce que votre frère aurait mal appréhendé les besoins du marché?

Anna ne réagit pas. Pour une fois, elle bénit son éducation religieuse : accepter la critique sans répondre, sans argumenter, en tirer, au contraire, tous les enseignements. Étrangement, elle s'efforça de se détendre, sachant que tout emportement lui ferait plus de tort que les personnes à qui elle avait affaire.

— Je suis persuadée que mon frère savait ce qu'il faisait en se portant acquéreur de cette machinerie, répondit-elle posément, quant aux besoins du marché, il suffit d'entrer dans une boutique de tricot pour voir que les rayons sont pleins de pelotes de fibres exotiques...

— Mais alors pourquoi vous en être débarrassés..?

— Mais tout simplement parce qu'elle nous coûtait trop cher d'entretien et que je suis persuadée pouvoir engendrer des bénéfices par une meilleure méthode. Mais il ne s'agit là que d'un point de vue personnel. Simon avait un goût du risque que je ne possède pas. Pour le stimuler, il lui fallait de la nouveauté, du changement. Pour ma part, j'ai une vision des affaires beaucoup plus conventionnelle. Je suis davantage rattachée au passé, aux valeurs traditionnelles... (peut-être qu'au bout du compte, j'aurais dû porter mon habit, poursuivit-elle pour elle-même).

— Peut-être pourriez-vous nous éclairer davantage, reprit Stern. Vous faisiez allusion à une réorientation, je crois...

Anna posa les mains sur le document, se souvint de l'état dans lequel elles se trouvaient... et puis tant pis...

— Oui. Nous avons l'intention de nous restructurer de manière à vendre directement aux détaillants, d'une part. De l'autre, nous souhaitons réaliser des fibres mélangées de produits naturels de très haute qualité : laine et soie, mohair et lin. Voyez-vous, poursuivit-elle sur sa lancée, nous sommes hautement spécialisés dans le domaine de la filature et, pour créer ces nouveaux mélanges, notre ancienne machinerie nous suffit largement — elle exhiba un catalogue de collections de vêtements qu'elle s'était procuré à Euston. Toutes les créations qui figurent dans ce catalogue ont été réalisées à partir des mélanges que je viens de vous citer. Il suffit de voir leurs lignes pour reconnaître des créations italiennes; mais je pense que chaque femme qui tricote sera heureuse de retrouver ces fibres sous forme de pelotes et, actuellement, il n'existe à ma connaissance qu'une ou deux filatures anglaises qui se soient attaquées à ce marché.

— C'est un fait. Mais ne risquez-vous pas de vous brûler les doigts en jouant ce jeu-là? Summers est-elle en mesure de prendre des risques en investissant dans un domaine qu'il ne connaît pas? Et si personne ne s'intéresse à votre produit?

— Le marché existe, répliqua Anna avec conviction. Au pays de Galles, je produisais de la laine à petite échelle pour un magasin. En moins d'un an, je me suis trouvée en situation de ne plus pouvoir satisfaire la demande.

— Pourquoi ne pas avoir pris de l'expansion, si tel était le cas? demanda posément Stern.

— Ce n'était pas mon activité principale et la décision ne m'appartenait pas, répondit précipitamment Anna. Mais je connais exactement le marché et je sais que si le marché du tricot a régressé au cours des cinq dernières années, il repart très fort, depuis quelque temps. J'ai l'intention de rechercher de nouveaux marchés, ajouta-t-elle en exhibant *Wool Record*. Les Japonais sont de gros acheteurs potentiels; ils ont toujours apprécié les fibres en provenance d'Angleterre. Je n'ai jamais compris pourquoi mon frère n'a jamais exploré ce domaine, mais soyez assuré de mon intention de pallier cette lacune dans les plus brefs délais.

— C'est tout à votre honneur, lâcha Stern sans qu'elle ne pût discerner la moindre trace d'ironie dans le ton de sa voix.

— Mais tout cela est encore à l'état de projet, surenchérit Tyler. En attendant une concrétisation de vos dires, comment nous convaincre que votre produit aura le succès escompté?

Anna respira lentement afin de conserver son calme.

— Vous n'êtes pas sans savoir que les couleurs et les

produits naturels sont très en vogue, de nos jours. Et pas seulement dans le textile. Il suffit d'entrer dans une boutique de produits de beauté pour s'en rendre compte.

— Comment comptez-vous vous procurer la soie?

— En la faisant venir de Chine. Elle est peut-être chère, mais cela donne de merveilleux résultats. C'est une des raisons pour lesquelles nous avons rendu la fileuse suisse, répliqua-t-elle, avec une pensée reconnaissante pour Walter Street et les informations qu'il lui avait fournies.

— Mais vous savez que la soie de Chine est soumise à des quotas et qu'en raison de cela, elle a subi une augmentation de soixante pour cent, seulement au cours de la dernière année. L'importation de soie de la Chine a toujours posé des problèmes. Même en payant le prix fort, la matière première fait largement défaut et, vu la conjoncture politique actuelle, la situation est loin de s'améliorer.

Anna était impressionnée. « Ne sois donc pas stupide, dut-elle se raisonner. Ce sont des banquiers; ils n'ont que cela à faire. »

— Et où comptez-vous vous procurer votre laine mohair? voulut encore savoir Tyler.

— Nous commencerons par acheter celle d'Angleterre, qui est excellente. Plus tard, peut-être ferons-nous affaire avec le Texas...

— Pas avec l'Iran? s'étonna Tyler.

— Le mohair du Texas est de moins bonne qualité que celui d'Iran, mais aussi moins onéreux. Je compte créer un mélange quatre-vingts pour cent mohair, vingt pour cent soie. Une des raisons pour lesquelles j'ai besoin de votre aide, c'est que je compte miser sur le marché; acheter dès que possible des grosses quantités, suffisamment pour nous assurer de bons prix jusqu'à ce que nous soyons de plain-pied dans le circuit.

George Tyler se leva.

— Excusez-moi un instant...

Anna le regarda monter rapidement les marches d'escalier, tandis que Stern tirait de sa poche un paquet de cigarillos.

— J'essaie de renoncer à la cigarette, expliqua-t-il en tendant son paquet. Voulez-vous..?

Elle le remercia d'un signe, remarquant au passage l'épaisse montre-bracelet aux lignes désuètes qu'il portait au poignet. Un peu surprise par ce manque de goût qui se retrouvait par ailleurs dans ses chaussures au bout trop arrondi, curieusement loties de lacets verts. Il n'alluma pas son cigarillo à l'aide d'un briquet, mais avec des allumettes, françaises par surcroît, nota-t-elle avec un sourire intérieur.

Tyler revint, porteur de deux feuilles de papier, et en tendit une à Stern.

— Vos idées paraissent viables, fit-il, cherchant du regard un acquiescement de Stern, lequel, en réponse, opina légèrement du menton. Cependant, malgré la confiance que nous avons toujours accordée à votre frère, il existe un ou deux points de détails à régler, en vue d'un changement de direction de votre société.

Anna chercha mentalement son chapelet. Si cet homme se mettait à parler chiffres, l'affaire était à l'eau : les seuls qu'elle connaissait, c'étaient ceux qui figuraient dans son document.

— Nous allons détacher quelqu'un auprès de votre administration, mademoiselle Summers, dans la mesure où cela vous agrée, bien entendu.

— Mais naturellement, fit-elle, bien que la perspective qu'un comptable de la banque plongeât son nez dans les livres de comptes et entretînt des rapports privilégiés avec Beattie l'irritât grandement. Et c'est prévu pour quand?

— Au cours de la semaine prochaine. Nous ne voulons pas tarder à vous faire part de notre réponse définitive, mademoiselle Summers… un peu de café?

Anna était profondément satisfaite de sa démarche, tout excitée à l'idée que ses projets eussent trouvé preneur. Certes, il faudrait travailler dur, mais une fois mise sur la bonne voie, Nightingale Mill pourrait aspirer à une certaine prospérité.

Elle quittait à peine le bâtiment qu'elle se souvînt que son retour au cloître était prévu pour le surlendemain.

De sa fenêtre, Daniel Stern observait la silhouette raide, revêtue de son strict tailleur bleu marine, s'éloigner dans Cornhill, avant de s'arrêter pile sur le trottoir, comme saisie d'une idée subite, et rester une bonne minute immobile sur le trottoir. Au moment où elle reprit sa marche, un cantonnier émit un sifflement qu'elle n'entendit pas. Aussi triviale fût-elle, la grande majorité des femmes auraient réagi à cette marque d'admiration; Anna Summers, elle, poursuivit son chemin comme si de rien n'était. Étrange fille, se dit-il.

Stern revint à son bureau. C'était un meuble récupéré dans les bureaux du *Evening Standard*, sorte de haut pupitre à plateau incliné sur lequel on plaçait un journal grand ouvert et devant lequel il travaillait debout. Il faisait grand état de ses pieds et, en attendant de reprendre la gymnastique, expliquait-il à ses collègues, travailler debout était le moindre des exercices auxquels il pût s'adonner.

Tout en compulsant ses dossiers, il se reprit à penser aux Summers. Ce qui était arrivé à Simon était bien triste. Quand la banque avait appris qu'il s'était suicidé, la première réaction avait été de réclamer l'acquittement immédiat de la dette. Mais, après avoir pris connaissance de la lettre qui lui avait été adressée, il s'était opposé à une telle mesure, arguant qu'elle était trop radicale, qu'il fallait attendre que la famille Summers fît d'abord part à la banque de ses intentions. Ces gens-là n'étaient pas ses clients, mais il n'avait pu résister à la curiosité d'entendre ce qu'Anna Summers avait à dire lors de son rendez-vous avec Tyler. Il y avait en cette femme quelque chose qui l'intriguait, se disait-il à présent.

Il faut dire que Daniel Stern était homme d'un ordre extrême. Beaucoup trop, aux dires de sa femme, trop tranchant, trop sec. Trop pressé et trop oppressant, avait-elle conclu le jour où, dans un geste impardonnable, elle l'avait quitté après avoir balayé de la main les étagères de son armoire où s'empilaient ses chemises et ses cravates.

Mais c'était aussi un esprit ordonné et méthodique. Cela lui avait d'ailleurs valu d'être le plus jeune directeur ayant jamais émargé chez Maynard Gideon. Depuis toujours, il se plaisait à classer les gens avec la même rigueur que les chiffres et les faits, et voilà qu'Anna Summers échappait à toute classification. Néanmoins, restait encore à définir ce qui l'intriguait tant chez cette femme. Toute ravissante qu'elle était, elle n'était certes pas la seule. À cette différence près, qu'elle ne paraissait pas un seul instant en être consciente. Elle ne se touchait pas les cheveux, ne croisait et décroisait pas les jambes, ne jouait pas de la prunelle de manière excessive. Rien en elle ne suggérait une quelconque invite, un peu comme si elle n'avait strictement rien à offrir. De tous les attraits dont une femme eût pu se parer, Anna Summers ne se targuait d'aucun. Quoique coûteux, son tailleur n'était pas de la meilleure coupe et ses cheveux la faisaient ressembler à une garçonne d'après-guerre. De plus, il n'avait pas humé la moindre trace de parfum sur elle.

Il piétina nerveusement, traversa la pièce jusqu'au moniteur dont l'écran affichait les chiffres des valeurs boursières. Mais en filigrane, s'imposait encore à ses yeux le visage de la femme qu'il venait de rencontrer. Quel âge pouvait-elle bien avoir? Difficile à dire... Avec son léger maquillage, elle devait probablement être plus âgée qu'elle n'en avait l'air. Vingt-huit, trente ans, peut-être? Pourtant, ses gestes pleins de retenue étaient ceux d'une personne beaucoup plus mûre, d'une personne possédant un parfait contrôle de ses réactions et disposant de facultés de concentration rarissimes, un peu comme si elle était seule au monde, un peu comme une sourde qui doit lire sur les lèvres. Sourde? pourquoi pas? Cela expliquerait son absence de réaction quand le cantonnier avait sifflé sur son passage...

Stern écrasa son cigarillo en se congratulant mentalement. La vision de son alliance lui rappela qu'Anna Summers en portait une aussi, quoique la promptitude de sa réaction en s'entendant appeler madame laissât présumer seulement une relation amoureuse très ancienne. Par ailleurs, cette alliance était son seul bijou. Pas la moindre chaîne d'argent ne venait rehausser la sévérité de son tailleur.

Quand ils avaient été présentés, il n'avait pas manqué

d'observer ses mains. C'était des mains surprenantes, dotées d'une poigne peu commune chez une femme, propres, mais à en juger par leurs callosités et leurs ongles courts et ébréchés, habituées aux durs labeurs. N'avait-elle pas parlé de travaux dans une ferme?

Il feuilleta les pages d'un rapport dont les chapitres le concernant avaient été soulignés en jaune fluorescent. Puis, sous l'effet d'une pulsion subite, il alla jusqu'à l'interphone et appuya sur un bouton.

— George? Il m'est venu une idée à propos de cette filature de Bradford.

CHAPITRE QUINZE

Il gelait à pierre fendre, à Keighley. Un vent sauvage descendu tout droit des Moors tourbillonnait autour de la voiture, cherchant la moindre faille pour s'y infiltrer, menaçant à chaque instant de culbuter la vieille guimbarde dans le fossé.

Sutcliffe & Street avait quitté Bradford cinq ans plus tôt pour aller s'installer dans un bâtiment tout neuf à quelque cinq milles de la ville. Alors qu'elle en franchissait les grilles, Anna fut impressionnée par la pelouse immense et parfaitement entretenue, et les grands arbres parmi lesquels étaient disséminés plusieurs bâtiments ultramodernes. La seule place qu'elle réussit à trouver pour garer sa vieille Ford, ce fut près d'une magnifique Rolls bleu marine. Après quelques manœuvres hésitantes, elle sortit du véhicule, sa robe de religieuse flottant au vent, et entra dans le hall de réception où une secrétaire, après l'avoir examinée de pied en cap et interrogée sur le but de sa visite, l'invita à s'asseoir sur un grand sofa de cuir.

Walter Street sortit en coup de vent d'une réunion et, faisant peu cas de son habit, serra Anna contre sa bedaine. Celle-ci se raidit un instant, sorte de protestation silencieuse, puis se laissa faire, se refusant à heurter les bons sentiments d'un homme dont la présence était si précieuse et si réconfortante.

Walter Street l'entraîna, criant au passage qu'on leur apportât du café. La main sur une poignée de porte, il marqua un temps d'arrêt.

— Peut-être ne partiras-tu plus, cette fois. En attendant, viens donc jeter un coup d'œil.

Il la conduisit à travers une succession de couloirs, jusqu'à une sorte de tunnel au bout duquel deux portes s'ouvraient sur un immense hangar sans fenêtre, plongé dans un vacarme assourdissant.

Le long d'allées sans fin, s'alignaient des engins rutilants, vibrant de tous leurs rouages. Aussi loin que portait son regard, ce n'étaient que machines travaillant à l'unisson, pendant que des rouleaux électroniques débitaient des milliers de milles de fibres de toutes sortes. Pareils à de monstrueux dinosaures métalliques, d'énormes pistons d'acier montaient et descendaient, tandis que des bras automatiques allaient et venaient sans fin. Face à ces robots, leurs serveurs, hommes ou femmes, le visage pâle, crispé à cause du bruit infernal, se hâtaient dans la moiteur des lieux, vérifiant soupapes et engrenages, tensions et températures.

— Qu'en dis-tu? cria Walter en promenant sur la place un regard aigu.

À un employé qui passait par là, il administra une tape amicale sur l'épaule, puis pointant une machine à l'arrêt, il fit signe à un autre pour qu'il remédiât au problème. Quant à Anna, les mots lui manquaient, prise de court par les proportions de l'entreprise, et les coûts astronomiques que son installation avait dû représenter, par l'efficacité, la netteté, la précision qui régissaient les lieux. Nightingale Mill lui faisait à présent l'effet d'une relique de l'époque victorienne, ce qu'elle était indubitablement. Elle se surprit à la haïr.

Poliment elle écouta, alors qu'il la régalait de détails techniques, depuis les humidificateurs qu'il venait de faire installer, jusqu'aux systèmes électroniques qui coupaient automatiquement le courant des machines, ne fût-ce que pour quelques secondes, ce qui permettait à l'entreprise d'économiser des milliers de livres en électricité.

— Nous ne filons plus, jeune fille, hurla-t-il à son oreille. Nous sommes devenus des concepteurs en tissage, exposa-t-il en la guidant parmi des machines ultramodernes qu'elle ne connaissait pas, même si Nightingale Mill en possédait quelques-unes. Tout est conçu par ordinateur, fit-il encore en pointant fièrement du doigt les énormes métiers à tisser jonglant avec une multitude de fils semblables à une gigantesque toile d'araignée.

Rugissant d'enthousiasme, il lui expliqua comment la machine torsadait les fils pour créer des nœuds et des boucles, comment tel rouage et ses dents particulières produisaient tel effet dans la texture du drap.

— La teinture est faite par ordinateur, aussi. Que dis-tu de ça?

Anna fut heureuse que le vacarme couvrît la réponse neutre qu'elle produisit. Les couleurs dont étaient teintes toutes ces fibres synthétiques la faisaient grincer des dents. Pour elle, il était inconcevable que des vêtements pussent être créés à partir de telles abominations.

— Nous n'arrivons pas à satisfaire la demande, hurla-t-il. Nous faisons toujours des tissus plus conventionnels sur nos vieilles machines, mais je crois que l'avenir est dans les nouvelles fibres. C'est bien à cela que vous vous attaquez, vous aussi, n'est-ce pas?

— Pas vraiment, répliqua-t-elle en espérant que les prévisions de Walter se révélassent fausses. Je me suis débarrassée de la fileuse suisse que Simon avait achetée.

— Nom de Dieu! s'exclama alors le vieil homme. Mais c'est de la folie!

— C'est vous qui m'y avez fait penser lorsque vous m'avez dit que Nightingale Mill était une filature désuète. Je suis convaincue que nous pouvons tourner la chose à notre avantage. Tout me porte à croire que nous pouvons justement investir sur le fait que la filature n'a pas changé depuis cent ans. Je veux créer des fibres simples et naturelles, comme on le faisait par le passé.

Aussi risible que cela pût paraître face à tant de technologie, Walter Street n'en resta pas moins songeur.

— Mais tu me parles de produits de haute qualité, là, et pas de produits synthétiques, n'est-ce pas?

— Oui. Et, comme je vous l'ai dit à la vente aux enchères, j'ai l'intention de filer la soie en la mélangeant à du lin ou à de la laine. Et teindre le fil obtenu de la même couleur de manière à obtenir des effets plus subtils.

À bout de souffle, elle s'interrompit, espérant que Walter

apprécierait son idée à sa juste valeur.

— Tu ne m'avais pas dit que tu avais l'intention de renoncer au synthétique. Cela peut s'avérer très risqué.

— Cette fileuse coûtait une fortune et elle était loin d'être utilisée à pleine capacité. Il aurait été stupide de la garder.

— À ta place, approuva gravement Walter, je crois que j'aurais fait la même chose — s'arrêtant devant une machine qu'elle fut incapable de reconnaître, Walter lui montra un échantillon de drap — Du mohair de chevreau, expliqua-t-il. Si j'étais toi, c'est un produit que je prendrais en considération.

— Nous allons en effet le combiner à la laine.

— C'est faisable, en effet. Il y a aussi le mélange mohair et soie qui donne de merveilleux résultats...

— Tiens, je n'y avais pas pensé...

— Si tu n'as pas encore fait d'arrangements avec des fournisseurs, je te donnerai quelques adresses, proposa Walter en l'introduisant dans un immense entrepôt.

— J'apprécierai, répondit Anna, appréciant aussi du même coup le silence de l'endroit.

Ils défilèrent devant d'immenses supports métalliques où, pareils à de gigantesques candélabres, se dressaient de grands cônes de tissus. Cette démesure forçait l'admiration, dut-elle admettre. Sans y penser, elle glissa son bras sous celui de Walter, geste qu'elle faisait pour la première fois de sa vie, pour lui murmurer, reconnaissante :

— C'est gentil à vous de me consacrer un peu de votre temps.

— Pas du tout, j'ai tout mon temps, la contredit-il aimablement. Vois-tu, bien que je ne veuille pas l'admettre, je suis en quelque sorte en semi-retraite.

— En effet, je ne vous vois pas en train de cultiver vos géraniums.

— Ma femme non plus, d'ailleurs. C'est pour cela que je passe mes journées ici, mais jamais plus de sept heures d'affilée, cependant.

— J'aime bien votre définition de la « semi-retraite ».

— À chacun la sienne... Il va te falloir trouver une nouvelle clientèle pour tes nouveaux produits.

— Je me suis déjà entretenue avec bon nombre de nos clients. Quelques-uns sont intéressés, mais ce n'est pas suffisant. C'est la raison pour laquelle je vous ai demandé de me recevoir, Walter. Simon n'a jamais pris la peine de prospecter les marchés étrangers. L'exportation n'a jamais été le fort de Nightingale Mill. Mais je suis convaincue que les Américains seront intéressés, sans parler des Japonais, qui ont toujours eu un faible pour les tissus anglais. Cependant, je vous avoue que je ne sais pas comment m'y prendre. J'ai réussi à convaincre la banque que tout était en place, mais en réalité nous sommes loin d'être sortis de l'ornière.

Ils regagnèrent le bureau de Walter, où une secrétaire leur servit du café. Walter attendit qu'Anna fut installée, avant d'aller à son tour s'asseoir derrière un bureau de bois blond où il n'y avait rien d'autre qu'un dossier, un encrier d'argent et deux téléphones. Accoudé à la table, Walter se mit à contempler la terrasse qui courait sur deux côtés de son bureau.

— Je suppose que tu as entendu parler de l'invitation adressée par le ministre du Commerce à un groupe d'acheteurs de textiles japonais. La visite est prévue dans quatre semaines, annonça-t-il, le regard attentif aux réactions d'Anna sous ses sourcils broussailleux.

— J'ai lu, en effet, quelque chose à propos de certains arrangements commerciaux. Ce qui me porte à croire que mon idée est tout à fait viable.

— Je vois que tes années de couvent ne t'ont pas altéré l'esprit. Quoi qu'il en soit, ces Japonais vont commencer par visiter Huddersfield, histoire de se faire une idée sur la fabrication de la laine peignée, puis ils viendront à Bradford. Devine qui est en charge de la coordination de leur emploi du temps? fit Walter en se balançant sur son fauteuil.

La main un peu tremblante, Anna reposa sa tasse dans sa soucoupe.

— Je le sais, Walter, je le sais... quelqu'un qui passe à peine sept heures par jour dans son usine.

— Les gens du ministère du Commerce ont passé deux jours dans la région pour visiter plusieurs filatures, y compris Sutcliffe & Street. À présent, ajouta-t-il avec un clin d'œil, s'ils ont vu ce qu'on fait de mieux dans l'ultramoderne, il serait normal que nous leur montrions ce qui se fait de mieux dans le traditionnel. D'ailleurs, je me demande pourquoi je n'y ai pas pensé plus tôt. Mais je dois d'abord être sûr que tes nouvelles lignes de production sont bien en place. Ce sont des experts, ils savent de quoi il retourne.

Anna avala le fond de sa tasse.

— La commande de soie est déjà partie; Lynn a déjà effectué le premier versement. Nous sommes prêts à commencer.

— Vous ne comptez pas faire la teinture vous-mêmes, j'espère? demanda Walter, soudain inquiet. Tu ne vas pas te lancer dans les mixtures dont tu m'as parlé?

— Non... elle se rappela sa triste aventure dans les Moors. Non, je... j'ai définitivement renoncé à ça...

Walter sortit un agenda de sa poche et se mit à le parcourir.

— Il faut que je sois en mesure de montrer quelque chose à ces messieurs du ministère. Dès que les premières fibres seront prêtes, fais-moi parvenir quelques échantillons.

— Naturellement — elle se leva pour prendre congé — et merci infiniment. C'est une merveilleuse proposition que vous me faites là.

— À toi de décider, maintenant; tu as tous les atouts en main — embarrassé, Walter se racla la gorge — Je me suis laissé dire que tu allais rester parmi nous, cette fois. Ton projet exige une présence de chaque instant à la filature.

— J'ai écrit à la mère supérieure pour lui expliquer la situation, à quoi elle a répondu promptement et sans la moindre équivoque : « Rentrez immédiatement ».

— Avant de nous quitter, il y a quelque chose que je dois te dire — La gravité du ton la fit se rasseoir — Quand tu m'as parlé de ta visite, je m'apprêtais justement à te téléphoner. Il faut que tu prennes une décision au sujet de ton directeur. Tu m'as bien dit que c'était un intrigant, n'est-ce pas?

« Quoi encore? » appréhenda Anna.

— Voilà deux jours, il m'a rendu visite pour m'offrir ses services. C'est qu'il a une foule de relations, l'ami Beattie...

— Il connaît intimement tous nos clients, reconnut-elle pleine de fureur contenue en se souvenant qu'ils ne s'adressaient même plus la parole. Et que lui avez-vous répondu?

— Rien. Je me suis limité à écouter ce qu'il avait à dire, puis je l'ai remercié en lui souhaitant le bonjour. Je ne lui ai rien dit de ce que je pensais de sa conduite, ni même que tu étais pour ainsi dire ma filleule — Un mince sourire éclaira son visage — Je lui ai simplement répondu que j'y penserais. Mais à toi je tiens à dire ceci : débarrasse-toi de cet individu avant qu'il ne vous cause à tous de sérieux ennuis. Comme il n'a pas fait la moindre allusion à tes projets, j'en ai conclu qu'il n'était pas au courant. Dis-toi bien aussi que nous ne sommes pas la première filature auprès de laquelle il effectue ce genre de démarche.

— C'est vrai, je sais qu'il a approché les Lands — elle poussa un long soupir — Peggy ne cesse de me répéter qu'il faut le congédier, mais j'avoue que j'ai été tellement occupée ces derniers temps... Et puis, je trouve affreux de jeter ainsi un homme et sa famille à la rue. Croyez-vous qu'il parviendra à retrouver un emploi? Il n'est plus très jeune...

— Et puis après? s'exclama Walter, éberlué. Est-ce qu'il se gêne, lui, pour ôter le pain de la bouche de ta belle-sœur, de ses enfants et de tous vos employés? Le problème avec vous autres, les religieuses, c'est que vous ne voyez que le meilleur côté des gens et que vous vous croyez toutes obligées de jouer les *mère Teresa*. Crois-moi, mets-le à la porte, je ne peux te le dire plus clairement. Tends l'autre joue et cet individu te plantera un couteau entre les omoplates — Un peu emberlificoté dans ses métaphores, Walter se leva néanmoins pour s'approcher d'Anna et poser sa lourde patte sur son épaule — Ces vœux que tu as prononcés, obéissance, pauvreté... tout cela n'a pas cours dans ce monde-ci. Ouvre donc les yeux, jeune fille et cesse de te tracasser; c'est de soi qu'il faut tout d'abord se préoccuper, et crois-moi, ce n'est déjà pas si mal.

— Faut-il que je commence par la bonne ou par la mauvaise nouvelle?

Le dictaphone collé à l'oreille, Peggy leva le nez de sa machine à écrire. Elle n'avait pas compris, mais l'expression du visage d'Anna en disait long.

— Un instant, ma chérie, je finis cette lettre. La secrétaire intérimaire n'est pas rentrée ce matin, et j'avais promis à Stan de lui taper cette lettre.

Peggy dactylographia quelques instants de plus puis, ôtant son écouteur, elle éteignit sa machine et se tourna vers Anna.

— Comment ça s'est passé?

— Mieux que je ne l'espérais. Walter a été merveilleux.

Elle raconta à Peggy la prochaine arrivée de la délégation commerciale.

— Nous pouvons le faire.

— Nous allons essayer, en tout cas, corrigea Anna avec ferveur.

— Allons-y pour la mauvaise nouvelle, je suis prête à n'importe quelle catastrophe après ce que je viens d'apprendre.

— Stan Beattie a proposé ses services à Walter Street en lui promettant de récupérer toute notre clientèle.

— Compte tenu de son ancienneté et la situation de Mme Simon, c'est vraiment trop aimable de sa part — Peggy sortit la lettre du rouleau comme s'il s'était agi du cou de Beattie — C'est vraiment un personnage malfaisant. Hal en a une bien bonne à vous apprendre, lui aussi, poursuivit Peggy en appuyant sur l'interphone.

Quand Hal fut là, Anna put constater, non sans un certain amusement, la prévenance dont faisait preuve Peggy à son égard, alors qu'elle lui proposait du thé et des petits gâteaux secs. Cette chère Peggy qui trouvait Hal trop maigre, qui trouvait que le chocolat était très néfaste pour ses dents et qui lui ramenait régulièrement de chez elle un gâteau ou une pointe de tarte qu'elle avait faits elle-même.

— Nous avons effectué une livraison chez Howlett, il y a deux ou trois jours. Ils nous ont rappelés aussitôt après pour nous demander pourquoi nous leur avions livré du Aran alors qu'ils avaient commandé du Southdown.

Anna lui prit la commande des mains. Elle était rédigée et signée de la main de Stan Beattie. Puis elle passa distraitement le document à Peggy.

— Stan sait depuis des années que Howlett n'utilise jamais d'Aran, expliqua Peggy en se dirigeant vers le classeur où se trouvaient toutes les commandes. D'aussi loin que je me rappelle, nous leur avons toujours fourni les meilleures laines. Comment a-t-il pu laisser partir cette commande?

— J'aurais dû m'en apercevoir, intervint Hal. Mais je me demande comment cette livraison a pu se faire sans que personne ne l'ait vérifiée.

— Nous allons récupérer l'Aran en espérant que quelqu'un nous en passe commande, articula lentement Anna. En attendant, je suppose que nous n'avons pas le moindre Southdown en stock, n'est-ce pas?

— Non. Ils sont tellement affolés qu'ils peuvent aussi bien avoir passé commande ailleurs. Le mieux serait de leur proposer quelque chose d'à peu près équivalent à un prix défiant toute concurrence.

— Peggy, je prendrais bien une tasse de thé, moi aussi, annonça Anna en se débarrassant de son manteau.

Pendant que la vieille secrétaire remettait la bouilloire en marche, Anna s'adressa à Hal, vaguement désabusée.

— D'une manière ou d'une autre, nous sommes perdants. De l'argent d'un côté, un client de l'autre.

— Nous n'avons pas le choix, lança Peggy par-dessus son épaule. Nous avons déjà connu ce genre de situation.

— C'est vrai, surenchérit Hal comme cette fois où...

— Oui, l'interrompit Peggy avec un regard éloquent. C'est cela, procurons-nous ce dont Howlett a besoin et vendons-le-leur avec une marge minime. Cela nous évitera de perdre un client.

— Bien, concéda Anna. Mais à quand remonte le jour où

vous avez dû faire des arrangements semblables?

— Quand M. Simon... commença Peggy, le dos tourné.

— Oh, je vois... Je vais régler cette affaire moi-même, décida Anna en tirant à elle le téléphone.

— Je vais m'en occuper, proposa Hal. Ç'aura l'air moins formel. Est-ce que nous réglons à la livraison?

— Je le crains, fit-elle sans avoir à regarder les livres de comptes, sachant que leur marge de crédit du mois était épuisée depuis longtemps. Cela ne peut être une erreur, n'est-ce pas? Stan Beattie savait pertinemment ce qu'il faisait.

— Même si une erreur se glisse dans un bon de commande, le processus de vérification la décèle immédiatement.

— Il l'a donc bel et bien fait exprès — elle attendit qu'Hal eût achevé sa communication avant de s'enquérir à nouveau : Ce n'est pas la première fois que ce genre d'incident arrive, n'est-ce pas?

— Je n'y ai jamais fait allusion parce que je croyais à des étourderies, fit Hal comme à regret. Une fois, c'était une commande de fourniture égarée, une autre fois, un manque de papier d'emballage, une autre encore, une pièce de machine sur laquelle j'étais incapable de mettre la main. Plutôt qu'à de la malveillance, j'ai préféré chaque fois conclure à de la négligence, à un manque d'intérêt...

Sous sa guimpe, Anna sentait une migraine lanciner doucement. À la lumière de toutes ces informations, la situation devenait évidente.

— Et c'est ce même manque d'intérêt qui l'a conduit chez Sutcliffe & Street, il y a deux jours.

— Il a donc décidé de remettre ça, lâcha Hal.

— Je vais devoir me passer de ses services, décréta Anna.

— C'en a tout l'air, fit laconiquement Hal. Bien, il faut que je remonte à l'atelier. À bientôt.

— Peut-il prendre la place de Beattie? demanda Anna après qu'il fut parti.

— Quelle place? s'exclama Peggy. Vous vous occupez pratiquement de toute l'administration et Hal veille à la bonne marche de l'atelier... Mais avant toute chose, nous devons prévenir tous nos clients que, désormais, vous prenez officiellement la direction des opérations de Nightingale Mill. Nous expliquerons que vous êtes la sœur de Simon, le sens dans lequel vous avez décidé de réorienter notre production et le reste. Cela fait, vous pourrez saquer ce salaud.

— De cette manière, nous lui aurons coupé l'herbe sous le pied et il ne pourra rien ajouter, compléta Anna.

— En effet. Vous avez toujours fait appel à son bon fond, à cette différence près que de bon fond, il n'en a pas.

Deux jours plus tard, Stan Beattie regagnait son bureau un peu éméché à la suite d'un déjeuner avec un « client ». Après deux éructations sonores, il se laissa tomber sur son siège. Il aimait bien dicter des lettres au dictaphone, car cela lui laissait le loisir de parcourir le *Star*. C'était un vieux magnétophone dont il fallait chaque fois rembobiner la bande avant de l'utiliser à nouveau. Peggy avait dactylographié deux lettres pour lui, mais en avait oublié une troisième. Plutôt que de la lui redicter, il préféra la rechercher sur la bande et, après avoir fait tourner à vide la bande magnétique, il appuya sur l'interrupteur à l'endroit où il pensait pouvoir retrouver sa lettre.

En reconnaissant les voix d'Anna et de Peggy, il se leva brusquement pour aller refermer la porte de son bureau.

« — Comment ça s'est passé?

— Mieux que je ne l'espérais. Walter a été merveilleux » entendit-il.

Il écouta jusqu'à ce qu'il entendît Peggy dire : « Hal en a une bien bonne à vous appren... » Puis il reconnut le son de sa propre voix.

Stan Beattie se leva et alla jusqu'à la fenêtre pour regarder sans les voir les palettes des chariots élévateurs empilées dans la cour. Il se savait découvert, bien sûr; mais il avait néanmoins espéré garder son poste jusqu'à ce que ses pieds fussent confortablement placés sous un autre bureau. Voilà qu'il lui fallait changer de stratégie, bon sang.

Il réécouta l'enregistrement par deux fois, l'effaça, puis, après avoir dicté quatre nouvelles lettres, décida de quitter son bureau. Un verre lui ferait le plus grand bien.

— J'espère que vous accepterez mes excuses...

Stan Beattie se trouvait dans le bureau d'Anna et cherchait le regard de la jeune femme avec une insistance horripilante.

— J'étais perturbé, distrait, et vous ne pouvez savoir à quel point j'en suis navré. Il faut dire que la disparition de votre frère m'a tellement affecté... c'est qu'il a connu des moments difficiles, voyez-vous, bien pires que vous ne pouvez l'imaginer. J'ai, quant à moi, fait de mon mieux pour l'aider, mais cela n'a malheureusement rien donné. Avec toute la tension nerveuse que j'accumule depuis des années, voilà que je suis obligé d'avaler ça (il exhiba un flacon de pilules). Ma femme s'inquiétait tellement que j'ai dû aller consulter un médecin. Et c'est comme ça qu'aujourd'hui, je me retrouve avec un ulcère à l'estomac.

— Vous auriez pu nous ruiner, fit Anna, déjà chancelante.

— Dieu m'en garde... Oh, je sais ce que vous avez dû penser, enchaîna-t-il en dardant sur Anna ses petits yeux bleus sournois. Vous avez sans doute appris que je suis allé voir Les Land et M. Street; mais croyez bien que je n'ai jamais voulu porter préjudice à Summers. Tout ce que je voulais, c'était trouver un travail qui me libérerait de toute cette tension et cette anxiété. Vous ne pouvez me blâmer pour ça, mademoiselle Summers, pas après tout ce que j'ai fait ici. C'est que j'ai une famille à nourrir, moi, comme tout le monde; et je dois avant toute chose assurer son bien-être. Et puis, je me suis rendu compte qu'un homme de mon âge, ça ne trouve pas de l'emploi facilement, allez.

— Et cette histoire de commande erronée, pour Howlett? Vous auriez dû vous en rendre compte, tout de même. Cela nous coûte du temps et de l'argent, sans parler de notre réputation.

— Bien sûr, admit servilement Beattie. La minute où Peggy m'a montré le bon de commande, je me suis dit comme ça : « Stan, tu as a fait une terrible erreur, là ». Mais je ne sais pas comment cela a pu arriver, parole d'honneur. Je devais être épuisé; je me rappelle avoir passé une semaine épouvantable. En tout cas, je suis soulagé que le jeune homme s'en soit aperçu, dites donc. Et vous ne savez pas quoi? La différence, je vais la payer de ma poche. De cette manière, Summers n'aura pas perdu un sou.

— Très bien, accepta Anna sans enthousiasme.

— Je vous fais à nouveau mes excuses. Je réalise maintenant tout ce que Summers représente pour moi; bien plus que ce que je représente pour elle.

Il osa un demi-sourire qui mourut aussitôt qu'il se rendit compte qu'elle ne lui sourirait pas en retour. Emporté par sa plaidoirie, l'homme s'était un peu trop approché d'elle et c'est pourquoi elle prit un peu de recul. Existait-il au monde un personnage plus adipeux, plus faux et antipathique que cet homme-là? Et pourtant, elle se sentait déjà prête à fléchir, prête à accepter des excuses auxquelles elle ne croyait pas une seconde. Après tout, n'était-il pas venu à elle de sa propre initiative? avant qu'elle n'eût le temps de lui formuler le moindre reproche? Les gens ont souvent des comportements ineptes et, en l'occurrence, il avait admis s'être stupidement conduit. Peut-être était-elle trop portée à le critiquer? Tout le monde mérite une seconde chance.

— Très bien, répéta-t-elle. Mais rien n'est oublié pour autant. À la moindre...

— Il n'y en aura pas, l'interrompit-il. Je vous le promets, mademoiselle Summers. Je me remets au travail dès à présent.

— Nous en resterons donc là pour l'instant, conclut-elle en acceptant de mauvaise grâce les remerciements ancillaires de Beattie, mais consciente du fait qu'elle ne pourrait jamais lui faire confiance.

Après qu'il fut sorti à reculons de son bureau, Anna s'efforça de se plonger dans son travail qui, pour la circonstance, consistait à analyser le bordereau de prix du lin et du mohair que Peggy lui avait transmis. Compte tenu des faibles quantités qu'elle escomptait commander, ces prix-là ne seraient guère négociables. À cinq heures précises, elle fit un appel téléphonique. Comme elle s'y attendait, mère Emmanuel décrocha à la première sonnerie.

— Avez-vous reçu ma lettre, sœur Gabriel? Nous vous

attendons dès demain.

— Ma mère, je demande la permission de différer mon retour.

Ce fut à nouveau une pénible conversation, au cours de laquelle la mère prieure exprima son désaccord en phrases sèches, alors qu'Anna se voyait partagée entre ne pas dire la vérité, toute considération matérielle étant hors propos, et ne pas dire de mensonge, puisque la règle l'interdisait.

— La banque nous a accordé un délai supplémentaire, moyennant quoi nous sommes tenus de lui fournir un état détaillé de notre comptabilité et de nos stocks, et personne n'a la compétence pour... Non, je ne crois pas qu'il le puisse et Lynn n'est pas en état de... de toute manière elle n'entend rien aux chiffres.

Cela, au moins, c'était vrai : Lynn était plongée dans une léthargie telle qu'elle était incapable de rincer une tasse.

— Elle va enfanter d'un instant à l'autre, ma mère. Après tout ce qu'elle a vécu... Je ne vous remercierai jamais assez, ma mère, très bien...

Anna sentit monter en elle un élan d'affection pour la vieille religieuse qui la harcelait de questions : combien lui fallait-il? deux semaines? Prenait-elle le temps de faire ses prières, au moins? Elle espérait qu'Anna prenait au moins conscience de la totale désapprobation de l'évêque...

Anna raccrocha le téléphone et s'apprêta à rentrer chez elle. Elle recouvrait sa machine à écrire de sa housse quand Hal vint frapper à sa porte.

— Puis-je vous dire un mot? Si cela ne vous dérange pas trop, bien sûr.

Il s'était appuyé contre le cadre de porte, et Anna remarqua une fois de plus son attitude détendue, l'aisance et la grâce naturelle de son corps.

Elle aussi avait bien des choses à lui dire, même si elle ne se rappelait pas très bien quoi. Un trouble soudain lui fit lâcher la housse et, pour cacher sa confusion, elle prit tout son temps pour la ramasser, trop ingénue pour se rendre compte qu'Hal était en proie aux mêmes émotions.

Le silence bourdonna longuement dans ses oreilles avant qu'il ne bredouillât :

— J'ai bien pensé à notre problème de teinture, et je crois connaître quelqu'un capable de résoudre notre problème.

Le bruit frénétique et obsédant parvint jusqu'à eux, bien avant qu'Hal n'eût arrêté sa Volkswagen devant le centre communautaire. C'était une sorte de mélopée ponctuée de syncopes qui ne ressemblait à aucune musique indienne jamais entendue. Tandis qu'ils traversaient la chaussée, ils purent voir aux fenêtres du premier étage les ombres chinoises de silhouettes mouvantes. Hal en tête, ils traversèrent la cantine, défilèrent devant les panneaux d'affichage qui tapissaient ses murs, puis arpentèrent une sorte de coursive à la toiture de bois où s'ébattaient quelques jeunes gens dont la matité de peau contrastait violemment avec leurs tenues de sport multicolores.

— C'est la fête dans la vieille ville, ce soir, annonça Hal en gravissant un escalier, tandis que résonnaient les pulsations musicales, plus agaçantes que jamais.

— Mais que font-ils?

— J'ai cru que c'était simplement une répétition. Mais j'ai l'impression que je me suis... Ils arrivèrent à l'étage et Hal finit sa phrase par une boutade ...encore trompé.

L'entrée de la grande pièce était bloquée par des gens qui se pressaient les uns contre les autres pour pouvoir y entrer. De toute évidence, on y célébrait quelque événement. Anna et Hal se tinrent en retrait jusqu'à ce que la foule se dispersât. Ils purent ainsi entrevoir pas moins de cinq tambours, richement décorés, qui résonnaient sous les doigts agiles de jeunes musiciens indiens. Sur une petite estrade, on avait installé le pupitre du synthétiseur, sur le clavier duquel un musicien aux cheveux en bataille faisait courir des doigts lourdement chargés de fausses pierres précieuses. Hal se pencha vers Anna.

— On retrouve ces gens-là dans toutes les festivités indiennes traditionnelles. Ce sont des spécialistes de la musique hindi et gujarati.

Anna était si captivée qu'elle ouvrit de grands yeux, un peu comme un enfant devant une vitrine de jouets, négligeant pour une fois le masque d'impassibilité que lui imposait son état. La musique était aussi colorée que ses interprètes. Des femmes avaient revêtu des tuniques brodées d'or et d'argent qui étincelaient comme un feu d'artifice. Les plus jeunes, bien que vêtues à la mode occidentale, portaient les lourdes boucles d'oreilles traditionnelles de leur pays. Quelques personnes, hommes et femmes, arboraient des chaînes dorées, telles les guirlandes d'un étrange arbre de Noël. Les enfants, souvent très jeunes, étaient vêtus comme des adultes miniatures. Parmi ces visages au teint sombre, quelques Blancs semblaient partager l'allégresse générale, jeunes femmes en jupe ultracourte et talons hauts, deux ou trois couples accompagnés de leurs enfants... Tout ce beau monde dansait parmi la foule, chacun pour soi, en de longues ondulations chargées de moite langueur.

Dix minutes plus tard, la musique s'arrêta. Hal adressa un signe à un des musiciens qui se leva aussitôt et se dirigea vers lui. C'était un sikh à l'allure élancée, vêtu du costume traditionnel et la tête enturbannée de bleu. Après que son regard sombre et grave eut détaillé Anna de la tête aux pieds, il baissa le front avec solennité en signe de salut.

— J'ai cru qu'on ne pourrait jamais entrer, fit Hal. L'ambiance est formidable, ce soir.

Le sikh parut satisfait de cette entrée en matière, et les deux hommes échangèrent la chaleureuse poignée de main de deux personnes qui se connaissent depuis déjà longtemps. Hal présenta Terry Singh à Anna.

— Tel, je te présente ma nouvelle patronne.

Anna rougit jusqu'aux oreilles et, malgré son geste de dénégation, le jeune homme poursuivit :

— Tu pourrais peut-être faire quelque chose pour elle. Je n'ai pas réussi à te joindre à ton travail, mais je comprends maintenant pourquoi.

— J'ai pris une semaine de congé, expliqua Terry avant de se tourner vers Anna. Diwali est une de nos plus grandes fêtes religieuses. C'est la fête de la Lumière, et c'est un événement qui tourne à la folie : autrefois, on se contentait d'offrir des douceurs, mais aujourd'hui, ces cadeaux sont devenus des voitures, des appareils électroménagers, voire des maisons quand on est riche — il tourna la tête vers les danseurs — Je crois que cette manière « disco » de fêter Diwali est aussi redevable à la culture anglo-saxonne. Un peu plus tard, il y aura un feu d'artifice.

— Comme pour le 5 novembre.

— Mieux que cela, sourit-il, exhibant du même coup des dents dignes d'une publicité de dentifrice. Les gens du conseil local essaient de baptiser cet événement « le Noël hindou »...

— Et pourquoi cela? voulut savoir Anna. Cela n'a aucun sens.

— Les « multiéthniques » gagnent des voix, expliqua Hal. C'est qu'il y a plus de vingt mille sikhs résidant à Bradford.

Après quelques minutes d'interruption, la musique reprit de plus belle. Un sikh d'une trentaine d'années tout de blanc vêtu, harnaché de chaînes dorées dispersées un peu partout, se mit à gigoter sur la scène en entonnant un air qu'Anna reconnut après quelques mesures. C'était « Blue Bayou » d'Elvis Presley, ce qui la conduisit à examiner un peu plus attentivement les attitudes de l'émule de la vedette. Ses traits empâtés évoquaient indéniablement ceux de l'idole disparue, mais sa gestuelle n'était qu'une sorte de parodie caricaturale. Elle se tourna vers Terry Singh.

— Que puis-je faire pour vous? cria ce dernier à l'oreille d'Hal.

Pour toute réponse, ce dernier les entraîna vers le calme relatif d'une coursive, au bout de laquelle ils allèrent s'adosser.

— Nous nous demandions si tu ne pouvais pas te charger de teindre trois bobines, fit Hal en offrant une pastille de menthe à Terry. Nous avons essayé les baies et les lichens mais cela n'a rien donné. Je me demandais s'il était encore possible d'utiliser des produits naturels, même s'il faut les mélanger à des teintures chimiques.

— Pourquoi tiens-tu à passer par ce processus? On peut faire n'importe quoi avec les teintures chimiques qui existent aujourd'hui sur le marché.

— Ce n'est qu'une question de mise en marché. C'est la notion de produit naturel qui est très attrayante. Elle s'accorde bien avec des matériaux comme la laine, le lin, la soie que nous filons. Ce serait un argument de vente supplémentaire, sans parler des nuances nouvelles que nous pourrions obtenir.

— Ça pourrait être intéressant, mais coûteux, aussi. À cause du temps. Ce n'est pas un mince travail que de procéder à tout ce tripatouillage.

Anna sentit son cœur tressauter en écoutant les paroles peu encourageantes du sikh. Cependant, ce dernier ajouta, imperturbable :

— Faites livrer ça chez moi.

— Alors c'est d'accord? s'exclama Hal en ponctuant son enthousiasme par une grande claque dans le dos de Terry. Tu nous sauves la vie, Tel. Lundi à la première heure, ça te va?

— Bien sûr, je serai là.

Une femme apparut à la porte de la salle et lui fit signe. Après un sourire navré, il leur adressa un haussement d'épaules impuissant et s'empressa d'aller la rejoindre. Dans le foyer, deux jeunes gens s'activaient autour d'une distributrice de boissons gazeuses. Hal alla en chercher deux, puis après en avoir offert une à Anna, l'invita à s'asseoir près de lui sur les marches d'escalier.

— En parlant de mise en marché, je me disais que nous pourrions aussi mentionner l'origine de nos produits. Le consommateur apprécie ce genre de chose, particulièrement l'acheteur japonais. Ce ne serait pas une mauvaise chose que de créer un label portant l'origine de l'animal, qu'il soit de Hampshire Down ou de Dartmoor.

— Et nous pourrions même faire mention de Nightingale Mill. Après tout, pendant plus d'un siècle, nous avons été une des filatures les plus réputées de la région. C'est une chose qui mérite d'être sue.

— C'est cela : un bon produit, une belle image de marque. Nous mettrons cela noir sur blanc dès demain. Mais en attendant, allons nous mêler à la fête.

L'idée parut tellement farfelue à Anna, qu'elle éclata d'un rire nerveux.

— C'est impossible...

— Je ne vois pas pourquoi. Vous avez bien entendu Terry : il s'agit d'une fête religieuse.

— Je ne peux aller là-bas, Hal. Ce n'est pas...

— Voulez-vous dire que votre religion vous interdit de fêter un événement qui n'en fait pas partie?

— Non. Mais c'est que...

— Allons donc, montrez-vous objective. Combien de fois dans votre vie aurez-vous l'occasion d'assister à une fête comme celle-là?

Elle hésita. Hal n'avait pas tort; l'endroit débordait tellement de vie, comment pourrait-elle résister? Elle repensa à Thérèse d'Avila qui jouait du tambourin et de la flûte et qui exhortait ses religieuses à danser et à faire de la musique pendant les heures de récréation. La plupart des ordres érémitiques encourageaient les éclairs de joie qui illuminaient leur existence. Elle se rappela avec quel entrain Lis et sœur Louis avaient dansé au cours d'un après-midi neigeux, relevant leur habit pour esquisser quelques pas de *Coppélia* appris du temps de leur enfance.

Toute hésitante, elle suivit néanmoins Hal jusque dans la grande salle. Installés dans un coin, ils regardaient la foule des danseurs, quand Hal se tourna vers elle.

— Vous dansez?

— Je ne peux pas.

— Si, vous le pouvez. Regardez, personne ne se touche — il la regardait, la tête penchée sur le côté, tentateur — Allons donc, ce n'est pas difficile...

— Eh bien, je...

Elle esquissa un pas à la suite d'Hal, consciente de son allure ridicule et maladroite, sans trop savoir ce qu'elle devait faire de ses jambes et de ses bras. Si, dans sa jeunesse, il lui été arrivé d'être invitée à des soirées, elle y avait le plus souvent fait tapisserie. Les piétinements torrides sur musique langoureuse, elle n'avait jamais connu ça.

Hal se mouvait avec cette aisance inhérente à son corps. La musique poussée au maximum empêchait toute tentative de protestation, à quoi il répondait chaque fois par un sourire. De guerre lasse, elle s'astreignit à imiter ses gestes, à s'abandonner autant que faire se peut à la musique.

Au début, à cause de son habit, elle avait l'impression que tous les regards convergeaient vers elle. Mais elle se rendit compte peu à peu qu'elle ne suscitait qu'un intérêt mitigé, bien moindre, en fait, qu'au cours de ses déplacements en train, par exemple. Finalement, il lui apparut que ces gens-là étaient bien trop occupés à s'amuser pour s'inquiéter de ce qu'elle fût nonne, si toutefois ils savaient ce que cela signifiait.

Le cas s'appliquait aussi à Hal, songeait-elle tout à coup. Ils n'avaient jamais parlé religion, et elle soupçonnait fortement que, dans l'esprit d'Hal, la pratique de la religion catholique se limitait à quelques fêtes religieuses comme Noël ou Pâques. Elle s'en inquiéta, par égard pour lui; mais elle comprit aussitôt que l'absence de préjugés d'Hal conférait à son état de religieuse une liberté inusitée.

Peu à peu, sa timidité se dissipa et son air renfrogné fit place à un aimable sourire. Au fur et à mesure que la piste se remplissait de danseurs, elle se sentait poussée vers Hal, qui ne tarda pas à ouvrir les bras pour les refermer autour des épaules d'Anna. Prête à faire machine arrière, elle sentait progressivement le contact de son torse contre sa poitrine, de ses jambes contre ses cuisses et déployait mille efforts pour ne pas faire l'expérience de sensations qui, une fois déjà, l'avaient profondément bouleversée. Elle voulait ignorer les lignes pures du corps d'Hal : le triangle de ses épaules et de ses hanches étroites, ses avant-bras musculeux émergeant des manches retroussées de sa chemise blanche, son cou puissant, ses cheveux bouclés...

Car tous ces attributs de mâle ne la concernaient pas et ne la concerneraient jamais. Elle respira à petits coups, et eut le sentiment de lui transmettre la tension qui venait de saisir son corps. Penché sur elle, ses lèvres frôlant presque la joue d'Anna, il lui dit d'une voix ronde et basse :

— Vous voyez, ce n'est pas bien terrible, nous ne faisons que danser. Nous nous arrêtons quand vous voulez.

Mais il se rapprocha un peu plus d'elle, le bras un peu plus lourd sur l'épaule d'Anna.

Le prendre au mot lui était impossible. Les minutes passaient sans qu'elle se sentît capable de mettre entre cet homme et elle la distance appropriée. Elle s'abandonna plutôt au lent plaisir de se reposer dans ses bras. Sur l'estrade, près du synthétiseur électronique, une silhouette floue dans un sari couleur d'ambre interprétait un chant qui s'insinuait en elle par des méandres inconnus.

Anna ferma les yeux pour ne sentir que les bras qui la soutenaient, la mélopée lascive et le rythme des tambours. Bien qu'incompréhensibles, les mots exprimaient un langage universellement connu, celui d'une femme amoureuse.

Sans crier gare, elle se détacha d'Hal avec tant de brusquerie qu'elle bouscula un jeune homme.

— Non mais, ça va pas?

— Je... Je voulais juste...

Elle fendit la foule et se précipita dehors, vers la fraîcheur et la tranquillité de la coursive, Hal sur ses talons.

— Tout va bien? s'enquit-il, manifestement désarçonné par cette rebuffade inattendue.

Il ne l'avait en rien forcée, et aucune femme ne se serait objectée à cette sorte d'intimité passagère; pourtant, elle n'était pas n'importe quelle femme mais sœur Gabriel, et à ce titre, elle ne pouvait accepter la terrible attirance qu'elle éprouvait pour cet homme et qui battait sourdement dans son ventre, comme un tambour.

— Il fait trop chaud dans cette salle...

— C'est vrai...

Il n'était pas dupe, elle pouvait le constater; cependant, il se garda bien de faire des commentaires, préférant rester calmement à ses côtés, les mains sagement enfoncées dans ses poches, un éclat serein au fond de sa prunelle vert et or. La lumière projetait des ombres douces sur la peau de son visage et ses cheveux moites de sueur paraissaient plus bouclés que jamais. Il se mit à l'observer en promenant une main perplexe sur sa mâchoire. Ne pouvant soutenir le regard d'Hal, elle baissa ses yeux (la force de l'habitude) qui s'arrêtèrent sur l'échancrure de sa chemise, dans les sombres profondeurs de son torse.

— Il faut que je rentre...

Ne lui avait-elle pas déjà dit cela, à Bradley Moor? Il devait la prendre pour une folle. Mais il se contenta d'acquiescer.

— Naturellement, je vous raccompagne...

Le ton plein de prévenance avec lequel il prononça ces mots la jeta dans un embarras plus grand encore.

CHAPITRE SEIZE

Debout devant la porte, Terry Singh s'essuya les mains sur un morceau de chiffon. Sous la faible lumière, la couleur de son turban et celle de sa peau se confondaient, et son sourire semblait d'autant plus éclatant.

— Bonsoir, j'espère ne pas vous avoir fait trop attendre.

En chandail rouge et denim bleu, il paraissait plus jeune, plus élancé qu'à la soirée du Diwali.

Assise sur une chaise à demi défoncée, Anna s'était presque endormie en l'attendant, pendant qu'un chat tentait vainement de se faire les griffes sur ses genoux. L'air était lourd, saturé d'odeur d'essence et de cuisine. Elle lui adressa un sourire en guise de salut et lui tendit une liasse d'échantillons de laine qu'elle avait dénichés sur le comptoir parmi des bons de commandes griffonnés au crayon à bille et auréolés de cernes de thé.

— J'admirais vos échantillons.

— Formidable, n'est-ce pas? C'est une commande pour Calvin Klein. Nous avons réussi à trouver les nuances qu'ils désiraient, mais malheureusement elles passent au soleil. Quand nous avons téléphoné aux États-Unis pour les prévenir, on nous a répondu de ne pas nous inquiéter, parce qu'ils utilisent ce genre de tissu seulement pour les tenues de soirées.

Enthousiasmé par l'intérêt qu'Anna semblait porter à son travail, il lui désigna les rangées d'étagères qui couraient sur trois côtés de la pièce et sur lesquelles s'empilaient des sachets de papier kraft teints de la même couleur que leur contenu. On voyait ainsi du bleu marine, du rose géranium, du rouge vermillon, du vert pomme, de l'amarante… Elle leva le bras pour effleurer un sachet portant la mention « vert olive » et adressa aussitôt à Terry un regard interrogateur.

— Des uniformes de l'armée, expliqua-t-il brièvement. La guerre du Golfe aura été une bénédiction pour l'industrie du textile de Bradford.

Anna avait déjà effectué une visite purement formelle chez ce teinturier de Jasper Street quatre jours plus tôt. Terry l'avait alors reçue dans son bureau, pendant qu'en compagnie d'Hal elle prenait place sur les chaises d'appoint, préalablement débarrassées des échantillons qui les encombraient. Ils avaient parlé teinture réactive et prémétallisée, teinture au chrome et sodium dichromatique. Elle s'était limitée à écouter, tandis que les deux hommes tombaient d'accord sur les aléas rencontrés dans la teinture au chrome. Puis ils avaient parlé argent. Peter Hallam avait expliqué leurs difficultés financières et Terry Singh avait écouté poliment, ses yeux de braise allant de Peter à Anna et inversement.

— Nous pourrions utiliser quelque chose venant de l'étranger, ou d'un restant de stock, suggéra-t-il.

Terry Singh s'était engagé à finir ses teintures en trois semaines, après qu'ils se furent mis d'accord sur les couleurs et que la laine lui fut expédiée. En tant que petit teinturier, avait-il fièrement annoncé, il était en mesure de traiter des petites quantités que d'autres teinturiers auraient refusées. Anna lui avait montré des échantillons de couleurs qu'elle avait préparés avec la boîte d'aquarelle de Baxter.

— Pouvez-vous reproduire exactement ces couleurs en petites quantités? lui avait-elle demandé. Hal me dit que vous n'utilisez pas d'ordinateur pour élaborer vos teintes.

Terry s'était alors redressé de toute sa hauteur.

— Un ordinateur peut vous établir une composition approximative de ces couleurs, mais il ne pourra jamais les reproduire exactement. Le nouveau système, bien meilleur celui-là, consiste à les définir à l'aide d'ondes radio, mais là, nous parlons de très haute technologie, expliqua-t-il, vaguement méprisant, apparemment très fier de ses compétences.

— Depuis quand faites-vous ce travail? demanda-t-elle en le regrettant aussitôt.

« Voilà un homme secret, se dit-elle, pour qui cette marque d'intérêt peut passer pour de l'indiscrétion. » Plus le temps passait, plus elle se rendait compte combien son éducation religieuse et le vase clos dans lequel elle avait évolué l'avait aliénée de toute notion d'urbanité. Il y eut un silence insupportable avant que Terry Singh proposât :

— Nous sommes tranquilles, les ouvriers sont partis. Seriez-vous intéressée à voir ce que nous faisons de votre commande?

Elle accepta avec tant d'enthousiasme que la mauvaise humeur de l'homme semblait s'être évaporée en quelques instants.

Lors de sa première visite à Jasper Street, malgré son désir muet, elle n'avait pas été conviée à visiter les ateliers. Et voilà qu'à présent, elle suivait l'Indien le long de couloirs sombres jusqu'à un escalier dont la balustrade était une simple planche de bois.

— C'est un bâtiment qui remonte à l'époque victorienne, expliqua-t-il en poussant une porte branlante.

Le plancher de la pièce semblait devoir s'affaisser d'un instant à l'autre sous le poids de l'énorme équipement. Sur une barre de bois, se serraient des écheveaux de laine traitée, tandis que d'autres se balançaient doucement, tels des guirlandes mouillées, au bout de grands crochets qui pendaient du plafond. À mesure qu'ils avançaient, Singh lui décrivait les différents processus qu'elle avait elle-même eu l'occasion de suivre, mais à une échelle si petite qu'elle en reconnaissait à peine les différentes applications.

Lorsqu'ils furent revenus au rez-de-chaussée, Singh l'entraîna vers l'arrière du bâtiment.

— Faites attention aux rats, la prévint-il.

Le regard aigu qu'elle lui adressa lui confirma qu'il ne plaisantait pas. Relevant légèrement sa robe, elle le suivit sur les dalles de pierre qui suintaient l'eau croupie, jusqu'au premier bain de teinture, assez large et élevé pour y teindre un éléphant. Dans le faible halo de lumière, elle distingua les conduits de vapeur de la grande bouilloire centrale, ainsi que la turbine qui assurait une teinture constante et régulière. Près de là, une rangée de seaux contenait les poudres des différentes teintures prévues pour le lendemain.

— Des teintures synthétiques, précisa-t-il en les montrant du doigt. Il faut en général huit kilos de poudre pour deux cents kilos de fibre.

— De quelle manière mesurez-vous tout cela? pas avec une balance de cuisine, je suppose?

— Ces mélanges, je les prépare d'instinct. Nous les pesons, bien sûr, mais il faut tenir pour acquis que, malgré cela, les couleurs changent d'un bain à l'autre. C'est pourquoi, nous prenons toujours un risque, calculé cependant. Voilà dix ans que je fais ce métier et je suppose que dans dix ans, je serai encore plus compétent que je ne le suis aujourd'hui.

Il ne se vantait pas : c'était un bon artisan, conscient de ses capacités. Il l'entraîna vers d'autres écheveaux d'une fibre de couleur indéfinissable.

— Voilà votre soie, c'est un produit très fluide, très difficile à travailler.

— Avez-vous appris le métier ici? voulut-elle savoir.

— Aucune chance. Avec leur saleté d'ordinateur, voilà longtemps que l'industrie du textile ne forme plus de teinturiers. Je travaillais dans un entrepôt de laine, puis j'ai changé pour un emploi dans un laboratoire, ce qui m'a permis de connaître les techniques de teintures de Bradford. Quand je suis entré ici, le vieux Pickles, qui avait alors quatre-vingt-treize ans, travaillait toujours — Singh frappa du poing le grand réservoir — Ce matériel ne vaut plus rien comparé à ce qui existe actuellement. Mais même pour un bain de seconde main, il faut compter un millier de livres. Et puis, dans ce genre de travail, il n'y a jamais de temps mort qui nous permette de nous moderniser un peu — il fit un geste de dérision vers l'ensemble de son équipement — Tout ce matériel devrait être à la ferraille depuis longtemps.

— Je n'en suis pas si sûre, répondit-elle avec émotion. À la filature, la plupart des machines qui datent de l'époque de mon grand-père sont encore en place et fonctionnent parfaitement.

Figurez-vous qu'au pays de Galles, je file la laine avec un rouet.

— Pas possible? Comme dans la Belle au bois dormant?

— Précisément. Mais moi, je suis seulement une vieille fille... Nous avons un petit troupeau de Beulah. Après avoir teint la laine à l'aide de produits organiques, je la vends à une boutique de la région. Cela marche très bien pour de petites quantités, et les différences de bains importent peu.

— Les teintures naturelles sont difficiles à manipuler. Souvent, on finit toujours par cacher nos erreurs en teignant tout en noir... Mais je croyais que les religieuses ne travaillaient pas...

— Oh, que si! Je conduis un tracteur, je maçonne, je cultive des pommes de terre... mes mains sont là pour le prouver, fit Anna en joignant le geste à la parole.

Il examina un instant les mains, puis le visage d'Anna d'un air confus.

— Vous me faites marcher...

— Pas du tout. Nous ne possédons pas un sou et nous ne vivons que de charité et de ce que nous pouvons produire par nous-mêmes.

— Voulez-vous dire que vous mendiez dans les rues?

— Pas exactement. Bien que certains ordres le fassent. Les Pauvres de Clares mendient, mais cela nous est interdit, à nous. Il arrive que des personnes nous donnent un peu d'argent ou nous fassent des dons. Quand notre voisin fermier a pris sa retraite, il nous a fait don de son troupeau de moutons. N'étant pas exigeantes, nous avons toujours assez pour vivre.

C'était étrange comme cette pieuse formule, pourtant mille fois répétée, résonnait curieusement à son oreille, aujourd'hui. Comme pour étayer son sentiment, l'homme émit un grognement désapprobateur.

— Sûrement pas lorsqu'on a quatre enfants à nourrir, en tout cas. J'ai moi-même trois garçons et une fille. À dix-huit ans, j'étais déjà marié. Mes parents m'avait déjà choisi une épouse qu'ils ont fait venir de Bombay. Sura est une mère exceptionnelle, mais...

— Vous semblez avoir une merveilleuse famille, intervint-elle dans l'espoir de couper court à un sujet qui la troublait depuis déjà longtemps.

— Oui, tout le monde est très gentil. Simplement que... Sura est à la maison toute la journée et je crois qu'elle commence à s'ennuyer. Le troisième rentre à l'école dans quelques mois et le dernier n'a que deux ans. Mais voilà que depuis quelque temps, elle me parle d'en avoir un quatrième. Pour ma part, je pense que c'est au-dessus de nos moyens.

— Peut-être devrait-elle chercher un emploi?

— C'est que même après dix ans, elle ne parle toujours pas très bien l'anglais. Et puis, je ne veux pas qu'elle aille travailler en usine. Ce serait bien qu'elle vienne travailler ici, elle me soulagerait un peu du poids qui pèse sur mes épaules — il soupira — Je ne sais pas... excusez-moi de vous ennuyer avec toutes mes histoires, vous n'avez pas ce genre de souci, vous...

Anna songeait à Lynn et aux enfants, et la manière inattendue avec laquelle elle s'en était rendue responsable. Elle tendit la main pour tâter la soie détrempée et murmura, davantage pour elle-même que pour son interlocuteur :

— Je suis persuadée que tout ira bien. Aussi longtemps que la famille reste unie...

C'était un lieu commun, bien sûr, ce qui n'empêcha pas son esprit de revenir à ses préoccupations courantes, c'est-à-dire l'apathie de Lynn, son absence d'énergie et d'intérêt pour quoi que ce fût. Quand ses enfants lui adressaient la parole, c'est à peine si elle entendait. En raison de cela, la réponse de Terry Singh, étrange combinaison d'envie et de fatuité, la prit au dépourvu.

— Vous, vous ne dépendez que de vous-même et personne ne dépend de vous; les problèmes, vous ne savez pas ce que c'est.

Tandis qu'il prononçait ces mots, son regard la parcourait, de haut en bas, du voile aux sandales. Il se garda bien de dire : « Qu'est-ce que vous entendez à tout ça? » mais elle le perçut clairement quand même. Il était évident que l'homme ne voulait en aucune façon se montrer désagréable, constata-t-elle en plongeant son regard dans le sien. Il faisait un constat, sans plus. Alors qu'elle pensait avoir établi une communication entre cet homme et elle, voilà qu'elle comprenait que ce n'était pas à elle, Anna, qu'il s'était adressé, mais à son image. Cela importait peu, se raisonna-t-elle, comment aurait-il pu comprendre? Elle se dirigea vers la porte à pas mesurés, comme une vieille femme. Cette journée n'avait que trop duré.

— Merci pour la visite, monsieur Singh. Je dois rentrer, il est tard.

« C'est un homme intelligent, se dit-elle, luttant contre la torpeur glaciale qui engourdissait soudain son corps. Il semble même m'apprécier un peu, et cependant, il est convaincu que je n'ai pas de cœur. »

— Mangez au moins votre tartine...

Lynn était dans son lit, sans avoir touché au thé qu'Anna lui avait servi quelques instants plus tôt.

— Non, protesta-t-elle, il y a trop de beurre, ça me donne des nausées.

— Vous vous trompez, je n'ai mis que de la confiture de framboises...

— De la confiture... quelle horreur...

— Allons, Lynn, faites un effort, gronda Anna en examinant le visage défait de sa belle-sœur. Et essayez de vous reposer. Je vais veiller à ce que Peggy s'occupe de Jamie, elle n'a pas grand-chose à faire aujourd'hui. Ce matin, restez au lit; de cette façon, vous serez en forme pour vous rendre chez votre coiffeur, cet après-midi. Vous pouvez accoucher d'un instant à l'autre, et il faut vous faire belle pour le moment où l'on vous conduira à l'hôpital.

— Peu importe. Je n'ai pas l'habitude de m'apitoyer sur moi-même et je sais très bien que je suis affreuse — Une larme roula lentement sur sa joue — Je ne veux pas accoucher à l'hôpital, annonça Lynn d'un air las.

— Ce serait un euphémisme de dire qu'un accouchement n'est pas tout à fait de mon ressort.

— En effet, répondit Lynn, sensible malgré tout à l'humour d'Anna. Encore que vous auriez tout intérêt à vous tenir au courant.

— J'y veille. Mais n'accouche-t-on pas à l'hôpital, ordinairement?

— J'ai pris mes dispositions pour être accouchée par une sage-femme, à la maison. Et ce, malgré les protestations de mon gynécologue qui prétend qu'en cas de complications... Mais je sais qu'il n'y en aura pas. J'ai déjà à mon actif deux accouchements qui se sont très bien passés. Accoucher, c'est une des rares choses que je sache faire, grâce à Dieu.

— Mais ce serait plus prudent d'accoucher à l'hôpital, cependant...

— Non! Vous n'avez pas idée à quel point c'est affreux! s'emporta Lynn en repoussant ses couvertures. On vous met une chemise de nuit en papier fendue en arrière, le vêtement le plus humiliant qu'on ait jamais inventé. À cause de je ne sais trop quelle pudibonderie, on vous rase le pubis et on ne cesse de vous examiner comme si vous n'étiez qu'une énorme outre, sans même vous adresser la parole. Quant à la salle d'accouchement, n'en parlons pas. On se croirait dans un aéroport. Des tas de gens vont et viennent sans que vous sachiez trop pourquoi. Mais le pire, c'est devoir accoucher toute seule et ça, je ne peux m'y résoudre. De quoi aurais-je l'air parmi ces pères, avec leurs bras chargés de bouquets de fleurs? Qui viendra voir mon bébé à moi?

Anna prit Lynn dans ses bras, se disant qu'un mois plus tôt, c'eût été par des mots qu'elle aurait essayé de soulager la peine de Lynn. À présent, elle ne disait rien, préférant laisser à son corps le soin d'exprimer ses sentiments profonds. Elle attendit que Lynn se fût calmée avant de murmurer :

— Vous pourriez peut-être prendre une chambre privée...

— C'est trop cher. De toute manière, je crois que c'est pour cette nuit. J'irai quand même me faire coiffer cet après-midi.

Anna prépara le repas froid de Baxter, puis déposa l'enfant à l'école avant d'emmener Jamie au parc. Sur le chemin de la filature, les inquiétudes que lui causait sa belle-sœur ne cessèrent d'accaparer ses pensées, jusqu'au moment où, arrivant à l'angle de Nightingale Street, elle s'efforça de se remémorer les problèmes à l'ordre du jour. Il y avait une commande d'Aran qui devait être expédiée sous peu malgré une ouvrière absente pendant une semaine, des factures qui s'accumulaient sur son bureau et, pour couronner le tout, Peggy qui avait la migraine.

Vers onze heures, elle décida de s'accorder quelques instants de détente. Son esprit ne cessait de jongler avec des problèmes pour la plupart insolubles. Peut-être qu'une petite prière lui apporterait quelque inspiration. Repoussant sa tasse de café, elle prit son visage entre ses mains et ferma les yeux. Elle égrena le chapelet entre ses doigts. « Sainte Marie, mère de Dieu... »

On vint gratter à sa porte.

— Aurais-tu une minute, ma chérie? j'ai un problème, là-haut...

Anna soupira, compta jusqu'à cinq et leva vers Peggy un visage serein.

— Naturellement, Stan Beattie est introuvable...

C'était plus une constatation qu'une question. Peggy produisit son fameux grognement.

— Il est allé voir un client, comme d'habitude.

Sans un mot, les deux femmes échangèrent un regard entendu. Depuis quelque temps, le directeur passait le plus clair de son temps à l'extérieur de la filature.

— Il faut que tu fasses quelque chose; cette situation ne peut plus durer.

— Je sais, répliqua Anna en quittant son bureau. Mais pas aujourd'hui.

À l'étage, elle traversa l'atelier, sans se soucier de la poussière blanche qui maculait les bords de sa robe grise.

— Venez vite!

Hal se trouvait dans le secteur des bobineuses, à l'extrémité de l'atelier, et les femmes qui l'entouraient se dispersèrent comme une volée de moineaux pour leur livrer le passage. La fileuse qui s'était absentée une semaine, une dénommée Dawn, gisait sur le plancher poussiéreux, son visage couleur cendre contrastant avec le foulard aux couleurs éclatantes qui retenait ses cheveux. Son corps semblait si frêle qu'Anna crut un instant qu'elle était morte.

Mais Dawn bougea un bras, puis une jambe, et se mit à murmurer des mots qu'Anna ne comprit pas.

— Elle dit qu'elle voudrait un médecin, lança une jeune ouvrière.

— Ne la touchez pas, ordonna Anna.

Un genou à terre, elle lui tâta le pouls, tandis que la femme s'efforçait de se remettre debout.

— Ça va, c'est fini...

Anna le repoussa doucement par l'épaule.

— Un instant...

Elle leva les yeux et, interceptant son regard, Hal se mit à exhorter les ouvrières à regagner leur poste.

— C'est bon, les filles, le spectacle est terminé.

Une fois que chacun eut sagement regagné son poste, il alla prêter main forte à Anna qui, un bras passé autour de la taille de Dawn, aidait cette dernière à se relever. Après avoir déniché une chaise, il l'incita à s'asseoir. Quelqu'un apporta un verre d'eau et Anna le tendit aussitôt à Dawn.

— Buvez lentement, Dawn, détendez-vous... J'ai le sentiment que vous avez repris le travail un peu trop tôt.

Parmi toutes les tâches, celle de fileuse était la plus difficile, car le maniement des barres de bois de quatorze pieds de long exigeait non seulement une dextérité particulière, mais aussi une attention de chaque instant.

— J'ai cru que j'étais guérie, excusez-moi, mademoiselle Anna.

— Vous ne pouviez pas le prévoir. Hal va vous reconduire chez vous. Y a-t-il quelqu'un pour s'occuper de vous?

— J'ai de très bons voisins, merci.

Bien que les joues de la jeune femme eussent retrouvé un semblant de couleur, il parut évident à Anna que la jeune femme avait besoin de repos. Cinq minutes plus tard, elle l'aidait à mettre son manteau.

— J'ai l'intention de rester quelques instants avec elle et de lui préparer une bonne tasse de thé. Je pense être de retour vers midi.

— Parfait, Hal. Merci.

Tant qu'à être dans l'atelier, se dit-elle, autant aller dire quelques mots à Rene et à Sylv, histoire de savoir si tout va bien. Sylv l'accueillit chaleureusement parmi le cliquetis des aiguilles.

— Bonjour, vous avez l'air un peu fatiguée; ce doit être à cause des nuits que vous passez à rattraper le temps perdu, fit-elle avec un clin d'œil suggestif.

Anna sourit à cette boutade qui, un mois plus tôt, l'eût fait bondir d'indignation. Mais déjà, Rene prenait sa défense.

— Vas-tu te taire, dévergondée, fit-elle en bousculant sa collègue de travail.

Les deux femmes éclatèrent de rire et Anna partagea leur hilarité.

Sa timidité enfantine avait fini par s'envoler, remplacée par la prise de conscience de tout ce dont elle était redevable à son personnel. En passant la porte coulissante qui donnait accès aux bureau, elle riait encore quand, dans un coin obscur, elle aperçut une vague silhouette masculine, faiblement éclairée par l'ampoule unique pendue au plafond.

— Si c'est pour une livraison, c'est l'autre porte, là où sont empilés les cartons.

— C'est que... je voudrais parler à Mlle Summers.

C'était une voix profonde, avec un léger accent du sud qui ne lui était pas inconnu, et dont les inflexions n'étaient pas celles d'un livreur. L'homme fit un pas en avant.

— Je m'adresse bien à Mlle Summers, n'est-ce pas? Je suis Daniel Stern, de Maynard Gideon, nous nous sommes rencontrés, il y a dix jours.

Derrière elle, Anna entendit le caquètement du personnel administratif, avec la suprême conscience du regard de l'homme sur sa tenue vestimentaire. Elle vit ainsi ses yeux errer sur sa robe grise, sur le crucifix qu'elle portait à la taille, sur sa ceinture et ses sandales de cuir. Sans le quitter du regard, elle brossa distraitement la poussière sur sa robe. Les paroles de sœur Godric lui revinrent alors en mémoire et elle s'avança vers l'homme, la main tendue.

— Bonjour, pardonnez-moi, mais je ne m'attendais pas à...

— Je le sais. C'est moi qui vous dois des excuses, j'aurais dû prendre rendez-vous. Mais je passais par Bradford et je me suis dit... en fait je suis en vacances.

Elle pouvait en effet constater que Stern arborait une tenue vestimentaire décontractée, du moins selon l'idée que se font les gens de la Cité de la décontraction : veston de cuir souple, chandail de cachemire... Il y eut un silence jusqu'à ce qu'elle proposât :

— Allons dans mon bureau.

Elle le précéda jusque dans le bureau de Simon sans souffler mot, soulagée de l'absence de Beattie qui, depuis la fâcheuse posture dans laquelle il avait été surpris, n'avait plus mis les pieds dans la pièce.

— Merci.

Daniel Stern posa la main sur le dossier du siège qu'elle lui désignait, mais ne s'assit pas.

— J'espère que ma visite ne vous dérange pas. Vous étiez au courant de notre intention de venir visiter la filature, je crois?

— En effet. Mais je ne pensais pas... Quoi qu'il en soit, c'est aimable à vous de vous donner tant de peine.

Elle s'évertuait tant bien que mal à ne pas donner l'impression d'être sur la défensive. Pourquoi n'avait-il pas pris la peine de téléphoner? Et pourquoi est-ce lui qui était ici, et non George Tyler? Depuis quand les directeurs de banque se commettaient-ils dans ce genre de tâche?

— Puis-je vous offrir un café? demanda-t-elle en ajustant son voile, consciente du regard inquisiteur qui pesait sur elle.

— Êtes-vous réellement...

Pour la seconde fois en quelques minutes, elle se sentit jaugée de la tête aux pieds, comme pour s'assurer de la fidélité de son déguisement.

— Oui, réellement.

— Mon... Dieu.

Elle eut un instant le sentiment qu'il allait éclater de rire. Au sourcil interrogateur qu'elle levait, il répondit par un hochement de tête.

— Je ne voudrais pas vous paraître grossier, mais j'ai du mal à y croire. Vous n'étiez pas vêtue ainsi, à Londres. Car c'était bien vous, n'est-ce pas? Je n'entends strictement rien aux coutumes des religieuses, mais j'étais loin d'imaginer qu'elles pussent se promener dans la Cité londonienne en chemisier de soie et talons aiguilles.

Ainsi, elle avait produit son petit effet. Cette révélation lui procura un plaisir intense, bien qu'elle s'efforçât de n'en point faire étalage.

— Ces vêtements ne me semblaient guère appropriés pour une réunion d'affaires; je m'y sens affreusement bégueule. Je craignais... elle hésita. Autant parler franc, je craignais de n'être pas prise au sérieux si vous aviez appris que j'étais une religieuse.

— Et vous avez eu diablement raison. Oh, désolé, mademoiselle Summers... ma sœur... Est-ce ainsi que je dois vous appeler? Eh bien, ma sœur, j'accepte la tasse de café que vous me proposez. Si cela ne vous incommode pas trop, toutefois.

Pendant qu'il daignait enfin s'asseoir, Anna décrocha le téléphone et appela Peggy.

— Pourriez-vous nous apporter du café, je vous prie? Monsieur Daniel Stern, de la banque Maynard Gideon est parmi nous... puis, après avoir raccroché : je suppose que vous aimeriez visiter notre entreprise.

— J'y compte bien, répliqua-t-il en déboutonnant son veston.

Au cours des échanges de pure forme qu'ils eurent en attendant leur café, Anna apprit que Daniel Stern souhaitait depuis toujours visiter les Yorkshire Dales et que son fils de neuf ans l'accompagnait.

— Vous êtes donc vraiment en vacances?

— Eh bien, la saison est plutôt mal choisie, mais j'ai pensé que quelques jours de vacances feraient le plus grand bien à Sam. De plus, cela faisait parfaitement l'affaire de sa mère.

— Où l'avez-vous laissé? à l'hôtel?

— Il m'attend gentiment dans la voiture en lisant une bande

dessinée.

— Il serait préférable que vous le fassiez entrer. On ne laisse pas un enfant de neuf ans tout seul dans la rue.

Sam était le portrait de son père : même regard brun intense, mêmes cheveux coupés court, avec une longue mèche sur le front, même nez grec long et étroit, même pli de la bouche aux lèvres très légèrement ourlées... Père et fils allaient même jusqu'à partager cette expression anxieuse, à peine perceptible, au fond du regard. Deux « battants », conclut-elle. Sam lui serra la main en disant : « Enchanté », avant de s'asseoir près de son père et de suivre sagement la conversation. Trop posé pour un enfant de neuf ans, ajouta-t-elle dans son for intérieur.

Une fois n'est pas coutume, Peggy servit le café dans des tasses de porcelaine dont Anna ignorait l'existence, et des biscuits dans un plat d'argent, au fond duquel elle avait mis, raffinement sans précédent, un napperon de dentelle. Après les présentations, Peggy offrit à Sam de lui faire visiter les bureaux, à quoi l'enfant répondit poliment par un « non merci, je préfère rester avec papa ». Observant tour à tour père et fils, Anna nota combien ils paraissaient s'entendre. Indéniablement, Daniel Stern devait passer de longues heures en compagnie de son fils.

Anna leur fit donc faire le tour du propriétaire. Au moment où ils se trouvaient dans la cour d'expédition, elle jugea opportun d'insister sur l'inutilité de visiter l'ensemble du bâtiment.

— Voulez-vous dire que je ne prendrai pas connaissance des premières étapes de votre production?

— Eh bien... je pensais vous les avoir déjà exposées...

— Écoutez, mademoiselle Summers... ma sœur, je ne sais à peu près rien de l'industrie de la filature et je désire vivement combler cette lacune. C'est pourquoi j'aimerais que cette visite se fasse selon la chronologie habituelle.

— Cela risque de prendre du temps, fit Anna, réticente.

— Je dispose de tout le temps nécessaire.

C'est ainsi que Daniel Stern apprit chaque étape du filage, en commençant par le déballage des ballots de laine brute achetés aux enchères. Arrivés au pied de l'escalier conduisant aux ateliers,

Anna demanda à Sam de l'attendre dans le bureau de Peggy.

— Mon père ne nous laissait jamais monter là-haut durant les heures de travail, expliqua-t-elle avec délicatesse pour ne pas le froisser. C'est très dangereux. On peut très facilement se prendre les doigts dans une machine.

Ce fut, comme d'habitude, avec la plus grande compétence et beaucoup de conviction qu'elle expliqua à Stern le fonctionnement des différentes machines; mais cela ne l'empêcha cependant pas de remarquer les regards aigus des filles, leur manière de lisser leurs blouses dès que le bel étranger s'approchait d'elles. Un coup d'œil de biais l'instruisit sur l'intense concentration de Daniel Stern, sur les lignes de sa bouche et son teint légèrement hâlé. « Que voilà un bel homme, se dit-elle. Je suis tellement préoccupée par l'impression que je peux produire sur les autres, que je ne m'en étais même pas aperçue. Tout compte fait, peut-être bien que ma vraie place est au couvent... »

Elle lui expliquait le fonctionnement d'une machine, quand Hal arriva, le veston jeté sur l'épaule. Il lui adressa un pouce levé : Dawn se reposait chez elle. Elle lui fit signe d'approcher.

— Merci, Hal. Monsieur Stern, j'aimerais vous présenter Peter Hallam. Il a la charge de l'atelier. Hal, je vous présente M. Stern, que j'ai récemment eu l'occasion de rencontrer à Londres.

Les deux hommes se serrèrent la main, de mauvaise grâce, en ce qui concernait Hal, mais elle eut tôt fait de l'oublier, pour reprendre ses explications sur le fonctionnement de la filature. Quelques instants plus tard, Stern l'interrompit.

— Je dois emmener Sam déjeuner. Mais il existe encore bien des choses que je tiens à connaître sur votre entreprise. Nous sommes descendus au Victoria; pourriez-vous vous libérer pour la soirée?

— Vous voulez dire : que je me rende à votre hôtel?

Sapristi de sapristi, cela ressemblait à une invitation, tellement inattendue, cependant.

— Je crains que ce soit impossible. C'est-à-dire que... je veux bien m'entretenir avec vous mais... je n'ai pas mis les pieds dans un hôtel depuis des années.

Le sourcil hautain, Daniel Stern attendit qu'elle eût fini de bredouiller avant de déclarer :

— Si c'est ce qui vous inquiète, ceci n'est pas un rendez-vous galant mais un rendez-vous d'affaires, mademoiselle Summers. Et c'est hélas le seul moment dont je dispose.

— Oui, je vois. Très bien, je viendrai vers sept heures trente.

— Vous m'en voyez fort aise... Dis au revoir à la dame, Sam...

Alors qu'elle le regardait s'éloigner, Hal vint la rejoindre pour dire dans son dos :

— Qu'est-ce que c'est que ce fouineur? qu'est-ce qu'il nous veut?

Avant même qu'elle se fût retournée pour voir l'expression de son visage, Anna comprit qu'Hal était jaloux.

Au moment où la vieille Ford consentit à quitter le trottoir de Kingswalk, un vent mauvais hantait les rues de la ville. Anna se félicita d'avoir gardé son habit qui la gardait au chaud comme nul autre. Elle avait un instant envisagé de porter le tailleur de Lynn, mais s'était ravisée. Sa voiture garée, elle eut l'embarrassante surprise de découvrir Daniel Stern, qui l'attendait dans le vestibule de l'hôtel comme s'il avait guetté sa venue.

Ils prirent place sur des chaises au recouvrement damassé, séparées par une lourde lampe de laiton posée sur une table basse. Les grandes tentures, les vases ornés de fleurs, rien n'avait changé depuis sa dernière venue, hormis les lambris des murs que l'on avait peints. Des lieux s'exhalait un charme tout provincial, en même temps qu'une atmosphère compassée de respectabilité et de bonne chère. Sur la droite, un groupe d'hommes d'affaires de la région parlaient expansion et rentabilité, visages secs et énergiques du Yorkshire, corps épais rompus aux rigueurs de l'hiver, sortes de molosses veillant sur l'unique femme du groupe. Avec sa manière élégante et discrète de faire signe au serveur et son visage de citadin intelligent et énigmatique propre aux personnes habituées à siéger dans les conseils d'administration londoniens, Daniel

Stern ne ressemblait en rien à ces gens, se dit Anna.

— Prenez-vous quelque chose?

— Je ne... un tonic, je vous prie.

— Tout court.

Sa voix était tranquille, assurée. Aimable. Il commanda un tonic avec glace et citron pour elle et un whisky eau plate pour lui, pendant qu'Anna humait des odeurs de bois ciré et celle, plus subtile, presque une promesse, de rosbif, en provenance de la salle à manger. C'est qu'elle aurait bien avalé un sandwich, avant de partir, n'eût été le fait qu'elle était déjà en retard. Daniel Stern s'enquit courtoisement de sa belle-sœur : venait-elle à la filature? Anna revit la silhouette menue et ronde à la fois et secoua négativement la tête. Bien qu'elle eût pressé Lynn de l'accompagner, arguant qu'elle était la propriétaire de la filature, que Stern étant marié, elle aurait, par conséquent, droit à toute sa compréhension, cette dernière était restée inflexible : pas question qu'on la vît dans un tel délabrement.

— Sam est-il avec votre femme?

— Il regarde la télévision là-haut, dans sa chambre. Le concierge de l'hôtel veille sur lui, expliqua-t-il en éludant la seconde partie de la question. Parlez-moi plutôt de la direction de la filature. Car vous avez bien un directeur, n'est-ce pas?

Terrain dangereux, car elle ne pouvait lui confier son intention de remercier Beattie. C'est pourquoi, elle s'attarda longuement sur Hal et ses compétences de superviseur et sa manière de rentabiliser la production. À peine avait-elle fini son verre, que, la prenant de court, Stern proposa :

— Accepteriez-vous de dîner avec moi?

— C'est très aimable à vous, mais je dois rentrer.

— Vous n'êtes ici que depuis une demi-heure... Accordez-moi cette faveur, je déteste dîner seul...

Ainsi, sa femme ne l'accompagnait pas... elle toucha la jupe de sa robe, se disant que s'il y avait une personne qui ne fût pas à sa place dans cet endroit, c'était bien elle.

— C'est à cause de ma...

— Quand j'étais enfant, interrompit-il, nous pensions que

les religieuses ne cachaient pas des jambes mais des roues, sous leur robe; et je crois que nous n'avions pas tort, ça expliquerait le fait que vous n'ayez pas besoin de vous alimenter, comme le commun des mortels.

— Inutile de vous gausser, s'insurgea-t-elle en rougissant. J'ai bien compris que vous n'êtes pas catholique. Ce que je voulais dire, c'est que le contexte ne convient pas à une religieuse.

« Quelle sorte d'hypocrite es-tu donc? se dit-elle, en sentant les derniers mots s'étrangler dans sa gorge; toi qui, il y a quelques jours à peine, dansais avec Hal sur je ne sais trop quelle musique disco? Elle s'était ébaudie (que non pas : trémoussée!) devant plus de cent personnes et elle avait le front de parler de contexte social. Elle toucha son chapelet et se promit de faire pénitence. En attendant, le regard compréhensif de Daniel Stern lui procura un peu de réconfort.

— Désolé, je ne voulais pas vous blesser. Mais afin de dissiper tout malentendu, je tiens à préciser que je ne suis ni catholique ni quoi que ce soit.

— C'est impossible.

— Selon votre point de vue, peut-être, commença-t-il en la regardant droit dans les yeux, avant de se reprendre, visiblement enclin à se montrer nuancé. Vous avez raison, naturellement : je suis juif; dans la mesure où mes parents l'étaient et que vingt-cinq signatures attestent que je le suis aussi — Le regard troublé d'Anna l'incita à préciser : Chez les Juifs, à l'âge de treize ans, un garçon doit lire les tables de la loi à la synagogue. Connaissez-vous cette histoire? C'est la mère de Steven Spielberg qui fait la connaissance d'E.T. et qui dit : peu importe d'où il vient, à présent qu'il est parmi nous, il va pouvoir faire sa bar-mitsva... Comment vous ne connaissez pas E.T.? s'exclama-t-il devant l'absence de réaction d'Anna. Ne dites pas cela à mon fils, il va croire que vous débarquez de la lune.

— Vous n'avez pas le droit de vous détourner de votre religion.

— Je le voudrais que je ne le pourrais pas : pratiquant ou pas, croyant ou pas, je reste juif, par ce que je suis, par la manière dont je me comporte et les gestes que je pose.

Les jambes croisées, le pied agité de tics nerveux, il triturait la pochette d'allumettes ramassée sur la table.

— Ma femme n'était pas juive, ce qui a été la cause de nombreux problèmes avec mes parents. Je ne parvenais pas à leur faire comprendre que le culte ne m'intéresse pas — il glissa à Anna un long regard appréciateur — Il m'arrive de m'ériger fortement contre toute forme de religion et, n'en prenez pas ombrage, je tiens les fondamentalistes de tous poils pour des gens terriblement dangereux. Il fit une mimique de conspirateur : si je puis me permettre de dire ce genre de chose à Bradford.

— Ne les claironnez quand même pas, conseilla-t-elle et ne les dites surtout pas à Shearbridge Road. J'ose espérer que vous ne mettez pas les membres des ordres religieux dans le même sac...

— C'est selon. Vous ne seriez pas missionnaire, par hasard?

— Pas du tout, rétorqua-t-elle, amusée par le léger vent d'agressivité qui soufflait sur eux.

— Ce serait justice que vous le fussiez : le mécréant que je suis pourrait alors vous dévorer la conscience tranquille. Quoique je ne sois pas certain sur la manière d'accommoder votre couvre-chef. Peut-être m'en servirais-je comme décoration...

— Comme les petites collerettes sur les côtelettes d'agneau.

— Précisément. Néanmoins, puisque vous persévérez à prétendre ne pas être missionnaire et que je dois tenir pour acquis que, même si nous continuons à parler affaires, vous refuseriez malgré tout de franchir le seuil du temple aux agapes, il ne nous reste plus qu'à nous accommoder de sandwiches. Saumon fumé et poulet, cela vous convient-il? Je fais autorité en matière de sandwiches, demandez donc à Sam...

Après les sandwiches, Stern insista pour qu'elle goûtât au « cheesecake ». Peu consciente du feu roulant de questions auquel elle était soumise, Anna sentait son exaltation monter, tandis qu'elle exposait ses projets pour relancer la filature. C'était manqué pour cette année, expliqua-t-elle, mais l'an prochain, Lynn et elle avaient fermement l'intention de se rendre aux deux principales foires européennes du textile.

— Et quelles sont-elles?

— Expo Fil à Paris, et Pitti Filatti à Florence.

— Pourquoi ne pas vous lancer dans le cachemire? suggéra-t-il aimablement. N'est-ce pas là ce qui existe de plus raffiné sur le marché?

— Extrêmement raffiné, en effet. Cependant, les gens ne semblent s'y intéresser qu'à cause de son prix élevé — elle rit, le temps de finir son gâteau, avant de réciter la leçon que lui avait enseignée Walter Street — Il existe deux raisons majeures en défaveur du cachemire : d'une part, les coûts de production et de mise en marché non seulement rédhibitoires, mais aussi soumis à de nombreux aléas. Les gros producteurs immobilisent des fortunes dans le seul but de ne pas souffrir des fluctuations du marché. N'oublions pas que la matière première provient essentiellement de Chine et d'Iran.

— Et la seconde?

— Cette laine exige un traitement spécial, sans quoi l'on se retrouve avec un énorme pourcentage de perte. Je n'écarte pas définitivement le produit; je dis simplement qu'il ne correspond pas à nos moyens du moment.

— Vous auriez pu demander un élargissement de votre prêt. Je sais que George Tyler a été fortement impressionné par votre argumentation et, en ce qui me concerne, vous me semblez tout à fait capable de mener vos projets à bien. Nous pourrions trouver des arrangements, avec des garanties en contrepartie, il va sans dire.

Anna leva les yeux de sa fourchette pour poser sur Stern un regard circonspect. Pourquoi tant de compliments et cette proposition pour le moins inopinée? Il savait qu'en tant que religieuse, elle ne pourrait indéfiniment veiller au grain. Il est vrai qu'il n'entendait rien aux nonnes et à leur mode de vie, et elle s'était bien gardée de lui dire qu'elle vivait dans un cloître, au pays de Galles. Sans doute présumait-il qu'elle appartenait à un ordre dont les quartiers se situaient quelque part dans les environs, ou qu'elle vivait tout simplement dans sa famille. Malgré son désir de dire la vérité, elle se sentait incapable de prononcer les paroles dont les conséquences étaient prévisibles : annulation du prêt, règlement immédiat de la dette… C'est pourquoi elle pesa soigneusement ses mots.

— Je vous remercie, mais la réponse est non. Je ne cherche pas à bâtir un empire, mais, plus modestement, sauver une vieille entreprise familiale. Même en faisant preuve du plus grand réalisme, je sais que cette affaire est viable et la perspective de la voir de plus en plus endettée m'effraie un peu. Mon objectif principal est de commercialiser un produit classique et conventionnel qu'une certaine catégorie de gens recherchera toujours. Pour cela, nous devons prospecter de nouveaux marchés. Si mes fibres connaissent le succès que je crois, nous n'aurons pas assez de notre temps pour satisfaire à la demande.

Songeur, Daniel Stern tritura son paquet de cigarillos froissé.

— Tout ce que j'ai vu et appris aujourd'hui m'a fortement impressionné. Je ne manquerai pas de faire part de mes sentiments en haut lieu; c'est pourquoi il est inutile de vous inquiéter plus longtemps.

— C'est merveilleux, s'entendit-elle bafouiller stupidement. C'est vraiment merveilleux; comme je suis heureuse…

Mais tout cela n'était qu'un accord entre gens d'affaires, se reprit-elle, et si la banque l'aidait, c'est uniquement parce qu'elle espérait en retirer des bénéfices. Quand elle entendit quelque part une cloche sonner dix heures, elle se sentit soulagée.

— Je dois rentrer, dit-elle en finissant son café. J'ai promis à Lynn de ne pas rentrer tard; dans l'état où elle se trouve, elle redoute de rester seule avec les enfants.

Stern insista pour la raccompagner jusqu'à sa voiture. Il neigeait, à présent; des flocons épars, venus de toutes les directions se fixaient sur le toit de la vieille Ford et recouvraient la chaussée d'une pellicule blanche.

Elle le remercia une dernière fois, à quoi il répondit par une invitation à lui rendre visite la prochaine fois qu'elle se rendrait à Londres.

Au moment où elle tourna la clé de contact, elle se rendit compte que la voiture refusait de partir.

CHAPITRE DIX-SEPT

Ignorant les protestations d'Anna, Stern insista pour la raccompagner, arguant qu'elle ne trouverait jamais de taxi à cette heure-là. Avant de quitter l'hôtel, il l'invita néanmoins à l'accompagner jusqu'à sa chambre pour y prendre son manteau et jeter un coup d'œil à Sam. Ce dernier s'était endormi, en suçant son pouce, les lumières et la télévision allumées. Stern éteignit, ne laissant qu'une veilleuse, téléphona au concierge pour le prévenir de son absence et, tout en bordant l'enfant, déposa un baiser sur son front. Ces gestes attentionnés, qui dénotaient une authentique affection pour son fils la charmèrent. « Heureuse femme que la sienne » se dit Anna en s'installant dans la voiture de Stern.

À la lueur des phares, Bradford semblait luire d'un nouvel éclat. L'hôtel de ville et son clocher disproportionné se couvraient de givre, et la pierre dont il était construit jetait des reflets argentés. De l'autre côté de la grand-place, à la limite du parc, deux chauffeurs de taxi pakistanais discutaient avec de grands gestes en battant de la semelle. Stern les regarda un instant, puis glissa un regard rieur en direction d'Anna sans mot dire. La longue courbe de Princes Way s'étirait à travers la ville en défilant paresseusement devant le Musée national de la photographie, du film et de la télévision, puis devant la façade de verre illuminée du théâtre de l'Alhambra.

Ils ne parlèrent pas. Anna se limita à lui indiquer un chemin dont elle redécouvrait les arbres, à présent pailletés de neige. Quand il lui dit : « Auriez-vous l'amabilité de me dire si la voie est libre, car votre coiffe me cache la vue », Anna se pencha en arrière, embarrassée, décidée cependant à mettre en pratique une idée qui lui trottait dans la tête depuis plusieurs jours :

renoncer à porter l'habit en dehors des limites du couvent.

Quand Stern s'engagea dans l'allée, les lumières extérieures étaient allumées, mais celles de la chambre de Lynn ne l'étaient pas. Anna invita Stern, par pure politesse, à prendre un café. Elle l'entendit répondre, à sa grande surprise, qu'il acceptait volontiers. Sur la table du salon, une tasse et le restant d'une tablette de chocolat indiquaient que Lynn avait, une fois de plus, sauté un repas. Dans la cuisine, un bric-à-brac surprenant attendait Anna : des casseroles à moitié pleines d'eau, une cuiller de bois recouverte de sauce et, pour justifier les traînées de farine sur le sol, une demi-douzaine de quiches miniatures, dont deux carbonisées, et quatre flans aux fruits. Pour autant qu'elle le sût, jamais Lynn n'avait autant cuisiné de sa vie.

À peine avaient-ils touché à leur tasse, qu'un bruit se fit entendre, suspendant simultanément leur geste.

— Mais que se pas... excusez-moi un instant.

Elle avait monté les premières marches de l'escalier, quand le bruit se fit à nouveau entendre. La lumière de la salle de bains était allumée. Par la porte ouverte, Anna vit confusément des serviettes étalées sur le sol, pendant qu'un peu plus loin se faisait entendre un long gémissement de douleur. Elle courut vers la chambre de Lynn.

À première vue, le lit était vide. La pénombre de la pièce ne lui permit pas, de prime abord, de localiser Lynn. Puis un mouvement lui signala sa présence. Recroquevillée dans un coin, la tête rejetée en arrière, Lynn était pareille à un animal agonisant. Anna se sentit parcourue d'un frisson quand Lynn souffla d'une voix rauque, brisée par la douleur :

— Anna?

— Que se passe-t-il? hoqueta celle-ci avant de voir le visage grimaçant de douleur de Lynn. Mon Dieu! Le bébé!

— Vous avez deviné, ironisa Lynn d'un ton las.

— Mais que faites-vous recroquevillée comme ça? Laissez-moi vous aider à vous lever.

Les bras tendus, Anna fit quelques pas en direction de sa belle-sœur qui, la voyant, se recroquevilla de plus belle dans une attitude de défense.

— Laissez-moi, je vais beaucoup mieux, maintenant, haleta-t-elle.

— Je vais appeler une ambulance.

— Non! Je ne veux pas! Anna, je vous en prie…

Anna s'accroupit près de Lynn. En la voyant trembler doucement, Anna ne put retenir des larmes de compassion.

— Comment ça va, Lynn?

— Pas trop mal, maintenant. C'étaient les premières douleurs; elles sont presque passées.

— Mon Dieu, mais depuis combien de temps êtes-vous dans cet état? Et moi qui m'inquiétais de l'état de votre cuisine…

— Le travail a commencé il y a deux heures… peu après votre départ…

— Je ne…

— Le plus douloureux est passé… ce ne sera plus très long, je crois… balbutia Lynn, le souffle court.

— Je vais vous conduire à l'hôpital, décida résolument Anna en tentant de la forcer à se lever.

— Pour l'amour du Ciel… je veux… avoir mon enfant chez moi… Si… vous m'envoyez à l'hôpital… je me jette par la fenêtre…

Dans la pénombre, Anna crut déceler l'ombre d'un sourire.

— Cela ne vous incommode pas si j'allume cette lampe? demanda Anna avant de tenter de la raisonner. On vous a pourtant expliqué que vous seriez mieux soignée à l'hôpital; il y a tout ce qu'il faut pour qu'on s'occupe convenablement de vous, là-bas. Nous ne pouvons pas prendre de risque; je me sens responsable de vous, à présent.

— Je suis seule responsable, corrigea Lynn en secouant le bras auquel elle s'était agrippée. De moi, et du bébé. De toute manière, c'est trop tard : je risquerais d'accoucher dans l'ambulance. Je vous en prie, laissez-moi ici. Je ne pourrais pas supporter l'hôpital sans la présence de Simon. Ce n'est pas mon premier enfant, je sais que je peux accoucher toute seule…

— Il faut quand même que j'appelle l'hôpital pour savoir

si vous pouvez rester ici.

Anna décrocha le combiné et attendit la tonalité mais en vain. Elle appuya frénétiquement sur l'étrier sans obtenir plus de résultat.

— La ligne est coupée, annonça-t-elle, abasourdie.

— Je sais, c'est de ma faute, désolée, fit Lynn, sans avoir l'air de l'être vraiment.

— Vous n'avez pas réglé la facture de téléphone, soupira Anna, puis, comme Lynn ne répondait pas : Pourquoi ne m'en avoir pas parlé? Je vais aller téléphoner de la maison de vos voisins.

— Ils sont en vacances, balbutia Lynn, les deux mains pressées contre son ventre. Simon... salaud... salaud... c'est ça, fous le camp... je me débrouillerai toute seule...

— Ne vous inquiétez pas, je vais vous aider, fit précipitamment Anna, pour faire taire le sentiment de culpabilité qu'elle ressentait en regard de la lâcheté de son frère. Installez-vous dans votre lit, au moins.

Aidée par Anna, Lynn se leva en chancelant. Mais plutôt que de s'allonger sur son lit, elle tomba à genoux dessus et se laissa lentement glisser sur le côté.

— Vous devriez vous allonger, conseilla Anna, désemparée.

— Je suis... mieux comme ça. Le bébé ne va pas tarder...oh, mon Dieu!

— Laissez-moi vous aider à vous déshabiller, au moins...

Manifestement, Lynn avait commencé à le faire, sans cependant pouvoir aller jusqu'au bout. La chemise de nuit était déjà déboutonnée et Anna put se rendre compte que les sous-vêtements de Lynn étaient tachés de sang.

— J'ai déjà perdu mes eaux, gesticula Lynn. J'ai utilisé une serviette...

Pleine d'appréhension, Anna acheva de la déshabiller. Sans jamais avoir assisté à la naissance d'un enfant, il lui était cependant arrivé d'aider une brebis à mettre bas. Cette expérience pouvait peut-être lui servir, mais elle ne se sentait pas moins affreusement inquiète, même si elle avait tenu le rôle d'infirmière au couvent pendant plus d'une année.

Elle se rappela la lettre qu'elle avait adressée à son frère, ironisant sur le fait que sa tâche essentielle consistait à distribuer de l'aspirine sous la haute surveillance de la mère supérieure. En retour, il lui avait envoyé une encyclopédie médicale, qui lui avait été rapidement confisquée, attendu qu'elle recelait des informations dont il était inutile qu'elle prît connaissance. On l'avait cependant remplacée à l'occasion de ses vingt-sept ans par une édition de 1906 du « Medical Dictionary ». C'est à ce moment-là qu'elle avait pris conscience que, dans quelques années, la maternité serait définitivement exclue pour elle. Plus souvent qu'à son tour, elle avait contemplé avec une désagréable fascination les photographies au chapitre de la mise au monde d'un enfant. Cependant, rien de tout ce qu'elle avait lu ne l'avait préparée à participer activement à un accouchement.

— Il y a une chemise de nuit propre dans le tiroir.

C'était un ordre et Anna obtempéra. En l'aidant à retirer ses sous-vêtements, Anna put constater l'état d'extrême sensibilité de la peau de Lynn baignée de sueur. Le simple contact de la main d'Anna semblait la faire grincer des dents. La gorge serrée, celle-ci vit sa belle-sœur pousser un affreux gémissement, long et sourd, comme venu du tréfonds de sa poitrine.

— Il... faut que je me retienne... s'admonesta-t-elle. Il ne... faut pas que... les enfants entendent...

— Je vais aller voir s'ils sont endormis, proposa aussitôt Anna.

Silencieusement, elle poussa la porte de la chambre de Baxter, qui laissa aussitôt échapper une bouffée d'odeur d'enfant. Sans les voir, elle repéra néanmoins deux tignasses ébouriffées émergeant de sous les couvertures.

— Dieu vous bénisse, souffla-t-elle en les bordant délicatement.

Alors qu'elle refermait lentement la porte derrière elle, la voix de Stern lui parvint du bas de l'escalier.

— Que se passe-t-il? Est-ce que tout va bien?

— Lynn va accoucher d'un instant à l'autre, murmura-t-elle.

— Ne faut-il pas la conduire à l'hôpital?

— Elle refuse catégoriquement d'y aller. Elle veut avoir son enfant ici.

— Cela ne me paraît pas très raisonnable. Un accouchement est une affaire sérieuse. A-t-elle une sage-femme pour l'aider, au moins?

— Je n'y avais pas pensé; un instant...

Anna retourna dans la chambre de Lynn.

— Lynn, avez-vous le numéro de téléphone de votre sage-femme? Je vais aller lui téléphoner de la cabine, au bout de la rue.

— J'ai un téléphone dans ma voiture, intervint Stern du seuil de la chambre.

— Il arrive... je le sens... il est là... gémit Lynn sans répondre à Anna.

Ces derniers mots trahissaient un effort intense; mais l'éclat brillant de son regard, la détermination de sa voix confirmaient que le temps n'était plus aux appels téléphoniques. Anna, qui s'attendait à passer des heures en exhortations de toutes sortes, du genre de celles qu'elle avait lues dans son livre de médecine, était pétrifiée de se retrouver confrontée à la réalité : c'était elle et nulle autre qui devait aider Lynn à mettre son enfant au monde.

— Allongez-vous sur le dos, vous ne pouvez rester dans cette position.

— Je vais m'en occuper, intervint Stern en entrant dans la chambre.

Prenant Lynn dans ses bras, il la força doucement à s'étendre, pendant qu'Anna allait prendre dans un placard une grande serviette qu'elle étendit sous Lynn.

— Il fait froid, ici, observa Stern. Il faut plus de chaleur pour le bébé. Je vais descendre voir si je ne trouve pas un radiateur électrique quelque part. Voulez-vous que j'appelle une ambulance? demanda-t-il à Lynn.

Celle-ci lui répondit par un violent signe de dénégation.

— Non... je vous en prie... ce n'est pas nécessaire...

— Je crois qu'elle a raison, dit Anna, voyant que sa belle-sœur n'allait pas tarder à se mettre à crier. Le temps que l'ambulance arrive, elle aura tout au plus le temps d'accoucher sur un brancard — elle repoussa les mèches de cheveux collées sur le front trempé de sueur de Lynn — Gardez votre calme, nous allons nous occuper de vous.

À travers ses grimaces et ses gémissements de douleur, Anna pouvait constater que Lynn semblait apte à se tirer d'affaire. Des deux, constata-t-elle, c'est elle, Anna, qui était la plus effrayée.

— Nous nous en tirerons très bien.

Daniel Stern dévisagea tour à tour les deux femmes.

— Très bien, fit-il, le visage néanmoins tendu. Voulez-vous que j'aille faire bouillir de l'eau?

— Ce sont des histoires de bonnes femmes, tenta d'ironiser Lynn les yeux à présent fermés. Ça ne sert qu'à occuper les pères anxieux.

Cependant, Anna se souvint d'un détail qu'elle avait lu dans son dictionnaire médical.

— Nous devons stériliser des ciseaux pour couper le cordon ombilical. Pourriez-vous..? dans la pharmacie...

Quelques instants plus tard, tandis que Stern branchait un radiateur électrique, Anna se débarrassait de sa coiffe et de son scapulaire et retroussait les manches de son habit. Après s'être soigneusement lavé les mains, elle revint au chevet de Lynn pour lui prendre la main.

— Ne respirez pas si vite; inhalez profondément, c'est cela, doucement... conseilla-t-elle en prenant elle-même de longues inspirations. Où en sont vos contractions? s'entendit-elle dire, surprise de ce rôle improvisé de médecin.

— Vous pouvez... regarder, murmura Lynn à l'endroit de Stern. Des tas de maris... assistent avec leurs femmes à... des séances prénatales...

Loin d'être décontenancé, Stern répliqua d'un ton plein d'humour :

— Attendez donc que je me mette à chanter...

— Oh, non! s'exclama Lynn avec une grimace comique.

Anna s'étonnait un peu plus chaque minute des rapports qui s'instauraient entre sa belle-sœur et Stern, comme s'ils étaient voués à se connaître depuis toujours. Alors qu'elle pensait qu'il allait précipitamment abandonner la place, l'homme semblait au contraire vouloir s'incruster.

— Les contractions vont recommencer. J'aimerais m'asseoir un peu; mon dos me fait si mal, gémit-elle, pendant que Stern glissait des oreillers sous ses reins.

— Si vous voulez, je peux vous masser, proposa-t-il. Je l'ai fait pour ma femme quand elle a accouché de Sam. Cela pourrait vous faire du bien, à vous aussi. Mettez-vous sur le côté... voilà, comme ça...

Tout en parlant, il ôta son veston et se mit sans attendre à masser le dos de Lynn, chacun de ses gestes arrachant à la jeune femme un gémissement de douleur et de soulagement à la fois. Anna ressentait un profond malaise face à cette attitude pour le moins débridée de sa belle-sœur, incapable d'imaginer qu'elle pût s'abandonner ainsi à des mains inconnues. Elle était trop réservée. Pis encore, elle ne comprenait pas que Lynn pût se comporter ainsi devant un homme, un étranger qui plus est, elle qui pleurait toutes les larmes de son corps la perte de son mari. Anna éteignit la lumière principale, soucieuse de jeter un voile sur ce spectacle ambigu.

Cependant, cette atmosphère trouble ne semblait pas déranger outre mesure Daniel Stern. Après quelques minutes, Anna put constater que Lynn se détendait, même si sa respiration restait haletante. Elle s'employa à dénicher d'autres serviettes, ainsi que les langes dont elle allait avoir besoin sous peu. Elle profita de cette sorte d'accalmie pour balbutier :

— C'est ridicule, mais j'ai oublié de vous présenter l'un à l'autre.

— Vous vous y prenez... un peu tard, en effet, répliqua Lynn avant de s'adresser à Stern. Ça m'a fait... beaucoup de bien... Faites-vous souvent ce genre de massage?

— Jusqu'aujourd'hui, je ne l'avais fait qu'une fois, puisque après son accouchement, ma femme a décidé qu'elle n'était pas faite pour être mère; pas plus qu'épouse, d'ailleurs...

C'était extraordinaire, songeait Anna. La présence d'une nonne cloîtrée et d'un banquier londonien pouvait en pareille occurrence paraître incongrue, et pourtant, dans cette atmosphère chargée d'électricité en raison de l'imminence d'une vie à venir, il lui semblait presque naturel que l'on devisât ainsi comme dans un salon. Sans cesser ses massages, Stern ajouta :

— Nous sommes en instance de divorce, mais je n'arrive pas encore à m'y faire.

Lynn ouvrit les yeux. Le regard éloquent qu'elle adressa à Anna était plein d'humour. Anna y lut ce qu'elle-même pensait en rougissant : « Un homme comme celui-là, libre, comment est-ce possible? » Elle détourna pudiquement les yeux, mais Stern était bien trop occupé pour capter cet échange de regards.

— Cessez, s'il vous plaît, je ne me sens pas bien, dit faiblement Lynn en appliquant une serviette humide sur son visage.

Stern alla rafraîchir un gant de toilette et le tendit à Anna qui le passa aussitôt sur le front, la nuque et le cou de Lynn.

— Maintenant! cria soudain Lynn en pressant la main d'Anna contre son ventre.

Sous ses doigts, elle sentit les muscles du ventre contractés, la peau tendue comme celle d'un tambour. Au paroxysme de sa contraction, le corps de Lynn était arc-bouté, le visage tordu de douleur, la bouche déformée par un rictus presque sauvage. Peu à peu, Anna sentit les muscles se détendre, puis un long frisson parcourir la peau de Lynn. Celle-ci se laissa retomber sur la couche et relâcha la main d'Anna.

— Vous voyez? souffla-t-elle, la prochaine fois sera la bonne...

Ébranlée, Anna regardait sa belle-sœur sans pouvoir souffler mot. La silhouette blême qui avait erré avec indolence à travers la maison avait à présent disparu pour faire place à une créature dont le corps brûlant, luisant de sueur, grondait de vie. Même ses attitudes s'étaient métamorphosées. Comme renaissante, Lynn avait évolué du stade de contenant passif à celui d'être animé d'une énergie nouvelle, d'une volonté farouche de donner la vie.

« Donner la vie. » Dieu lui-même ne pouvait mieux le faire que Lynn qui, à cet instant précis, s'apprêtait à perpétuer l'acte le plus beau du monde : celui d'enfanter. Anna posa la serviette humide sur ses genoux et adressa silencieusement à Dieu une prière :

« Aidez-la, ô Seigneur, accompagnez-la dans ces moments difficiles, aidez-la à surmonter cette épreuve. »

Mais c'était moins une épreuve qu'un irrésistible sentiment de puissance intérieure, plus fort que tout ce qu'elle aurait pu concevoir, songeait Anna, tout en prenant conscience de l'obscurantisme dans lequel elle s'était fourvoyée pendant des années. La transformation de Lynn lui signifiait de manière claire et tangible qu'elle ne pouvait accorder aucun crédit, aucune circonstance atténuante à sa propre stupidité. Elle le savait, cela avait été sa préoccupation de toujours : mettre au monde un enfant, cela n'avait rien de mental ni d'intellectuel : c'était un acte physique, purement et simplement. C'était... sexuel. Et Anna ne savait rien de la sexualité. C'est pourquoi elle avait opté pour la vie religieuse. Elle pouvait ainsi oublier ses frayeurs, faire un geste spectaculaire et s'assurer du même coup la vie éternelle. Une sorte de forfait; une bonne affaire, à rebours de celle du docteur Faust, puisque le prix s'était révélé être rien de moins que sa jeunesse.

— Je crois que je gêne, fit Stern en se redressant. Je vais attendre en bas, au cas où vous auriez besoin de moi.

— Et Sam? Ne pensez-vous pas devoir aller le rejoindre?

— Quelqu'un veille sur lui à l'hôtel. Et puis, il était bien trop fatigué pour se réveiller en plein milieu de la nuit.

Tandis qu'il descendait au salon, il entendit Lynn hoqueter :

— Oh, mon Dieu! Anna... oh, mon Dieu!

— Je ferais mieux de voir comment cela se présente...

Anna attendit quelques instants avant de dénouer ses doigts de ceux de Lynn et de se déplacer, non sans quelque réticence, vers le pied du lit. Nerveusement, elle jeta un coup d'œil entre les jambes écartées.

Dieu sait à quoi elle s'était attendue. À douze ans, elle avait appris qu'être femme consistait à souffrir tous les mois un événement appelé « règles », toute première manifestation de sexualité, en ce qui la concernait. C'est pourquoi, quand, un an et quelques mois plus tard, « elles » étaient arrivées, Anna n'avait été nullement surprise de découvrir que les menstruations étaient non seulement inconfortables, mais aussi malpropres. L'enfantement constatait-elle aujourd'hui, n'était que leur prolongement, puisque, comme elles, il se déroulait dans la douleur, l'angoisse, la sueur et le sang. Anna était malade d'une peur vieille de vingt ans.

Mais ce qu'elle vit entre les jambes de Lynn dissipa les pensées qu'elle avait d'elle-même, de son anxiété, de son habilité à affronter la situation.

La vue du sang la répugnait, mais il y en avait peu. Les tissus de Lynn se déployaient comme une fleur éclose autour de ce que devait être le crâne du bébé.

— Oh, mon Dieu, mon Dieu, mon Dieu...

La pupille dilatée, le regard fou fixant le vide, Lynn, qui ne semblait plus être que douleur, haletait précipitamment.

— Regardez-moi, Lynn, regardez-moi!

Lynn obéit, paraissant du même coup recouvrer ses esprits. Anna tendit la main pour maintenir la jambe nue, tandis qu'une nouvelle contraction semblait imperceptiblement vouloir révéler un peu plus de la tête de l'enfant. Dans le corps de Lynn, un autre corps se frayait un passage vers la vie, comme une nouvelle étoile dans le ciel. Dans la chambre surchauffée, Anna était glacée de saisissement. De toutes les cérémonies religieuses auxquelles elle avait assisté, aucune n'était comparable au miracle qui se déroulait sous ses yeux.

— Si vous baissez le bras, vous pourrez toucher l'enfant, souffla-t-elle.

Lynn s'exécuta, le visage dégoulinant de sueur et de larmes. Mais une nouvelle contraction la saisissait déjà et, les yeux hermétiquement fermés, le souffle suspendu, elle s'agrippait désespérément à ses genoux en grinçant des dents, peu soucieuse de l'image qu'elle offrait. À cet instant, Anna ne s'en souciait pas davantage, devenue toute compassion pour cette femme qu'elle observait d'un œil critique, à peine une demi-heure plus tôt.

— J'ai mal...j'ai mal... j'ai mal... se plaignait Lynn en un leitmotiv presque serein.

— Ça y est, il est presque là, ce ne sera plus très long, à présent.

Anna n'ignorait pas qu'elle devait à tout prix continuer de prodiguer ses encouragements à Lynn. Elle se rappelait l'aisance avec laquelle le vétérinaire aidait ses brebis à mettre bas; comment, sans effort apparent, les agneaux trouvaient irrévocablement leur chemin.

— Ne poussez pas trop fort, respirez, détendez-vous, il vient tout seul.

Accroupie au pied du lit, elle ne perdait pas une miette de l'incroyable péripétie qui se déroulait sous ses yeux. Plus haut, Lynn tentait docilement de contrôler son souffle.

— Une deux, une deux...

Du seuil de la chambre, lui parvint la voix grave de Daniel Stern.

— Puis-je entrer? Je pourrais peut-être me rendre utile...
À une vague de soulagement : « Pouvez-vous aider Lynn? » succéda l'inquiétude : « Êtes-vous sûr que cela ne vous incommodera pas? ». Mais Stern était déjà au chevet de Lynn.

— Bien sûr que non — Puis, s'adressant à Lynn : On dirait que cette chambre est le centre de l'univers, ce soir. Il n'y a pas de meilleur endroit où je puisse me trouver, si vous n'y voyez pas d'inconvénient...

— Écoutez... si ça vous plaît autant... prenez ma place... j'ai changé d'avis... voulut plaisanter Lynn, bien qu'à l'extrême limite de l'épuisement.

Daniel Stern s'assit près d'elle sur le lit, et glissa un bras sous les aisselles de Lynn pour l'aider à se redresser, afin de lui permettre de s'adosser contre son torse.

— Appuyez-vous contre moi. Je suis là, avec vous... murmura Stern. Respirez en même temps que moi...

Anna ne cessait de s'émerveiller de l'amour et de la sollicitude que suscitait Lynn, ou du moins son état.

— Il lui faudrait quelque chose à boire, demanda Stern.

— Je vais aller chercher de l'eau.

Lynn but avec plaisir, pendant que, pour la énième fois, Anna épongeait son cou et son visage. Et quand Lynn annonça en gémissant : « J'ai froid aux pieds », elle s'empressa de les réchauffer entre ses mains, jusqu'à ce qu'une nouvelle contraction se saisît à nouveau de Lynn.

— Je n'y arrive pas... je n'y arrive pas... gémissait celle-ci en agrippant ses genoux.

— Vous le pouvez, Lynn, vous le pouvez; les contractions sont plus courtes, à présent.

Comme cette dernière refluait, Anna se releva. Traversant la pièce en deux enjambées, elle tira les rideaux. La neige tombait dru, maintenant. Elle s'écarta, de manière à ce que Lynn pût elle aussi jouir du spectacle. La lumière diaphane de la nuit envahit aussitôt la chambre.

— Je crois qu'il faudrait appeler un médecin, pensa-t-elle à haute voix.

— Je ne suis pas malade, protesta faiblement Lynn. Puisque je ne peux avoir Simon, c'est vous que je veux près de moi.

Le regard qu'elle posait sur Anna était empreint de tant de tristesse et d'amour, que le premier réflexe d'Anna fut de se détourner pour cacher son embarras.

« C'est bien ce que tu voulais, n'est-ce pas? s'admonesta-t-elle en se reprenant. Tu voulais être aimée, tu voulais être utile... »

Elle ne trouva rien à dire. Passant son bras autour du cou de sa belle-sœur, elle éclata en sanglots.

Ils restèrent ainsi un long moment, liés les uns aux autres par des besoins différents mais cependant réciproques. Puis Daniel Stern déplaça légèrement sa main, pour prendre délicatement celle d'Anna et — ô surprise — la porter à ses lèvres. Le baiser fut si léger qu'elle en eut à peine conscience. Stern ouvrit les doigts repliés d'Anna et contempla ses paumes calleuses de trop de servitudes. Elle fut tentée de la retirer mais elle se ravisa : « Des instants aussi rares, ça ne se laisse pas passer, ma fille ».

À la contraction suivante, Stern relâcha sa main et elle s'empressa de regagner le pied du lit. Lynn avait une main posée sur la cuisse, tandis que l'autre était crispée sur son ventre. Anna pouvait sentir les tremblements du corps qui poussait de toutes ses forces afin de libérer l'enfant dont il lui semblait voir à présent le visage. Puis, Lynn se mit à crier. Elle poussa un long hurlement d'agonie, alors qu'Anna se penchait juste à temps pour recevoir, dans une brève explosion d'eau, de sang et de vie, la petite tête humide qu'elle regarda, ébahie, palpiter au creux de ses mains.

— Oh, regardez, regardez! s'écria-t-elle dans un état d'intense excitation.

Loin de s'attendre à pareil émerveillement, elle avait considéré le travail de Lynn en quelque sorte dérisoire, partie intégrante de son difficile combat dont l'aboutissement lui semblait tout aussi dérisoire. Et voilà que, tout à coup, ses souffrances, qui auraient pu être celles de n'importe qui, engendraient le plus simplement du monde un nouvel être. S'il existait un miracle, c'était bien celui-là.

— Regardez, Lynn, regardez!

Le visage empourpré par l'effort, Lynn se pencha en avant pour voir. Le petit crâne était luisant, comme vernissé, et, à l'aide d'un coton humide, Anna se mit à nettoyer le nez et la bouche du bébé. Les deux femmes regardaient les deux yeux encore tournés vers le néant, battant doucement des paupières, empreint d'une étrange sagesse, alors que le corps de l'enfant était encore dans celui de sa mère.

Lynn parut faire une pause. Aussi prit-elle une longue inspiration, tandis que Stern, toujours derrière elle pour la soutenir disait posément :

— C'est merveilleux; vous êtes merveilleuse...

Et Lynn se mit à rire.

La contraction suivante se passa dans un soupir, exprimant aussi bien douleur que plaisir; et ce fut le tour des épaules, tandis qu'Anna, maintenant toujours la tête du nouveau-né — une petite fille — la guidait lentement vers le clair-obscur de la chambre.

Elle avait toujours gardé en mémoire la vision du nouveau-né que l'on tient par les pieds la tête en bas et à qui l'on administre quelques tapes pour l'amener à la vie, et avait inconsciemment considéré cette pratique comme étant la brutalité première que l'on inflige à un être humain. Cependant, posé sur le ventre de sa mère, chair contre chair, tous battements de cœurs confondus, l'enfant semblait faire son entrée dans la vie en douceur, sorte de retour au calme après les turbulences du voyage. Il n'y avait plus rien à faire et personne ne soufflait mot. Lynn tapota doucement le dos du bébé, tandis que l'on voyait encore palpiter doucement le cordon ombilical. Le nouveau-né respira lentement en émettant quelques petites bulles sonores.

Époustouflée par tant de tendresse, Anna les contemplait à travers un écran de larmes, alors que Lynn amenait doucement l'enfant contre son sein. Avec une inexplicable ivresse, elle prenait lentement conscience de tous les enseignements apportés par cet événement. Elle avait la sensation confuse de mieux se connaître, de mieux comprendre le personnage qu'avait été sa mère pour elle. Elle comprenait les hommes et les femmes, bien mieux qu'elle ne l'avait appris en treize ans.

CHAPITRE DIX-HUIT

Elle était étendue sur le dos dans le lit de Jamie, les avant-bras croisés sur la poitrine de telle sorte que chacune de ses mains reposât sur son épaule. C'est ainsi que dorment les religieuses; au cas où la mort surviendrait au cours du sommeil, semble-t-il.

Cependant, Anna avait toujours présumé des raisons plus pragmatiques que religieuses. Encore que ce pragmatisme ne l'aidât pas à trouver le sommeil. Malgré la demi-heure passée à se prélasser dans son bain, elle se sentait si tendue qu'elle pouvait entendre les pulsations de son sang contre ses tempes. Elle alluma la lampe de chevet et pivota sur le côté, charmée comme chaque fois par les petits animaux de terre cuite dans leur château enchanté. Cela lui fit penser à l'enfant qui venait de naître, aux instants de panique et d'exaltation qu'elle avait connus. Ç'avait été une rude nuit. Elle se promit d'aller voir Lynn toutes les heures.

Une fois le bébé au monde, Stern s'était empressé d'aller retrouver son fils, juste après qu'Anna eut téléphoné de sa voiture au médecin traitant de Lynn. Le docteur Barnes était arrivé vingt minutes plus tard, et, tempêtant, avait exigé qu'on lui expliquât pourquoi Lynn n'avait pas appelé l'ambulance qui l'aurait conduite illico à l'hôpital. Tout en examinant la mère et l'enfant, il avait grommelé quelques mots à propos des risques encourus, d'un comportement qu'il ne parvenait pas à comprendre... Il ne s'était calmé qu'après s'être assuré que tout allait bien, allant jusqu'à féliciter Lynn et Anna.

— Je n'aurais pas mieux fait moi-même, conclut-il enfin en s'adressant à Lynn. Je vais m'assurer que votre sage-femme soit à votre chevet à la première heure demain matin.

Puis, avant de partir, il avait recommandé à Anna de

l'appeler immédiatement au cas où le bébé connaîtrait des difficultés de respiration.

— C'est peu probable avec une enfant nourrie au sein, mais on ne sait jamais. Je devrais l'hospitaliser immédiatement, mais avec le temps qu'il fait, je préfère qu'elle garde la chambre. Et puis, c'est bien ce qu'elle veut, n'est-ce pas?

Anna bâilla, s'étira et se mit à compter des moutons, quand elle entendit carillonner à la porte d'entrée. À travers le verre dépoli, elle vit une silhouette masculine brandissant une bouteille.

— Vous n'aimez pas le champagne frappé dans la neige? lança Stern après qu'elle lui eut ouvert.

— Je ne sais pas; je crois que je n'en ai jamais bu. Mais pourquoi diable êtes-vous revenu?

— Vous êtes plutôt directs, vous, les gens du Nord. J'aurais préféré un « Bonjour! Quel plaisir de vous revoir! »

— Bonjour! Quel plaisir de vous revoir! ânonna-t-elle un peu sottement, avant de lui prendre la bouteille des mains. Comment vous êtes-vous débrouillé pour trouver une bouteille de champagne à cette heure de la nuit?

— Grâce à mon couteau suisse et à mes talents de boy-scout. Dès qu'il s'agit de fêter un grand événement, on peut compter sur moi — il prit un air faussement désespéré — À vrai dire, cette naissance m'a tellement enthousiasmé que je n'ai pu m'empêcher de revenir; surtout en découvrant cette bouteille dans le réfrigérateur de ma chambre. Ce n'est pas un grand cru mais il m'a paru buvable. Et puis, quand j'ai vu la lumière de votre chambre allumée... Si Lynn est réveillée nous pourrions bénir l'enfant avec du champagne. Cela porte bonheur, paraît-il.

— Quelle merveilleuse idée...

Quand il la suivit dans la cuisine pour y prendre des verres, il ne put s'empêcher de contempler les tartes et les quiches que Lynn avait confectionnées la veille, soigneusement alignées sur le comptoir.

— L'instinct de conservation, tenta d'expliquer Anna. On dirait que certaines femmes sont résolument casanières. Ce que vous voyez là représente un mois de cuisine de Lynn. Est-ce que cela vous tente?

— Eh bien, j'ai le sentiment que notre sandwich est digéré depuis longtemps. Je vais couper quelques pointes de cette tarte. Vous n'allez pas me laisser manger tout seul, j'espère...

Après avoir disposé verres et assiettes sur deux plateaux, ils se dirigèrent vers la chambre où ils trouvèrent Lynn éveillée. De son lit, elle poussait doucement le berceau où dormait l'enfant. Elle accueillit leur venue avec un grand sourire.

— Quelle surprise! Allons réveiller les garçons.

Arrachés à leur profond sommeil, Baxter et James marmonnèrent quelques instants, puis, tout excités, se précipitèrent pour aller voir leur petite sœur, en l'honneur de qui ils portèrent plusieurs toasts. Lynn l'appela Sara, pleura un peu et rit beaucoup, et Anna ne put que l'imiter. L'émotion et un peu de champagne mélangé à du jus d'orange eurent tôt fait de réexpédier Jamie dans les bras de Morphée. Anna alla le porter dans son lit, tandis que, protecteur, Baxter s'installait près de sa mère en lui prenant la main, avant de s'endormir à son tour. Anna le raccompagna dans sa chambre et, en éteignant les lumières, lui murmura que, compte tenu des circonstances, il serait exempté d'école le lendemain matin.

Lynn ne s'endormit qu'à quatre heures trente du matin. Tandis qu'il rapportait un plateau à la cuisine, Stern demanda :

— Que diriez-vous d'une tasse de café? Je crois que notre nuit est fichue et je dois rentrer avant le réveil de Sam.

Tout en remplissant la bouilloire, Anna se rendit compte pour la première fois de la soirée de la légèreté de sa tenue. En effet, par-dessus son épaisse chemise de nuit de pilou, elle ne portait qu'un châle emprunté à Lynn, puisque, depuis sa visite chez le « styliste » elle avait, grâce à Dieu, renoncé au port du bonnet de nuit. Grâce à Dieu? Comment cela? Elle se fit mentalement une image de la femme — ex-femme — de Stern, sorte de créature éthérée, aux longs cheveux flottants autour d'un visage de madone. Elle versa nerveusement deux cuillerées de café instantané dans la cafetière. « Pauvre idiote, mais pour qui te prends-tu, tout à coup? », s'admonesta-t-elle.

— Votre eau n'est pas assez chaude, lui reprocha Stern d'un ton badin. On ne vous a jamais appris à faire du café instantané, au couvent?

— Non. Nous ne buvons que du thé, et encore...

— Et à part l'eau fraîche, que buvez-vous d'autre?

— De l'eau chaude.

— Eh bien... Pas surprenant que vous ne sachiez pas faire du café. Laissez-moi faire, je vais m'en occuper; vous avez l'air très fatiguée.

— De toute manière, je me réveille toujours à cette heure-ci; si j'essayais de dormir maintenant, ce serait bien pire, expliqua-t-elle en se dirigeant vers le salon. Je viens rarement m'asseoir dans cette pièce à cause des miroirs. Verriez-vous un inconvénient à ce que je n'allume qu'une seule lampe?

Daniel Stern traversa la pièce et se dirigea vers le système stéréophonique. Quelques secondes plus tard, un saxophoniste y allait de sa complainte.

— Je crains ne pas comprendre votre allusion aux miroirs...

Après qu'elle eut commencé à lui parler de sa vie monastique, de son dur travail, des longs silences auxquels elle était contrainte afin d'entendre la voix de Dieu, les mots semblèrent couler naturellement d'entre ses lèvres; à telle enseigne que c'est bien plus tard qu'elle eut conscience de ne s'être jamais ainsi livrée à quiconque; pas même à Lynn, pas même à Peggy. Quand elle eut fini son récit, Stern hocha lentement la tête.

— Cela explique bien des choses... Puis, devant son sourcil interrogateur : Vous écoutez bien plus que vous ne parlez.

— Cela fait partie de notre éducation. Nous devons prôner la pauvreté et la négation de soi.

— Cela transparaît à travers l'excessive courtoisie dont vous faites preuve envers autrui. C'est presque vous dénigrer vous-même.

— C'est une chose à laquelle je n'avais pas pensé. C'est une notion qui était en moi dès l'instant où j'ai décidé de prendre le voile. Cela faisait partie d'une ligne de conduite à suivre et je m'y suis conformée.

Elle se revit prostrée dans la salle de réfectoire comme pour se faire piétiner, afin de faire pénitence pour avoir osé parler pendant le Grand silence.

— Cela n'a pas été toujours facile, compléta-t-elle. Et ce n'est pas peu dire...

— À vous entendre, fit Daniel Stern en s'approchant d'elle, hésitant à prendre son paquet de cigarillos, on vous croirait reléguée en plein Moyen Âge, dans vos collines galloises. Sans radio ni journaux, comment pouvez-vous prétendre avoir conscience de la souffrance humaine, en dehors de la vôtre?

Le ton de sa voix la convainquit qu'il ne cherchait pas à se montrer désagréable, et c'est pourquoi elle répondit avec une grande franchise :

— C'est justement parce que nous en sommes conscientes que nous sommes retirées du monde. Notre contribution, c'est d'aimer Dieu et d'aimer le monde à travers lui. C'est par ce biais que nous exprimons notre compassion envers ceux qui souffrent. Nous savons qu'ils ont besoin de nos prières, et c'est pourquoi nous prions pour eux.

— J'espère en tout cas que cela leur procure quelque soulagement, répliqua-t-il sèchement, un peu abasourdi. Mais je crains que vous ne fassiez preuve d'un optimisme exagéré. Ne pensez-vous pas que vous leur seriez bien plus utiles si vous étiez parmi eux? Votre manière de vivre me semble passablement égoïste pour quelqu'un qui prétend à une totale abnégation.

Dans un geste de défense, Anna s'emmitoufla un peu plus étroitement dans son châle.

— Je le suppose. Bien des gens émettent la même critique. Cependant, ils ne comprennent pas que ces personnes cloîtrées, hommes ou femmes, s'en remettent totalement à Dieu. Le fait est que ces gens-là ne prennent aucune décision pour eux-mêmes; ces personnes ne choisissent pas le chemin à suivre : elles se contentent de se rendre disponibles à Dieu. Tout ce que j'ai voulu, quant à moi, c'est être une sorte de réceptacle d'une part infinitésimale de l'amour qu'Il déverse sur le monde. Je sais que je ne suis rien, mais que je puis cependant être partie de ce qui fut...

— Pourquoi parler au passé alors que, voilà quelques heures à peine, vous avez été d'un grand secours à Lynn?

— C'est vrai? s'exclama-t-elle, le regard soudain éclairé. Je ne me serais jamais crue capable d'une telle chose. Ce fut une expérience si considérable que j'ai encore du mal à admettre d'y avoir participé. De plus, je n'aurais jamais cru Lynn capable d'une telle force, autant physique que mentale.

— Elle est le maître d'œuvre de ce que nous venons de vivre; nous n'avons fait que suivre ses directives. Quelle femme remarquable; elle n'a jamais perdu une once de dignité.

— Cela n'a aucune mesure avec toutes mes expériences passées; je me sens à présent comme une personne différente. C'est un peu comme si, en poussant une porte, je découvrais un paysage jusqu'alors insoupçonné.

Ce qu'Anna aurait voulu dire, c'était en fait : « Cette nuit, ma vie a changé. J'ai éprouvé des sensations dont j'ignorais jusqu'à l'existence. Je ne pourrai jamais refaire machine arrière. »

En effet, peu habituée à l'introspection et encore moins à exprimer ses sentiments, Anna ne s'était jamais aventurée si loin dans le champ de ses émotions. Maintenant, elle se tenait coite, les phalanges crispées sur les franges de son châle rouge; rouge comme le vernis à ongles qu'elle avait dû effacer à l'aide du coton imbibé d'acétone que lui avait tendu la maîtresse des novices. Daniel la regardait tirer sur son vêtement.

— Tout le monde devrait au moins avoir un enfant, sinon deux ou trois, comme Lynn. Vous devriez y penser sérieusement. Il n'est pas trop tard, vous savez… Pour moi, la naissance de Sam est la meilleure chose qui me soit arrivée. Il m'irrite parfois avec ses jeux stupides et ses questions incessantes; mais quand il n'est pas avec moi, je me surprends à retenir des réflexions dont je voudrais lui faire part.

— Ce n'est pas parce que je peux porter un enfant que je doive nécessairement en avoir un… excusez-moi, je ne voulais pas me montrer grossière.

— Une fois de retour au couvent, vous n'y penserez plus, rétorqua Stern, pas le moins du monde offensé. Mais dites-moi, puisque vous êtes cloîtrée, pourquoi vous laisse-t-on sortir ainsi, comme un détenu libéré sur parole?

La comparaison lui arracha un sourire.

— Il est vrai que la mère supérieure n'apprécie guère ces escapades. Cependant, elle ne peut plus comme avant opposer un « non » tout sec, sans raison valable. J'ai de l'évêque la permission officielle que je peux renouveler de semaine en semaine. Le temps de ma présence à Bradford, je suis autorisée à mener une vie normale, bien que je sois tout de même tenue à la prière, ce qui n'est pas toujours possible dans les conditions actuelles. Néanmoins, j'évite de regarder la télévision, d'écouter la radio, de lire des romans...

— De dîner au restaurant, poursuivit-il à sa place. Je vous entends très bien : vous vous efforcez, autant que faire se peut, de suivre le diktat antédiluvien qui vous est imposé. Mais il vous faut malgré cela vous occuper de l'affaire familiale, et j'imagine que cela doit exiger de vous une somme de temps considérable. Cependant, je me vois contraint de vous exprimer mes doutes, quant à la volonté de Maynard Gideon de poursuivre ses affaires avec Nightingale Mill, dans la mesure où son conseil d'administration serait au courant de la situation présente.

— Vous m'en voyez désolée, mais avais-je le choix? Si vous aviez su que j'étais une religieuse, jamais la banque ne nous aurait gardé son crédit. Ce que j'ai fait, je l'ai fait pour Lynn et les enfants; est-ce mal?

— Je ne puis vous dire le contraire, mais je peux comprendre, cependant, fit-il en remettant son paquet de cigarillos dans ses poches.

— Je ne vous ai jamais vu fumer ces choses...

— J'essaie de ne pas le faire. J'ai renoncé à la cigarette depuis un an et je voudrais pouvoir me passer de cela, aussi. Cela m'occupe les doigts quand j'ai à réfléchir — il s'étira longuement — Dieu, que je suis fatigué. Je vois que vous portez toujours votre alliance.

— Vous aussi...

— Touché, sourit-il.

— Entrer en religion, cela ressemble un peu au mariage. Toute l'imagerie religieuse repose sur ce précepte, bien que les épouses du Christ ne semblent guère retenir la faveur populaire — elle se frotta le front — Une nonne aussi peut être féministe. Quoi qu'il en soit, je suis tombée amoureuse et j'ai cru que cela durerait toute la vie. C'est pourquoi je me suis fiancée en accomplissant trois ans de noviciat, puis mariée, comme n'importe quelle autre femme : robe blanche, fleurs d'oranger, voile et le reste. Il y a même eu une fête avec un gâteau de noces en prime. Et, ce soir-là, en regagnant ma cellule, j'ai découvert des bouquets de fleurs posés sur mon lit — elle fit une pause avant de réciter : « Maintenant, de toute mon âme, je suis prête à te suivre; et dans la crainte de Toi, je chercherai à reconnaître Ton visage ».

Stern expurgea un long soupir.

— C'est inouï...

Les yeux brillants, Anna se tourna vers lui, et quelques instants se passèrent avant qu'il ne vît les larmes qui embrumaient son regard.

— J'ai fait une fois une promesse et je crains fort ne plus être en mesure de la tenir.

— C'est donc que, tout comme moi, vous vous êtes engagée dans une procédure de divorce, lâcha-t-il prosaïquement en allant s'installer sur un tabouret.

— Cela n'a plus rien d'inhabituel, opina-t-elle entre deux reniflements. À l'instar du divorce, le renoncement à ses vœux est devenu monnaie courante, aujourd'hui. En raison du manque d'effectifs, de nombreux ordres ont dû se regrouper ou ont tout simplement disparu — elle essuya sa joue d'un revers de main — Excusez-moi, je n'aurais pas dû tant parler, pas plus que je ne devrais me trouver ici, seule avec vous, d'ailleurs.

— Souhaitez-vous que je m'en aille?

— Oui... euh, non...

— Très bien. Dois-je comprendre que je dois rester?

— Je ne sais pas... oui.

Stern tira son tabouret de manière à se rapprocher d'elle, de telle sorte que leurs genoux se touchent, le regard fixé sur les mains d'Anna qui étreignait nerveusement sa tasse. Puis, se penchant en avant, il s'empara des bords de son châle et l'attira vers lui en un mouvement très lent qu'Anna eût largement pu mettre à profit pour battre en retraire, se lever, dire quelque chose qui eût aussitôt mis un terme à ses manœuvres de séducteur. Mais elle ne fit rien de tout cela. L'homme rassembla les deux bords du châle dans sa main gauche, afin que la droite pût caresser le visage d'Anna. Du bout des doigts, il suivit le sillon des larmes jusqu'aux paupières puis, la main en coupe sous le menton, il effleura ses lèvres du pouce. Cela lui rappela les longs moments qu'ils avaient connus quelques heures plus tôt lorsque, au milieu de la chambre de Lynn aux lueurs blafardes, le contact de leurs corps semblait les avoir réunis en une paix profonde. Elle se souvint aussi du doux baiser qu'il avait déposé sur son poignet. Elle murmura :

— Je ne vous remercierai jamais assez pour ce que vous avez fait, cette nuit...

Abandonnant le châle, Stern lui ôta délicatement sa tasse des mains pour la poser sur une table basse. Malgré la lumière diffuse, il pouvait voir la bouche au pli tourmenté, le dessin net et précis, un peu altier de la lèvre supérieure qui contrastait singulièrement avec la moue pleine et sensuelle de la lèvre inférieure. Il plongea, avec délectation sembla-t-il, dans les grands yeux égarés dont il était assez près pour distinguer le cerne sombre qui bordait l'iris transparent. Elle était toute féminité, fragile entre ses mains malgré son crâne aux cheveux plats et courts. Ces mêmes cheveux qui, chez toute autre femme, auraient manifesté une forme de défi ou d'hostilité, revêtaient au contraire à ses yeux un caractère de soumission, d'humilité, dont l'excès, l'inutilité lui soulevaient aujourd'hui le cœur. Avec une sorte de grognement, il passa lentement sa main sur le crâne rêche et en reçut aussitôt la chaude électricité.

Trop intimidée pour soutenir son regard, Anna détourna la tête. Quand elle porta la main à sa gorge, Stern la couvrit aussitôt de la sienne, oublieux de la rugosité des cals, de ses ongles ébréchés, de la longue cicatrice qui courait le long du médius.

Elle était, songeait-il, tout en contradictions et en complexes, plus insaisissable et irritable que toutes les personnes qu'il avait connues auparavant. Elle était ainsi non point en paroles (n'était-elle pas toujours d'une politesse extrême?) mais en émotions. Des émotions qu'aucune éducation religieuse ne pourrait jamais subjuguer, et qui opéraient de subtils changements dans ses traits, étirant la peau sur les pommettes, projetant des ombres dans la transparence de ses yeux. Il existait en cette femme quelque chose d'imprévisible que ses treize années de claustration ne pouvaient expliquer totalement, quelque chose qui la faisait réagir à l'encontre de ce à quoi on aurait dû s'attendre d'une femme. À Londres, par exemple, elle n'avait pas réagi au sifflement admiratif qui lui était adressé, comme s'il n'existait pas une once de vanité en elle. La fraîcheur qu'elle apportait à chacun de ses gestes le fascinait. Au Victoria Hotel, elle s'était plongée dans la lecture du menu comme si c'était la première fois qu'elle en voyait un de sa vie. Ce n'était certes pas par convoitise, puisqu'elle avait mangé son sandwich d'un air absent, sans gourmandise. Il n'y avait rien d'usé en elle, rien que l'expérience ou le désenchantement eussent attristé. Les mains moites, il sentit revenir en lui de vieilles réminiscences de son adolescence. Aussi, ce fut une voix d'adolescent qui demanda :

— Puis-je vous embrasser?

Incapable de soutenir son regard, elle déglutit péniblement et ferma les yeux, le visage tendu, comme un enfant qui attend, confiant.

Il posa ses lèvres sur celle d'Anna, rien de plus, simple contact de deux épidermes. Anna avait les lèvres légèrement serrées, un peu pincées, dénuées de toute sensualité. Elle prit une courte inspiration, mais sans se détacher de Stern. Ce dernier accentua sa pression de telle sorte qu'elle sentit le contact de ses dents. Maugréant dans son for intérieur, elle eut un mouvement de recul. Tout cela, c'était trop et trop tôt. Ah, il devait bien s'amuser, le bougre! Il pensait en ce moment qu'à trente-sept ans, deux femmes avaient déjà partagé son existence, et qu'il était en instance de divorce avec une troisième. Il avait connu de bons moments quand, prenant le pas sur tout le reste, la passion de l'instant lui faisait oublier les tracasseries causées par ses précédentes conquêtes et les dangers de la sexualité. Peut-être aurait-il mieux fait de s'occuper un peu moins de la banque et un peu plus de sa famille, comme le lui avait fait remarquer Judy, son épouse, dans le bureau de son avocat.

Daniel Stern soupira, et Anna pensa aussitôt que c'était à cause d'elle. À coup sûr, elle s'y était mal prise; elle n'avait probablement pas répondu de manière adéquate à sa sollicitude. Elle ouvrit les yeux pour constater que Stern avait fermé les siens. Cela lui laissa ainsi le loisir de scruter sans vergogne le visage de l'homme; et ce qu'elle en vit ne lui déplut pas : des sourcils réguliers et fournis, des tempes argentées, des traits un peu tendus. Il était évident que l'homme était épuisé, et la pâleur de son visage, propre aux personnes travaillant sous une lumière artificielle, accentuait le phénomène. Elle se détacha de Stern et, afin de prévenir toute protestation, elle posa deux doigts sur sa bouche. C'était une bouche aux commissures tombantes, qu'une femme d'expérience eût qualifiée de méprisante. Elle appuya son front sur le visage de Stern qui souffla aussitôt à son oreille :

— Des baisers de papillons...

— Pardon? fit-elle avec un petit rire.

— Je sens le battement de vos cils et c'est très agréable.

Quoi qu'elle fît, Stern semblait l'apprécier. Cette constatation eut le don de la mettre un peu en confiance et, pleine d'audace, elle frotta sa joue contre celle de l'homme pour en sentir la chaude texture. En réponse, Stern posa une main sur son long cou de cygne dont la minceur la faisait paraître si vulnérable.

Daniel Stern était un homme attentionné. Il se montrait très protecteur envers son fils et probablement l'avait-il été tout autant envers sa femme. Si le désarroi des autres l'émouvait profondément, la vulnérabilité qu'il décelait chez Anna ne suscitait pas en lui la même réaction, bien au contraire. Dans son esprit, l'image de la blanche épouse soumise à la tondaison éveillait en lui une vision double : celle de l'adolescente de dix-huit ans sacrifiant son existence au nom de la Foi, et celle de la femme, interdite de chair, qu'il tenait dans ses bras. Saisi d'une pulsion soudaine, il l'attira à lui de manière à ce qu'elle se retrouvât un instant sur ses genoux, le temps qu'ils culbutassent ensemble sur la moquette. Plein de prévenance, il fit en sorte qu'elle tombât sur lui en la tenant fermement pour l'empêcher de s'échapper. Mais elle n'en fit rien. Elle le couvrait de son corps inerte, pendant que, un peu déconcerté, il lui parcourait le visage de baisers. De guerre lasse, n'obtenant toujours aucune réaction, il la fit enfin rouler sous lui.

Anna reçut le poids inhabituel de ce corps sur le sien avec un petit soupir d'acceptation. C'était un corps lourd et tiède, qui lui écrasait le ventre et la poitrine. Elle sentit la tête de Stern se poser au creux de son épaule. Les bras le long du corps, elle se rappelait s'être interrogée sur les sensations que lui procurerait un corps d'homme sur le sien. La réponse était venue sous la forme d'images fugaces, vaguement érotiques, qui n'étaient en rien comparables avec ce qu'elle ressentait à cet instant. Elle éprouva brusquement la sensation de pouvoir s'endormir là, sur le sol, comme si la suite des événements ne la concernait plus.

Cette situation-ci n'était en rien comparable au baiser en pleine lumière, bref et pour le moins surprenant, auquel elle s'était abandonnée après qu'Hal l'eut tirée de son bourbier. Et pourtant, elle n'était pas parvenue à chasser ce souvenir de son esprit. Bien qu'elle l'eût souhaité, quelque chose en elle s'y était refusé. Ce n'était qu'un baiser, un simple baiser pathétiquement court auquel elle avait mille fois repensé, comme une clameur qui partait du cœur et s'irradiait dans tout son corps.

À présent, les mains et la bouche de Daniel Stern lui transmettaient de pressants messages. Mais après plus d'une décennie passée dans la peau de sœur Gabriel, elle ne pouvait se ranger aux exigences de son corps, prendre Stern dans ses bras, et adopter les attitudes féminines appropriées. Elle préférait plutôt battre mentalement en retraite.

C'est que, depuis longtemps déjà, ayant fait l'objet de contrôles très stricts qui l'avaient peu à peu ramenée au stade de l'enfance, elle avait définitivement renoncé à la responsabilité de ses actes. Si son séjour à Bradford avait apporté quelques changements à cet état de fait, garder le contrôle de soi et des autres ne lui était pas toujours chose facile. Pourtant, elle pouvait à présent mieux appréhender la situation, dans la mesure où elle n'avait pas le choix, dans la mesure où « la chose » devenait inévitable et que, si elle la redoutait, elle la souhaitait aussi de toutes ses forces.

L'homme avait glissé une main derrière sa tête, tandis que, de l'autre, il lui caressait le cou, le flanc, le creux de la taille. Ses lèvres découvrirent la veine qui battait à la naissance de la gorge et quand il la titilla du bout de la langue, Anna frissonna longuement. Puis, il s'interrompit un moment, afin de se débarrasser de ses chaussures, avant que son genou ne revînt s'insinuer entre les cuisses d'Anna. Puis la main de l'homme glissa lentement sur le côté, suivit la ligne d'épaule, l'avant-bras, et descendit jusqu'à sa hanche. Contre lui, Anna se sentait heureuse, presque détendue, ne pensant à rien, sinon qu'à jouir des caresses que lui prodiguait Stern. Ce dernier fit courir sa paume sur la poitrine menue, et alla frotter sa joue contre le vêtement. Elle émit un petit son, comme pour l'avertir, mais il n'en eut cure et, sans crier gare, ses lèvres s'emparèrent d'un mamelon à travers le tissu. Anna hoqueta de surprise, tandis que de sa main libre, Stern commençait à lui caresser l'autre sein. Elle enfouit son visage dans l'épaule de l'homme comme pour cacher la honte de son propre plaisir, mais pour mieux s'y abandonner aussi.

Anna souhaitait se donner à Daniel Stern, mais sans se sentir coupable. En quelque sorte, accomplir l'acte d'amour et garder son innocence en même temps. Si elle ne regardait pas, se disait-elle, si elle ne disait mot ni ne prenait d'initiative, rien ne serait de sa faute et personne ne pourrait la blâmer. C'est pourquoi, comme hypnotisée, elle resta passivement dans les bras de Stern.

Ce dernier prit néanmoins immédiatement conscience de la distance qu'elle mettait entre eux, et sa perspicacité lui permit d'en appréhender la raison, du moins dans les grandes lignes. En fait, elle ne souhaitait pas qu'il cesse, mais refusait simultanément de se livrer au moindre geste d'encouragement. Le seul problème résidait dans ce qu'il s'en trouvait tout déconcerté, peu habitué à s'ébattre avec une partenaire en état de transes. Tout cela n'était pas son style : se forcer ou forcer quiconque ne l'intéressait pas. Lui, c'était plutôt le genre à se faire courtiser par les jolies dames, à répondre à leur invite uniquement si cela lui chantait. Cet état d'esprit trouvait moins ses fondements dans une certaine pusillanimité ou un manque de confiance en soi, que dans une sorte d'indolence. Son idéal féminin se rapprochait davantage de la sulfureuse sirène que de la timide midinette. Et ce qui le déconcertait le plus, chez Anna, c'était la contradiction entre l'expression prometteuse de son regard et son attitude, pétrie de complexes et de retenue. Si le mystère de cette femme le fascinait, si cette sexualité refoulée stimulait ses sens, l'idée d'avoir affaire à un glaçon le décourageait. Ses doigts suivirent le contour délicat de l'oreille d'Anna, jusqu'à sentir ses cheveux hirsutes. Si quelqu'un lui avait dit un jour qu'il se retrouvait à Bradford couché sur le plancher d'un salon avec une nonne dans ses bras...

Un déclic de la pensée le ramena quelques années plus tôt, dans un night-club de Berlin où se donnaient en spectacle une demi-douzaine de danseuses, indécentes mais néanmoins excitantes, dans un simulacre de robes de religieuses conçues pour laisser visibles les parties les plus intimes de leur anatomie. Le tableau consistait en une sorte de spectacle sadomasochiste, où l'on voyait une des religieuses flageller un jeune homme nu, écartelé entre deux piliers, pendant qu'une autre...

Dans une sorte de fringale de découverte de nouveaux pans de chair inexplorés, la main de Stern se crispa sur le genou d'Anna et fit promptement glisser le vêtement vers le haut. Le changement de rythme respiratoire de Stern perça le cocon qu'Anna avait tissé autour d'elle. Brusquement en alerte, elle ouvrit les yeux et le vit lâcher sa tête pour mieux s'arc-bouter entre ses jambes. Confuse, bien que sensible au changement qui venait de s'opérer chez l'homme, elle s'interrogea cependant sur les raisons de cette hâte soudaine.

Penché sur elle, Stern alla coller sa bouche sur la partie interne de ses cuisses, pendant que, brûlant de honte et d'indignation, elle tentait de le repousser.

— Non! râla-t-elle en tentant de s'asseoir, tandis qu'une de ses mains empoignait l'homme par les cheveux. Non!

Ignorant ses protestations, Stern enfouit un peu plus profondément son visage entre les jambes d'Anna qui, à présent, luttait pour ne pas s'ouvrir davantage, pour repousser de son ventre le visage de l'homme. « Mon Dieu... »

Elle se débattit soudain si violemment qu'elle entendit sa chemise de nuit se déchirer.

— Mais que diable faites-vous...

Se démenant de plus belle, elle ressentit tout à coup une violente douleur au coude. La tasse de café venait de rouler sur le sol et avait maculé la moquette. Instinctivement, elle rassembla les pans de sa chemise de nuit et se mit à éponger le sol.

« Je confesse à Dieu tout-puissant... »

Derrière elle, nonchalamment appuyé sur un coude, Daniel Stern la regardait faire sans un mot. Puis il passa la main sur sa joue rugueuse comme s'il voulait effacer les traces des minutes passées.

— Avant de vous connaître, lâcha-t-il enfin en se levant pour récupérer son veston, je n'avais jamais rencontré de vierge professionnelle.

CHAPITRE DIX-NEUF

— J'ai voulu voir ce que je voyais déjà, j'ai voulu tenir ce que j'avais déjà. Je Lui appartiens de toute éternité, celui à qui j'ai donné mon âme et mon cœur.

Voilà plusieurs heures qu'Anna gisait à plat ventre sur la pierre froide de la chapelle, les bras en croix face à l'autel.

Cette posture, elle l'avait prise bien des années plus tôt, au cours de la cérémonie de profession de foi, quand elle gisait étendue sur le sol, pendant que ses sœurs la recouvraient d'un drap noir et disposaient un chandelier aux quatre coins. Elle s'était alors retrouvée dans une étouffante obscurité, le visage contre terre, respirant la poussière âcre de la pierre.

Pour la circonstance, on avait même entonné *Dies Irae*, comme pour des funérailles, histoire de lui faire comprendre qu'elle était morte pour le monde extérieur. Et pourtant, malgré les cantiques, malgré le linceul brodé qui la recouvrait entièrement, Anna avait entendu le cri de protestation muet de sa mère, le bruit de ses pas et le claquement de la lourde porte.

Sa mère avait disparu pour le reste de la cérémonie et n'avait pas assisté à un des moments les plus poignants quand, les bras en croix, Anna, à présent et à jamais sœur Gabriel, avait chanté trois fois d'une voix claire : « Regarde-moi, Seigneur, accepte ta promise et je vivrai. Ne laisse pas vaine mon espérance en toi ». Pas plus qu'elle n'avait entendu les paroles de bénédiction : « Quand tu entreras dans la chambre nuptiale, tu porteras dans ta main une lampe allumée, symbole de ta joie et de ta confiance en Lui. Puisse-t-Il ne trouver en toi rien de disgracieux ni de déshonorant, mais une âme aussi blanche et pure que ton corps ».

Toute l'assistance était tournée vers elle, et c'est à ce moment-là qu'elle avait connu la plus grande certitude de sa vie.

« Ta beauté lui est à présent toute dédiée. Il est ton Seigneur et ton Dieu.

« Ton Seigneur et ton Dieu. » Anna étira les bras jusqu'à en souffrir.

C'était une pécheresse qui se fustigeait en frottant son visage contre la pierre rude. Bien moins que ses actes, ses basses pensées et ses désirs avaient bafoué ces saintes paroles. Elle méritait de souffrir les anciennes pénitences, comme la croix hérissée de clous qu'elle portait contre sa peau. Elle méritait le corset de métal qui lui meurtrissait les côtes à chaque mouvement.

La sexualité, c'est sale, sordide, elle le savait depuis toujours et cependant, elle avait laissé son corps succomber au détriment de son esprit.

Elle avait voulu devenir un ange, à cette différence près qu'un ange ne possède pas de corps. C'est pourquoi elle demandait à Dieu de lui apporter Son aide. Elle se remémorait la sensation de la bouche de Stern sur sa chair et, impulsivement, se mordit le dos de la main. Que Dieu lui pardonne.

En levant la tête, elle pouvait apercevoir le regard doux et bienveillant de la Madone sur l'Enfant Jésus. Ô Marie, protectrice des pécheurs... Mais c'est le visage de Lynn qu'elle voyait à sa place. Son esprit tourmenté cherchait à concilier la vision de la naissance à laquelle elle avait assisté avec les sensations qu'elle avait connues auprès de Daniel Stern.

Force lui était de reconnaître que, quoique différentes, les deux situations procédaient du même principe : la procréation. De plus, si dans l'enfantement, Lynn avait connu la joie dans la douleur, n'avait-elle pas connu, elle, la douleur dans la joie? Comme elle aurait aimé se laisser glisser dans ce noir précipice, ce gouffre de plaisir. Ô combien.

La reconnaissance de ce fait lui faisait l'effet d'une plaie ouverte dans son flanc. Elle ferma les yeux, se forçant à prononcer des mots qui ne venaient pas.

C'était cela : elle avait perdu la vocation. Elle ne pouvait accepter plus longtemps la croyance essentielle à toute religieuse selon laquelle sa vie consistait à vivre et non point exister. La source de sa foi s'était tarie, qui n'avait aucun rapport avec un des « silences de Dieu » que chaque religieuse connaissait à un moment ou à un autre. Cette source tarie lui conférait plutôt une force différente, plus enthousiaste.

À sa gauche, dans le chœur, elle perçut le léger mouvement de sœur Thomas à Kempis assise à la harpe qu'elle avait décidé de vouer, en même temps que ses dons, aux musiques célestes.

Des notes claires et pures descendaient sur elle en cascade. Elle retint son souffle pour mieux s'en pénétrer, mais au lieu de lui apporter sagesse du corps et paix de l'esprit, elles ricochaient sur elle comme des galets sur un lac.

C'est à cet instant précis qu'elle comprit qu'elle ne pourrait plus continuer ainsi. Sœur Godric l'avait bien vu : le monde du dehors avait fait sa marque sur elle. Elle n'était plus capable de recueillement, de poursuivre sa quête de paix et de sérénité divine. Elle ne pouvait plus supporter de s'aliéner les plaisirs terrestres, de détourner son cœur des tristesses de ce monde pour se terrer derrière les murailles d'un couvent.

De ce monde-là, elle voulait désormais faire pleinement partie.

Sa première tâche du lendemain consista à nettoyer les tables du réfectoire. Ligotée dans son tablier de toile cirée, les mains rouges et gonflées à force de les tremper dans l'eau chaude amoniaquée, elle procéda méthodiquement le long de chaque rangée à l'aide d'une brosse de crin. Chaque table exigeait dix minutes de frottage, puisqu'il fallait qu'elle en nettoyât non seulement le plateau, mais aussi le dessous et les pieds. Ceci fait, elle devait ensuite, comme l'exigeait la tradition, les cirer à la cire d'abeille. Armée de sa brosse et de sa bonne volonté, Anna se demandait combien de femmes avant elle s'étaient usé les mains sur ces tables; des centaines, probablement. Ne disait-on pas : « Une religieuse c'est comme un carreau, quand il se brise, il suffit de le remplacer »?

Ses mains parcouraient les plateaux de table en faisant de grands cercles, un peu comme ses pensées qui ne cessaient de tourbillonner dans sa tête et qui la ramenèrent à l'âge de quinze ans, au couvent de Huddersfield, quand sœur Morag lui avait parlé de la crainte et du désir qui conduisaient tant de jeunes filles à prendre le voile.

Dans son cas, ç'avait été la crainte de s'abandonner. À peine adolescente, la puissance de sa propre sexualité l'avait terrorisée au point qu'elle craignait d'en perdre le contrôle. C'est pourquoi elle s'était gardée de toute fréquentation amoureuse, de crainte de se retrouver dans une situation propice à ses pulsions sexuelles. Si bien qu'elle avait envisagé de vivre dans la chasteté avec un authentique soulagement. « Une vierge professionnelle », l'avait appelée Stern. Ce disant, il n'avait peut-être pas la moindre intention de lui faire du mal; mais il n'en demeurait pas moins vrai que cette formule comportait une grande part de vérité. Peut-être s'était-elle servi de la chasteté qu'exigeait son état pour se mettre à l'abri des intrications de l'amour.

Elle laissa tomber sa brosse dans son baquet et se mit à essuyer la table à l'aide d'un linge sec. Elle avait profondément envié Lynn, cette nuit-là, envié sa force, son exaltation, son plaisir purement païen au moment de la délivrance. Lynn s'était maintes fois révélée une femme accomplie, partie intégrante de la vie puisqu'elle donnait la vie. Tandis qu'elle, Anna, jamais.

Ramassant son baquet et son linge, elle passa à la table suivante qu'elle se mit à frotter avec acharnement. Dans cette sorte d'exutoire à une fureur longtemps contenue, elle se découvrait une sorte de soulagement. Y avait-il eu un jour dans sa vie où elle ne s'était pas sentie tendue? sans qu'elle n'eût la sensation de reculer devant l'obstacle?

Elle serait bientôt libre de regagner le monde, sans liens ni mensonges, sans subterfuges; dans la mesure où elle pourrait un jour se libérer de ses craintes car, dans le cas contraire, elle se retrouverait dans le monde aussi isolée de la grande expérience humaine qu'au fond de sa cellule. Et cela, elle ne le voulait à aucun prix.

Néanmoins, une certitude subsistait en elle; celle que, tôt ou tard, elle devrait payer le prix. Pour cela, il lui suffisait de se rappeler les souffrances de Lynn qui, d'ailleurs, étaient loin d'être finies. En liant sa vie à celle de Simon, elle avait, par le fait même, poussé les portes du désenchantement et du malheur. Et pourtant, malgré cela, Anna eût donné n'importe quoi pour changer sa place contre celle de sa belle-sœur. Elle ralentit son mouvement en revoyant le bébé reposant sur le sein de sa mère. « Si seulement... ». C'étaient les mots les plus tristes, disait-on. Mais si seulement elle avait la chance inouïe de serrer dans ses bras un enfant né de sa propre chair...

L'absence de bonheur total ne la tuerait pas. La vie religieuse lui avait enseigné deux choses : l'existence inaliénable de Dieu, et l'habilité à vivre de peu de choses. L'austérité dans laquelle elle avait été éduquée avait fait de la jeune fille timorée une femme d'expérience, capable de supporter n'importe quoi.

Sœur Dominic passa la tête par la porte entrebâillée, l'index posé sur les lèvres. Anna interrompit son travail et s'essuya le front d'un revers de main.

— Benedicite...

— Dominus...

Lis entra alors dans le réfectoire, les bras comme d'habitude chargés de son repassage.

— Mère Emmanuel voudrait te voir à son bureau après la lecture.

— Merci.

— J'en connais la raison.

Anna opina du chef. Extraordinaire chose que de constater la vitesse à laquelle circulaient les informations dans une communauté censément vouée au silence.

— Ainsi c'est vrai, tu pars pour de bon.

Selon toute apparence, la nouvelle bouleversait Lis, au point de lui faire oublier la règle de silence absolu qui régissait le réfectoire. Pour pénitence, elles auraient dû s'agenouiller et se bâillonner à l'aide d'une serviette et rester ainsi jusqu'au prochain coup de cloche. Finalement, elles baiseraient le sol et retourneraient vaquer à leurs occupations.

— J'ai été longtemps absente, hasarda Anna en guise d'excuse.

— L'essentiel, c'est que tu sois revenue.

Anna reprit son baquet et se dirigea vers la table suivante qu'elle se mit à frotter énergiquement, histoire de se donner le temps de réfléchir. L'air avec lequel Lis la regardait lui inspira une profonde pitié.

— Je vais t'aider, annonça la jeune fille en laissant tomber sa pile de linge sur une table.

— Tu n'es pas obligée...

— Je le veux.

S'emparant d'un torchon, elle se mit aussitôt à astiquer une table. Un coup d'œil de biais suffit à Anna pour se rendre compte que Lis pleurait.

— Ne pleure pas, Lis, murmura-t-elle d'un ton pressant. Tu n'as aucune raison de pleurer; la perte est pour moi, pas pour toi.

— Comment peux-tu tenir de tels propos? persifla-t-elle en faisant face à Anna. Tu pars, tu commences une nouvelle vie quelque part en m'abandonnant seule ici et tu me parles de TA perte? C'est à se demander si tu es devenue folle ou méchante...

— Ni l'un ni l'autre, répliqua Anna en lâchant sa brosse. Je suis ici depuis bien plus longtemps que toi. J'ai tout essayé; je me suis battue, j'ai...

— Ne pars pas, pour l'amour de Dieu, ne pars pas.

Lis alla s'asseoir sur un banc et enfouit son visage entre ses bras.

— Je resterai si j'en suis capable; je ne tiens pas à partir d'ici.

Anna parcourut du regard le long réfectoire aux murs blanchis à la chaux, les bouquets de fleurs séchées sur l'appui de fenêtre.

— Ce serait quitter ma maison, Lis, ma famille — elle hésita un instant, puis posa la main sur l'épaule de la jeune fille qui frissonna longuement — C'est moi qui serai seule, c'est moi qui serai le paria...

Lis fit brusquement volte-face et prit la main d'Anna.

— Ne cherche pas à m'attendrir, c'est moi qui souffre, pas toi. Seule, tu ne le resteras pas longtemps; plus le temps passera, plus tu connaîtras des gens, tandis que moi... je sens que je vais dépérir de jour en jour. Voudrais-je voir les choses autrement que je ne le pourrais pas — elle pressa la main d'Anna contre sa joue sillonnée de larmes — Je ne peux vivre sans toi.

Anna se redressa, raide comme une statue de sel, la main figée sur la joue de Lis, profondément émue par la détresse inattendue de sa compagne. Elle n'avait jamais recherché un tel amour et n'avait rien fait pour l'entretenir. Et pourtant, il avait grandi malgré elle, comme du lierre sur les murs désolés du cloître. Et voilà qu'à présent, il déployait ses lianes autour d'elle, la ligotait, la clouait au piloris.

Elle voulut brusquement récupérer sa main mais, plus vive, Lis s'y accrocha, pressant fébrilement ses lèvres sur sa paume et ses doigts.

— Non!

Anna retira violemment sa main, tandis que Lis vacillait un instant, avant de tomber à genoux en s'accrochant à la robe d'Anna.

— Lève-toi! ordonna-t-elle.

Loin d'obtempérer, la jeune enlaça les jambes d'Anna avec une véhémence presque effarante.

— Ne pars pas, s'il te plaît, ne pars pas. Ne m'abandonne pas... psalmodiait Lis, le visage enfoui dans la robe d'Anna.

Anna eut un frisson de dégoût, soudain pleine de répulsion pour ce corps recroquevillé, ces membres agglutinés contre son vêtement, cette affliction engendrée par un amour qu'elle n'avait pas souhaité. Avec une féroce clairvoyance, elle comprenait aujourd'hui qu'elle ne pourrait rester ici plus longtemps et que Lis participait des éléments qui avaient conspiré à la retenir dans ce cloître : amour et culpabilité, crainte de briser une promesse solennelle...

Se penchant en avant, elle posa ses deux mains sur les épaules de la jeune fille et la repoussa violemment, manifestant sa répulsion par un grognement de dégoût. Lis se laissa tomber sur le sol, et resta immobile, le visage caché dans son bras replié.

Anna fit un pas en arrière, puis un autre, les mains jointes derrière le dos, le souffle court, sidérée par la violence de ses réactions.

Lorsque Lis était entrée au cloître, ç'avait été comme si on avait allumé une lumière. Sa gaîté, sa volubilité, son intérêt en toute chose avaient fait chaud au cœur d'Anna, à un moment où elle connaissait des moments de grande désespérance. Elle s'était tournée vers cette brillante créature avec une affection sans précédent. Impossible, aujourd'hui, de croire qu'il s'agissait de la même personne. Impossible de ne pas penser que tout n'était pas de sa faute à elle, Anna. Lis ne bougeait toujours pas.

— Je ne peux vivre sans toi, murmura-t-elle dans les replis de sa manche.

Anna la fixa quelques instants et sentit sa volonté chanceler, tentée, au nom de leur vieille amitié, de la consoler, de faire preuve de commisération, d'exprimer sa mansuétude en prononçant les mots que la jeune fille voulait entendre. Et puis, non : ce ne serait qu'un mensonge de plus et cela, elle ne le voulait pas. Dans une demi-heure, elle demanderait à la mère supérieure de la libérer de ses vœux. Ainsi, dans quelques semaines, elle serait libre comme l'air. Elle lâcha un long soupir qui la dispensa d'exprimer sa pitié pour cette jeune fille qui l'aimait. Tout compte fait, si elles s'étaient mal comprises, si Lis avait présumé de l'amour que lui portait Anna, n'était-ce pas à cause de leur façon de vivre?

— Je ne peux vivre sans toi...

Anna releva Lis par l'épaule et articula d'une voix lasse :

— Si, tu le peux. Et maintenant, lève-toi... Lève-toi!

Le ton autoritaire parut porter ses fruits puisque, après quelques instants d'hésitation, Lis se mit sur son séant et, s'emparant d'un linge propre posé sur la table, s'essuya longuement les yeux.

— Désolée.

— C'est moi qui le suis. Je suis la fautive, pas toi.

Anna lui prit la main afin de l'aider à se relever, et la

garda un peu plus longtemps que nécessaire pour en regarder les cicatrices, signes révélateurs d'un travail ardu. Les yeux baissés, elle comprenait à présent ce qui l'avait attirée chez Lis : la jeune fille était un peu à son image, quelqu'un dont la ferveur l'avait conduite à prendre le voile, inconsciente alors de tout ce à quoi elle renonçait, cherchant une voie qui n'était peut-être pas la sienne.

— Allons, souffla-t-elle, allons. Va faire ton repassage; tout ira bien.

Sans lui adresser un regard, Lis récupéra sa pile de linge et s'éloigna d'un pas tranquille en direction de la buanderie. Du coup, perdant toute contenance, furieuse contre Lis et contre elle-même, Anna se mit à frotter sauvagement la dernière table, jusqu'à en perdre le souffle. À quel moment leur innocente amitié s'était-elle changée en de tels débordements de passion? Sans qu'il n'en transparût rien, cette amitié était passée d'un état d'âme salutaire à un sentiment obscur pour lequel elle n'éprouvait que de la honte. Sœur Peter avait eu raison, le jour où elles s'étaient entretenues dans le cellier : elle aurait dû se montrer plus vigilante. Anna se détestait pour le mal qu'elle avait fait, et pour avoir fait le mal alors qu'elle croyait faire le bien.

Elle s'épongea le front d'un revers de manche. La jeune fille s'en remettrait. Elle était encore jeune et découvrirait assurément d'autres sensations, peut-être plus de joies, plus d'occasions de rire, quoique ces dernières ne fussent pas légion depuis quelque temps.

Elle soupira. Avec quelles précautions, quasi maladives, les fondateurs de l'Ordre s'étaient-ils attachés à élaborer des règles prévenant ce que l'on appelait encore « les amitiés particulières »! À cette époque, n'entraient en religion que des personnes soumises ou déshéritées, sans vocation préalable. Mais cela n'avait plus cours aujourd'hui et, par le fait même, ces règles devenaient caduques. À telle enseigne, qu'en treize ans de vie monacale, elle n'avait jamais connu de compagnes qui s'étaient abandonnées à leurs pulsions sexuelles, aussi imperceptibles fussent-elles. Cependant, ces règles n'excluaient pas pour autant l'affection.

Pour incommensurable que fût leur amour de Dieu, cet amour-là ne parviendrait jamais à combler les besoins du cœur.

Une demi-heure plus tard, elle versait un peu d'ammoniaque dans son baquet et vidait son eau dans le tuyau d'évacuation afin de le désinfecter. Rien ne se perdait, ici. Après avoir rincé sa brosse et ses torchons, puis jeté un coup d'œil dans les environs, elle tira de sa grande poche un tube de crème hydratante qu'elle appliqua soigneusement sur ses mains.

La porte du bureau de mère Emmanuel était, comme il se devait, grande ouverte. Avant de frapper, Anna l'observa quelques secondes du seuil de la pièce, remarquant du coup ce qu'elle n'avait jamais vu auparavant : les deux grandes rides verticales qui plissaient le front de la mère prieure et qui descendaient jusqu'à la racine du nez. Devant elle, se trouvaient deux piles : celles des factures qu'elle réglerait dans la semaine, et les autres. C'était une sorte de gymnastique intellectuelle à laquelle la mère prieure se livrait sans cesse et sur laquelle Anna ne s'était jamais arrêtée, jusqu'au jour où elle avait dû à son tour se livrer à ce même exercice, quand elle avait commencé à s'occuper de l'affaire familiale. Sentant le regard de sœur Gabriel peser sur elle, mère Emmanuel leva enfin les yeux.

— Je me demande comment je vais faire pour m'en sortir, fit-elle en désignant la pile de factures. Je devrais peut-être aller les porter à la chapelle afin de les montrer à notre Seigneur et nous rappeler à son bon souvenir.

Anna acquiesça, empathique mais peu loquace. Que penserait Peggy d'un tel procédé? Et pourtant, ici, il fonctionnait. L'argent arrivait toujours au moment crucial, et, souvent, par d'étranges détours. Pour tout revenu, les religieuses ne disposaient que du produit de la vente de leurs hosties et de leurs chandelles de cire d'abeille, ainsi que du tissage de la laine. Ces trois éléments réunis étaient de loin insuffisants pour subvenir à l'entretien de la vieille bâtisse qui abritait leur foi. Mais, bon an mal an, elles étaient toujours parvenues à s'en sortir, grâce à un don, une aide inattendue, la Divine Providence, comme elles l'appelaient. La révérende mère s'adossa contre son siège sans inviter Anna à s'asseoir.

— Vous avez demandé à me voir, sœur Gabriel?

Anna répondit d'une traite, sans respirer.

— Je souhaite renoncer à mes vœux.

Elle n'avait pas imaginé à quel point ces quelques mots pouvaient sonner durement. Elle était incapable de lever les yeux, mais le silence qu'on lui opposait l'incita à poursuivre.

— Je ne peux mener cette existence plus longtemps, ma mère. J'ai pourtant essayé; mais, aujourd'hui, je suis persuadée d'avoir fait le mauvais choix.

Au moment où elle osa lancer un coup d'œil vers la mère prieure, elle revit le visage attentif et soupçonneux du gardien de musée de New York. Apparemment, ses pires craintes étaient confirmées.

— Ce n'est pas nous qui choisissons, mais Lui.

Comme elle ne trouvait rien à répondre à cela, elle proposa timidement :

— J'ai le sentiment d'avoir failli...

— À un moment ou à un autre, nous nous retrouvons toutes confrontées à ce problème, rétorqua la mère supérieure. Notre situation peut se révéler exceptionnellement difficile. Ces difficultés, nous devons apprendre à les affronter de manière constructive; tout dépend de la manière dont nous abordons le problème.

Le ton était neutre, presque indifférent, présage d'une colère à laquelle elle ne donnerait jamais libre cours. Anna gardait les yeux baissés, mais elle connaissait si bien la mère supérieure qu'elle n'avait nul besoin de la regarder. Massif et informe, son corps était celui de la femme qui ne s'est jamais accordé l'ombre d'une pensée. Même dans sa jeunesse, mère Emmanuel n'avait jamais connu le sens de la beauté et aujourd'hui, elle se retrouvait là, derrière son bureau, les épaules voûtées, les seins et le ventre confondus, les pieds chaussés de pauvres sandales racornies.

— Je suis persuadée qu'il s'agit d'une tentation passagère, lâcha-t-elle, conciliante. Je pense que vous avez réellement la vocation — Ses grands bras de sculpteur de pierre s'écartèrent, faisant étinceler l'améthyste qu'elle portait au doigt — Dieu vous a appelée à Lui. Vous rétracter consisterait à renier votre foi.

— Mère, je crois que... Anna s'éclaircit la gorge afin de pouvoir poursuivre — j'ai commis une erreur, une terrible erreur...

Mais la voix, déjà presque étrangère, lui répondit :

— Cela me semble loin d'être une raison suffisante pour abandonner tout ce que vous avez entrepris. Il ne faut surtout pas nous attendre à un accomplissement parfait et immédiat...

— Treize ans, c'est déjà beaucoup. Et l'accomplissement auquel vous faites allusion, j'ai davantage le sentiment de m'en éloigner que de m'en rapprocher.

Mère Emmanuel radoucit le ton d'un cran supplémentaire.

— Vous venez de traverser une période d'intense émotion. Votre retour dans votre famille vous a passablement perturbée. Peut-être est-ce ma faute, peut-être n'aurais-je pas dû vous autoriser à quitter notre maison aussi souvent que je l'ai fait. Il me paraît indispensable que vous recouvriez votre paix intérieure. Allez et songez-y. Je suis persuadée que vous ne souhaitez pas prendre une décision que vous regretteriez par la suite.

L'instinct d'obéissance était si profondément ancré en elle, qu'Anna tourna les talons. Elle commençait à quitter la pièce quand, arrivée sur le seuil, elle s'arrêta, pour annoncer sans se retourner :

— Il faut que je parte, ma mère, je ne suis plus heureuse, ici.

— Heureuse? entendit-elle rétorquer dans son dos une voix lasse. Heureuse? Un chien couché au soleil est heureux. Vous, vous avez dédié votre vie à Dieu, afin d'être récompensée, non pas dans cette vie, mais dans la vie éternelle. Je vous dispense d'étude, aujourd'hui, sœur Gabriel. Regagnez votre cellule et méditez-y en paix. Priez.

Anna se leva et fit un pas vers la porte sans rien ajouter. Seules des circonstances hautement exceptionnelles pouvaient amener une religieuse à regagner sa cellule pendant le jour, et encore fallait-il qu'elle en eût obtenu l'autorisation.

Cette cellule était son seul havre, le seul endroit où elle pouvait se réfugier sans se sentir observée. Néanmoins, il fut un temps où elle n'avait pas regardé l'endroit avec les mêmes yeux. Durant le Grand silence, elle avait même connu des instants de véritable panique. Dans cet espace restreint, dix pas dans un sens, sept dans l'autre, elle s'était retrouvée alors en proie à une atroce appréhension, semblable à un long cri sans fin. La panique lui avait noué la gorge et recouvert ses paumes de sueur. Tout cela sans raison, sans cause précise. Elle avait eu l'impression de perdre l'esprit.

L'expérience lui avait appris que ce phénomène s'appelait « claustrophobie ». Cela ne lui arrivait qu'une fois sa porte refermée sur une nuit qui ne semblait jamais devoir finir. Il lui avait fallu plus de temps encore pour associer cette claustrophobie au sentiment de désillusion qui envahissait peu à peu son esprit. Après une nuit particulièrement difficile, elle avait demandé à la révérende mère l'autorisation d'aller coucher à l'infirmerie, une grande pièce très peu fréquentée.

— Il n'en est pas question, avait répliqué la prieure sans la moindre animosité, mais sans la moindre volonté de compréhension non plus. Croyez bien que je compatis à votre souffrance, ma sœur, mais c'est votre croix et vous devez la porter, comme chacune d'entre nous ici.

Elle l'avait donc portée, Dieu sait comment. Certaines nuits s'étaient avérées pires que d'autres, mais, au bout du compte, elle avait eu de la chance. C'est à partir de cette époque-là qu'elle s'était prise d'affection pour Lis, et un regain de confiance en soi lui avait permis de guérir. Cependant, sachant bien que la réponse de la mère prieure était édictée par les règles du couvent, elle savait qu'elle ne lui pardonnerait jamais ces paroles prononcées comme une sentence : « C'est votre croix et vous devez la porter ».

À présent, les mains crispées dans ses larges manches, Anna fut tentée de lui servir la réponse qui lui brûlait les lèvres.

« Que dois-je dire pour vous faire comprendre que je ne changerai pas d'avis, ma mère? »

Toutefois, faisant brusquement volte-face vers la mère supérieure, elle préféra expliquer :

— Il ne s'agit pas d'une pulsion soudaine. C'est une décision mûrie, à laquelle je pense depuis des années.

— Et moi, je reste convaincue que votre avenir est parmi nous — La prieure se pencha en avant, suggérant à Anna toute la force de son esprit indomptable, qui avait si bien su insuffler une nouvelle vie au couvent — Seul Dieu décide de votre avenir; et Dieu exige votre présence ici. Qui plus est, sœur Gabriel, vous n'êtes pas sans savoir que notre communauté a grand besoin de vous. Vous nous êtes très chère à toutes. Nous formons une famille et quand l'une d'entre nous est dans la détresse, c'est toute la communauté qui en pâtit. Vous ne pouvez vous écarter de votre voie.

— Je suis sincèrement désolée, ma mère…

— Dans ce cas… soupira la prieure après un silence interminable.

La dignité de sa charge lui interdisant d'insister plus longtemps, mère Emmanuel s'adossa à son siège avec un petit spasme de la poitrine qui exprimait son ressentiment envers l'ingratitude d'Anna.

— …vous écrirez à Rome dès aujourd'hui, poursuivit-elle d'un air chagrin. Vous comprendrez que cette démarche prendra des semaines, voire des mois…

— Si longtemps que cela?

— Les documents doivent être visés par le Saint-Siège, rien de moins. Auparavant, il fallait préalablement présenter sa requête à l'évêque, mais cela n'a plus cours, aujourd'hui. Si Rome considère vos motifs valables, une dispense pourra vous être accordée.

Anna se raidit, soudain alarmée par le caractère définitif de sa démarche, à ses yeux bien plus grave qu'un simple divorce.

— Mais j'aurai quand même le droit de me rendre à l'église…

— Naturellement. La renonciation des vœux est si fréquente, de nos jours, qu'il ne saurait être question d'excommunication — Les deux femmes se regardèrent un instant, puis la prieure tendit une feuille de papier blanche à Anna — Asseyez-vous, sœur Gabriel, un certain nombre de dispositions doivent être prises. Commençons par votre lettre : « Cher Saint-Père... »

Anna faillit lâcher son crayon.

— Est-ce que je dois écrire au pape, en... personne?

— Sinon à qui d'autre? Exprimez clairement votre pensée — La prieure ferma les yeux pour mieux se concentrer — « Après moult prières et mûre réflexion, je demande à être libérée de mes vœux. J'ai vécu pendant quelque temps à l'extérieur du cloître... » et vous poursuivez en exposant vos motifs.

— Je croyais que... hésita Anna.

— Nous appellerons cela incompatibilité de tempérament, une sorte d'idiosyncrasie qui vous rend inapte à la vie monacale, ce qui, au reste, n'est pas tout à fait faux. De plus, nous devrons régler le problème pécuniaire; nous ne pouvons vous laisser partir comme une vagabonde sans un sou vaillant.

Anna gardait les yeux fixés sur le léger tremblement de mains de la mère prieure, seul signe extérieur de l'intense émotion qui l'habitait.

— Merci, ma mère.

Ça y était, elle avait fait le pas. Anna se sentit elle aussi agitée d'un léger tremblement. Bien que mère Emmanuel lui sourît, elle pouvait voir une profonde déception au fond de son regard et une grande amertume dans le pli de sa bouche.

CHAPITRE VINGT

Installée sur une chaise à haut dossier, sœur Godric passait ses jours dans la salle de récréation. Derrière elle, par la fenêtre aux volets de bois ouverts, une lumière sourde léchait les murs gris et lézardés de ses reflets hivernaux. La tête penchée sur son ouvrage, les pieds joints sur un petit tabouret à cause de la goutte qui la faisait souffrir depuis des années, la religieuse dans sa robe grise et blanche ressemblait à un personnage hors du temps, une sombre silhouette sortie du clair-obscur d'un Rembrandt. Près d'elle, une pile de documents de toutes sortes : des comptes à vérifier, des lettres auxquelles elle devait répondre... ainsi qu'une boîte de signets sur laquelle, de son élégante écriture, elle écrivait quelques courts versets. Quand Anna vint lui servir une tasse de thé — révérence envers son âge et son état — sœur Godric repoussa sa boîte de côté.

— J'en ai fait quatre-vingt-dix, annonça-t-elle avec satisfaction. Et cela ne m'a pas pris des années. Nous pourrons ainsi nous offrir une paire de ciseaux de cuisine flambant neufs. Quand vous aurez un moment de libre, pourrez-vous apporter ces signets dans la salle de visite?

S'emparant de la boîte, Anna la posa sur ses genoux et se mit à examiner le signet du dessus. Sous le dessin d'une violette, était écrit, en pleins et déliés : « En ce jour heureux, puissent vos prières arriver jusqu'à Dieu et faire pleuvoir sur vous la bénédiction du Ciel ». Anna sourit affectueusement à son aînée, se disant que, depuis sa prise de voile, la vieille religieuse n'avait guère changé. À cette époque-là, elle devait déjà avoir soixante-dix ans, mais Anna avait toujours admiré son irrésistible enthousiasme. Et bien que les mains fussent parsemées de fleurs de sépulcre, les doigts avaient gardé leur agilité de toujours.

Mère Emmanuel avait ordonné à Anna de rester auprès de sœur Godric jusqu'aux vêpres. Sa tasse d'eau chaude à la main, elle se tint coite près de sœur Godric, jusqu'à ce que celle-ci observât :

— C'est donc officiel. Vous renoncez à porter le voile.

Bien qu'elle n'eût déposé sa requête que trois heures plus tôt, tout le monde semblait au fait de la situation.

— À présent que j'en ai parlé à la révérende mère, je me sens assaillie de doutes...

— Le déracinement est une décision difficile, particulièrement quand on s'est crue enracinée pour la vie — sœur Godric sirota son thé d'un air songeur — Néanmoins, c'est moins difficile que de s'incruster sans plus y croire. Fausse loyauté, hypocrisie, honte... qui voudrait de cela?

Soucieuse, Anna se frotta le front; mais aussi à cause de sa guimpe dont le port lui était devenu insupportable. Comment avait-elle pu, pendant toutes ces années, porter ce bandage oppressant et cette lourde coiffe?

— Vous me manquerez, dit-elle dans un murmure. Mais je dois avouer que cet habit n'est plus fait pour moi.

— Vous voulez dire que votre habit, tout comme cette existence de religieuse, est devenu trop étriqué pour vous, c'est bien cela?

Anna jugea inutile de nier, puisque c'était en grande partie cela, même si ce n'était pas l'entière vérité. Ces femmes avaient choisi de sacrifier leur existence au nom de leur foi. Sous le regard de Dieu, elles vivaient dans une austérité que peu auraient pu supporter; elles avaient sacrifié leur corps au profit de leur spiritualité. Mais le fait de ne pouvoir partager leur épreuve plus longtemps n'empêchait pas Anna de leur vouer une profonde admiration.

— Si vous voulez mon opinion, ce dont je doute, poursuivit sœur Godric, vous avez pris la bonne décision. Je suis navrée de vous voir partir, mais ne vous leurrez pas : vous nous manquerez bien plus que nous vous manquerons; la vie ne sera plus la même sans vous, ici.

— La révérende mère m'a appris que, depuis son arrivée au cloître, je suis la seconde religieuse qui renonce à ses vœux.

— Il faudra bien qu'elle s'y fasse, pourtant. On rapporte des cas comme le vôtre de partout; cela ne rend pas les choses plus facile pour autant. Je crains même que vous ne vous heurtiez à quelque hostilité de la part de vos compagnes — son regard accrocha celui d'Anna avec un fin sourire — Tâchez néanmoins de comprendre que ce n'est pas facile, pour elles non plus. C'est un peu comme si vous leur disiez : tout cela n'est plus assez bon pour moi — puis, notant le léger mouvement de dénégation d'Anna — C'est un peu comme quand quelqu'un change d'emploi; ses collègues le regardent avec un mélange d'envie et de contrariété. Mais dites-moi : vous nous avez parlé de Lynn, du bébé, mais pas un mot sur la filature...

Avide de conseils, Anna remarqua cependant la tristesse cachée derrière le masque d'impassibilité de la vieille religieuse. Pendant treize ans, cette dernière n'avait cessé de lui prodiguer ses encouragements pour favoriser son intégration à la vie religieuse.

C'est sur le tard, à cinquante ans, que sœur Godric était entrée en religion. Trente ans après qu'un jeune soldat eut perdu la vie dans les tranchées au cours de la Première Guerre mondiale, après avoir essayé de survivre en combattant son chagrin et son amertume, elle avait mis un terme à son acrimonie envers la terre entière, et conclu que Dieu lui refusait le droit de devenir une épouse et une mère, afin qu'elle se consacrât entièrement à Lui. C'est sans doute parce qu'elle n'avait pas tout à fait accepté la résignation qu'elle s'était prise de sympathie pour Anna et avait partagé ses difficultés des dernières années. Elle avait remarqué que chez ses compagnes, la quiétude faisait parfois place à une grande tristesse, un état passager qui prétendait résumer toutes les formes de dépression et que l'on appelait accidia. Mais, pour Anna, il en avait été tout autrement. Son cas à elle avait été purement biologique : une transformation qui, imperceptiblement, avait fait de son corps de religieuse, un corps de femme destiné à faire l'amour et à donner la vie.

Un léger frisson parcourut le corps de la vieille religieuse. Cela lui arrivait souvent, depuis quelque temps. Chassant ses pensées, elle se concentra sur Anna, qui lui faisait la narration de son entrevue à la banque Maynard Gideon et de sa rencontre avec Daniel Stern.

— Bien, conclut sœur Godric. Je suis sûre que, dans un avenir proche, tout ira pour le mieux.

Anna, qui avait pris grand soin de rapporter une version édulcorée des événements, poussa un soupir exaspéré.

— Je n'en suis pas aussi sûre que vous — Anna détourna la tête afin que sœur Godric ne la vît pas rougir — Cela n'a rien d'inquiétant encore, mais ce monsieur semble vouloir non seulement présider aux destinées de Nightingale Mill, mais également aux miennes. Les gens de la banque n'ont jamais su que j'étais une religieuse; je leur ai laissé croire que je travaillais à la filature à plein temps. Mais Daniel Stern nous a fait une sorte de visite surprise et c'est à ce moment-là qu'il m'a vue en habit. Je n'avais pas l'intention de lui parler de ma vie érémitique, mais j'y ai été en quelque sorte forcée. Je crois que la nouvelle l'a plutôt contrarié, conclut-elle sombrement.

— Quand aurez-vous des nouvelles de votre banquier? demanda sœur Godric, qui savait entendre entre les mots. Ma bonne amie, vous me faites penser à une pauvre héritière à la recherche d'un beau parti.

— J'aimerais bi... Anna s'arrêta pile pour enchaîner : Pour le moment, il est à la pêche, quelque part...

« Et probablement avec une belle rousse au tempérament de feu », ajouta-t-elle mentalement.

— Et qu'avez-vous fait de votre directeur, ce monsieur qui voulait saboter votre entreprise? Vous vous en êtes débarrassée, je présume...

— Non, il est encore parmi nous — elle rapporta les arguments de Beattie — C'est pour cette raison que je n'ai pu le renvoyer. Il a reconnu ses torts et présenté des excuses. Vous pensez que j'ai eu tort, n'est-ce pas? demanda-t-elle devant le regard dubitatif de la vieille religieuse.

— Je pense surtout que vous avez fait preuve d'une grande naïveté, rétorqua sèchement sœur Godric. J'avais oublié votre piètre connaissance de la nature humaine. Après tout ce que vous m'en avez dit, je n'aurais pas aimé que cet individu émargeât encore sur mes livres de paie.

— Il méritait qu'on lui donnât une seconde chance.

— Sans doute voulez-vous dire que vous ne pouviez vous résoudre à le renvoyer, corrigea sœur Godric en pinçant les lèvres. Mais ce qui est fait est fait et peut-être avez-vous eu raison. Quoique mon expérience personnelle m'incite à penser que les gens changent rarement.

— Excusez-moi, sœur Godric, mais je vous trouve un peu cynique...

— Je le suis, admit celle-ci. Et vous découvrirez que cela constitue un avantage, dans le monde des affaires. La prochaine fois que vous verrez monsieur Beattie, ne craignez donc pas de vous montrer cynique... Mais revenons à nos moutons, puisque c'est ce dont il est question; où en est votre recherche de nouveaux marchés?

— Si la banque accepte de continuer de nous apporter son aide, il nous faudra préparer des liasses d'échantillons de nos fibres le plus vite possible. Il ne m'en faut pas des milliers, juste quelques centaines. C'est pourquoi je me demandais, compte tenu de leur prix de revient, si le couvent ne pourrait pas se charger de leur fabrication, moyennant finances, bien sûr. Croyez-vous que la mère supérieure accepterait?

— Non, je ne le crois pas. Nous ne sommes pas autorisées à accepter ce genre de travail. À moins que... La révérende mère vous aurait-elle parlé argent?

— Elle m'a seulement dit que je recevrai une petite somme avant mon départ, à quoi j'ai répondu que je n'en voulais pas. Ce ne serait pas normal, puisque je ne disposais d'aucune dot à mon arrivée.

Lors de la prise d'habit, chaque religieuse devait renoncer à tous les biens matériels et faire vœu de pauvreté. Pour la circonstance, il était de coutume que celle-ci fît un don en espèces au couvent. Elle se rappelait, non sans une certaine confusion, comment, dans une ultime tentative, ses parents avaient refusé de faire cette donation, allant même par la suite jusqu'à la déshériter au profit de Simon.

— L'idée consiste à ne pas vous laisser partir totalement démunie. Vous avez probablement entendu parler des affreuses histoires qu'on raconte sur des religieuses à qui l'on remet un billet de cinq livres et un aller simple pour Londres. Voilà quelques années à peine, certaines d'entre elles se retrouvaient sur le pavé, complètement démunies. Grâce à Dieu, ces choses-là n'arrivent plus, aujourd'hui.

— Mais tout cela ne s'applique pas à moi. J'ai un travail, un foyer prêt à m'accueillir, argua-t-elle sans préciser que, jusqu'à ce jour, elle avait refusé le moindre salaire.

Sœur Godric traça dans l'air quelques volutes imaginaires.

— Je crois que vous et moi devrions avoir une conversation avec mère Emmanuel.

Le jour suivant, à quatre heures de l'après-midi, la salle de récréation était comble. Anna regarda ses compagnes s'installer à leurs places habituelles, face à la fenêtre, leurs boîtes à ouvrage contenant, qui des mouchoirs à ourler, qui des chaussettes à repriser, qui de la broderie, posées près d'elles. Un bourdonnement sourd courut dans l'assistance, suivi du ricanement d'une postulante de dix-huit ans qui achevait son premier mois de couvent.

Seule, une religieuse restait silencieuse. Assise au second rang, sœur Dominic gardait la tête sagement baissée sur le coussin qu'elle était en train de broder. Anna se pencha vers elle pour lui murmurer :

— C'est très joli ce que tu fais là.

Pour toute réponse, Lis lui adressa un regard glacial, suivi d'un simple « Merci ».

Tout le monde s'affairait. Si, en ces lieux, le diable s'avisait de chercher quelque âme désœuvrée, il en serait pour ses frais. En voyant ces dés à coudre, ces aiguilles en mouvement, il apparut à Anna que de ses compagnes, elle ne connaissait que le visage et les mains. L'habit noyait tout le reste. Le menton haut, mère Emmanuel attendit que l'on fît silence.

— Nous avons une décision à prendre ensemble, car elle concerne chacune d'entre nous, commença-t-elle. Plutôt qu'un dédommagement, sœur Gabriel accepterait que nous l'aidions dans sa future entreprise. Vu l'état actuel de nos finances, nous en tirerions grand avantage. De plus, il s'agit d'un travail urgent — la prieure promena un regard circulaire sur ses subordonnées — Sœur Gabriel se chargera de vous expliquer par le menu en quoi consiste ce travail, ensuite, il vous appartiendra de prendre la décision que vous jugerez appropriée, conclut-elle avec, toute rancœur oubliée, une note de résignation.

À son signal, Anna prit la parole, exposant ce qu'elle attendait de ses compagnes, tout en donnant force détails sur ses projets et ses activités futures.

— Je crois, fit-elle en conclusion, que vous pouvez m'aider à présenter mes échantillons à temps pour l'arrivée de la délégation japonaise.

— À quoi doivent ressembler ces échantillons? voulut savoir sœur Thomas à Kempis.

Anna en fit circuler la liasse que Peggy et elle avaient préparée. C'était une sorte de catalogue en carton dur de bonne qualité, de neuf pouces par trois, sur la couverture duquel était estampillé « *Natural Spinning Company* », et qui contenait des échantillons de tissus classés par composition et couleur. Devant les cris d'admiration de ses compagnes, Anna crut bon de leur faire l'historique de Nightingale Mill.

— Vous pourriez illustrer votre couverture avec une photographie de la filature, suggéra sœur Peter. Cela aiderait à s'en souvenir; à quoi ressemble-t-elle?

— Voilà une chose à laquelle je n'avais pas pensé, articula lentement Anna. C'est une vieille bâtisse victorienne de trois étages en vieille pierre, avec des arcs-boutants et des fenêtres carrées. Il existe six ou sept autres bâtiments du même style, dans les environs, mais c'est le seul qui ait gardé sa vocation initiale.

Toutes les rues du quartier portent des noms champêtres : Bery Street, Orchard Street, Farm Street. Mais elles ne sont romantiques que de nom; un photographe serait passablement déçu.

— Pas de photo, dans ce cas, corrigea sœur Peter, l'air rêveur. Bien qu'il m'en faudrait quand même une; cela me permettrait d'en faire un dessin à la plume, avec des arbres en fond de décor, comme ce devait être le cas lorsqu'elle a été construite. Cela faciliterait la tâche à votre imprimeur et je suis prête à parier que vos acheteurs japonais vont adorer cela.

Anna exhiba une liasse de feuilles dactylographiées.

— Ceci est un historique sommaire de la race des moutons à l'origine de nos laines et de l'endroit où ils sont élevés. Une fois réduit, ce document sera inséré dans chaque catalogue.

— Sur l'endos de chaque feuille, je pourrais faire un petite aquarelle du mouton dans son décor naturel... avec votre permission, mère Emmanuel...

Le visage inexpressif, bien qu'un peu défait, la mère prieure prit son temps avant de répondre. Voilà quarante ans qu'elle se demandait si, plutôt que de s'enfermer dans un cloître, elle n'aurait pas dû se joindre à un ordre missionnaire, dans quelque pays inexploré. De toute éternité, elle était persuadée en avoir le courage, l'énergie, la vision. Mais voilà que cette démarche quelque peu mercantile et à laquelle elle ne pouvait se soustraire ébranlait ses convictions.

Des femmes qui entraient en religion et changeaient d'avis un peu plus tard, elle en avait vu, et aucune supérieure de couvent ne pouvait se targuer du contraire. Des jeunes filles débarquaient là, passaient quelques mois, parfois un an, pour découvrir enfin qu'elles n'étaient pas à la hauteur de leurs ambitions. C'est à cela que servaient le postulat et le noviciat : une sorte de période d'essai.

Depuis quarante et quelques années, seule une religieuse ayant prononcé ses vœux avait quitté le cloître, quand sa santé s'était détériorée et qu'elle ne pouvait plus endurer les conditions de vie qu'on lui imposait. Mais ce cas-ci était différent. Sœur Gabriel était un membre important de leur communauté, une femme intelligente dans la fleur de l'âge. Si ELLE avait choisi de partir, quelle serait la suivante?

À travers le monde, des foules de religieuses renonçaient chaque année à leur vocation. Cependant, jusqu'à ce jour, cette notion lui était restée étrangère. Elle percevait le phénomène comme une sorte de critique à son endroit, même si le mode de vie qui leur était imposé et dont elle avait la charge lui paraissait exemplaire. Si, aujourd'hui, le départ d'une subalterne lui semblait si douloureux, comment aurait-elle pu espérer survivre au fin fond d'une mission? Voilà que, soudainement, s'évaporait le fantasme de toute une vie.

La mère prieure se reprit : quelle que fût la cause du départ de sœur Gabriel, elle devait être prise en compte avec objectivité. Si cela impliquait qu'il fallait l'aider dans sa nouvelle existence, eh bien, il en serait ainsi.

— Êtes-vous d'accord, mes sœurs?

Sœur Mark, qui n'avait jusqu'alors soufflé mot, leva la main pour demander la parole.

— Je ne suis pas sûre, ma mère, que ce soit une bonne chose. Je n'ignore pas que notre aide est importante pour sœur Gabriel. Néanmoins, je considère que ce n'est pas notre... rôle. Il ne nous incombe pas de faire un travail qui n'a pour d'autre but que l'argent. C'est contraire aux fondements mêmes de notre vocation.

— Je suis du même avis — le profil d'oiseau de proie de sœur Vincent se découpa soudain sur le mur aux couleurs délavées — Entreprendre ce genre de travail est contre notre principe de vie, cela ne nous apportera qu'anxiétés et problèmes. Si nous l'acceptons, nous le regretterons toutes.

Anna jeta un coup d'œil du côté de mère Emmanuel. Celle-ci semblait a priori prendre fait et cause pour elle. Mais déjà, rouge d'angoisse, sœur Thomas à Becket hochait la tête.

— Je crains devoir partager ce point de vue, bien que l'idée ne me soit pas totalement hostile. Ce travail n'incomberait-il pas plutôt à une agence de publicité? Il est évident que, pour l'avenir, cela nous mettrait le pied à l'étrier. Mais n'avons-nous pas fait le vœu de vivre recluses et retirées du monde, les yeux tournés vers Dieu et non vers le mon…

« Ainsi soit-il », murmura Lis au grand étonnement d'Anna pendant que, à l'autre bout de la pièce tempêtait une voix.

— Fariboles, que tout cela! s'exclama sœur Aelred avant qu'Anna eût le temps de rassembler ses arguments. Ce que vous affirmez n'a aucun sens! La confection de ces catalogues n'est en rien différente des tâches que nous effectuons quotidiennement. C'est un travail répétitif et assez simple pour nous laisser libres de nos pensées.

Elle adressa à Anna un sourire espiègle, presque enfantin, mais c'est à mère Emmanuel qu'elle parlait. Debout, la petite silhouette impérieuse n'était guère plus grande que celle, assise à ses côtés, de la mère prieure.

— Ne laissez pas nos chères sœurs parler en notre nom à toutes, ma mère. Les plus jeunes d'entre nous aimeront accomplir une tâche différente, simplement parce qu'elles sont jeunes, Dieu les bénisse; et nous, les plus vieilles parce que nous avons appris qu'un arbre rompt, s'il ne plie pas devant la tempête. Mais il est de fait que les personnes entre deux âges — pardon, mes chères sœurs, fit-elle en direction de sœur Mark — les personnes entre deux âges, dis-je, ne supportent pas le renouveau. Elles le considèrent comme une menace contre tout ce qu'elles ont réussi à préserver jusqu'à ce jour. C'est pour cette raison qu'elles se gardent bien de s'aventurer sur des chemins qui leur sont inconnus. Dans une attitude de modestie affectée, elle croisa les mains sur la poitrine pour réciter : « L'Église de Dieu se meut comme une grande tortue. Chères sœurs, nous marchons là où nous avons toujours marché » — Puis elle alla vers Anna et lui prit un carton d'échantillons des mains — Si vous le souhaitez, mère Emmanuel, nous pouvons nous en laver les mains; mais nous savons toutes, ici, ce qu'il en ressortirait.

— Merci, sœur Aelred, murmura Anna, oppressée d'angoisse, tandis que la vieille religieuse lui adressait un clin d'œil complice.

Anna lui sourit avec reconnaissance et, du coin de l'œil,

entrevit sœur Dominic qui se déplaçait pour aller s'installer à l'autre bout de la pièce. S'adressant à l'ensemble des religieuses, mère Emmanuel les encouragea à faire leurs commentaires.

— Nous devrions aider sœur Gabriel...

— Tout ce qu'elle demande, ce n'est pas pour elle, mais pour la famille de son frère...

— Nous n'avons pas le droit de lui refuser notre aide, décréta brusquement sœur Louis en lâchant son ouvrage. D'une certaine manière, nous sommes responsables de cette famille, ajouta-t-elle, le regard enflammé.

— Je n'approuve pas son départ, intervint sœur Thomas à Kempis, mais ce n'est pas une raison pour refuser de l'aider.

Anna remarqua que Lis se gardait de tout commentaire, apparemment absorbée par son travail de broderie, comme si ce débat ne la concernait en rien. Sœur Rosalie s'enquit avec déférence :

— Et pour vous, ma mère, qu'en est-il?

La mère prieure abandonna son œuf à repriser.

— Moi aussi, je regrette le départ de sœur Gabriel. Cependant, je respecte sa décision et il nous appartient d'agir dans un esprit de charité et de justice — elle désigna la table de billard recouverte d'un grand drap — Si nous acceptons ce travail, certaines d'entre nous pourront s'installer sur cette table. Pour quand vous faut-il ces échantillons, ma sœur?

— Disons dans deux semaines. Les sœurs externes pourront me les faire parvenir ou mieux, quelqu'un de la filature pourrait venir les chercher.

Elle parcourut un à un le visage des religieuses installées en demi-cercle et put reconnaître les sentiments qu'elles lui dispensaient depuis longtemps : affection, patience, camaraderie, chaleur... lui faisant ainsi appréhender tout ce qu'avait pu représenter le couvent durant ses années les plus fastes, mais aussi au cours des pires années, quand sa cellule avait ressemblé à une geôle. Un bref regard en direction de Lis lui rappela aussi le vide que la présence de la jeune fille avait comblé. Mais le dos courbé, la tête obstinément baissée de Lis lui firent prendre la mesure de son échec, en tant que religieuse et en tant qu'amie.

Délaissant Lis, Anna se retourna vers le groupe de femmes au milieu duquel se tenait la mère prieure.

— Est-ce à dire que vous acceptez? demanda-t-elle.

Rien qu'à l'odeur, avant même de voir le lit défait, Anna sut que quelqu'un était entré dans sa cellule. Confuse et furieuse à la fois, elle promena un regard circulaire pour découvrir que, quoique bien rangés, les lieux dégageaient une impression de grande désolation. La toile rayée noir et blanc de son matelas replié montrait à quel point elle était usée. Ses quelques effets, peigne, ciseaux à ongles, photos de ses parents, qu'elle gardait dans le tiroir de sa table de chevet, avaient été soigneusement empilés sur sa couverture repliée. Elle se retourna brusquement pour chercher quelqu'un à qui se plaindre, mais déjà, du fond du couloir, mère Emmanuel se dirigeait vers elle.

— Comme vous pouvez le constater, commença-t-elle sans laisser à Anna le temps de présenter ses doléances, votre cellule a été débarrassée de tout ce qui s'y trouvait de superflu. Ce soir, vous dormirez à l'extérieur de ces murs. Demain, vous porterez cette robe pour la dernière fois, le temps que vous assistiez aux laudes, après quoi vous endosserez à nouveau vos vêtements séculiers.

Anna était sans voix. C'était sa cellule, sa demeure depuis treize ans. Comment peut-on débarrasser une pièce du superflu, quand l'essentiel y fait défaut?

— Les religieuses externes vous ont préparé un lit dans l'annexe, expliqua la mère supérieure.

Anna s'était déjà rendue à l'annexe. C'était une ancienne laverie; quelques rangées de briques avaient suffi pour murer les ouvertures tournées vers l'extérieur, en ne gardant que celles qui donnaient sur la cour intérieure. C'était un bâtiment indépendant dans lequel des visiteurs pouvaient faire retraite.

— Je ne pourrai donc plus revenir au couvent? demanda-t-elle timidement.

— C'est bien ainsi que vous l'entendiez, n'est-ce pas?

rétorqua la mère supérieure avec un brin de malice.

— Mais, ma mère, je n'ai encore fait mes adieux à personne...

— Je ne crois pas cela soit nécessaire. Je pense même qu'il serait préférable que vous vous en absteniez.

— Je ne trouve pas cela très convenable, ma mère...

En réponse à cette accusation puérile, mère Emmanuel lui adressa un regard froid et accusateur.

— Si vous étiez restée ici, à votre vraie place, vous nous auriez épargné, à vous et à moi, ce genre de récriminations.

De longs plis marquaient ses joues tombantes, tandis que la chair du menton semblait frémir de fureur contenue. Jamais mère Emmanuel n'avait été aussi intimidante. Anna leva les mains en un geste apaisant.

— Je suis navrée, ma mère, mais je dois leur dire adieu. Je le dois.

Trop tard, elle vit les yeux réprobateurs que mère Emmanuel posait sur ses mains. Geste déjà antimonastique, devait-elle penser. Le regard qu'elle adressa à Anna, furtif et brutal, lui fit l'effet d'un gifle, comme pour quelque innommable sacrilège qu'elle aurait commis. Aux yeux de mère Emmanuel et de ses sœurs, il s'agissait d'ailleurs bien de cela. Elle les avait trahies, abandonnées. Un affreux contentieux les séparerait à tout jamais.

— Vous pourrez les saluer au moment où vous viendrez chercher vos catalogues, décida mère Emmanuel avec une douceur inattendue.

L'annexe n'était pas aussi dénudée que sa cellule. Les rideaux étaient de coton crème fleuri et on avait eu le souci d'y assortir le couvre-lit. Sur un mur, Anna reconnut une gravure de saint Winifred, sur un autre était accrochée une grande croix. Seul ornement de la pièce, un vase de verre taillé que l'on garnissait de fleurs quand un visiteur en mal de solitude — des âmes errantes, comme on les appelait — venait y séjourner.

Le matin de son retour à Bradford, les religieuses externes déposèrent sur son lit une robe verte abandonnée par l'une d'elles quelques années plus tôt, sœur Rosalie, probablement, la seule ayant à peu près les mêmes mensurations qu'Anna. La robe s'accompagnait d'un jupon rose, d'une paire de bas opaques ainsi que d'une paire de chaussures noires trop petites pour elle. Sur le crochet de la porte, elle découvrit enfin un vieux duffle-coat auquel manquaient deux attaches.

De retour de la messe, Anna prit son petit déjeuner sur un plateau. Puis elle ôta son habit de religieuse et en accrocha soigneusement chacun des éléments sur un cintre. Revêtue de ses nouveaux habits, elle se félicita de ne pas disposer de miroir pour se voir. Finalement, elle prit son sac et, avec le sentiment de s'enfuir, descendit le chemin pour aller attendre son taxi près du pavillon déserté.

Elle souhaitait tellement passer inaperçue qu'elle eut l'impression d'y parvenir par sa seule volonté. Dans le train, jamais on ne fit aussi peu attention à elle. Le personnel de la gare, qui commençait à la connaître et avait pris l'habitude d'échanger quelques mots avec elle, l'ignora totalement; le poinçonneur de Bradford, les yeux fixés sur la file qui s'étirait derrière elle, ne lui sourit pas, cette fois-là.

Elle vivait une expérience qu'elle trouva exaspérante. Sans verser dans la vanité, elle se rendait compte qu'il n'était pas agréable de posséder un physique quelconque. Cette pensée la conduisit à conclure que, pour discrète et effacée qu'elle s'était efforcée de paraître durant ses années de claustration, ce genre d'attitude ne lui appartenait pas. En l'espace de quelques semaines, sa véritable nature avait pris le dessus, éveillant en elle une indéniable attirance pour la nouveauté, l'étrangeté, l'étonnement dans le regard d'autrui et, occasionnellement, une certaine déférence.

À Kingswalk, même Lynn afficha pendant quelques instants un visage neutre devant cette femme de trente ans, debout devant sa porte, et qui ne ressemblait en rien à sa belle-sœur. C'est Jamie qui, le premier, avec un cri strident, se précipita au-devant de sa tante pour se jeter dans ses bras.

— Bonjour, tante Anna, est-ce que tu m'as apporté des

bonbons?

Lynn continuait à la regarder, fixant ce visage pâle auquel le vert de la robe ne seyait pas du tout, notant la marque rouge laissée par la guimpe, détaillant ce corps, qui, si svelte dans son habit de religieuse, ne laissait à présent transparaître aucun signe de féminité. Elle ouvrit enfin ses bras à Anna.

— Ma pauvre amie... dit-elle.

— Laissez-moi m'occuper de vous, déclara Lynn.

Elle alla donc faire couler un bain pour Anna pendant que cette dernière se défaisait de ses affreux vêtements. Sur la plage de la baignoire, Anna reconnut le savon et le talc Lancôme, les préférés de Lynn, mais qu'elle ne pourrait plus s'offrir avant longtemps. Cette dernière apparut, portant un plateau garni d'une théière et de petits fours, ainsi qu'un magnétophone portatif.

— Aujourd'hui, c'est moi qui vous gâte...

Un peu intriguée, Anna mit le magnétophone en marche, puis se glissa dans son bain. Selon son habitude, elle prit d'abord soin d'éteindre la lumière, laissant les lumières de la rue filtrer à travers le store vénitien. Une musique s'éleva lentement, baignant son corps d'un bien-être inconnu. Elle n'avait jamais entendu « La messe de la vie » auparavant, et cette musique lui fit l'effet d'une merveilleuse promesse.

Habituée aux chants liturgiques, c'était la toute première fois qu'elle appréhendait la musique comme un pur plaisir.

Étendue dans un bain parfumé après une journée dont elle se souviendrait toute sa vie, cette musique et ces voix la touchaient au plus profond de son âme et lui disaient qu'elle n'aurait peut-être pas eu besoin de vivre une existence érémitique au sommet d'une montagne pour entendre la voix de Dieu.

Pour la seconde fois de la journée, elle endossa des vêtements qui ne lui appartenaient pas. Ce n'est qu'après qu'elle se décida à rallumer la lumière.

Ces cuisses minces moulées dans un pantalon de treillis délavé n'étaient assurément pas les siennes, se dit-elle en se regardant dans le miroir. Un peu plus tôt, alors qu'elle expliquait à Lynn qu'elle ne pourrait jamais porter ce genre de vêtement, cette dernière s'était récriée :

— Pour l'amour du Ciel! Vous semblez avoir oublié que vous êtes allée à Londres en mini-jupe et en collants. Ce denim est tout ce qu'il y a de plus décent!

— Mais il me semble si étroit...

— Naturellement, c'est le corset de la femme moderne; et c'est ce que vous êtes, à compter d'aujourd'hui.

Le gilet de cachemire écarlate avait appartenu à Simon. Le trouvant quelque peu voyant, Anna avait commencé par le refuser, mais Lynn avait encore poussé les hauts cris (Je suis incapable de le porter et je ne peux me résoudre à le donner. Alors, je vous en prie..!) si bien qu'elle avait fini par accepter. Vu la taille du vêtement, elle avait des allures de garçon manqué, toutefois, l'encolure mettait en valeur la ligne mince de son cou et l'ampleur gommait subtilement la petitesse de ses seins.

Après avoir enfilé des chaussettes marine et une paire de mocassins bruns, elle apprêta sa coiffure à l'aide d'une mousse gonflante empruntée à Lynn. Un peu de fond de teint masqua la marque de sa guimpe. Après avoir mis une touche de rouge à lèvres, un peu de mascara, une ombre de fard à paupières, elle se demandait devant le grand miroir à quel moment son propre reflet cesserait de la surprendre.

Puis, saisie d'une pulsion soudaine, elle s'empara d'un mouchoir en papier et, en quelques gestes vifs, effaça toute trace de maquillage de son visage.

Elle était comme une adolescente qui apprend à être adulte. Son habit n'avait somme toute été qu'une armure médiévale qui l'avait isolée du vingtième siècle. Il lui avait conféré une vision de sa personne qu'elle n'avait pu accepter plus longtemps : un personnage passif, patient, nihiliste. Aujourd'hui, elle devait changer. Ressembler au commun des mortels n'était qu'une question d'apparence, et tout en elle devait être corrigé : son attitude, ses manières, sa conduite.

Elle devait apprendre à se réinventer.

Elle courut en bas des escaliers, chose qu'elle n'avait pas

faite depuis de longues années, et pour cause : l'incroyable accumulation de jupes et de jupons qu'elle avait traînés derrière elle ne lui donnait pas, loin s'en fallait, l'aisance que lui conférait à présent son pantalon de toile. Quand elle entra dans la cuisine, Lynn était en train de hacher des oignons.

— Salut, étrangère.

— C'est tout à fait le mot. Je suis incapable de me reconnaître moi-même.

Dans son panier, le bébé s'agita avec de petits cris. Sans même s'en rendre compte, Anna le prit dans ses bras. La tête de l'enfant alla aussitôt se nicher dans le creux de son épaule et, tout en tapotant doucement le dos du bébé, Anna huma son odeur de vanille tiède.

Penchée sur ses fourneaux, Lynn remarqua :

— C'est la première fois que je vous vois faire de tels gestes.

— C'est vrai, admit Anna. Peut-être parce que je craignais de l'égratigner avec ma coiffe.

— Dites plutôt que vous craigniez qu'elle ne vomisse sur votre épaule, répliqua Lynn avec affection.

— Eh bien, pourquoi pas? lança gaiement Anna. Il faut dire qu'elle est très douée pour ce genre de chose. Cela me fait penser que je dois rendre visite à Terry Singh au plus tôt.

Le teinturier s'essuya le visage à l'aide du chiffon qui pendait à sa ceinture. La lumière crue jetait des ombres de lassitude sur son visage mal rasé. Anna savait qu'il commençait sa journée à sept heures moins le quart et qu'il travaillait plus de douze heures par jour. Bien qu'étonné par la tenue vestimentaire d'Anna, il se garda de tout commentaire.

— Vous ne pouviez mieux tomber, fit-il avec un brin d'anxiété dans la voix. J'espère que ce bain sera plus réussi que le précédent. Je vous avais prévenue : certaines couleurs sont plus difficiles à réussir que d'autres. Non seulement les nuances varient d'un bain à l'autre, mais en plus, elles sont parfois difficiles à stabiliser. Les résultats sont souvent très aléatoires.

Anna jeta un coup d'œil à l'intérieur de l'énorme bassin où bouillonnait une sorte de brouet de sorcière verdâtre. Près d'elle, un homme âgé, aux bras évoquant les branches d'un vieux chêne, murmura :

— Attention, mademoiselle...

Puis, armé d'une sorte de longue spatule, il se pencha au-dessus du bassin et en sortit un paquet de fibres dégoulinantes qu'il laissa retomber dans le bain de teinture après avoir échangé un regard entendu avec son employeur.

— Encore quelques heures et tout sera presque dit, annonça Terry Singh en manipulant un levier de soupape près d'un manomètre. Les verts sont toujours très difficiles à fixer. Pour peu que le temps de trempage soit trop court, la couleur disparaît aussitôt qu'on se met à filer la laine — il conduisit Anna à travers un dédale de pièces en lui expliquant ses tractations pour l'achat de la teinture — On me demandait trente-cinq livres le kilo, mais j'ai réussi à obtenir un rabais de quinze pour cent...

Ils arrivèrent enfin devant la porte de son bureau dont un seul panneau vitré était encore intact. Singh s'arrêta préalablement près d'un lavabo attenant et entreprit de se laver soigneusement les mains.

— Voulez-vous une tasse de café? proposa-t-il.

— Je m'en occupe, proposa-t-elle en entendant le téléphone sonner.

— Merci... Anna, fit-il après avoir raccroché.

Anna remarqua qu'il avait pris soin de l'appeler par son prénom et elle en fut ravie, attendu que l'homme s'était toujours adressé à elle sur un mode impersonnel quand elle portait l'habit. Les mains de Singh fourragèrent parmi des piles de documents et de liasses d'échantillons pour finalement lui tendre une grosse enveloppe brune.

— Voilà : pour chaque fibre, un échantillonnage de chaque couleur.

C'était un assortiment de teintes comme elle n'en avait jamais vu : non seulement elle découvrait des nuances pâles dans des tons d'abricot, de vieux rose, de turquoise, d'ivoire et de grège, mais aussi des couleurs profondes, rouge carmin, bleu de Prusse, vert jade, jaune safran, et même améthyste, dont les nuances étaient si difficiles à découvrir exactement. Anna leva sur l'homme un regard émerveillé.

— C'est extraordinaire, Terry, mieux que ce que j'avais espéré.

Il lui répondit par un sourire ravi.

— Il faut dire que vos couleurs sont passionnantes à réaliser — il fit une palette des tons de bleu — c'est une bonne chose que vous m'ayez accordé un peu plus de temps. Cela nous aura permis de nous concentrer sur les verts, et maintenant nous allons...

— Qu'entendez-vous par « un peu plus de temps »?

— Monsieur Beattie est passé la semaine dernière pour voir où nous en étions. « Ne vous pressez pas trop, nous a-t-il dit. Mademoiselle Summers a changé ses projets. Tout n'est pas encore prêt pour les nouveaux tissages. » C'est bien cela, n'est-ce pas? s'enquit-il nerveusement.

Le petit bureau parut soudain très obscur à Anna. « C'est de ta faute, se dit-elle. Quiconque possédant un minimum de bon sens aurait pris conscience de la duplicité de cet homme. Il t'a menti sur toute la ligne, soit. Mais quel intérêt a-t-il à mentir à Terry Singh de cette manière? Tout le monde t'avait prévenue. Peggy, Hal. Sans le connaître, Lynn le déteste profondément. Même sœur Godric t'avait mise en garde contre lui... »

— C'est faux... s'efforça-t-elle d'articuler calmement, alors que son visage s'empourprait de frayeur. Je ne comprends pas pourquoi il vous a dit cela. Je pourrais prétendre qu'il s'agit d'une méprise, mais je suis plutôt tentée de croire qu'il essaie délibérément de ruiner notre entreprise; je ne vois pas d'autre explication.

Terry Singh l'écouta calmement.

— Que désirez-vous, au juste?

— La dernière fois que nous nous sommes vus, vous nous aviez affirmé que tout serait prêt dans... Elle tira un agenda de sa poche — dix jours. Et j'étais justement venue vous demander s'il était possible de disposer des fibres un peu plus tôt. J'ai cinq cents cartes d'échantillons à préparer dans les plus brefs délais. Je suis vraiment navrée... conclut-elle avec un geste d'impuissance. Je sais que c'est un travail difficile que je vous ai demandé là. Mais à présent... croyez-vous que ce soit encore possible?

L'homme se frotta lentement les paumes sur les cuisses.

— De toute manière, j'ai toujours gardé la même cadence de travail. Cependant, même si vos fibres sont prêtes à temps, il faut que vous les cardiez, les filiez, les tissiez. Comment comptez-vous vous y prendre pour préparer à temps les pièces pour vos échantillons.

— Je dispose à la filature de quelques métiers à tisser inutilisés depuis des années parce que trop petits. Ils suffiront cependant amplement pour ce que je veux faire. Si tout va bien, tout pourrait être prêt en deux jours.

— Je vois que vous connaissez votre affaire...

Aucun compliment n'aurait davantage fait plaisir à Anna.

— Je ne fais que mettre en application mes modestes connaissances.

— Il est vrai aussi que vous n'avez cessé de vous perfectionner, au couvent — Son regard se fixa quelques secondes sur la tenue vestimentaire d'Anna — Que s'est-il passé? Auriez-vous changé d'avis?

— En quelque sorte, oui.

— Bien, fit Singh en avalant une dernière gorgée de café. La balle est dans mon camp, si je comprends bien. Laissez-moi quelque temps pour organiser mon affaire et je verrai ce que je peux faire. Vous savez qu'il faut procéder à de nombreux essais avant d'obtenir la bonne couleur. Quoi qu'il en soit, je vais personnellement mettre la main à la pâte et nous verrons ce qu'il en ressortira. En attendant, je ne vous fais aucune promesse...

CHAPITRE VINGT ET UN

Le dinosaure rose à pois verts portait un chapeau sur lequel était écrit : « Salut! Je m'appelle Burt ». Il bloquait le passage et, les yeux baissés, regardait fixement le bébé sanglé sur la poitrine de Lynn. Faisant un pas de côté, il s'excusa poliment :

— Pardon, fit-il avec son accent de Bradford, tandis que Jamie tirait la main de Lynn en demandant :

— Est-ce que je peux aller avec lui, dis, maman; est-ce que je peux aller avec lui?

— Plus tard, promit Lynn.

C'était samedi et cette dernière n'avait eu aucun mal à persuader Anna de conduire toute la petite famille au supermarché. Depuis la naissance du bébé, Anna s'était efforcée d'épauler Lynn dans tous les domaines : travaux ménagers et autres, sans pour autant négliger son travail à la filature et le projet auquel elle s'était attelée. C'est pourquoi ces emplettes matinales suivies d'un déjeuner sur place l'avaient séduite, alors que, à peine quelques semaines plus tôt, une telle perspective l'aurait plutôt rebutée.

Après avoir récupéré deux chariots, Anna installa Jamie dans l'un d'eux, en lui donnant au passage un gros baiser sur la joue, tandis que l'enfant lui disait sa gratitude en la serrant très fort par le cou.

— Souvenez-vous que le médecin vous a recommandé de ne pas faire d'effort pendant quelques mois.

— Mais c'est la première fois que je mets vraiment le nez dehors depuis la naissance de Sarah, protesta Lynn. Cela fait plus de trois semaines!

— Je n'avais rien vu de tel auparavant, fit Anna, le nez en l'air, en regardant les différents panneaux publicitaires.

— Les emplettes au supermarché sont le genre d'expérience à laquelle il faut être préparé physiquement, mais surtout pécuniairement...

Difficile d'imaginer qu'elles se trouvaient simplement dans un supermarché, songeait Anna, surtout avec ce décorum de fleurs artificielles, de panneaux vitrés, de présentoirs aux lignes épurées...

— Nous n'avons toujours pas de nouvelles des gens de la banque, commença Anna en suivant Lynn, qui commençait à remplir son chariot à provisions.

— La dernière fois que vous m'en avez parlé, c'était pour me faire part de votre intention de les relancer.

— Je l'ai fait, mais en vain...

Le temps pressait. À la filature, les factures ne cessaient de s'amonceler et il faudrait bien s'en acquitter si elle voulait garder sa crédibilité auprès de ses fournisseurs.

— Vous êtes vraiment soucieuse, n'est-ce pas? demanda Lynn en tapotant le dos du bébé. Mais je ne comprends pas pourquoi. Daniel Stern ne vous a-t-il pas dit que vous pouviez compter sur son aide? Je ne vois pas pourquoi il changerait d'avis. À moins qu'il ne se soit passé quelque chose entre vous — elle fit une pause — j'avais raison, bien sûr...

— Admettons en effet que vous ayez raison. Cependant, croyez bien qu'il y en a bien moins à raconter que ce que vous croyez. C'est sans doute la raison pour laquelle je m'inquiète tant.

— C'est dommage. Les hommes disponibles de ce genre ne courent pas les rues.

— Je ne suis pas sûre qu'il m'intéresse, mais merci quand même, répliqua sèchement Anna.

— Pour l'amour du Ciel! Cessez de vous tourmenter sous prétexte que Stern ne vous a pas téléphoné!

— Ce n'est pas un rendez-vous que je souhaite, expliqua Anna en exhalant un profond soupir. Je veux seulement savoir à quoi m'en tenir au sujet de la banque. Sans cette information, nous avons les mains liées.

— Écoutez-moi un instant, fit Lynn, suspendant son geste

alors qu'elle choisissait un poulet. Stern s'est avéré un individu admirable, et je suis certaine que, d'ici un jour ou deux, il se sera manifesté. Mais j'ai le sentiment que vous avez tendance à mélanger travail et plaisir. Si vous vous attendez à ce qu'il se mette à genoux pour vous offrir des roses au clair de lune, il faudra que vous vous montriez plus patiente que cela — en voyant changer l'expression du visage d'Anna, Lynn s'empressa d'ajouter aimablement : Vous n'avez jamais été amoureuse, n'est-ce pas? J'oubliais que, sur le plan des sentiments et de l'émotivité, vous avez encore dix-huit ans. Je vous avoue que je ne saurais dire si vous faites envie ou pitié. C'est incroyable la vitesse à laquelle un homme peut surgir dans votre vie; un instant, il vous est inconnu, et celui d'après vous avez l'impression de le connaître depuis toujours. Mais il est cependant rare que cela arrive simultanément à l'un et à l'autre, expliqua-t-elle tout en choisissant quelques poireaux. L'amour doit arriver au moment propice, c'est la première condition de son existence. Et j'aime à croire, poursuivit tristement Lynn, que, si ce moment ne se reproduira pas pour moi, il arrivera un jour pour vous.

Anna tritura un paquet de tomates enveloppées sous film plastique. Celles qu'elle cultivait au couvent étaient bien moins jolies à voir que celles-ci, rondes et calibrées, mais combien plus goûteuses. Étrange comme en quelques semaines, la religieuse sereine et vaguement pontifiante qu'elle était s'était changée en personne ignorante et désemparée.

— Je ne pourrai jamais aimer quelqu'un de la manière dont vous l'entendez. J'ai trop été habituée à une vie de solitude.

Anna trouva étrange que ce fut seulement après les avoir prononcés que ces mots prirent tout leur sens. Plutôt que de s'objecter à sa remarque, Lynn parut s'y pencher avec attention.

— Quand vous m'êtes apparue pour la première fois, je vous ai trouvée si... sévère, si dure envers les autres et envers vous-même. Mais vous avez changé, par la force des choses, sans doute. Cependant, quoi qu'il vous arrive, évitez de vous contenter de peu, comme le font bien des femmes à bien des égards.

— Par exemple?

— Par exemple, par peur de la solitude, par gratitude, à cause du temps qui passe inexorablement...

— Très bien. Mais pour le moment, un simple appel téléphonique me suffirait. Si nous voulons avoir nos échantillons à temps, il va falloir que le personnel fasse des heures supplémentaires. Hal et moi avons déjà parlé aux filles et elles ont toutes manifesté la meilleure volonté. Hal s'est même proposé de les reconduire chez elles après le travail. Mais qui dit heures supplémentaires dit tarif double, et quand nous aurons payé nos fournisseurs, il nous restera à peine assez de liquidité pour payer une semaine de salaires.

— Avez-vous adressé à Beattie sa lettre de licenciement?

— Elle est prête, ainsi que son chèque en règlement de son mois de préavis. Il ne manque que votre signature.

— Voilà une décision que nous aurions dû prendre depuis longtemps, s'insurgea Lynn avec un geste de colère. Mais pourquoi lui payer un mois de préavis, pourquoi s'inquiéter de l'avenir de sa famille, alors qu'il a maintes fois tenté de nous ruiner, sans se soucier de ce qu'il adviendrait de la nôtre?

— Parce que je pense que tout le monde a droit à une seconde chance, soupira Anna. Je persiste à le croire, même si j'ignore les raisons d'un tel comportement. Mais peut-être croit-il avoir des droits sur cette entreprise, attendu qu'il y travaille depuis toujours. D'une certaine manière, on peut le comprendre...

— Qu'il aille au diable! s'exclama Lynn en bousculant son chariot comme s'il s'était agi de Stan Beattie. Vous êtes trop bonasse; vous vous obstinez à trouver des circonstances atténuantes à tout le monde — Le bébé émit un rot. Lynn baissa les yeux sur lui et se radoucit aussitôt — Mais, grâce à Dieu, tout cela est terminé, à présent. Nous avons la chance de pouvoir prendre un nouveau départ. Je vais mettre à votre disposition ce qu'il me reste de la vente de la Jaguar, afin que vous puissiez régler vos fournisseurs.

— Il ne vous resterait plus un penny. Il ne s'agit que de quelques milliers de livres, et je refuse de vous en priver. À mes yeux, cela représente une sécurité pour vous et vos enfants.

— Aucune importance, répliqua Lynn. Ces échantillons vont nous ouvrir les portes de nouveaux marchés. Il suffit pour cela que Maynard Gideon nous assurent de leur aide; et, quoi que vous en pensiez, je sais qu'ils le feront... Autre chose : si je parviens à trouver quelqu'un pour s'occuper de Sarah, j'irai travailler à la filature. J'y trouverai certainement le moyen de me rendre utile.

— En êtes-vous sûre? s'exclama Anna en étreignant un sac de pommes de terre comme s'il s'était agi d'un bouquet de roses. Vous aviez pourtant juré ne plus jamais remettre les pieds à Nightingale Mill.

— Vraiment? J'ai dit cela?

Lynn posa la main sur la joue d'Anna pour lui dire combien elle lui était redevable, à quel point elle avait confiance en elle. Anna ne savait que répondre. Lynn la délesta de son sac de pommes de terre qu'elle déposa dans son chariot avant de se diriger vers les caisses.

— Allons! C'est le moment de vérifier si notre carte de crédit vaut encore quelque chose.

Assis dans le chariot d'Anna, Jamie poussa un cri d'excitation.

— Dis, m'man, est-ce qu'on peut encore aller voir le dinosaure?

Le « Canard ivre » était une auberge de campagne bon chic bon genre dont on avait pris grand soin de respecter le cachet en ne changeant rien de son installation d'origine, y compris les accessoires de plomberie. Une énorme truite naturalisée était accrochée au-dessus du bar, entre un plancher de bois aux lames inégales et un plafond très bas aux poutres apparentes passées au brou de noix; un plafond bas au point que Stan Beattie se sentit plus grand que ses cinq pieds et six pouces.

Si le directeur de Nightingale Mill se trouvait dans un lieu qui ne ressemblait en rien aux « pubs » qu'il fréquentait, c'est uniquement parce que la chance l'y avait conduit. Un soir qu'il se trouvait seul dans les bureaux de la filature, une secrétaire de

Gideon Maynard avait laissé un message à l'intention d'Anna, annonçant que Daniel Stern se trouvait à Crummock Water et qu'elle pourrait l'y rejoindre pendant toute une semaine encore. Se substituant à Anna, Beattie avait aussitôt communiqué avec Stern en lui demandant de le recevoir, et ce dernier avait accepté.

Sautant dans sa voiture, il avait roulé d'une traite jusqu'à Lake District, fulminant, l'esprit préoccupé au point de ne rien voir du magnifique paysage qui défilait sous ses yeux.

En tant que directeur d'entreprise, il aurait dû être mis au courant de ce fameux prêt obtenu par Nightingale auprès d'une banque londonienne. Mais on l'avait tenu à l'écart; exactement comme pour le nouveau projet : il en avait eu connaissance seulement après que les premières livraisons de soie eurent été effectuées. On l'avait mis devant le fait accompli sans prendre la peine de le consulter. Quand, compulsant fébrilement les factures des nouveaux fournisseurs, il avait protesté, Anna Summers lui avait répliqué que c'était une décision qu'elle avait prise conjointement avec sa belle-sœur et qu'à cet égard, il n'y avait rien à redire. À ce moment-là, il aurait dû comprendre; il aurait dû se dire que Nightingale Mill ne pourrait jamais faire face à ces nouveaux investissements sans une aide extérieure. Ah! ils s'étaient tous bien moqués de lui! Même le contremaître était au courant. Tout le monde, sauf lui.

Jusqu'au moment où il avait pris le volant, Stan Beattie n'avait pas la moindre idée de ce qu'il dirait à Stern. Puis il avait senti monter en lui la colère, la peur, mais aussi un sentiment de bonne conscience quant à la démarche qu'il entreprenait. Ne devait-il pas, comme tout le monde, faire face à une hypothèque? Et, malgré leur âge, ses enfants avaient encore besoin de lui. Il ne voyait aucune traîtrise dans sa démarche; il ne faisait que prendre soin de ses propres intérêts. « Charité bien ordonnée commence par soi-même » et « La fin justifie les moyens », deux axiomes à partir desquels tout lui était permis.

Peu enclin à la logique, Stan Beattie était plutôt du genre instinctif. Quand il avait fait part de sa démarche à sa femme, une dispute avait suivi au cours de laquelle cette dernière lui avait crié qu'en l'occurrence, il n'était pas question d'instinct mais de perfidie, en le traitant de vieille teigne, et de bien d'autres noms tout aussi flatteurs.

Tout ça, c'était la faute de cette satanée nonne; de cette espèce de femelle ignare qui croyait pouvoir redorer le blason de l'entreprise en trouvant de nouveaux marchés et ainsi assurer la prospérité de Nightingale Mill et Dieu sait quoi encore. Mais attention : on n'apprend pas à un vieux singe à faire la grimace. Les filatures verticales, il connaissait ça jusqu'au bout des doigts et il savait bien qu'elles n'avaient plus leur place dans cette ère de haute technologie. Cette espèce de salope ne se rendait pas compte de la chance qu'ils avaient de pouvoir encore dénicher de-ci, de-là quelques petites commandes. S'il n'avait tenu qu'à lui, voilà longtemps qu'il aurait viré les plus vieilles employées, histoire de tenir le coup avec le minimum de personnel jusqu'à la retraite.

Mais voilà que la chance lui donnait l'occasion de battre en brèche cette grenouille de bénitier, et il n'allait pas s'en priver. Sa colère lui avait fait conduire sa voiture à fond de train, avec de grands craquements de boîte de vitesses chaque fois qu'il rétrogradait dans une courbe. Mais il n'en avait que faire : c'était la voiture de l'entreprise, pas la sienne.

Si, par extraordinaire, les nouveaux mélanges obtenaient le succès escompté et que la filature s'orientait vers l'exportation, il se retrouverait automatiquement hors circuit. Toutes les relations qu'il s'était faites pendant des années ne lui serviraient plus à rien. C'est la raison pour laquelle il fallait absolument que ce projet fût étouffé dans l'œuf. Si sa visite chez les teinturiers n'était sans doute pas très longtemps passé inaperçue, elle avait probablement porté ses fruits : avec un peu de chance, les nouveaux échantillons ne seraient jamais prêts à temps. Mais tant qu'à faire, mieux valait porter tout de suite l'estocade. Au cas où ses différentes tentatives s'avéreraient inopérantes, une perte de crédibilité auprès de Maynard Gideon leur porterait un coup fatal. C'est pourquoi, ce soir, Stan Beattie se faisait fort d'expliquer à Daniel Stern la précarité de la situation de Nightingale Mill.

Il le découvrit prenant le thé avec son fils devant un grand feu de bois, aisément identifiables avec leurs pantalons de velours flambant neufs et leurs gilets de cachemire. « De vraies gravures de mode, se dit-il. C'est fou ce que les banquiers peuvent se donner des airs de vedettes de cinéma, de nos jours. » Cependant, un éclair d'irritation le traversa quand Stern leva les yeux vers lui, l'obligeant à réviser son jugement. L'homme n'était pas du genre à se laisser rouler dans la farine.

— Je ne crois pas que nous ayons...

— Stanley Beattie. Je suis le directeur de Nightingale Mill; je représente Mlle Summers.

— Voulez-vous dire que vous venez de sa part? fit Stern sans chercher à cacher son irritation d'être dérangé à une heure aussi tardive.

— Non, non. Mais nous avons quelques problèmes, répliqua Beattie, ignorant l'accueil glacial qui lui était fait.

Il prit une chaise et, sans y être invité, s'installa près de Stern et poursuivit sur le ton de la confidence :

— Je ne voudrais pas que vos associés et vous-même vous brûliez les doigts dans cette affaire.

Cette introduction sembla retenir l'attention de Stern, puisqu'il se pencha aussitôt vers son fils pour lui proposer :

— Que dirais-tu d'une petite partie de jeu vidéo?

— C'est toi qui décides, p'pa, rétorqua l'enfant en se dépêchant d'avaler sa dernière bouchée de cake, tandis que son père lui tendait une poignée de pièces de monnaie.

— Ce jeu vidéo est la seule concession au vingtième siècle qu'ait pu faire cet endroit. Sam y passe des heures.

— Ah, les enfants... soupira Stan Beattie, saisissant la balle au bond. J'ai une fille au collège. Mon fils, lui, ne sait pas encore dans quelle voie s'orienter. Enfin, j'espère qu'un jour, ils seront aptes à se débrouiller sans leurs parents — Il émit un rire bref mais Stern, dans l'expectative, ne réagit pas. « Autant ne pas y aller par quatre chemins », se dit-il — Cela fait longtemps que je suis dans les affaires, commença-t-il en s'éclaircissant la voix. Je serais navré de voir Nightingale Mill fermer ses portes.

— Mais personne ne le souhaite, monsieur... Beattie. Vous

aimeriez peut-être une tasse de thé...

— Je préférerais un verre, si cela ne vous dérange pas...

Une fois son whisky servi, Stan Beattie entreprit précautionneusement la narration de son histoire. Il raconta son ancienneté, l'importance du rôle qu'il jouait au sein de l'entreprise, à quel point tout reposait sur ses épaules.

— Vous vous imaginez bien que j'ai fait tout ce qui était en mon pouvoir pour la dissuader, mais Mlle Summers a des idées bien arrêtées et je ne peux rester les bras croisés à la regarder ruiner l'affaire que ses grands-parents ont eu tant de mal à mettre sur pied. Tout ce projet n'a aucun sens et je me fais un devoir de protéger ses intérêts, conclut-il, non sans un brin de fierté pour une si belle faconde.

Beattie prit le signe de tête de Stern pour un encouragement car il se mit sans attendre à tirer à boulets rouges sur Anna, discréditant le moindre de ses actes, dénigrant une par une chacune de ses initiatives.

— Loin de moi l'idée de vouloir médire de cette personne, acheva-t-il avec tant de conviction qu'il en avait presque les larmes aux yeux, mais dans ce projet de nouvelles fibres, Mlle Summers fait preuve d'irréalisme. Nos clients savent très bien ce qu'ils doivent attendre de nous; et si nous ne pouvons le leur fournir, ils s'adresseront ailleurs.

— Vous me semblez très sûr de vous, monsieur Beattie, fit Stern si posément que Beattie crut à un compliment.

— C'est que j'ai trente ans d'expérience, moi, monsieur; tout le monde vous le dira. Tout le monde me connaît et me fait confiance. Nos clients, c'est moi qui m'en suis toujours occupé. Personnellement. Ces nouvelles fibres nous conduiront à la ruine, c'est moi qui vous le dis.

— J'ai cependant cru comprendre que Mlle Summers voulait se tourner vers les marchés internationaux. Elle croit fermement en ces nouvelles fibres...

— Nightingale Mill n'a jamais su se tourner vers l'exportation, répliqua Beattie avec un haussement d'épaules. De plus, le moment est très mal choisi. Cela risque de nous entraîner vers des problèmes auxquels nous ne sommes pas préparés : concurrence, fluctuation des marchés, inflation des prix... Vous savez cela mieux que moi. J'ai longuement discuté avec Mlle Summers pour tenter de lui expliquer qu'on ne découvre pas de nouveaux marchés par un simple claquement de doigts — il fit le geste — Non seulement nous n'aurons pas de nouveaux clients, mais en plus, nous perdrons le peu qu'il nous reste. Comprenez-vous, Mlle Summers s'intéresse aux fibres de luxe, ce qui se trouve de mieux sur le marché. Si elle ne parvient pas à les vendre à l'étranger, elle devra les brader ici à vil prix; vous connaissez mieux que moi la situation économique du pays. D'ailleurs, pourquoi croyez-vous que son frère se soit lancé dans le synthétique? Enfin, à la manière dont je vois les choses, Nightingale Mill fermera ses portes sous peu et vous, vous aurez perdu votre argent.

— C'est très aimable à vous d'être venu me faire part de vos inquiétudes, monsieur Beattie, acquiesça lentement Stern.

Intrigué, Beattie adressa à Stern un bref coup d'œil. L'homme était-il en train de se payer sa tête? Mais déjà ce dernier tirait un carnet et un stylo de sa poche pour prendre quelques notes. Sans lever les yeux, il demanda :

— Qu'attendez-vous de moi, monsieur Beattie?

Cette manière abrupte de poser la question désarçonna quelque peu Beattie.

— Eh bien... ce n'est pas à moi à vous le dire. Tout ce que je voulais, c'était m'assurer que vous soyez au courant de la situation de manière à ce qu'on ne me fasse pas de reproche quand l'irrémédiable serait arrivé. Je voulais également vous dire qu'à cet effet, je me sens libre de tout engagement et que je ne refuserai pas une offre sérieuse...

Beattie eut le sentiment d'être déjà allé très loin. Le regard glacial que lui adressa l'homme qui lui faisait face l'incita à croire qu'il avait fait du bon travail.

— Vous êtes en train de me dire que vous mèneriez cette affaire mieux que ne le fait Mlle Summers, c'est bien cela?

— Eh bien, oui, j'en suis persuadé.

— Je ne suis pas habilité à prendre des décisions sans l'avis du conseil d'administration. Je pense regagner Londres dans une semaine.

Beattie n'en croyait pas ses oreilles. Il eût aimé parler argent, mais le moment serait mal choisi.

— Je suis persuadé que vous comprendrez que je ne puis en dire davantage pour le moment, enchaîna Stern. Cependant, j'insisterai sur le fait que je préférerais vous savoir hors des murs de la filature, tant que vous n'aurez pas eu de mes nouvelles. De cette manière, quoi qu'il arrive, rien ne pourra vous être reproché dans l'avenir; si vous voyez ce que je veux dire... Soudain impatient, Stern se leva — Trouvez n'importe quelle excuse. Tombez malade, partez en vacances, n'importe quoi. Mais ne vous mêlez surtout plus de cette sombre histoire.

Devant ce visage indéchiffrable, Stan Beattie se rendit compte qu'il lui était impossible de spéculer sur son avenir. En partant, il remarqua cependant que l'homme n'avait pas touché à son verre, comme s'il s'était refusé à boire en sa compagnie.

— Nadar a un problème avec la fileuse; pourriez-vous prendre ma place?

Hal avait beau crier, le tumulte des machines fonctionnant à plein rendement emportait ses paroles. Néanmoins, Anna lui prit le bloc-notes des mains, remarquant au passage le slogan écrit sur le devant de son maillot : « Ne jonglez pas avec la jungle »

— Je vais dire à Lynn de venir me remplacer; j'ai quelques ballots de mohair à monter, répondit Anna.

— Laissez, je m'en occuperai. Ces ballots sont bien trop lourds pour vous.

— J'ai l'habitude, cria-t-elle en retour.

Rene passa près d'elle, une tasse de thé à la main.

— Les femmes ne soulèvent pas de poids, ici, ma chérie. Laissez donc votre play-boy s'en occuper, lança-t-elle avec un grand rire qui se changea très vite en quinte de toux.

Anna se passa la main dans les cheveux d'un air soucieux, mais se garda de tout commentaire du genre : « vous fumez trop, Rene ».

L'atelier manquait d'air, et le peu qui s'y trouvait était saturé de l'odeur de lanoline. Anna se sentait lasse, mais en réalité, c'était bien plus que cela. Voilà plus d'une semaine qu'elle travaillait sans relâche et l'exaltation de faire tourner les machines jour et nuit, l'excitation engendrée par cette énergie toute nouvelle s'étaient dissipées pour faire place à un état d'épuisement extrême. Pour avoir dormi sur place deux heures par nuit sur un lit de camp, Hal n'était guère plus brillant.

Reposant son bloc-notes, elle alla participer à l'ouverture des ballots de mohair qui venaient d'arriver de chez le teinturier pour être filés. Elle fendit l'emballage à l'aide d'un canif et commença à déballer la laine pendant que Lynn lançait par-dessus son épaule :

— Attends, je vais t'aider!

— Tu ne dois pas faire d'efforts, répliqua Anna en lui tendant le bloc-notes. Occupe-toi plutôt du pointage et vérifie si la livraison est complète.

Puis, à grand-peine, elle se mit à soulever les gros paquets de laine, jusqu'au moment où Hal la retint par le bras.

— Que diable êtes-vous en train de faire? cria-t-il, faisant dresser l'oreille à deux ouvrières pakistanaises non loin de là.

— Vous le voyez bien, rétorqua-t-elle d'un ton plus agressif qu'elle ne l'aurait souhaité.

— Je vous ai dit que c'était trop lourd pour vous.

— Pour l'amour du Ciel, regimba-t-elle en se redressant, les mains sur les hanches, j'ai l'habitude de ce genre de travail.

C'est alors qu'Hal la prit sans ménagement par la main pour l'entraîner dans un petit réduit dont il referma la porte d'un coup de pied.

— Avant que vous disiez quoi que ce soit, je veux vous faire mes excuses, mais ceci n'est pas un travail de femme. Vous refusez que Mme Simon le fasse, mais vous le faites vous-même. Vous pourriez vous faire très mal à soulever de tels poids.

Le nez collé à la vitre, les bras croisés sur la poitrine, Anna lui tournait obstinément le dos, réprimant son envie de crier au visage d'Hal sa force et son indépendance, d'exprimer sa dignité toute nouvelle. Mais treize années d'obéissance muette lui bloquaient les mots dans la gorge.

Elle regardait sans la voir l'Aire, qui coulait en contrebas, quand elle aperçut un cygne solitaire qui flottait au gré du courant comme un jouet d'enfant. Cette vision enchanteresse métamorphosa son humeur comme un chant d'allégresse. Quand elle se retourna vers Hal, elle put articuler :

— Vous aviez raison : ce travail de déballage est vraiment trop dur pour moi.

— Je sais que vous êtes un peu sur les nerfs, en ce moment, avec tous ces gens du ministère qui vont débarquer ici d'un jour à l'autre.

— Ne m'en parlez pas : c'est dans trois jours, précisa-t-elle avec un soupir.

Un pas suffit à Hal pour venir la rejoindre à la fenêtre.

— Ce cygne me fait penser à vous : placide au-dehors mais pédalant comme un beau diable sous la surface.

— En vérité, placide, je ne l'ai jamais été. C'est uniquement mon habit qui le faisait croire.

— Mais, j'y pense : voilà longtemps que je ne vous ai pas vue le porter. Est-ce à dire que vous avez renoncé au couvent pour de bon?

N'étant pas d'humeur à s'embarquer dans un flot d'explications, elle répondit simplement :

— Oui.

— Superbe, acquiesça Hal. Dites donc, qu'est-ce que vous faites, jeudi soir?

CHAPITRE VINGT-DEUX

— J'ai pensé que nous pourrions dîner chez moi; cela vous convient-il?

— Végétarien? répliqua-t-elle pour le taquiner.

— C'est très sain et cela vous ferait le plus grand bien, répondit-il, on ne peut plus sérieusement.

Ils cahotaient dans les rues mornes parsemées de nids-de-poule gros comme des ballons de football. Seuls, les saris orange et turquoise de quelques femmes marchant sur le trottoir mettaient un brin de couleur dans ce décor désolé.

— Il faut d'abord que j'aille chercher quelque chose, annonça Hal en arrêtant son véhicule.

Ils se trouvaient devant une succession de boutiques sans caractère particulier, devant lesquelles Anna était maintes fois passée en autobus du temps de son enfance. Ces boutiques avaient été transformées en bazars exotiques où l'on pouvait acquérir toutes sortes de produits aux noms étranges et inconnus. Ici c'étaient des babouches, là d'énormes tajines. Un magasin de musique regorgeait d'instruments orientaux du genre de ceux qu'elle avait aperçus quand elle avait fait la connaissance de Terry Singh.

Salam al'aïkoum Supermarket était coincé entre un étal de boucher et le *Omar Khayyam Club*. Si Anna n'avait jamais mis les pieds dans un bazar indien, celui-ci était apte à combler largement cette lacune. Ses allées étroites et encombrées témoignaient, par le biais d'un échantillonnage d'épices, de tout l'apport culturel dont devait se réjouir Bradford, obscure petite ville du nord de l'Angleterre. Ainsi, l'Anglais moyen pouvait y trouver de l'eau de fleur d'oranger et du jus de mangue, des pâtisseries orientales et des pousses de bambous, des racines de lotus en conserves et des pois chiches en vrac, des bouteilles de sirop d'orgeat ainsi que le pain azyme bien mou dont Hal raffolait.

Ce dernier vivait près du centre-ville, dans ce qui avait été des logements en terrasses, juste au-dessus d'un restaurant chinois orné de lanternes rouges et exhalant des odeurs de sauce soja. Près de la porte, un vendeur de journaux indien lui adressa un signe auquel Hal répondit en achetant le *Telegraph and Argus*. De l'autre côté de l'entrée, un bookmaker fermait boutique.

— Comment va? lança-t-il avec un regard intéressé pour Anna. C'est Sally?

— Pas du tout. Bonne nuit, George, conclut Hal en refermant la porte de l'immeuble derrière lui. J'habite ici depuis des années, expliqua-t-il en faisant signe à Anna de le suivre dans l'escalier. Cela remonte au temps où je faisais de la filature au collège communautaire.

— Cette Sally, est-ce votre petite amie? s'enquit-elle, pour se fustiger aussitôt pour son indiscrétion.

— C'était. C'est de l'histoire ancienne, maintenant. Nous sommes sortis ensemble plus ou moins pendant dix-huit mois. Elle a déménagé à Leeds; elle peint des cravates...

— Comme elle doit vous manquer...

— Du tout, du tout. Il n'y avait rien de sérieux entre nous.

Il la fit entrer dans une petite pièce toute blanche. Pendant qu'il tirait les rideaux, Anna remarqua le sofa recouvert de tissu de madras, ainsi que le grand tapis du Pakistan étalé sur le plancher laqué blanc. Dénuée de tout élément décoratif, la pièce n'avait pour tout mobilier qu'une table basse en fer forgé et un énorme pouf de velours marine. Sur un mur, l'unique tableau représentait une série de lignes horizontales allant en une série de dégradés du vert pâle au bleu nuit.

— Je ne sais pas ce qu'il représente, fit-il en captant le regard intéressé d'Anna. Mais les couleurs changent avec la lumière.

— La mer, probablement...

— Peut-être, je pense aussi à de la brume en plein désert.

Cela s'appelle « atmosphère », ce qui peut vouloir dire à peu près n'importe quoi… Vous êtes superbe, lâcha-t-il, flatteur mine de rien.

Elle fut heureuse du compliment, même si elle ne le montra pas. La plupart des vêtements qu'elle avait sur le dos avaient été empruntés à Lynn : une jupe ample en laine imprimée de style « Liberty », un chemisier de soie blanche et une ceinture de la même couleur. Cet ensemble lui donnait des allures romantiques, réminiscences de ses seize ans quand, invitée au mariage d'un cousin, elle s'était sentie féminine et jolie. Aussi incroyable que cela pût paraître, elle n'avait jamais plus éprouvé la même sensation depuis.

C'est qu'elle avait tant rêvé de porter l'habit de religieuse… Cela lui conférait, pensait-elle alors, une dignité et une grâce inégalables. Mais ce vêtement volumineux et pesant avait un tout autre sens, avait-elle appris plus tard. Cette robe sombre et austère avait pour but inavoué de l'isoler du reste du monde; d'en faire un personnage à part.

Quelle que fût la tâche imposée, elle avait pris l'habitude de s'en acquitter dans ce même habit, que ce fût pour cuisiner, jardiner, prier ou se détendre. À la fin de la journée, sa seule hygiène consistait à se rincer le visage à l'eau fraîche et à changer de guimpe et c'est aujourd'hui seulement, alors qu'elle pouvait changer de vêtement à sa guise, qu'elle comprenait l'importance que revêtait cette démarche aux yeux d'une femme normalement constituée.

Après avoir relevé un store vénitien, Hal se dirigea vers une kitchenette si petite qu'elle ne l'avait même pas remarquée.

— Installez-vous confortablement en attendant que ce soit prêt. Vous pouvez mettre de la musique, si vous le souhaitez.

À peine examinait-elle le dernier enregistrement de Ravi Shanghar que le téléphone sonna.

— Un problème à la filature, annonça Hal quelques instants plus tard. Certaines bobines risquent de lâcher. J'ai déjà eu ce genre de problème, cette semaine. Le moment serait mal choisi pour qu'elles nous laissent tomber.

— Est-ce que cela ne peut attendre? Vous devez être affamé...

— Non, il faut que j'y aille, tout le monde m'attend. Mais inutile de m'accompagner. Reposez-vous, écoutez de la musique, je serai de retour dans une heure.

L'idée de se retrouver seule dans ce petit appartement d'étudiant séduisit Anna. Avec un manque de tact dont elle fut la première surprise, elle se mit à compulser les cassettes de musique d'Hal et en choisit une au hasard pour la glisser dans le magnétophone. Après les premiers accords, elle entendit une voix rauque susurrer :

« À trente-sept ans, elle comprit qu'elle ne descendrait jamais les Champs-Élysées en cabriolet les cheveux dans le vent »

Elle écouta quelques instants, puis éteignit brusquement. Les mots étaient trop réels, trop poignants pour qu'elle ne s'en émût pas. Dans six ans, elle aurait effectivement trente-sept ans et peut-être éprouverait-elle alors des regrets pour ce qu'elle n'aurait pas accompli. Histoire de se changer les idées, elle envisagea de téléphoner à Lynn; mais là encore, elle sentit monter en elle une bouffée de tristesse en pensant à l'état de solitude de sa belle-sœur, à cet enfant qui venait de naître et qui ne connaîtrait jamais son père.

La réponse à tous ses questionnements, elle l'avait toujours trouvée dans le travail, de quelque nature qu'il fût. Elle se leva et alla dans la cuisine sur le comptoir de laquelle elle découvrit un bol rempli d'œufs, ainsi qu'une botte d'épinards frais et un paquet de riz brun. Un rapide coup d'œil dans le réfrigérateur lui apprit qu'il contenait entre autres choses une tarte aux pommes, et deux fromages frais soigneusement emballés dans un papier film. Il lui parut parfaitement naturel de se laver les mains et d'entreprendre la préparation du repas.

Hal ne réapparut que deux heures plus tard en faisant irruption dans l'appartement le souffle court, une bouteille de vin blanc à la main.

— J'ai cru que ça ne finirait jamais, haleta-t-il. Après le départ des filles, je me suis chargé de la fermeture. En réalité, nous n'avons qu'une heure de retard sur notre plan de travail — il leva le nez — Humm, ça sent bon — puis, posant la bouteille sur la table déjà dressée — C'est fantastique; vraiment fantastique... Bon, eh bien, je vais faire un brin de toilette et j'arrive.

Après qu'ils eurent bu le premier verre de vin, Anna alluma les chandelles, puis servit la salade de riz et l'omelette. Hal lui parlait du musée de l'industrie quand, s'interrompant brusquement, il reposa sa fourchette sur le bord de son assiette.

— Que se passe-t-il? Vous n'avez plus faim? demanda Anna en reposant à son tour sa fourchette.

— Je suis mort de faim. Mais tout cela est si... différent.

— Il est vrai qu'il n'existe pas de pire cuisinière que moi, fit Anna en s'esclaffant. Quand c'était mon tour de cuisiner, au cloître, on avait l'habitude de dire que c'était une pénitence supplémentaire pour toute la communauté.

— Comment préparez-vous vos omelettes?

— Celle-là est restée au chaud dans votre four pendant une heure. C'est la raison pour laquelle elle est si caoutchouteuse; de toute manière, je les rate systématiquement : je ne sais trop à quel moment il faut verser les œufs dans la poêle. Quant au riz, il a collé au fond de la casserole et j'en suis désolée. Mais j'ai quand même récuré la casserole.

— Tout est de ma faute, Anna, je me suis absenté trop longtemps. Mais c'est très aimable de votre part d'avoir voulu préparer le dîner. Bien, ne touchez plus à cela; je reviens dans quelques minutes, contentez-vous de mettre quelques assiettes au chaud.

Hal revint dix minutes plus tard avec deux portions de « fish and chips » dont l'odeur de friture envahit aussitôt le petit appartement.

— Si Mademoiselle veut se donner la peine, fit-il avec l'accent français. L'accent est faux mais la morue est authentique.

— Non, merci, répliqua Anna en repoussant son siège, il est tard, il faut que je rentre, si vous n'y voyez pas d'inconvénient.

— J'en vois.

— Je vous demande pardon?

— Je vois des inconvénients à ce que vous partiez, fit-il patiemment comme s'il parlait à un enfant. Je désapprouve, je m'y objecte, je proteste, je m'insurge. Je vous ai dit que j'étais navré et c'est vrai. J'ai apprécié votre effort mais comprenez-moi bien : je ne fais qu'un repas par jour et je veux qu'il soit bon. À présent, asseyez-vous et mangez avant que ce ne soit froid.

Mais Anna restait obstinément debout. Hal s'installa à table et commença son dîner.

— Dans ce cas, excusez-moi si je commence sans vous.

Anna alla décrocher son manteau. Elle avait l'intention de quitter les lieux sans manifester son indignation, quand elle s'entendit articuler sèchement :

— Vous me surprenez. Vous parlez d'écologie et vous gaspillez un repas parfaitement mangeable. Au couvent, ce repas en aurait contenté plus d'une.

Hal déglutit péniblement et tenta calmement de raisonner Anna.

— Il n'était pas « parfaitement mangeable », il était... Écoutez, Anna, j'ai travaillé douze heures et depuis les neuf dernières heures, je n'ai rien avalé. Quelques œufs perdus, ce n'est pas la fin du monde. Allons, venez vous asseoir.

— Quatre, sans compter le reste, rétorqua Anna d'un ton acrimonieux. Ce repas aurait fait le bonheur de bien des gens.

— Vous n'allez pas encore me seriner votre histoire de famine en Afrique.

— Parfaitement, rétorqua-t-elle, encore hantée par les images d'Éthiopie qu'elle avait entrevues à la télévision, sans que cela l'eût empêchée de remplir son chariot de produits plus ou moins utiles chaque fois qu'elle s'était rendue au supermarché.

— C'est tout à fait votre droit; mais ne croyez-vous pas qu'il faudrait vous inquiéter de ce qui se passe dans votre propre pays, d'abord? Vous ignorez tout, bien sûr, de la pauvreté qui sévit à Bradford. Saviez-vous que cette ville a un des plus grands taux de mortalité infantile du pays? Non, bien sûr. Votre rôle à vous, c'est de prier.

Désarçonnée, ne sachant trop que dire, Anna regardait fixement Hal.

— Je ne savais pas... on ne m'en a jamais parlé...

Elle se sentit soudain envahie d'une grande fatigue. Argumenter n'avait jamais été son fort; il y avait tant de problèmes de par le monde, tant de gens qui avaient besoin d'aide... Hal dut se rendre compte de son état d'esprit car il se leva aussitôt et, contournant la table, vint poser sur Anna une main conciliante.

— Allons, vous avez beaucoup trop travaillé, ces derniers temps. Je crois que vous êtes un peu dépassée par les événements. Personne ne peut prendre en charge l'humanité tout entière, croyez-moi, pas même vous. Calmez-vous et tout ira bien.

Les deux verres de vin qu'elle avait bus lui faisaient tourner la tête. Les tempes douloureuses, les oreilles bourdonnantes, elle s'écria, au bord de l'exaspération :

— Ça n'ira pas du tout! En réalité, rien ne va! Toute cette histoire est en train de tourner au désastre. Je ne suis pas à la hauteur de ma tâche, pas plus que Simon ne l'a jamais été!

Une fois partie, elle eut l'impression de ne plus pouvoir s'arrêter, un peu comme si les vannes de ses inhibitions venaient tout à coup de lâcher, comme si la carapace de dignité et de froideur qu'elle s'était fabriquée pendant des années se craquelait de tous côtés.

— Je suis trop lasse pour continuer! poursuivit-elle avec véhémence. La filature n'a pas un sou vaillant et n'en aura jamais! Je crois qu'il ne nous reste plus qu'à vendre l'entreprise et, en ce qui me concerne, à retourner d'où je viens.

Loin d'être à court d'arguments, Hal se lança alors dans une plaidoirie en faveur de tous les gens dont l'existence dépendait de celle de la filature; des ouvrières, dont certaines y travaillaient depuis leur adolescence, de Peggy, bien trop âgée pour pouvoir se recycler, sans parler de Lynn, des enfants, du bébé...

C'est alors qu'elle le frappa. Au visage, sur les bras, le torse, avec l'intention de lui faire du mal. « Je te hais, je te hais », pensait-elle. Constatant son impuissance, elle se sentit gagnée d'une rage soudaine et se mit à le frapper de plus belle, non plus à mains plates, mais comme un homme, les poings fermés. Hal se tenait debout devant elle, se limitant à tourner la tête pour protéger son visage. Encore heureux qu'elle s'en tînt à cette réaction, se disait-elle; elle aurait voulu le tuer. Puis une brusque prise de conscience la glaça, laissant son geste en suspens devant une vision d'elle-même qui l'horrifia. Elle, sœur Gabriel, qui n'avait jamais levé la main sur qui que ce fût, se découvrait soudain une violence extrême.

— Mais je vous aime, hasarda-t-il avec un geste d'impuissance. Je vous aime — il lui immobilisa les poignets d'une main et les retint contre sa poitrine — M'entendez-vous? Je vous aime, Anna...

Non. Non et non. L'amour et son train de misères, elle n'en voulait pas. Dans une obscure volonté de dénégation de sa propre personne, elle se vit femme solitaire, destinée à tous les désenchantements.

— Non, lâchez-moi. Ôtez vos mains de sur moi, lâchez-moi!

Ils s'affrontaient du regard. Elle pouvait sentir le souffle précipité d'Hal. D'un violent coup d'épaule, elle le repoussa afin de se libérer. Déséquilibré, Hal relâcha sa prise et elle en profita pour faire volte-face et courir vers la chambre obscure dont elle referma violemment la porte dans son dos. Haletante, le dos appuyé au vantail, c'est alors qu'elle vit le lit.

C'était un lit ordinaire recouvert d'un couvre-lit tout aussi ordinaire, mais sur lequel se mêlaient des lumières de toutes les couleurs. Pendant un instant, se croyant victime d'une hallucination, elle ferma les yeux. Quand elle les rouvrit, rien n'avait changé, sinon que, cette fois, elle fut en mesure de discerner les nombreux ballons multicolores posés sur le lit et qui oscillaient doucement. Ils semblaient rattachés entre eux par des guirlandes lumineuses, de celles dont on se sert pour décorer les arbres de Noël. Dans une sorte de décor irréel, les lumières clignotaient doucement, jetant Anna dans une confusion d'esprit encore plus grande.

La tension de son corps sembla brusquement l'abandonner.

Ses bras, qu'elle gardait repliés sur sa poitrine dans une attitude défensive, retombèrent lentement, tandis que son souffle s'apaisait peu à peu. Quelques minutes plus tard, la poignée de porte oscilla et elle se déplaça instinctivement sur le côté pour livrer le passage à Hal.

Elle avait trop bu; mais pas assez cependant pour ne pas voir l'expression malheureuse de ses yeux verts, le pli amer de sa bouche, semblable à celle d'un enfant battu.

— Je vous déteste, bredouilla-t-elle sans la moindre conviction.

— Non, répliqua Hal d'une voix tranquille. Vous ne m'aimez peut-être pas, mais vous ne me détestez pas non plus.

— C'est vrai, reconnut-elle en exhalant un profond soupir. C'est vrai...

— Vous avez vu? s'enquit-il en désignant le lit du menton.

— Difficile à croire, renifla-t-elle. Dormez-vous toujours dans un décor de contes de fées?

— Je l'ai fait pour vous, fit-il gravement en épiant les réactions d'Anna. J'ai pensé que cela vous plairait.

— Pourquoi cela le devrait-il?

— Ce n'est pas ce que vous croyez, murmura-t-il, les yeux baissés.

Hal prit lentement la main d'Anna et la mit contre sa joue. Elle sentit la tiédeur de sa peau, avant de se rendre compte que c'était celle de ses larmes. Anna restait immobile à le regarder, surprise de voir un homme pleurer.

— Je voulais que ce soit une soirée particulière, tout comme vous. Je voulais vous demander de m'épouser, avant...

— Avant?

— Vous savez bien... avant...

— Avant quoi?

Mais, pour la première fois de sa vie, Anna connaissait la réponse. Et cette réponse l'incita à poser son autre main sur la joue d'Hal. Ses doigts éprouvèrent le contact rugueux de sa barbe naissante. De son pouce, elle caressa lentement le dessous de ses paupières.

— Vous pleurez, chuchota-t-elle.

— Ç'a été plus fort que moi; désolé... Je ne sais pas comment tout cela a pu arriver.

— C'est de ma faute, je m'en suis prise à vous alors que vous n'y étiez pour rien.

— J'aurais dû manger le dîner que vous aviez préparé.

— Il était immangeable.

— C'est vrai; mais j'aurais quand même dû le manger.

— Vous pleurez, vous aussi, dit-il en lui massant les tempes du bout des doigts. Ça fait beaucoup de pleurs.

Quand il la prit dans ses bras pour poser sa joue contre celle d'Anna, celle-ci sentit monter en elle une joie pure et simple, dénuée de tout sentiment de crainte ou de culpabilité. Elle lui ouvrit les bras, palpant les muscles durs et noueux des larges épaules d'Hal. Les creux et les bosses de leurs corps respectifs s'imbriquèrent étroitement. La main d'Hal remonta lentement le dos d'Anna pour lui caresser les cheveux.

— Voilà des semaines que j'attends cet instant, lui souffla-t-il à l'oreille. C'est exactement comme je me l'étais imaginé.

L'agitation intérieure qui commençait à bouleverser les sens d'Anna lui fit garder le silence. Hal enfouit son visage dans son cou et elle put sentir son souffle s'amplifier comme sous le coup d'une douleur intense.

« Je te désire, je te désire, mais pas ainsi, debout. Je veux te sentir nu contre moi. Je veux connaître tes lèvres sur ma peau. »

Sans la lâcher, Hal tomba à genoux et, relevant le chemisier, pressa sa joue contre le ventre d'Anna. Celle-ci referma alors ses bras sur la tête de Hal et se mit à le bercer doucement. Elle sentit le souffle de l'homme contre sa peau.

— J'entends ton cœur battre dans ton ventre. Je savais que tu en avais un et je n'ai jamais désespéré de l'entendre.

— Il se trouve pourtant à sa place, comme celui de n'importe qui.

— Mais tu n'es pas n'importe qui. Tu es une personne à part.

Elle s'imprégna de cette idée en silence. Ce n'était pourtant pas à cela qu'elle s'était astreinte durant toutes ces années de claustration. Elle s'était fait violence pour avoir une attitude effacée; elle avait accepté de se conformer aux règles de la communauté; elle avait renoncé à ses goûts, à ses opinions. Elle avait réprimé son individualisme et elle croyait y être parvenue. N'était-elle pas devenue identique à ses sœurs? N'était-elle pas ce carreau de verre si aisément remplaçable?

Sur ce chapitre, puisque c'était pour le bien de la communauté, sa démarche s'était avérée une réussite; du moins à certains égards parce que réductrice, parce que dans le monde extérieur, elle avait le sentiment de n'offrir aucun intérêt pour personne. Alors que ses années de couvent n'avaient fait qu'accroître sa pusillanimité naturelle et son manque de confiance en soi, voilà qu'Hal lui racontait qu'elle était un personnage unique. Comment ne pas le croire? Il avait l'air si honnête, si sincère. Elle déglutit douloureusement.

— C'est la chose la plus aimable que tu m'aies jamais dite.

Hal se redressa de toute sa hauteur.

— En voici une plus gentille encore : veux-tu m'épouser?

— Je n'en demandais pas tant, lança-t-elle d'un ton qu'elle voulut badin.

Elle vit Hal lui prendre le bras avec l'impression qu'il allait la secouer.

— Tu devrais savoir que, quand je dis quelque chose, c'est parce que je le pense.

Anna sentait les mots de protestation se bousculer sur ses lèvres. Elle était trop âgée, lui trop jeune; tout cela était ridicule. Mais elle se tint coite; il avait l'air si sérieux.

— Tu refuses de prendre en compte tout sentiment; les tiens comme les miens — il la relâcha et plongea dans les yeux d'Anna un regard brouillé, soucieux — Allons nous coucher — elle se raidit — Viens, allons nous coucher — Le désir rendait chaque syllabe lourde, pâteuse, avec une raucité du ton qu'elle n'avait jamais connue — Allons nous coucher, Anna. Regarde le beau lit que j'ai préparé pour nous. Regarde, il est plus beau qu'un lit de pétales de roses — il la prit par les épaules et la fit pivoter en direction du lit. Malgré son anxiété, elle ne put réprimer un rire amusé devant tant de naïveté, de candeur enfantine.

Il suffit à Hal de la pousser un peu pour qu'elle se laissât tomber parmi les ballons roses et bleus. Il se laissa tomber sur elle et, les yeux dans les yeux, ils regardèrent un instant le reflet des lampes multicolores clignoter au fond de leurs yeux. Un ballon éclata. Anna glissa une main derrière son dos pour repousser délicatement une guirlande. Leur joliesse un peu absurde la remplit d'une gaieté soudaine.

— J'espère que nous n'allons pas mourir électrocutés, sourit-elle.

— Ce n'est pas prévu au programme. Mais le reste l'est.

— Tout cela n'est-il pas un peu vieux jeu?

— Mais je suis vieux jeu.

Anna sentait le souffle chaud du jeune homme sur son visage.

« Je te désire; je te désire. Cesse de parler; cesse tes plaisanteries oiseuses. Tout ce que je veux, c'est te sentir encore contre moi. J'en ai besoin. Ne me fais plus languir après quelque chose que je ne puis concevoir. »

Hal fit glisser les manches du gilet d'Anna. Il commençait à déboutonner son chemisier quand il s'immobilisa.

— Sans remords? fit-il à la grande surprise d'Anna.

— Sans remords, répéta-t-elle laconiquement, espérant ainsi mettre un terme à cette soudaine valse hésitation.

— Ne te crois surtout pas obligée, insista-t-il cependant. Je ne veux surtout pas que, par la suite, tu changes tes sentiments à mon égard.

Pour toute réponse, elle fit glisser son chemisier par-dessus sa tête. Toujours sans mot dire, elle entreprit de lui dénuder le torse. Elle prit conscience de la nervosité de l'homme et cela apaisa quelque peu la sienne. Elle tira la chemise hors du pantalon d'Hal.

— Attends, c'est mon tour, grommela-t-il.

Les petites lumières éclairaient en alternance son front soucieux. Au moment où il atteignait l'agrafe du soutien-gorge

(celui qu'elle s'était offert pour son voyage à Londres), elle sentit inexplicablement monter en elle une bouffée de regrets pour la sorte d'abri qu'avait représenté sa chemise de nuit de flanelle.

Il fit glisser les bretelles sur les épaules d'Anna avec le plus grand soin, frôlant du bout de l'index le contour du sein, pendant que, le souffle en arrêt, elle luttait contre son envie de fuir avant qu'il ne fût trop tard, sachant que, si elle se dérobait maintenant, elle n'aurait plus jamais le courage de recommencer.

La main d'Hal se déplaça pour s'attaquer au revers de son jupon sans qu'elle cherchât à l'en dissuader davantage. Quand il atteignit la cuisse nue, elle le sentit ralentir sa progression. « Que va-t-il penser de moi? se demanda-t-elle soudain en pensant à ses bas et ses porte-jarretelles. Il va croire que je les ai mis à dessein, pour l'aguicher. » Mais n'était-ce pas un peu vrai? Quand Hal fit glisser sa jupe, elle cambra les reins afin de lui faciliter la tâche.

Elle voulut fermer les yeux très fort. Elle ne pouvait concevoir que ses grands yeux verts regardassent ainsi son corps qui, faute de présenter un buste acceptable, n'était pas même callipyge. Après qu'il eut parcouru de baisers le creux de son épaule, un souci de l'alternance lui fit murmurer :

— C'est à ton tour, à présent.

Les mains d'Anna rencontrèrent la boucle du ceinturon, qu'elle défit fébrilement avant de s'attaquer aux boutons. « Pourquoi pas une fermeture éclair? » se demanda-t-elle, pendant que, par petites touches, Hal lui prodiguait ses caresses.

Dans son lit, Hal semblait se mouvoir plus lentement encore que de coutume. Il émanait de son corps une exsudation sensuelle à laquelle elle ne pouvait résister. Étendue près de lui dans ce lit étonnant, ses mains renoncèrent aux boutons au profit du torse velu qu'elles parcoururent grandes ouvertes, tandis qu'un œil circonspect jaugeait les réactions de l'homme, inquiète qu'elle était de savoir si « elle s'y prenait bien ». Mais, ce dernier ayant fermé les yeux, elle jugea à propos de poser un baiser sur ses paupières qu'il avait tendres et luisantes. L'expression de jeunesse qu'elle y vit lui fit mal, se sachant bien plus ridée que ne le permettait son âge.

Au cours de ses pensées vagabondes, quand elle se demandait comment se déroulerait cet instant (si tant est qu'il se déroulât un jour), elle s'était toujours imaginée passive; elle se voyait comme une sorte de réceptacle, un vassal subissant la loi de son seigneur et maître. Depuis le temps qu'elle l'entretenait, cette notion était si enracinée en elle qu'elle était la première étonnée de ses réactions, à contre-courant de son éducation religieuse, et qui rendaient plus explicites encore ses besoins, ses exigences. Elle cessa de l'embrasser; il ouvrit les yeux.

— Je te désire...

Grands Dieux! Était-ce bien elle qui avait dit ces mots? Pour seule réponse, Hal se leva pour retirer son pantalon. Elle voulut ne pas regarder, mais elle regarda quand même et, dans la pénombre, le sexe de l'homme lui parut plus petit, plus inoffensif qu'elle s'y attendait. Tenaillée d'appréhension, elle vit Hal baisser les yeux vers son pénis qui pendait contre sa cuisse aux muscles néanmoins tendus.

— Tu l'as fait trop attendre, grimaça-t-il, il faut lui laisser le temps de s'habituer à la situation.

Elle ne put réprimer un ricanement étonné.

— Tu en parles comme s'il n'en faisait qu'à sa tête.

— C'est un peu cela; quoique je puisse parler en son nom et qu'en l'occurrence, une petite caresse d'encouragement serait la bienvenue.

Elle tendit prudemment une main qu'Hal s'empressa aussitôt de guider.

— Fais courir tes doigts, l'entendit-elle murmurer en le sentant se raidir.

Anna obéit, presque à contrecœur, cependant, pour avoir toujours cru ce geste trop intime pour être perpétré par quelqu'un d'autre. Toutefois, loin d'y voir la moindre perversité, elle observait son va-et-vient comme un jeu innocent qui lui procurait un étrange sentiment de puissance, la faculté d'éveiller un dangereux animal.

— C'est à mon tour, fit à nouveau Hal en repoussant Anna sur le lit.

Après avoir défait le porte-jarretelles d'Anna, Hal glissait deux doigts dans l'élastique de sa culotte, quand elle l'arrêta d'un geste.

— Dans ce cas, fais-le toi-même.

En deux coups de hanches, Anna se débarrassa du sous-vêtement sous le regard appréciateur du jeune homme.

— Superbe, râla-t-il en posant quelques guirlandes dorées sur le ventre d'Anna. Puis, la main posée sur ses seins, il se pencha vers elle la bouche ouverte comme s'il voulait l'avaler tout entière.

« Je te veux, je te veux. Je te sens comme un animal qui avance dans une sombre forêt. Regarde comme je m'écarte; regarde comme je m'ouvre à toi. »

Malgré ses pensées brûlantes, elle ne pouvait s'abandonner totalement, mais ne pouvait davantage dire non. Elle sentait son corps se raidir, ses jambes refuser d'accueillir le corps de l'homme sur le sien. Seul un frisson à fleur de peau disait oui, oui et oui.

Les véritables difficultés commencèrent quand elle sentit le pénis se frayer un passage. La décision manifeste du jeune homme de précipiter les événements le rendait soudain gauche à ses yeux, et, du même coup, conférait à ses gestes un caractère vaguement ridicule.

— Tout va bien, tout va bien, lui souffla-t-il à l'oreille. Ouvre-toi pour moi.

Mais rien n'allait, en fait. Peut-être à cause de cette crainte absurde qu'un autre ballon n'éclatât. Puis, oubliant ses inhibitions, elle comprit. Elle comprit enfin comment se donner, comment mouvoir son corps contre celui de l'homme. Elle le vit se dresser puis retomber sur elle et commencer en elle le lent et éternel mouvement de la mer sur le rivage.

Plus tard, après qu'elle eut trouvé un plaisir qui lui fit l'effet d'un sanglot, elle posa un baiser sur l'épaule de l'homme, et y goûta une trace de sel. Toujours en elle, il essuya délicatement les traces de sueur sur le visage d'Anna pendant qu'elle lui murmurait :

— C'était bien, dis? C'était bien?

— Oui, fit-il en laissant courir une main le long de son flanc. Oui.

— Ce sera encore meilleur la prochaine fois, c'est promis, chuchota-t-elle, tandis qu'elle le sentait couvrir son front de baisers.

— Je crois qu'entre nous, ça va être formidable, spécula Hal.

Quand il posa à nouveau les lèvres sur les siennes, Anna comprit qu'elle venait de guérir de ses blessures. Durant un instant infini, ils furent seuls dans un monde où rien d'autre n'existait qu'eux. Puis ils se détachèrent l'un de l'autre, conscients d'avoir donné et reçu. Les guirlandes continuaient de clignoter comme les lumières d'un radeau en plein océan.

Hal semblait dormir. C'est pourquoi elle se tint immobile sans faire de bruit, puisqu'il n'était pas question pour elle de trouver le sommeil. Elle était perdue dans ses souvenirs d'enfance pleins de guirlandes et de cadeaux quand Hal ouvrit un œil.

— Je crois que tu devrais appeler Lynn pour lui dire que tu ne rentreras pas de la nuit.

— Mais... que va-t-elle penser?

— Elle pensera que tu es en âge de mener ta vie comme tu l'entends. Tu n'as de compte à rendre à personne.

— Ce n'est pas exactement de cette manière que j'ai été élevée.

— Tout cela est terminé, maintenant. Je suis mort de faim. Que dirais-tu d'un bon « fish and chips »?

— Il doit être froid et graisseux.

— Pas du tout, j'ai pris la précaution de le garder au chaud, dans le four.

Ils allèrent donc manger leur « fish and chips », pendant que dans le magnétophone, une voix sirupeuse susurra :

« À l'âge de trente-sept ans, elle comprit qu'elle ne descendrait jamais les Champs-Élysées... »

Hal dormait, la main posée sur la hanche d'Anna comme

s'il craignait qu'elle ne s'enfuît. Elle gisait sur le dos, gardant le contact entre leurs deux corps, trop comblée, trop heureuse de découvrir cette chaleur masculine insoupçonnée, trop tendue aussi pour pouvoir s'endormir.

À la lueur des guirlandes, elle se mit à détailler ce visage qu'elle n'avait jamais osé vraiment regarder. Ainsi, ce fut comme si c'était la première fois qu'elle voyait la chevelure châtain surmontant un large front; large comme la mâchoire, d'ailleurs, accrochée à un cou fort et musculeux, alors que la bouche semblait esquisser une sorte de moue boudeuse. Si elle fut tentée de lui prêter des airs de chérubin, les pommettes hautes et la vieille cicatrice qui interrompait la ligne régulière des sourcils l'en dissuadèrent.

Comme il était beau! Elle s'était gardée de faire ce genre de constat, jusqu'au moment où elle s'était rendu compte de l'attirance qu'elle éprouvait pour lui. Avant cela, il n'était qu'Hal.

Elle éprouvait le sentiment d'avoir changé, en dépit de son esprit logique qui lui répétait qu'une femme ne se métamorphose pas en quelques instants sous prétexte qu'elle vient de se faire déflorer, tout tardivement que ce soit. Seulement, là, il n'était plus question de logique mais de cœur. Et son cœur la ramenait vers les contes de fées où, après avoir terrassé le dragon, le prince charmant vient délivrer la princesse captive.

Elle remua un peu, afin de mieux sentir la tiédeur d'Hal contre son flanc. Ce dernier murmura quelques mots inintelligibles qui la firent se dresser sur un coude.

Presque contre sa volonté, elle promena lentement une main sur le ventre de l'homme qui s'agita aussitôt en murmurant son nom. Elle voulut s'écarter, mais il l'attira contre lui en soufflant à l'oreille d'Anna :

— Non, reste, mon amour, reste…

Le charme qu'elle se découvrait soudainement la poussa vers le pénis doux et humide dont elle s'empara pour le porter à sa bouche. Électrisée par sa propre audace, elle en joua comme d'un flutiau et le sentit grandir et s'enfler.

— Continue, continue, râlait l'homme.

Au moment où il se coucha sur elle, elle s'ouvrit largement à lui et se sentit aussitôt envahie d'un flot d'indescriptibles sensations. Puis un tourbillon de plaisir l'aspira et l'engloutit jusqu'au sommeil.

CHAPITRE VINGT-TROIS

Une souris fièrement arborée dans la gueule, le chat passa devant les bureaux vides et obscurs et entra dans celui de Stan Beattie. En le voyant, ce dernier froissa la lettre qu'il venait de lire pour la deuxième fois et la lança gauchement en direction de l'animal. Celui-ci ne réagit pas, se limitant à regarder l'homme d'un œil indifférent. Exaspéré, l'homme balaya d'un revers de main ses effets personnels entassés sur son bureau avec un grondement de rage. Effrayé, le chat abandonna la souris sur place et quitta les lieux.

Beattie se rassit pesamment et prit sa tête entre ses mains. Difficile d'admettre qu'il allait devoir quitter Nightingale Mill. Il y était entré à vingt ans, du temps du vieux Frank Summers, et ce dernier lui avait tout appris. Stan Beattie pouvait se targuer de connaître son métier mieux que n'importe qui, mieux que cet idiot de M. Simon.

Quel gâchis! Ce pauvre type s'était suicidé sans se soucier de tous les gens qui comptaient sur lui. Après avoir jeté une pile de magazines dans la corbeille à papier, Beattie ouvrit un tiroir et en sortit une bouteille de whisky écossais dont il avala deux bonnes lampées.

C'était comme ça : après tant d'années de bons et loyaux services, il se faisait sacquer comme un malpropre et, pour couronner le tout, Maynard Gideon lui écrivaient pour lui dire combien ils étaient navrés mais que, pour le moment…

Rien. On ne lui proposait rien. Il s'était personnellement déplacé pour mettre Stern en garde contre les femmes Summers, et en retour, on le laissait tomber comme une vieille chaussette. En fait, Stern n'avait jamais eu l'intention de faire quoi que ce soit pour lui et quand il lui avait demandé de se tenir à l'écart, ç'avait seulement été un moyen de le museler afin qu'Anna Summers puisse tranquillement réaliser ses projets ridicules. En y repensant bien, Beattie se demandait si le banquier n'était pas pour quelque chose dans son congédiement. Non que cela eût grande importance : dans deux ans de là, la filature fermerait ses portes, c'est sûr. Surtout avec les idées de grandeur de la défroquée qui ne savait jamais si elle pensait avec sa tête ou avec son cul.

Les mains moites, Beattie alluma une cigarette, jeta l'allumette dans la corbeille à papier et croisa les jambes sur son bureau. Le chat était revenu. Assis sur le pas de la porte, il regardait fixement Beattie.

Il était seul sur les lieux. Garé à quelques pas de la filature, Beattie avait attendu qu'Hal et la Summers fussent sortis pour y entrer et gagner son bureau. Il était toujours là quand le jeune homme était revenu à cause d'une panne de machine — comme d'habitude — et il s'était empressé d'éteindre son bureau jusqu'à ce qu'Hal eût rejoint l'atelier. Il avait fait la même chose, à neuf heures, quand les ouvrières étaient parties. Assis dans l'obscurité, il avait patiemment attendu que le bâtiment fût enfin silencieux.

De toute manière, il n'avait rien à dire à tous ces gens. Trente années de travail balayées sans un mot de remerciement. Après la manière dont il s'était comporté, à quoi devait-il s'attendre? lui avait demandé sa femme. À une montre en or massif, peut-être?

Le chat dressa les oreilles et tourna son regard vers la corbeille à papier. C'était une corbeille de rotin bon marché et elle commençait à fumer. Mais Beattie ne broncha pas. Cela ne le concernait plus. Il se contentait de biberonner son whisky en remâchant ses griefs. Puis, tirant de sa poche sa lettre de licenciement, il la froissa rageusement et la laissa tomber dans la corbeille à papier. Le papier prit immédiatement feu, embrasant du même coup la pile de magazines. C'est alors que lui vint à l'esprit une magnifique idée qui allait le venger de toutes les brimades qu'il venait de subir.

Beattie se leva en titubant et alla récupérer la boulette de papier qu'il avait lancée au chat pour la mettre au panier. Il resta un instant à regarder fixement les mots qui le condamnaient se tordre et noircir sous la morsure du feu.

Avec une dignité toute féline, le chat le précéda tandis que, s'emparant de la corbeille en feu, Beattie traversait la cour d'emballage et se rendait dans la grande salle où étaient entreposés les grands cônes de laine, sans allumer les lumières puisqu'il connaissait l'endroit comme sa poche. Puis il examina un instant les lieux, apprécia la faible hauteur du plafond au-dessus duquel se trouvait l'atelier, avec son plancher et ses cloisons de bois.

À bout de bras, car la corbeille commençait à chauffer, il laissa tomber quelques morceaux de papier enflammés parmi les débris de cartons qui jonchaient le sol et attendit, un sourire sardonique sur les lèvres, que l'un d'eux prît feu. Puis, à grands coups de pied, il fit un tas sur les braises naissantes.

Pendant quelques instants, il envisagea d'y verser du pétrole ou de l'alcool à brûler, mais il se ravisa. Cela aurait équivalu à signer son crime, alors que, jusqu'à présent, tout porterait à croire qu'il s'agissait d'un simple accident. Récupérant la corbeille noircie par les flammes, il décida de se débarrasser de cet objet compromettant en allant le jeter dans l'Aire. D'où il était, seule la petite fenêtre des toilettes y accédait. Après maints efforts et un carreau cassé, il réussit à l'ouvrir, pour se rendre finalement compte que l'ouverture était trop petite. De guerre lasse, il abandonna le récipient sous un évier après l'avoir bourré de papier essuie-mains.

Il avait passé plus de temps dans les toilettes qu'il ne l'avait escompté car il pouvait déjà entendre le ronflement des flammes et sentir même une fumée âcre lui irriter la gorge. La porte de la remise laissée sciemment ouverte lui permit de voir les flammes s'élever contre les murs de bois. Un coup d'œil lui suffit pour se rendre compte que le plancher était déjà en flammes. C'était un magnifique feu de joie, constata-t-il, immense, apaisant, un splendide brasier qui le contraignit cependant de se plaquer contre le mur pour regagner la cour recouverte. L'esprit embrumé par les vapeurs d'alcool, il vit le chat monter précipitamment les marches de bois qui conduisaient à l'atelier. Stupide animal, il n'en sortirait pas vivant.

Beattie regardait l'animal d'un air hébété, sans se rendre compte que les flammes gagnaient du terrain. Le passage qui accédait à la remise était à présent la proie des flammes. Une odeur pestilentielle de laine brûlée arrivait jusqu'à lui en volutes parmi les gerbes d'étincelles. Il fallait battre en retraite et vite, à présent. Sa vie était en danger.

Il titubait en direction des bureaux, quand un craquement sourd se fit entendre. Il tourna alors la tête pour voir que quelque chose venait de s'effondrer. Les flammes étaient plus hautes que lui, maintenant. Il pouvait même les sentir aspirer l'oxygène des poumons. Comme hypnotisé, le visage cramoisi par le souffle brûlant de sa vengeance, il fixa d'un œil hagard le déferlement d'énergie destructrice qu'il venait de provoquer. Il resta ainsi longtemps, immobile, le regard éteint. Derrière les panaches de fumée, il crut alors voir une ombre, une sorte de fantôme enveloppé dans une houppelande parmi des fumerolles dantesques, qui gesticulait dans sa direction, sans qu'il comprît s'il lui faisait signe de se jeter dans les flammes ou de s'en écarter. Décidément, cette diablesse de religieuse ne cessait de le hanter. Il la voyait partout. Un long frisson le parcourut; il s'ébroua, pivota lentement sur ses talons et commença à se diriger vers les bureaux quand un grand pan de mur lui tomba sur la tête.

La cloche du couvent sonnait, mais Anna était bien résolue à ne pas y répondre.

— Réveille-toi, Anna! Réveille-toi!

La voix grave et pressante d'Hal la fit immédiatement passer du rêve à la réalité. Elle était nue, dans son lit. Toute cette agitation lui paraissait sans fondement, pas plus que la manière fébrile avec laquelle Hal enfilait son pantalon. La lumière lui fit clignoter des paupières.

— Que se passe-t-il?

— C'est grave...

Elle le vit s'agenouiller au pied du lit pour ajouter :

— Habille-toi, Anna, nous devons aller à la filature; il y a eu un incendie.

Anna bondit hors du lit et se précipita dans la salle de bains, espérant avoir le temps de prendre une douche. Soudain, elle eut la vision des cônes de laine alignés dans la remise.

— Hal! Notre nouvelle production a-t-elle subi des dégâts?

— Je l'ignore. J'ai eu la police au téléphone, on ne m'a pas donné beaucoup de détails. Je leur ai simplement demandé de ne rien dire à Lynn de cet accident; elle risquerait de s'inquiéter inutilement...

Anna se tenait debout au milieu de la cour, parmi les ballots de laine détrempés. Le bâtiment était plongé dans l'obscurité, mais les faisceaux des projecteurs des trois camions de pompiers et des voitures de police dispensaient un éclairage suffisant pour appréhender l'ampleur du sinistre. Appuyé à la portière de son véhicule, le microphone à la main, un policier échangeait des informations avec le répartiteur central.

— Quand pourrons-nous entrer? demanda-t-elle à un pompier ruisselant d'une sueur noire.

— L'incendie est maîtrisé mais il n'y a plus d'électricité. Vous risqueriez de vous blesser dans l'obscurité.

Retirant son casque, le pompier s'épongea lentement le front avant de poursuivre :

— D'une certaine manière, vous avez eu de la chance; ce bâtiment aurait brûlé comme une torche si on ne nous avait pas avertis à temps.

— Avertis? Et par qui?

— Vous pouvez remercier la vieille dame qui travaille chez vous. C'est grâce à elle si ce bâtiment est encore debout, expliqua-t-il en désignant une ambulance garée près d'une voiture de police.

Hal vint la rejoindre, accompagné d'un policier, et lui prit la main.

— Anna, Peggy est dans l'ambulance; mais elle va bien, s'empressa-t-il d'ajouter. Elle m'a brièvement raconté ce qui s'est passé : elle a travaillé tard et s'est endormie sur son bureau. Ce sont les flammes qui l'ont réveillée.

— Peggy? Es-tu sûr qu'elle est indemne?

— Certain. Elle a eu beaucoup de chance…

Alors que le groupe se dirigeait vers l'ambulance, le policier demanda :

— Vous a-t-on mis au courant au sujet de votre directeur?

— Votre collègue m'a dit qu'on l'avait transporté d'urgence à l'hôpital dans un état très grave, semble-t-il, répondit Hal.

— En effet. Il est très grièvement brûlé au visage et au corps. L'ambulancier prétend qu'il faudra procéder à des greffes. Il a également une jambe cassée. Il semblerait qu'une cloison se soit abattue sur lui et qu'il ait pu ramper jusqu'à la cour; c'est ce qui l'a sauvé.

— Je n'arrive pas à comprendre les raisons de sa présence ici et à cette heure-là, intervint Anna, sidérée.

— Nous non plus, rétorqua le policier. Il souffre trop pour pouvoir parler. De plus, il semble dans un état d'ébriété très avancé. Nous ne découvrirons des indices qu'après le lever du jour, si toutefois l'état du bâtiment le permet…

— Essayons de parler à Peggy, proposa Hal. Mais je crois qu'il faudra la ménager…

Peggy était étendue sur une civière. Son visage était recouvert de suie sur laquelle les larmes avaient tracé de longs sillons. Les yeux rouges et tuméfiés, elle fut saisie d'une violente quinte de toux, tandis qu'Anna lui prenait la main.

— Grâce à Dieu, vous êtes sauve. Quand on m'a dit que vous étiez blessée, je n'arrivais pas à le croire. Je vais vous accompagner à l'hôpital.

— Merci, ma chérie, c'est bien gentil, murmura Peggy avec un faible sourire. Mais c'est de ma faute; je n'aurais jamais dû rester au bureau si tard sans que personne ne soit au courant.

— Mais pourquoi l'avoir fait, Peggy? demanda Anna d'une voix tremblante.

Parcourant le visage de la vieille employée, Anna remarqua ses cheveux roussis et l'absence de sourcils, la peau anormalement rouge des joues et du front. Exténuée, Peggy ferma les yeux.

— Je voulais vous faire une surprise, murmura-t-elle. Vous m'aviez dit que vous étiez impatiente de voir les nouveaux échantillons...

— Mais Peggy, il ne fallait pas!

— Oh, cela ne demandait que quelques heures de travail. Ce n'est pas de votre faute, c'est de la mienne. J'étiquetais les échantillons dans le petit atelier et, sans doute à cause de la chaleur du radiateur électrique, je me suis assoupie. Quand je me suis réveillée, il y avait une fumée terrible et une épouvantable odeur de brûlé... Elle s'interrompit quelques instants pour reprendre son souffle — J'ai tenté d'ouvrir la porte, mais elle était coincée. Comme il n'y avait pas de fenêtre, j'étais coincée. Je me suis mise à crier, mais j'avais oublié que j'étais seule. C'est vous qui m'avez sauvée, conclut-elle dans un sanglot.

— Comment cela, Peggy?

— C'est alors que j'ai vu votre grand manteau accroché à une patère, poursuivit la vieille femme, les yeux embués de larmes. Je l'ai mis sur mes épaules et j'ai réussi à enfoncer la porte, expliqua-t-elle en touchant son épaule endolorie. Je me suis pratiquement retrouvée au milieu des flammes. Je pouvais à peine respirer, je ne voyais plus rien. J'ai rabattu le capuchon sur ma tête et j'ai avancé jusqu'aux bureaux sans m'arrêter.

— Nous vous devons beaucoup, Peggy. Si vous n'aviez été là, la filature n'existerait plus, à l'heure qu'il est.

Mais Peggy n'avait pas fini sa narration.

— C'est alors que j'ai vu Stan, poursuivit-elle d'une voix faible. Je l'ai vu là-bas, de l'autre côté des flammes, en train de me regarder comme si j'étais un fantôme. « Stan! Aidez-moi! » lui ai-je crié. Mais il ne bougeait pas. Il se contentait de me fixer sans faire le moindre geste.

Peggy fut saisie d'une violente quinte de toux. Passant un bras derrière le dos de la vieille dame, Anna l'aida à se redresser un peu.

— C'est la fumée, expliqua-t-elle entre deux quintes. J'ai cru que j'allais mourir asphyxiée.

— Nous partons dans une minute, annonça l'ambulancier.

— Oui, bien sûr, un instant encore, continuez, Peggy.

— Comme je vous le disais, il me regardait fixement, puis il a pris la mauvaise direction, vers les flammes. Je lui criais de revenir, mais il ne m'entendait pas. Il poursuivait son chemin en titubant, comme un dément, quand quelque chose s'est abattu sur lui. Pauvre Stan...

Épuisée, Peggy ferma les yeux tandis que des larmes sillonnaient ses joues.

— Il vous doit la vie, Peggy, murmura Hal.

— Pas du tout. Il s'est débrouillé pour ramper jusqu'à la cour. J'ai couru jusqu'à la porte métallique et j'ai immédiatement appelé les pompiers.

Une nouvelle quinte de toux, plus violente que les autres, incita l'ambulancier à mettre un terme à la conversation.

— Je l'accompagne à l'hôpital. Je serai de retour dès que possible, annonça Anna en plongeant son regard dans celui d'Hal.

Elle aurait voulu ajouter d'autres mots, mais elle se limita à un simple :

— Prends soin de toi.

— Très bien, répondit Hal avec une légère pression de la main sur le genou d'Anna. Ne t'inquiète pas, je m'occupe de tout. Nous nous verrons demain.

Lynn, Anna et Hal faisaient un premier constat des dommages. Quelques ballots de mohair avaient brûlé et d'autres étaient trop roussis pour pouvoir être utilisés. Bien que noircis par la fumée, quelques cônes de soie et de laine pouvaient être encore sauvés. En fait, c'était surtout les mélanges synthétiques qu'Anna détestait tant qui avaient brûlé, à cause justement de leur haute teneur en produits inflammables. Mais, grâce à Dieu, les nouvelles créations étaient sauves.

Au fur et à mesure de leur progression, le trio put constater que les plus grands dommages avaient été causés non par les flammes, mais par la fumée. Cependant, l'atelier était pratiquement intact. Le feu n'avait pas eu le temps de se propager par le plancher de bois, mais avait cependant déposé sur les surfaces une mince couche de suie nauséabonde.

Puis ils s'installèrent dans le bureau de Peggy devant une tasse de thé.

— Ce bureau est différent sans Peggy, commenta Lynn en tournant distraitement sa cuillère. Je l'ai obligée à rester chez elle pour prendre un peu de repos. Elle tenait absolument à rentrer ce matin.

— Et comment va Beattie? s'enquit Anna.

— Je n'en sais rien et je ne veux pas le savoir, répliqua sèchement Lynn. Je ne lui pardonnerai jamais d'avoir mis la vie de Peggy en péril. Nous savons à présent que tout est de sa faute. Je regrette, Anna, mais je suis incapable d'autant de clémence que vous.

— Son état est stable, annonça Hal d'un ton neutre. Il souffre beaucoup, semble-t-il.

— Est-ce qu'il guérira? insista Anna.

— Cela prendra du temps, des mois, probablement...

— Daniel Stern est-il au courant du sinistre?

— Je l'ai appelé plusieurs fois. On essaie de le joindre...

— Je croyais qu'il avait un téléphone dans sa voiture... proposa Hal.

— Mon Dieu, suis-je stupide... C'est vrai. Mais on refusera sûrement de me communiquer son numéro. D'autre part, je ne voudrais pas qu'il s'alarme inutilement. Je ne voudrais pas non plus qu'il croie que la situation est pire qu'elle ne l'est en réalité. Tâchons de mettre une sourdine, fit Anna avec un geste d'impatience.

— Je vais l'appeler, moi, proposa Lynn.

— Oh, très bien, fit Anna sans se faire prier.

Mais comme l'avait prévu Anna, sa tentative se solda par un échec : on refusait de lui communiquer le numéro de téléphone de la voiture de Daniel Stern.

— Nous ne sommes pas plus avancés, lâcha tristement Anna. Quand je pense que la délégation arrive dans trois jours... Pensez-vous que nous aurons assez de temps pour tout remettre en état?

— Regardez! s'exclama brusquement Lynn en pointant la porte du doigt.

Le chat apparut, le pelage ébouriffé et maculé de suie. Levant la tête vers le groupe, il émit un miaulement plaintif et Lynn s'empressa de lui verser un peu de lait dans une soucoupe. Hal se pencha vers l'animal et se mit à le caresser entre les oreilles.

— Si cet animal s'en est tiré, nous le pouvons aussi, conclut-il laconiquement.

Après que Lynn fut partie chercher les enfants à l'école, Anna alla rejoindre Hal et l'équipe de nettoyage dont il avait retenu les services le matin même.

— Voilà, c'est terminé, annonça le responsable. C'est tout ce que nous pouvons faire jusqu'à ce que votre entrepreneur ait donné son avis.

Une fois le camion débordant de débris calcinés parti, Anna et Hal se dirigèrent vers la vieille voiture d'Anna.

— Lynn et moi souhaiterions te nommer directeur de production. Acceptes-tu le poste, Hal?

— Je ne sais pas, répliqua Hal, apparemment embarrassé.

— Je suis sûre que ce poste te convient parfaitement. La filature pourrait revivre grâce à toi. Je t'en prie, accepte.

Hal s'immobilisa pour regarder Anna dans les yeux.

— Je ne peux accepter ce poste, après ce qui s'est passé entre nous. Nous pourrions, toi et moi, connaître des situations de conflit.

— Mais cela n'a aucun rapport... Elle prit au vol la dernière phrase : Nous n'allons pas nous quereller, n'est-ce pas?

— Probablement que si, hélas. Cela enrichit la vie de couple, paraît-il.

— Mais je n'ai jamais dit que j'acc...

Hal la regardait avec une expression bizarre, résignée et déterminée à la fois.

— Je le sais très bien. Mais j'attendrai aussi longtemps qu'il faudra, décréta-t-il en posant une main timide sur l'épaule d'Anna. Sais-tu quels sont les mots les plus difficiles à prononcer? Comme elle ne répondait pas, il enchaîna d'une voix mourante : « je t'aime ».

Hal lui laissa le temps d'entrer dans la voiture, avant de lui murmurer par la fenêtre ouverte :

— Je t'aime.

Puis il tendit la main et lui caressa tendrement la nuque en la regardant droit dans les yeux. Si grand que fût son amour pour Anna, il semblait vouloir faire abstraction des événements de la nuit passée, comme s'il la laissait entièrement libre de poursuivre ou non leur relation amoureuse.

Elle regagna son domicile, l'esprit si préoccupé qu'elle était incapable de récapituler les différents événements de la journée. Hal lui avait dit qu'il l'aimait, et elle n'avait rien répondu. Il y avait des jours, comme ça, où elle se détestait de toutes ses forces.

— Permettez-moi de vous présenter Mlle Summers. Voici M. Daimaru, représentant la société Odakyu, de Tokyo.

Par-dessus le bourdonnement des interprètes, la voix forte et posée de Walter Street imposait le silence. Vêtues de leurs plus beaux atours, Lynn et Anna serraient des mains en répétant consciencieusement le nom des personnages qui leur étaient présentés. Un peu plus loin, le délégué du ministre du Commerce s'entretenait avec une quinzaine de visiteurs étrangers.

— Grâce à Dieu, le chauffage a été rétabli, murmura Lynn à l'intention d'Anna. Je craignais que tous ces gens ne meurent de froid. Mais où est donc Daniel Stern? A-t-il bien reçu notre invitation?

— J'ai communiqué deux fois avec sa secrétaire.

Anna se passa machinalement la main dans les cheveux. Depuis cette invitation, elle n'avait eu pour toute réponse qu'une carte sur laquelle était simplement écrit « Je viendrai ».

Un homme entre deux âges portant complet du bon faiseur, lui adressa un regard intéressé, tandis qu'une Japonaise lui disait dans un excellent anglais :

— Nous attendions tous avec impatience ce grand événement.

Anna présenta un Hal qu'elle ne connaissait pas, en costume et cravate, à un groupe de Japonais tout en courbettes et en sourires.

— M. Hallam est notre directeur de production. C'est lui qui fera l'exposé technique.

Hal fit donc une rapide présentation de l'ancienne machinerie et des techniques de filage et de tissage, avant que, comme prévu, Anna prît la relève.

D'une voix transportée d'enthousiasme, elle expliqua comment et pourquoi, en cette époque de haute technologie, les produits de Nightingale Mill fabriqués selon des méthodes ancestrales restaient uniques en leur genre. Pour la circonstance, ce serait une erreur d'interrompre le fonctionnement des machines, avaient-ils décidé d'un commun accord. C'est pourquoi, afin de garder à l'atmosphère de la filature toute son authenticité, la visite des ateliers se fit dans le grondement des machines. La seule requête qu'avait aimablement adressée Anna à ses employées, c'était que les postes de radios fussent éteints.

Son discours terminé, Anna espéra que son enthousiasme serait partagé. Les quatre jours passés s'étaient déroulés dans un état de fébrilité inouïe. Les travaux de nettoyage avaient permis de récurer des recoins oubliés depuis des décennies. Les plus vieilles employées avaient été incapables de dire quand les carreaux des fenêtres avaient été lavés pour la dernière fois. Il avait donc fallu cet incendie pour que le grand lessivage fût entrepris. À cause du manque de temps, on avait remplacé les travaux de peinture par de grandes affiches publicitaires récupérées chez les grossistes en laine, montrant pour la plupart des troupeaux de moutons. Anna avait aussi suggéré que les ouvrières se vêtissent de couleurs attrayantes. Quand elle passa près d'elles, les anciennes, Edna, Viv, Dawn, lui adressèrent un clin d'œil complice. Rene, elle, l'index et le médius écartés, lui fit le V de la victoire.

La petite troupe fut enfin conviée à gagner le bureau directorial, le bureau d'Anna, grâce à la persuasion de Peggy, où l'on fit passer le sherry et les petits fours. Sous son fond de teint,

Anna se sentait pâle et vaguement ridicule avec son foulard de soie bleu autour du cou et sa nouvelle permanente. Mais, constatant la maestria avec laquelle Lynn tenait son rôle d'hôtesse, elle s'efforça de faire face en souriant.

— Bien joué, petite fille, magnifique, vint lui murmurer Walter Street à l'oreille. Tout ce beau monde a l'air très impressionné et je ne crois pas que cet incendie vous ait causé beaucoup de tort, finalement — il pointa Hal du menton — Je crois que tu lui dois une fière chandelle.

— Merci, Walter, répondit Anna, la main posée sur le bras du vieil homme. C'est vrai. Mais je ne serai vraiment heureuse que lorsque notre carnet de commandes sera plein. Tenez, dites-moi ce que vous en pensez.

Anna lui tendit une des liasses d'échantillons reliés que les religieuses avaient préparées pour elle et dont la couverture s'ornait de l'inscription *« Natural Spinning Company »* soigneusement calligraphiée. La page de garde relatait brièvement l'histoire de Nightingale Mill, tandis que, sur chaque carton supportant l'échantillon, une légende expliquait en détail la nature et la composition du textile.

— Vos produits sont admirables, mesdames, les seuls qui leur soient comparables ne sont disponibles qu'en Italie — M. Tagaki tortilla du cou dans son col de chemise trop serré — Vous ai-je présenté Mlle Masui? fit-il en se retournant vers la femme qui l'accompagnait.

Parmi les membres de la délégation japonaise, Mlle Masui était de loin la plus remarquable. À la fois délicate et sévère, la personne en question portait allègrement la quarantaine, grâce à ses cheveux coupés court, sa large frange et son sourire gracieux. L'ensemble qu'elle portait était visiblement de haute facture.

— En tant qu'acheteurs pour une chaîne de magasins connue à travers le Japon, nous sommes très intéressés par votre production. Néanmoins, avant de vous passer commande, nous aimerions nous assurer de la constance dans la couleur et la qualité de vos produits.

— Naturellement, il va sans dire, acquiesça Anna, tout

excitée.

— À cet égard, intervint Mlle Masui, nous avons entendu dire que vous éprouviez quelques difficultés au sein de votre organisation.

Anna ne souffla mot. Qui avait pu les mettre au courant? Beattie? Impossible, pas dans l'état où il se trouvait.

— Vous devez faire erreur, balbutia Lynn. Puis, soufflant à l'oreille d'Anna : Mais où est donc votre satané banquier?

— Ce n'est pas ce qu'on nous suggère par ailleurs, insista la Japonaise d'un ton doucereux. Nous avons cru comprendre que le président de cette société est disparu depuis peu et que vous auriez pris la relève au pied levé, poursuivit-elle.

— C'est vrai, admit Anna. Je ne travaille ici que depuis quelques mois. Néanmoins, cette affaire a été créée par mon grand-père; je suis pour ainsi dire dans la profession depuis toujours.

— Certes. Mais il semblerait aussi que vous connaissiez quelques difficultés d'ordre financier, des problèmes de liquidités, je crois. D'ailleurs, j'ai cru remarquer que vous n'avez en stock que de très petites quantités des échantillons que vous nous proposez.

— Il est vrai que nous ne pouvons assumer de trop grandes immobilisations de stock. Toutefois, dans la mesure où votre clientèle nous sera assurée, nous pourrons honorer nos commandes sans le moindre problème.

— Je crains que vos moyens de production ne soient insuffisants pour satisfaire notre demande, poursuivit Mlle Masui. Nous sommes une chaîne de magasins très importante.

— Vous avez sûrement remarqué que nous avons eu un petit incendie. Cela s'est passé la semaine dernière et les travaux de rénovation sont déjà commencés. Tous ces problèmes ne sont que temporaires, argua Anna.

— Je ne voudrais pas m'immiscer, mademoiselle Masui, s'interposa Walter Street, le front soucieux, mais je vous rappellerai que Nightingale Mill a le soutien d'une des plus importantes banques londoniennes; n'est-ce pas, Anna?

Mais Anna ne répondit rien. Bluffer à ce point ne faisait pas encore partie de ses habitudes. Après un silence douloureusement long, elle se limita à répondre :

— Nous espérons que la banque Maynard Gideon continue de nous apporter son aide...

Elle ne pouvait mieux dire, tant il était vrai que la banque ne leur avait pas davantage retiré son aide. Près d'elle, Walter Street fit une moue navrée.

— ... Mais nous pensons que tout cela sera réglé dans les jours à venir, conclut-elle, consciente du cercle vicieux dans lequel elle se trouvait.

Anna guetta sur le visage de la Japonaise une réaction qui, hélas, ne vint pas. Tout ce qu'elle eut en retour, ce fut quelques formules de regrets polies.

— Vous comprendrez, j'en suis sûre, que nous ne pouvons attendre indéfiniment. Cette affaire sera conclue sous quarante-huit heures ou ne le sera jamais. J'ai pris néanmoins grand plaisir à cette visite, fit-elle en faisant une rapide courbette. Acceptez mes remerciements.

— Eh bien, tout est dit, soupira Walter. Il est peut-être temps d'aller déjeuner.

Captant le regard du vieil homme, le représentant du ministère entraîna les visiteurs vers la sortie en distribuant force poignées de main accompagnées des formules de politesse d'usage. S'efforçant de cacher sa déception, Anna ménagea un sourire à la cantonade, sans cependant parvenir à abuser Hal.

— Aucun résultat?

— Aucun. Sans soutien financier, nous n'avons aucune chance, fit-elle sans se départir de son sourire.

— Et merde...

Anna se sentit soudain très lasse. Moralement et aussi physiquement. Tant d'efforts inutiles, tant de nuits passées à échafauder un projet utopique...

— Il n'y a plus rien à faire, annonça-t-elle à Hal. Ces gens-là s'en vont d'une minute à l'autre. Je vais aller les saluer.

À peine avait-elle gagné le hall d'entrée que Daniel Stern

fit son apparition.

Strictement vêtu d'un « trois-pièces » de banquier, Stern se confondit en excuses pour son retard dû au mauvais temps et, par conséquent, aux déplorables conditions routières. Cela fait, il entreprit de faire, de main de maître, un exposé de la position de Maynard Gideon, sorte de mandataire sauveur de causes perdues, appuyant ses dires avec force documents et projections financières quant à la résurrection de Nightingale Mill.

— En tant que banquiers, nous sommes convaincus du succès de cette entreprise, argua-t-il. De ce fait, leurs dirigeants sont assurés de toute l'aide financière dont ils auront besoin. Et croyez bien que je suis navré que mon retard ait pu causer quelque confusion dans l'esprit des personnes ici présentes.

— Pas autant que moi, murmura Peggy dans le dos d'Anna.

Près d'elle, Lynn lui adressa un petit coup de coude lui annonçant le retour de M. Tagaki et de Mlle Masui.

Le dernier visiteur aimablement poussé vers la sortie par Walter Street ravi, Daniel Stern choisit un canapé au saumon fumé avant de s'adresser à Anna.

— Pourrais-je avoir une tasse de café?

Peggy disparut aussitôt pour aller préparer du café frais. Après un regard éloquent en direction d'Anna, Hal sortit à son tour. Lynn envisagea un instant de s'installer dans le fauteuil directorial, mais préféra finalement aller se percher sur un coin du bureau, pendant que Stern compulsait pensivement les échantillons épars.

— Ils ont l'air extraordinaires. Rappelez-moi d'en emporter quelques-uns. Qui est l'auteur de ces superbes illustrations?

Anna lui expliqua alors combien elle était redevable à sœur Peter et au couvent tout entier.

— Je dois leur rendre visite ce week-end. Je le leur ai promis.

— Dites-leur bien que ce fut un grand succès. Je crois que votre carnet de commandes est suffisamment plein pour les six mois à venir.

— C'est vrai. Mais nous devons nous montrer prudents. Il est dangereux d'être tributaire d'un seul client.

— Nous comptons aussi prospecter le marché européen. Je suis certaine que notre production y connaîtra le même succès qu'auprès des Japonais. Anna et moi allons y veiller personnellement, intervint Lynn.

— Je suis heureux d'apprendre votre participation aux activités de l'entreprise. Vous avez l'air en grande forme. Mais dites-moi : comment va votre petite fille?

Quelques minutes plus tard, Lynn quittait à son tour le bureau, non sans avoir chaleureusement remercié Stern pour sa brillante prestation.

— Grâce au Ciel, la cavalerie est, une fois de plus, arrivée à temps, conclut-elle avec un sourire.

— C'est vrai, ponctua Anna, une fois seule avec Stern. J'étais persuadée que vous nous aviez retiré votre aide.

— Et pourquoi donc? Je n'ai jamais laissé entendre rien de tel.

— Nous n'avions aucune nouvelle de vous ni de la banque…

— Je vous avais pourtant assuré de notre aide lors de notre rencontre au *Victoria Hotel*. Je croyais tous les arrangements pris.

— Mais ce n'étaient que des arrangements verbaux, vitupéra Anna, incapable de croire à la bonne foi de Stern. Je ne pouvais avoir de certitude sans document écrit. Qui plus est, je craignais que vous…

— Que je fasse partie de ces hommes qui se vengent parce qu'une femme les a éconduits. Merci pour le compliment, mais je ne suis pas de ceux-là. Que voulez-vous, en ce qui a trait à la séduction, on n'est jamais sûr de rien, expliqua-t-il d'un ton léger.

Anna songeait qu'une fois de plus, elle s'était fourvoyée. Apparemment, elle était seule à accorder de l'importance à un incident qui, pour Stern, était insignifiant.

— Et puis, ma secrétaire vous a téléphoné pour vous dire où me contacter.

— Je n'en ai jamais eu connaissance.

— Apparemment que si, puisque j'ai reçu la visite de Stan Beattie.

— Pardon?

Stern lui raconta alors par le menu l'intervention de Stan Beattie et sa proposition de prendre lui-même en charge la présidence de la filature.

— Je lui ai même écrit en lui répondant qu'il n'en était pas question.

— Et moi, de mon côté, je l'ai renvoyé...

— Très bien, apprécia Stern. Apparemment, voilà une prise de position qui aura été profitable à chacun d'entre nous.

— Ce qui nous permet de repartir du bon pied, acquiesça Anna.

— Mieux que cela encore, si j'en juge par cette visite, sourit Stern. Nous mettons les plus grands espoirs en vous. Je veux des rapports, des graphiques, des prévisions... et profiter de votre présence chaque fois que vous viendrez à Londres.

— Cela me paraît acceptable, fit Anna, imperturbable.

— Je voudrais aussi que vous me mettiez au courant de vos voyages; nous avons de nombreuses filiales à l'étranger et nous pourrions peut-être vous aider. Au fait, que diriez-vous d'un vrai dîner, je constate que vous ne portez plus l'habit...

— J'y ai définitivement renoncé.

— Voilà une décision de taille. Ce changement d'existence doit vous paraître bien étrange...

Il y eut un instant de flottement au cours duquel Anna se demanda où Stern voulait en venir exactement. Voulait-il faire allusion à l'étrange nuit qu'ils avaient passée ensemble? Afin de cacher son trouble, elle se mit à poser les verres vides sur un plateau. Daniel Stern se leva et vint à son tour poser sa tasse sur le plateau, avant de prendre timidement la main d'Anna.

— Vous avez fait un travail magnifique, Anna. Permettez-moi de vous en féliciter. Mon invitation à dîner était très sérieuse, insista-t-il en pressant légèrement les doigts d'Anna.

— Cela ne me déplairait pas, répondit-elle en récupérant dignement sa main.

Le souvenir de leurs ébats auxquels elle avait si hâtivement mis un terme lui revint en mémoire, lui faisant à la fois prendre conscience de sa propre séduction et du fait que cet homme l'avait sincèrement désirée. Elle comprenait que, de quelque nature que fussent leurs relations futures, Stern était un homme qui ne la poursuivrait pas vainement de ses assiduités, et qu'en dépit de sa réaction, il lui vouait une affection sincère.

Elle eut la révélation de pouvoir envisager ses propres sentiments et ceux de Stern de manière calme, sans passion. Peut-être l'homme parviendrait-il un jour à l'aimer. Cependant, sa retenue conjuguée à l'échec qu'il avait déjà connu lui éviteraient sans aucun doute de se laisser submerger par ses sentiments. Contrairement à Hal, il ne permettrait jamais que son bonheur reposât entre les mains d'autrui.

Ils restèrent quelques instants immobiles sur le seuil de la filature, le regard fixé sur un ciel de plomb, pendant qu'un léger crachin leur picotait le visage.

— Donnez-moi de vos nouvelles...

— Je n'y manquerai pas.

— Je regrette de partir aussi précipitamment, mais vous savez ce que c'est...

Il la prit dans ses bras et posa un tendre baiser sur la joue d'Anna. C'était un baiser chaste, cordial, léger, vaguement distrait. Il releva frileusement le col de son manteau.

— N'oubliez pas mon invitation à dîner.

Elle resta un instant immobile à regarder la voiture s'éloigner, pendant que, installé sur l'appui de la fenêtre du bureau de Peggy, le chat la fixait de ses grands yeux verts.

CHAPITRE VINGT-QUATRE

Comme au jour de son arrivée, elle se tenait debout devant l'entrée du couvent, le regard fixé vers la vallée où, parmi la campagne verdoyante, coulaient trois rivières aux couleurs de métal fondu.

Deux mois plus tôt, elle avait reçu une missive de mère Emmanuel lui annonçant que, sa renonciation officielle étant arrivée, elle devait se présenter au couvent pour la signer. Cette ultime visite, Anna l'avait reportée de semaine en semaine, prétextant chaque fois un empêchement plus ou moins crédible qui prétendait cacher une vérité autre. Une sorte de vertige de l'incertitude avait envahi ses pensées et la faisait reculer devant l'obstacle final. Ce matin-là, elle s'y était finalement résolue et, sans rien dire à personne sinon à Lynn, elle avait sauté dans le premier train.

Devant elle, se dressait à présent la porte massive, lourdement cadenassée, derrière laquelle elle était restée si longtemps cloîtrée, et auprès de laquelle elle reconnut l'antique machine qui permettait à la sœur tourière de réceptionner ce qui provenait de l'extérieur. Quand elle fit tinter le battant de la cloche, personne ne lui répondit.

Étonnée, elle recula de quelques pas au grand soleil, et suivit du regard l'allée bordée de rhododendrons qui menait à la chapelle. À cette heure-là, elle devait être déserte, se dit Anna, mais elle s'y dirigea néanmoins.

Après avoir silencieusement poussé la petite porte, elle jeta un coup d'œil furtif pour se rendre compte que la chapelle vibrait d'un bourdonnement monocorde, pendant qu'en alternance s'élevait une voix :

« Notre Seigneur au plus haut des cieux... »

Sœur Thomas à Becket récitait le psaume, pendant qu'Anna avançait posément dans l'allée centrale. Derrière l'autel, le prêtre célébrait une messe, tandis qu'au premier rang se tenaient des personnes dont Anna en reconnut quelques-unes. Que se passait-il donc?

« Notre Seigneur au plus haut des cieux,
prends son âme sous ta Sainte protection... »

La voix pure de sœur Louis lui fournit la réponse. Elle comprit alors pourquoi les religieuses se trouvaient dans la chapelle plutôt que de vaquer à leurs occupations coutumières. Elle se déplaça jusqu'à la grille qui séparait le chœur des religieuses de la chapelle ouverte. Derrière la grille, face à l'autel, Anna vit le corps de la femme dont la dépouille était revêtue de l'habit de religieuse, le scapulaire gris, la guimpe blanche sous le voile noir, le cordon qui ceignait la taille avec ses trois nœuds symbolisant les trois vœux monastiques, et le grand crucifix d'argent posé sur la poitrine.

Le cœur serré, Anna comprit sans même voir son visage, que sœur Godric gisait dans le chœur où elle était venue si souvent prier. Le grand cierge pascal, symbole d'éternelle lumière, brûlait lentement à la tête du cercueil. Parce que la vie fait partie de la mort, une couronne de fleurs fraîches avait été déposée à ses pieds.

Deux religieuses, sœur Vincent et sœur Louis, veilleraient la dépouille pendant tout le jour en récitant des prières. Deux autres les relayeraient pour la nuit. Ainsi, sœur Godric ne se présentait pas seule devant son Créateur.

Les lumières des cierges tremblèrent dans ses yeux pleins de larmes, et Anna se sentit soudain envahie d'un affreux accès de jalousie envers les religieuses. Contrairement à elle, elles avaient pu dire adieu à leur vieille compagne; elles avaient entendu le raclement du bois annonciateur de mort. Elles s'étaient précipitées à l'infirmerie et, à son chevet, avaient prié les saints pour qu'ils intercèdent en faveur de sœur Godric. Puis elles s'étaient retirées sur la pointe des pieds et avaient attendu dans la pièce voisine afin que sœur Godric pût tranquillement rendre son âme à Dieu.

À travers le vitrail, le soleil dispersait des reflets jaunes et pourpres. Anna se laissa tomber sur le siège le plus proche puis, la tête baissée, enfouit son visage dans ses mains à la recherche d'une prière.

Les religieuses emportèrent le corps de sœur Godric. Trois par trois, les plus fortes soulevèrent le cercueil pour le transporter hors du chœur. Seule, Anna se leva à son tour en s'agrippant à la grille, le regard tourné vers sœur Peter et sœur Rosalie. Anna savait parfaitement où elles se rendaient. Suivies du reste de la troupe, elles passeraient devant les cellules, traverseraient le réfectoire et la bibliothèque, puis descendraient le long couloir au bout duquel se trouvait la statue de saint Joseph à qui elles adresseraient quelques prières. Puis elles défileraient d'un pas lent dans la cour intérieure pour se rendre quelque part du côté du couchant.

Anna prit le temps de se signer et de faire la génuflexion devant l'autel avant de se précipiter, de courir presque, vers le mur du cloître, là où se trouvait la clé donnant accès à l'intérieur de l'enceinte. La clé était bien là, cachée derrière une pierre branlante. Une fois à l'intérieur, elle courut en direction du potager.

Juste derrière les ruches, se dressait une grille de fer forgé que l'Ordre avait ramenée de France et contre laquelle sœur Godric avait coutume de faire pousser des roses trémières. Cette année, les pétales dont la vieille religieuse se servait pour la confection de ses pots-pourris joncheraient le chemin de pierre.

Au moment où elle la rejoignit, la procession avait atteint le petit cimetière, autre cloître qui séparait ad vitam æternam la dépouille de la défunte du reste du monde. Cachée derrière son écran de roses, elle vit le prêtre bénir la tombe avec son encensoir. Puis, à l'aide de bandelette de lin blanc, le corps frêle de la défunte fut descendu dans la fosse car, ainsi que l'exigeait l'Ordre, rien ne devait séparer la dépouille de la terre dont elle était issue.

La troupe se mit à genoux et Anna en fit autant. Par trois

fois, on demanda à Dieu d'accepter en son sein l'âme de sœur Godric, avant que deux religieuses se missent à pousser la terre de leurs mains sur le corps de la défunte.

Anna s'éloigna, refit le parcours à travers le potager jusqu'à la cour intérieure. Comme chaque été, les plantes et les fleurs allaient exhaler leur parfum à travers tout le cloître, et les religieuses les humeraient durant tout l'été. Elle avançait lentement, peu soucieuse qu'on la surprît, l'esprit tout à sœur Godric qu'elle avait tant aimée.

Elle monta les marches de la maison silencieuse. Comme toujours, la porte de l'ancienne lingerie, à présent le bureau de la mère prieure était grande ouverte. Sur la longue table, s'empilaient des factures et quelques documents disparates. Anna compulsa rapidement ces derniers. Donations, concessions...Ah, voilà : Rome, sœur Gabriel. Ouvrant fébrilement la chemise bleu ciel, elle en tira un épais document intitulé en gros caractères noirs « Renonciation de vœux ».

Un crayon à bille hâtivement saisi, Anna eut tôt fait de signer le document, avant de s'emparer du second exemplaire qu'elle enfouit dans la poche de sa robe.

Puis elle retira l'anneau d'argent et le posa soigneusement sur la chemise bleu ciel. Avec le temps, constata-t-elle, il avait causé une légère dépression à la base de son annulaire.

Au pied de l'escalier, entendant la procession revenir, elle alla se cacher derrière la porte de la bibliothèque. Quand les religieuses se rendraient au réfectoire pour aller boire un verre de vin à la mémoire de sœur Godric, elle se faufilerait dans le parloir et, de là, vers la sortie.

Un bruit l'incita à regarder par la fenêtre. La pièce était assombrie par la proximité de l'ancienne salle de musique sur les vitres de laquelle une vigne vierge tentait à grand-peine de survivre. Un murmure sourd répercutait son écho sur les murs de la pièce vide.

C'était Lis. Elle fredonnait une des chansons favorites de sœur Godric. Elle regardait droit devant elle, aussi ne vit-elle pas Anna tapie dans l'ombre. Elle paraissait heureuse, heureuse comme Anna ne l'avait jamais vue.

Lis disparut et Anna comprit alors que son absence du cloître ne revêtait pas le caractère dramatique qu'elle avait d'abord cru. Lis était heureuse, elle avait pris la relève. Au cours du prochain hiver, c'est elle, sans doute, qui serait chargée de la fabrication des hosties. Dans cette enceinte, rien ne changerait jamais.

« Une religieuse, c'est comme un carreau cassé : quand il est brisé, il suffit de le remplacer. »

Elle courut, à la fin. Courut devant le pavillon du gardien où M. Dunbabbin faisait du feu, hiver comme été. Le souffle court, elle regarda un long moment les collines de Welshpool. Nulle hâte, à présent. Libérée de ses vœux, elle descendait de la montagne vers la vallée, vers la promesse d'une vie nouvelle, d'un chemin tout neuf. Le monde s'ouvrait à elle, et cela, sœur Julian l'avait compris. C'était un monde séduisant, mystérieux, dont elle ignorait à peu près tout.

Pour la première fois de sa vie d'adulte, elle n'avait pas la moindre idée de ce dont seraient faits ses lendemains : elle était entre les mains de Dieu.

Anna gardait les yeux fixés sur la vallée, où trois rivières poursuivaient inéluctablement leur cours. Dans le ciel couleur lavande, un oiseau poussa son cri.